Rousseau

Solitude et communauté

ÉCOLE PRATIQUE DES HAUTES ÉTUDES — SORBONNE
VIe SECTION : SCIENCES ÉCONOMIQUES ET SOCIALES
CENTRE DE RECHERCHES HISTORIQUES

Civilisations et sociétés 30

MOUTON · PARIS · LA HAYE

BRONISŁAW BACZKO

Rousseau
Solitude et communauté

traduit du polonais par
Claire Brendhel-Lamhout

MOUTON · PARIS · LA HAYE

ۥ

c c

© 1970, Europa Verlag, Wien
Titre de l'édition originale : *Rousseau : samotność i wspólnota*

© 1974, pour l'édition française : Ecole Pratique des Hautes Etudes et Mouton & Co
Traduit du polonais par Claire Brendel-Lamhout

ISBN : 2-7132-0023-7 et 2-7193-0413-1

Imprimé en France

Préface

Tout projet d'écrire une introduction aux livres comporte une antinomie que Hegel relevait déjà non sans humour. Si l'introduction se propose d'être un exposé abrégé des contenus, ou du moins des questions principales de l'ouvrage (surtout d'un ouvrage volumineux), alors le livre lui-même devient superflu, puisqu'il n'équivaut qu'à un développement de l'introduction. Si, par contre, la problématique du livre est épuisée dans ses parties respectives, toute introduction devient inutile. Comme on le sait, Hegel a lui-même proposé à ces difficultés une solution singulière : il lui est arrivé d'écrire des introductions qui constituent à elles seules des œuvres philosophiques.

L'habitude a été prise d'attribuer parfois à la préface d'autres fonctions. Celle-ci doit en quelque sorte informer non pas tant des contenus que des intentions qui ont guidé l'auteur, ainsi que des présuppositions sur lesquelles le livre est fondé. Elle doit être quelque chose d'intermédiaire entre un credo méthodologique et un récit autobiographique. Mais, même ces fonctions-là, les préfaces en général ne les assument pas. Leur place dans la structure du livre a quelque chose de mystifiant. On sait en effet qu'on ne commence pas à rédiger un livre par la préface, qu'en réalité elle ne rend pas compte des premiers pas franchis, qu'elle est plutôt un regard jeté en arrière sur toute la route parcourue. On sait également que les intentions et les présuppositions ne précèdent le livre qu'en partie. Elles prennent forme, se précisent et se transforment au cours de la route que l'auteur parcourt, et au bout de laquelle lui non plus n'est plus ce qu'il était au début du livre. Elles ne sont donc ni un point de départ, ni un point d'arrivée — elles sont indissociables du processus même de l'écriture, de la route parcourue. De plus, l'historien des idées sait que dans la structure de toute œuvre, les intentions et les prémisses inconscientes de l'auteur jouent un rôle non moins essentiel que les intentions et les prémisses conscientes. Alors qu'il consacre à l'étude des premières une part considérable de son effort, il ferait preuve de naïveté ou de fatuité si, en exposant ses propres présuppostions et intentions, il espérait avoir personnellement réussi à se situer au-delà des prémisses et des significations inconscientes, de cette dimension qui confère aux pensées et aux actions humaines leur durée et leur participation dans l'histoire.

Une autre fonction attribuée parfois aux préfaces consiste à justifier le besoin de s'occuper de la problématique abordée. Cette argumentation semble particulièrement nécessaire dans le cas d'ouvrages consacrés à la vision du monde de penseurs qui ont joué un rôle éminent dans l'histoire de la pensée humaine et ont fait l'objet d'une littérature désormais si abondante qu'il est impensable qu'un individu la saisisse dans sa totalité, faute non seulement de connaissances suffisantes, mais surtout de possibilités matérielles (tout simplement parce que sa vie n'y suffirait pas). Or, cette circonstance plaide en faveur des nouvelles tentatives d'interprétation plutôt qu'à leur encontre. Il en est ainsi dans le cas de Jean-Jacques Rousseau. La littérature consacrée à Jean-Jacques forme déjà une vaste bibliothèque « rousseauiste ». Toute réflexion philosophique et, surtout, toute réflexion qui correspond à une tentative consciente de rendre compte du monde dans sa totalité s'engage dans l'effort de mettre le monde en question et de lui conférer une nouvelle signification, de l'enrichir de sens nouveaux. Procéder à l'analyse historique des visions du monde de nos prédécesseurs, en l'orientant dans une perspective anthropologique et en cherchant à accéder au concret humain, c'est tenter d'établir un contact avec cet effort générateur de valeurs, de saisir en lui ce qui est durable et universel, comme ce qui est temporel et particulier. En appliquant au passé les questions, les concepts et les valeurs d'une autre époque, en subordonnant ces opérations à la recherche de la vérité sur le passé, l'historien des idées vise à transformer l'objet de ses études, le fait historique figé, en un problème ouvert. L'œuvre de Rousseau était — et est — particulièrement ouverte aux questions, pensées, attitudes et conflits de l'homme, car ce qui l'imprègne, c'est la quête douloureuse et dramatique d'une relation univoque à un monde qui se manifeste comme étant ambigu et opaque, comme appartenant en propre à l'homme et lui étant à la fois étranger. Mais en même temps, cette œuvre traduit la conscience que, aussi longtemps que le monde gardera précisément ce caractère, chaque autodétermination restera ambiguë et paradoxale, et « l'existence de l'homme pour soi » ne sera ni durable, ni achevée. C'est peut-être la raison pour laquelle l'œuvre de Jean-Jacques ne s'est jamais transformée en fait — elle est demeurée un problème.

Les préfaces assument encore parfois — et ce avec profit — une fonction particulière d'information : elles préviennent le lecteur de ce qu'il ne trouvera pas dans le livre proposé. Dans notre cas, il conviendrait de préciser deux choses. Ce livre n'est pas une monographie sur Rousseau, puisque nous n'y relatons pas sa biographie ; nous n'analysons pas la totalité de son œuvre dans sa succession chronologique, ni n'examinons la littérature du sujet. Nous nous sommes appliqués à dégager la thématique de l'œuvre de Jean-Jacques, à saisir l'unité de la vision du monde que celle-ci contient, non pas en tant que système de thèses et de solutions, mais en tant que structure de tensions et de problèmes.

Ce livre n'est pas non plus consacré à la seule vision du monde de Rousseau. Justement parce que nous voulions saisir dans son unicité le concret humain que son œuvre contient, nous avons dû recourir à certains modèles et constructions structurantes. Tout en risquant le provisoire et le schématique, nous devions donc reconstituer les problèmes

*les plus généraux du siècle des Lumières en tant que formation intellec-
tuelle ; nous devions esquisser sa dynamique, c'est-à-dire centrer notre
attention sur l'émergence des problèmes annonçant la crise de la pensée
des Lumières, faisant éclater ses cadres et ouvrant la perspective de sa
négation dialectique, dans laquelle la continuité ne s'accomplit que par
l'opposition. Il fallait enfin signaler au moins la nécessité d'envisager
l'œuvre de Jean-Jacques d'une manière spécifiquement rétrospective
— dans l'optique des différents rousseauismes qui y ont puisé leur
inspiration.*

*Ainsi, il a suffi que nous entreprenions de préfacer ce livre pour que
nous nous exposions d'emblée aux ennuis que suscite toute introduction. C'est avec une satisfaction d'autant plus grande que nous voudrions
bénéficier au moins d'une fonction de la préface que l'auteur considère
comme la plus évidente et la plus agréable. Qu'elle serve avant tout
d'occasion pour exprimer ma reconnaissance et mes sincères remercie-
ments à tous ceux, de mes proches et de mes amis, qui m'ont éclairé
de leurs conseils et de leurs critiques, et ne m'ont ménagé ni leur encouragement, ni leurs bonnes paroles.*

Varsovie, 1964

PREMIÈRE PARTIE

L'aliénation et le « monde des apparences »

L'aliénation, concept et thème

« Notre individu n'est plus que la moindre partie de nous-mêmes. »
Tout le long de son œuvre, l'auteur des *Confessions* et du *Contrat social*
exprime le sentiment déchirant d'être étranger dans le monde où il vit,
s'engage dans un dur effort intellectuel pour comprendre et expliquer
cette situation, accuse et condamne avec passion la réalité justement
parce qu'elle est devenue étrangère non seulement pour lui, mais pour
l'homme en général. Les descriptions et les analyses de Rousseau traduisent et forment un type nouveau de la sensibilité sociale et humaine :
elles sensibilisent à la dimension historique de l'existence de l'homme
aliéné, de sa propre activité sociale et de ses produits, à l'expérience
de cette aliénation ressentie comme la perte de l'identité et de l'authenticité, le sentiment d'être étranger à soi-même, de ne pas se reconnaître
dans un monde qui ne constitue pas une totalité signifiante. Aussi
l'agencement des thèmes de l'œuvre de Jean-Jacques autour du problème
de l'aliénation nous situe-t-il en quelque sorte d'emblée à l'intérieur de
sa vision du monde.

Tout en dégageant dans l'œuvre de l'auteur du *Contrat social* le problème de l'aliénation, nous sommes conscients de la modernisation ainsi
opérée et du danger d'a-historisme qui s'ensuit. Nous modernisons d'emblée en employant le terme « aliénation » dans le sens que lui donne
la philosophie moderne. Rousseau, lui, l'emploie dans le sens étymolo-
gique et dans le contexte établi par la tradition de la jurisprudence :
pour lui, l' « aliénation » consiste en un acte de cession ou de vente,
lequel peut porter sur une chose, comme sur un droit ; cet acte se
trouvant entre autres à la base du contrat social [1]. Mais la modernisation à laquelle nous procédons va encore plus loin. A l'époque même
où le problème de l'aliénation devient un thème autonome en philosophie, c'est-à-dire au début du XIXᵉ siècle et, surtout, chez Hegel et Marx,
la philosophie des Lumières était précisément considérée comme l'expression idéologique des rapports d'aliénation. Pour Hegel, la philosophie des
Lumières — ou d'une manière plus générale tout le style de pensée
des Lumières — est l'expression « du monde de l'esprit réifié [2] », pour
Marx, c'est précisément le modèle de société du *Contrat social*, avec sa
scission de l'individu en « homme privé » et en « citoyen », qui est
l'expression classique de l'aliénation politique dans la démocratie bourgeoise [3]. La littérature romantique prend elle aussi conscience du caractère
aliénant des rapports capitalistes à travers la critique de l'idéal social du

siècle des Lumières comme — d'une manière plus générale — à travers la critique de la conception utilitariste et individualiste de la personnalité et des rapports sociaux.

Ces quelques observations illustrent les difficultés de l'analyse ici entreprise, mais elles n'en réfutent pas la légitimité.

Dégager un ensemble de phénomènes, entre autres en le nommant, représente un moment particulièrement important dans la prise de conscience des situations et attitudes humaines existantes à une époque donnée, de ses conflits et antinomies. Cependant, ce moment se produit alors que le processus est relativement avancé. Ainsi, dans l'idéologie, des courants définis émergent bien avant que les idéologues prennent conscience de la particularité du mouvement des idées donné ; cette prise de conscience se traduisant entre autres par l'élaboration d'un nom défini pour ce courant. Le romantisme est déjà mûr comme courant d'idées quand apparaît le terme même de « romantisme », compris d'ailleurs dans les acceptions les plus diverses. L'inadéquations de l'appareil conceptuel existant à un nouvel ensemble de phénomènes, l'élaboration de concepts provisoires en vue de la saisie et de la connaissance de cet ensemble dans sa particularité, la transformation de concepts existants auxquels on confère de nouveaux contenus, la création de ce que Mannheim appelle des « anti-concepts » *(Gegenbegriffe)* par rapport aux concepts dominants à l'époque donnée [4] — tous ces phénomènes sont très importants pour la sociologie et l'histoire des idées. En effet, l'une des premières tâches de l'historien, en particulier de l'historien des idées, est d'accéder aux attitudes et présuppositions, dont les documents idéologiques témoignent uniquement d'une manière indirecte, soit qu'elles aient échappé à la conscience des écrivains à l'époque donnée, soit qu'elles n'aient pas fait l'objet de leur réflexion car ils les considéraient comme des évidences qui se manifestaient dans l'observation de la réalité même [5].

Toute l'œuvre de Rousseau est dominée par le sentiment du caractère aliénant des rapports qui s'étaient instaurés à son époque. C'est de ce sentiment que provient le recul que Jean-Jacques prend à l'égard de son siècle, et il est l'un des principaux thèmes de la réflexion de l'auteur du *Discours sur l'inégalité* ; sur lui se greffent non seulement le diagnostic de son époque, mais encore la caractéristique de la société en général [6]. En particulier la critique de la société en tant que telle, son opposition à la nature est faite en fonction des phénomènes d'aliénation qui se manifestent dans la vie sociale. Cependant, temporairement, nous ne nous arrêterons pas à l'opposition générale : nature-société. Nous n'examinerons la critique sociale de Rousseau que sous l'aspect qui concerne la société contemporaine de Jean-Jacques. Cette démarche nous semble légitime. En effet, Rousseau lui-même considérait que les processus d'aliénation, caractéristiques de toute société, se manifestent à son époque avec une intensité particulière. Presque toujours chez Rousseau, la critique de la société est avant tout la critique de sa propre époque. L'opposition de l'homme social à l'homme naturel — thème essentiel de la pensée de Jean-Jacques — peut servir comme point de départ à l'explication du diagnostic qu'il formule sur le « siècle éclairé », mais cela est également vrai pour la démarche inverse : le diagnostic du « siècle éclairé » explique les fonctions multiples de cette opposition dans la doctrine de l'auteur d'*Emile*.

Nous voudrions en outre donner à notre analyse le déroulement suivant : esquisser au préalable la caractéristique générale de la société aliénée telle que la voit Rousseau, examiner ensuite de plus près certains thèmes significatifs pour Rousseau dans son analyse des phénomènes d'aliénation, passer enfin au problème de la place des conceptions de Rousseau parmi les doctrines de son époque et présenter l'enchevêtrement des conditions dont l'impact rendit l'auteur des *Confessions* particulièrement sensible à ce type de problématique.

Le monde de l'aliénation

Ce qui caractérise l'œuvre de Rousseau, c'est l'emploi de thèses se rapportant à la société globale, et non pas à tels ou tels de ses aspects et éléments. Qui plus est, les caractères observés dans les différentes sphères de la réalité contemporaine, Rousseau les attribue généralement à la société dans son ensemble. Dans son image du monde, Rousseau passe donc très facilement des phénomènes particuliers aux caractéristiques globales. Or, l'ensemble de ces caractéristiques globales compose précisément une vision du monde dans laquelle le rôle dominant revient aux phénomènes d'aliénation. « Nos écrivains regardent tous comme le chef-d'œuvre de la politique de notre siècle les sciences, les arts, le luxe, le commerce, les lois, et les autres liens qui resserrant entre les hommes les nœuds de la société par l'intérêt personnel, les mettent tous dans une dépendance mutuelle, leur donnent des besoins réciproques, et des intérêts communs, et obligent chacun d'eux de concourir au bonheur des autres pour pouvoir faire le sien [7]. » Tel est le modèle — utilitariste et individualiste — d'une société dans laquelle le lien social est ramené à l'intérêt particulier (nous y reviendrons par la suite), et où la dépendance mutuelle sur la base des besoins communs engendre l'harmonie du bonheur personnel et du bien public.

De l'avis de Jean-Jacques, ce modèle, cet idéal est accepté par « tous les écrivains », par « les philosophes », et Rousseau lui-même reconnaît que les rapports sociaux réels s'instaurent conformément à ce modèle. Mais ce dont il s'agit, c'est que, « en les examinant avec attention et sans partialité », on constate que ces rapports possèdent beaucoup moins d'avantages qu'ils ne semblaient en présenter de prime abord [8]. En effet, seul un « accord fortuit de toutes les circonstances nécessaires » peut donner lieu à « un concours de rapports dans tant d'intérêts [9] », concours dont on suppose, dans ce modèle, qu'il fonde l'harmonie sociale. En réalité, la vie sociale est un jeu d'intérêts individuels contradictoires et les hommes, afin de vivre entre eux, doivent « se supplanter, se tromper, se trahir, se détruire mutuellement [10] ». Chacun, en agissant au nom de son bien personnel, doit s'opposer aux autres, réaliser son propre intérêt aux dépens des autres et des intérêts de la société dans son ensemble : « C'est ainsi que nous trouvons notre avantage dans le préjudice de nos semblables, et que la perte de l'un fait presque toujours la prospérité de l'autre [11]. » Nous sommes uniquement en présence d'un « ordre apparent, destructif en effet de tout ordre », d'un « ordre social

prétendu qui couvre en effet les plus cruels désordres [12] ». Cette opposition
de l'apparence et de la réalité joue chez Rousseau un rôle primordial
dans sa caractéristique des rapports sociaux. Une société d'intérêts qui
se croisent — intérêts des particuliers comme des groupes ou corps sociaux — est un monde où règnent l'inégalité sociale, l'oppression des
uns par les autres ; Rousseau parlant en général de l'oppression des
« pauvres » par les « riches », des « faibles » par les « forts et
les puissants [13] », et associant l'inégalité à la propriété. « Le premier qui
ayant enclos un terrain, s'avisa de dire, ceci est à moi... » — qui ne se
souvient de cette célèbre apostrophe du *Discours sur l'origine de l'inégalité*...

L'opposition des intérêts particuliers a pour effet que « nul ne veut
le bien public que quand il s'accorde avec le sien », même si « chacun
feint de vouloir sacrifier ses intérêts à ceux du public [14] ». Les lois et
l'État qui devraient être l'expression des intérêts ou de la volonté de
la société dans son ensemble, deviennent l'instrument de domination
des puissants sur les faibles, en vertu « du droit du plus fort ». Mais
« la force est une puissance physique », et aucun lien moral ne peut
en résulter ; seule une apparence de loi existe donc dans la société ;
l'Etat et les lois sont « extérieurs » par rapport aux sujets, ils les divisent, au lieu de les unir, de les intégrer [15]. La société où les intérêts se
croisent, engendre un monde en apparence simple ; chacun se comportant en égoïste et le motif de chaque action étant l'intérêt, il suffit de
connaître les « intérêts (des gens) pour deviner à peu près ce qu'ils
diront de chaque chose [16] ». Mais cette apparence de simplicité dissimule
des rapports extrêmement complexes. Dans la description de la société
par Rousseau, un des motifs majeurs est la complexité des rapports
sociaux à l'issue de la dépendance mutuelle entre les hommes, en particulier du fait de l'existence de besoins artificiels et du règne de l' « opinion ». « L'univers entier (devient) nécessaire à chaque homme »,
« l'homme en société cherche à s'étendre [17] ».

« Ainsi l'homme s'approprie tout mais ce qui lui importe le plus de
s'approprier c'est l'homme même car depuis que chacun a besoin de
tous il faut une disposition respective qui forme chaque individu pour
tous les autres et tous les autres pour lui [18]. »

Ce sentiment de dépendance de « chacun de tous », extrêmement
vif dans toute la conscience de l'époque, est à mettre en rapport avec
des processus réels tels que la désintégration des petites communautés
locales, une plus grande mobilité sociale, les progrès de l'urbanisation,
l'élargissement des échanges, etc. Cependant, ce sentiment s'associe avec
des réactions et des attitudes les plus diverses. Ainsi, en décrivant comment le café et le thé, produits dans d'autres parties du monde, ont pu
faire leur apparition sur la table de Mme de Pompadour, Voltaire
considère ce fait comme l'un des principaux arguments en faveur des
« modernes » contre les « anciens ». Pour lui, la complexité d'un fait
social des plus ordinaires, et qui est le résultat de l'interdépendance des
hommes et de l'élargissement des liens sociaux, témoigne du développement de la raison et de la puissance de l'homme, du progrès de la

civilisation en tant que condition de l'affirmation et de l'épanouissement de l'individu [19]. La réaction de Rousseau à ce même phénomène, ou à cet ensemble de phénomènes, est diamétralement opposée. Quand Emile prend part à un festin dont l'opulence et la qualité ont vite fait de l'enivrer, il suffit que son maître lui demande « par combien de mains estimeriez-vous bien qu'ait passé tout ce que vous voyez sur cette table », pour que l'élève « s'inquiète », pour qu'il comprenne « que toutes les régions du monde ont été mises à contribution, que vingt millions de mains, peut-être, ont longtemps travaillé, qu'il en a coûté la vie, peut-être, à des milliers d'hommes, et tout cela pour lui présenter en pompe à midi ce qu'il va déposer le soir dans sa garde-robe [20] » ? Cette dépendance de « chacun de tous » ne se prête nullement au sentiment de sécurité de l'individu : elle est vécue comme un danger pour son autonomie et sa liberté. Le fait de ne pas pouvoir satisfaire ses besoins par ses propres moyens, sans la coopération des autres, prive l'homme de ses forces. D'une part, l'interdépendance isole l'individu, ce lien social n'ayant pu se créer que parce que chacun agit au nom de son propre intérêt, sans égards pour les autres. D'autre part, chacun se met à dépendre de rapports qu'il ne connaît pas : le lien entre les hommes devient lui-même anonyme, impersonnel.

Rousseau donne à la description de cette situation la forme d'un paradoxe : « Nous n'existons plus où nous sommes, nous n'existons qu'où nous ne sommes pas. » Il éprouve la sensation presque physique « d'être au-delà de lui ». « Est-il étonnant que nos maux se multiplient dans tous les points par où l'on peut nous blesser ? (...) Que de marchands il suffit de toucher aux Indes, pour les faire crier à Paris ! » Les hommes « sont portés loin d'eux-mêmes » ; « chacun apprend son destin des autres, et quelquefois l'apprend le dernier [21] ». L'homme se suffit de moins en moins à lui-même : il doit accroître ses forces — c'est l'accroissement de ses besoins qui le veut —, mais ces forces s'avèrent être toujours insuffisantes. « Le superflu des forces de l'homme » est l'instrument de sa misère », chaque accroissement de ces forces les rend de plus en plus insuffisantes, la société ôte à l'homme « le droit qu'il avait sur ses propres forces [22] ». Fondée sur l'inégalité, la dépendance mutuelle prive l'homme de sa liberté. Ne sont libres ni l'esclave qui dépend de son maître, ni le maître qui dépend à chaque instant de ses esclaves, et tous les deux dépendent de forces anonymes, n'étant que des chaînons dans la chaîne des événements [23]. A cette complexité croissante des rapports correspond une superposition des contradictions. Une dépendance en fait naître une autre ; des besoins en engendrent d'autres. Ce qui n'était que des moyens deviennent des buts autonomes en contradiction avec les objectifs recherchés.

C'est le monde de la rationalisation extrême des actes individuels — chacun y crée son ordre, un ordre moral spécifique, où le tout est ordonné par rapport à l'individu [24]. Mais en même temps, ou précisément pour cette raison, c'est le monde du chaos. « Tout n'est que folie et contradiction dans les institutions humaines [25] », tout y est « absurde et rien ne choque ». Car ce monde est profondément irrationnel, il possède une seule apparence de rationalité. L'opposition classique au siècle des Lumières : le rationnel — l'irrationnel, se transforme en coupure du monde en deux sphères : l'apparence et l'authenticité. Dans chacune de ces sphères, la « raison » possède en réalité une autre signification, le concept même de rationalité devient ambigu. Dans un monde dominé par le conflit et la concurrence chacun doit agir conformément à son intérêt, traiter les autres comme les instruments de sa volonté ; il lui faut « connaître les instruments qui donnent prise sur eux (les hommes) ; il faut calculer l'action et réaction de l'intérêt particulier [26] ». Mais l'intérêt particulier au nom duquel chacun agit participe lui aussi de l'apparence. Rousseau identifie à une fiction l'hypothèse selon laquelle les hommes agiraient dans la société conformément à leurs intérêts réels, bien compris, et il reproche aux physiocrates d'en faire usage. Il y a en effet divorce entre « la raison de chaque particulier » et ce que « la raison publique prêche au corps de la société [27] ». Les hommes ne connaissent pas leurs véritables intérêts, ils se laissent guider par le préjugé, l'erreur, ou s'ils les connaissent — sont dominés par les passions qu'engendrent la complexité de leurs rapports, le caractère factice de leurs besoins [28]. Aussi les événements sociaux sont-ils imprévisibles et inéluctables, leurs effets diffèrent des intentions, les forces humaines se retournent contre les hommes mêmes. « Tous coururent au-devant de leurs fers — dit Jean-Jacques en décrivant la naissance de la propriété — croyant assurer leur liberté [29]. » Les hommes sont les auteurs de leurs maux, et le mal que l'homme fait retombe sur lui-même [30]. Dans la description de tous ces processus à l'issue desquels « l'homme se rend lui-même malheureux », il est caractéristique que Rousseau renvoie en général à des forces anonymes : tous se comportent ainsi, bien que personne ne veuille ces résultats, car chacun désire uniquement son bonheur. S'il faut trouver des coupables, alors la faute est à imputer aux institutions sociales qui dépravent les hommes, au progrès de la socialisation humaine, à l'ordre social, au cours des événements au terme desquels les hommes sont devenus ce qu'ils sont [31]. Il nous est difficile d'examiner ici en détail le tableau que Rousseau brosse des dépendances entre l'individu et son monde social, de démonter les mécanismes de toutes ces dépravations. Dans le contexte qui nous intéresse actuellement, il importe de souligner que Rousseau impute la responsabilité du mal social à la société, considérée comme un ensemble de relations, d'institutions et de processus. Mais d'autre part — et c'est très important pour toute la conception de Rousseau — aucun individu n'échappe à cette responsabilité de l'état de choses existant.

Cette situation sociale se retourne directement contre la personne humaine. Tous les processus d'aliénation de la richesse et du pouvoir décrits ci-dessus, l'auteur d'*Emile* les analyse sous leur aspect de dépersonnalisation. En effet, tout ce concours de rapports engendre, si l'on peut dire, une sphère particulière de l'existence de l'homme, le monde des apparences, l'apparence étant ici opposée à l'authenticité. Il est frappant que cette scission de la réalité sociale en deux sphères, cette distinction de deux formes d'existence, est présentée par Rousseau comme

une expérience vécue, comme une donnée de la conscience de soi
qui ne demande pas à être fondée : il ne s'agit que de l'élucider.

Dans sa reconstruction hypothétique de l'évolution de l'humanité, Rousseau considère comme crucial le moment où « il fallut pour son avantage se montrer autre que ce qu'on étoit en effet », où « être et paraître
devienrent deux choses tout à fait différentes [32] ». Cette distinction entre
« être » et « paraître » se trouve en quelque sorte au centre de la
conception de Rousseau. D'une part, elle est à mettre en rapport avec
la recherche des origines du monde des apparences et des mécanismes
de l'existence apparente de l'homme : cette recherche aboutissant à la
thèse que « l'amour de soi » — le motif d'action le plus élémentaire
de l'individu — se transforme dans des conditions définies en « amour
propre », menant précisément à la vie apparente. D'autre part, Rousseau explore et décrit ce monde des apparences, l'existence inauthentique de l'homme, en recourant aux images et symboles, en faisant appel
à la fois à la raison et au sentiment. Son discours est tantôt une description que nous appellerions aujourd'hui sociologique, riche en concret
social, tantôt une analyse moralisante qui invoque la vocation de l'homme.
Tantôt Jean-Jacques procède à une analyse psychologique de la situation de l'individu dans le monde ; tantôt il pratique une auto-analyse
qui, petit à petit, articule et conceptualise les affres de sa propre folie,
dans laquelle le monde environnant prend figure d'un cauchemar. Montrer
l'apparence, c'est en même temps la démasquer. Tel est le sens de l'appel
que Rousseau lance au lecteur, et de l'effort dans lequel il s'engage pour
faire entendre la voix de la vérité et de l'authenticité dans le monde des
apparences et du mensonge. Le pathos et le réquisitoire dressé contre
sa propre époque sont inhérents à la vision du monde que contient
l'œuvre de Jean-Jacques, ils en sont constitutifs dans la mesure où cette
œuvre elle-même se propose de dépasser l'existence apparente, dans la
mesure où elle parle de ce qui est (or « être » signifie dans ce contexte
« doit être »), en s'opposant à ce qui n'est qu'apparent, au « paraître ».

Il ne nous appartient pas d'analyser ici les mécanismes sous l'effet
desquels la réalité se scinde en deux sphères : « être » et « paraître » ;
nous ne reconstituons la description de la réalité elle-même que sous
ses traits les plus généraux, sinon nous devrions paraphraser toute l'œuvre de l'auteur de *La Nouvelle Héloïse*. Bien qu'au fond nous devrions
ne laisser échapper aucun détail. Si la description est dans la doctrine
si suggestive et si vivante, c'est parce qu'elle a pour fonction de rendre
intuitivement intelligible l'idéal de l'existence authentique : idéal insaisissable et ambigu que révèle et articule l'opposition sous-jacente à
« l'existence hors de soi ». « Etre soi-même », « redevenir soi-même »,
c'est avant tout ne pas vivre une vie apparente, cesser d'exister — pour
employer une métaphore de Jean-Jacques — comme l'araignée qui étend
sa toile sur tout ce qui l'entoure. « Le moindre fil qu'on touche met
l'insecte en mouvement, il mourroit de langueur si l'on laissait la toile
tranquille, et si d'un doigt on la déchire, il achève de s'épuiser plustôt
que de ne pas la refaire à l'instant [33]. »

L'homme qui existe non pas « pour lui-même », mais eu égard aux autres, à ce que les autres pensent de lui, se met à la merci des opinions et des préjugés d'autrui. « Plus l'intérieur se corrompt et plus l'extérieur se complique », et vice versa, la dépendance est ici réciproque [34]. Dans ce monde dépravé, l'individu puise à l'extérieur, dans l'opinion d'autrui non seulement les raisons, mais encore le sentiment de sa propre existence, du bonheur, de sa propre dignité. Les hommes « savent être heureux et contents d'eux-mêmes sur le témoignage d'autrui plutôt que sur le leur propre (...). L'homme sociable toujours hors de lui ne sait vivre que dans l'opinion des autres, et c'est, pour ainsi dire, de leur seul jugement qu'il tire le sentiment de sa propre existence (...), demandant toujours aux autres ce que nous sommes et n'osant jamais nous interroger là-dessus nous-mêmes [35] ». D'où la perte de notre personnalité : nous dépendons à un tel point des autres que même notre esprit se soumet au « joug de l'opinion ». « Notre individu n'est plus que la moindre partie de nous-mêmes [36]. »

Jean-Jacques emploie constamment, obsessionnellement, un symbole qui définit la situation sociale et la conscience de soi de l'individu dans « le monde des apparences » — le symbole du regard d'autrui qui enlève à l'homme sa personnalité et fait que « l'essence de (son) être est dans le regard des autres [37] ». Comme l'a fait remarquer Jean Starobinski, nous sommes ici en présence de toute une métaphysique et d'une psychanalyse du « regard ». Il faut d'abord poser son « regard » sur autrui pour que naisse la possibilité même de « se regarder », de « se voir » soi-même. Le regard d'autrui est vécu presque physiquement comme une dépendance. Dans le regard d'un homme sur un autre, se nouent d'emblée les liens de tout un système de rapports opaques, impénétrables. Tous ces thèmes se superposent chez Rousseau, symbolisent le sentiment d'un danger menaçant la liberté de l'homme, sa personnalité. « Sitôt qu'il faut voir par les yeux des autres, il faut vouloir par leurs volontés [38]. » Le monde de la dépersonnalisation devient le monde du mensonge : tout y est faussé, les relations entre les hommes comme le rapport de l'homme aux choses. « Tout se réduit aux apparences, tout devient factice et joué [39] ». Tous les hommes sans exception cherchent le bonheur dans les apparences et s'appliquent à devenir « les maîtres des apparences ». Ils deviennent méchants, mais ils le dissimulent sous de beaux discours sur l'honnêteté, la générosité et la vertu. Ils doivent mettre des masques (encore le motif du regard d'autrui), cacher devant les autres les véritables mobiles de leur action, devenant finalement incapables de discerner en eux-mêmes l'apparence de la réalité, dissimulant et jouant pour eux-mêmes [40].

Les mots également sont faussés : ils servent non pas à une communication authentique, mais à déformer les rapports entre les hommes ; si un puissant dit « je vous prie », ces mots veulent dire « j'exige ». « Toute la morale est un pur verbiage », entre autres parce qu'à l'aide des mots on met la vertu si haut qu'elle devient inaccessible [41]. Mais le verbiage philosophique, tel qu'il se pratique dans les salons et le grand monde, contribue surtout à fausser les sentiments. L'emploi abusif de ce mot provoque de la part de Rousseau une révolte symptomatique.

Le sentiment est le sujet favori des conversations des sociétés d'élite, mais « il ne faut pas entendre (par ce mot) un épanchement affectueux dans le sein de l'amour ou de l'amitié », mais uniquement un « sentiment mis en grandes maximes générales et quintessencié par tout ce que la métaphysique a de plus subtil [42] ». Le plus important cependant, c'est la divergence entre la parole et l'acte ; les maximes générales, les mots n'ont rien à voir avec la vie, les véritables mobiles d'une action et les actes réels.

La relation de l'homme aux choses est également faussée ; on apprécie les choses non pas en fonction de leur rapport concret et significatif pour l'individu mais en fonction de leur valeur aux yeux des autres. L'utilité des choses est remplacée par l'effet de leur possession en tant que témoignage de la position de chacun aux yeux de « l'opinion ». L'étalage du luxe dissimule « la véritable connaissance des choses ». L'opinion s'insère entre l'homme et les choses. « Le cas que fait le riche (des choses) ne vient pas de leur usage, mais de ce que le pauvre ne les peut payer. » L'estime publique pour le travail s'en trouve altérée : les travaux inutiles, mais qui satisfont les besoins de luxe, sont plus appréciés que les travaux les plus utiles et les plus indispensables. Enfin, entre l'homme et la valeur de la chose, s'introduit l'argent qui non seulement est une médiation entre l'usager et la chose, mais encore devient un but en lui-même. On ne se sert des choses que pour montrer qu'on est riche, on procure des choses aux autres pour en obtenir de l'argent. Dans le monde des apparences, même la nourriture est contrefaite — et cette fois-ci il s'agit non plus d'une métaphore mais bel et bien de la falsification du pain et du vin [43].

« L'existence dans le regard des autres » aboutit à une totale destruction de la personnalité. « Il est impossible qu'un homme incessamment répandu dans la société et sans cesse occupé à se contrefaire avec les autres, ne se contrefasse pas un peu avec lui-même et quand il auroit le temps de s'étudier il lui seroit presque impossible de se connoître [44]. » La « société » procède avant tout à une uniformisation. Dans les théâtres de Paris, on n'entend plus « je », mais « on » [45]. Dans l'opinion des autres — et donc à ses propres yeux — l'individu est identifié avec son état, sa position et son rôle social : « Nous sommes paysans, Bourgeois, Rois, Gentilshommes, Peuple, nous ne sommes ni hommes ni citoyens [46]. » Il y a une raison pour la noblesse, et une autre pour les financiers. L'homme, « vivant hors de lui », voulant être partout le maître, s'identifiant avec ce qu'il possède, ne se sent bien que là où il n'est pas et se fuit donc toujours [47]. Cette situation « de se porter hors de soi, loin de soi » déforme toute la personnalité. La structure du temps vécu correspond à ce mode « d'existence hors de soi ». Les besoins artificiels, les passions factices créent des dispositions psychiques qui poussent chacun à chercher son bonheur soit dans ce qui fut, soit dans ce qui sera, l'empêchant de vivre authentiquement le moment présent, de s'abandonner à la sensation et à la jouissance immédiates. « Nul ne veut vivre aujourd'hui », et chacun « porte ses désirs au-delà du présent », sans jamais jouir « du plaisir d'aller à l'objet qu'il désire [48] ».

Deux thèmes qui s'inscrivent dans des contextes multiples sont révélateurs quant à la situation globale de l'homme dans le monde des apparences. Le premier, c'est le thème « de l'homme qui se met en contradiction avec lui-même [49] », de l'homme qui, impliqué dans le monde des apparences sans être cependant réductible à l'ensemble de ces rapports, demeure toujours quelque chose d'autre que son existence factice. Il est donc, si ce n'est « un être double », du moins « un être composé [50] ». Le second thème est celui de la solitude, motif extrêmement complexe et ambigu. Dans le monde de l'aliénation, chaque homme qui « vit dans les autres » et en est à la fois séparé par la barrière de ses intérêts particuliers, est « solitaire dans la foule ». D'autant plus grande est la solitude de l'homme qui ne s'est pas soumis aux vices de la société et qui voit toute « la folie des institutions humaines ». Ce monde devient pour lui particulièrement hostile, il ne peut que s'y sentir constamment menacé.

Nous sommes incapables de répondre à la question de savoir où passe la frontière entre ces images du monde de l'aliénation et la folie ; à quel moment cette image se transforme en maladie, en délire de persécution, en l'image d'un monde vécu comme un complot permanent auquel tous participent, aussi bien les anciens amis de Jean-Jacques que « le monde fou tout entier », comme une conjuration universelle anonyme, dont le sens demeure pour lui obscur. Il est difficile de préciser le moment où la peur de l'obscurité qui le tourmente depuis l'enfance, commence à imprégner sa vision du monde, transforme celui-ci en un univers opaque et menaçant qui n'est qu'un ensemble de signes dont les significations demeurent cachées et se dérobent. Rousseau parle de « la solitude dans la foule » quand Saint-Preux arrive pour la première fois à Paris, mais aussi quand il décrit sa propre situation dans les *Dialogues* [51]. Cette œuvre est probablement la plus révélatrice des obsessions de Jean-Jacques et de ses efforts forcenés pour briser « les barrières qui l'entourent » et le séparent des hommes ; pour se confronter tel que les autres le voient avec soi-même tel qu'il est vraiment ; pour finalement, passant outre toute méditation, s'instituer son propre juge. On y trouve, entremêlés, les motifs de l'aliénation, de l'isolement, de l'absence d'une communication authentique entre les hommes, la hantise des hommes qui sont tous pour lui des « inconnus et des étrangers », l'obsession d'un monde où « tout ce qui est extérieur lui est étranger » et qui est « une planète étrangère » sur laquelle il n'a « ni semblables, ni frères [52] ». Il ne nous appartient pas de porter un jugement sur les diagnostics de la maladie de Jean-Jacques, établis sur la base de ses descriptions et qui sont loin d'être univoques [53]. Les analyses relativement les plus convaincantes semblent être celles qui décèlent dans les travaux de Jean-Jacques, écrits à l'époque où la maladie atteint son paroxysme, les symptômes pathologiques d'une tendance à la schizophrénie et à la paranoïa [54]. Force nous est de nous limiter à l'affirmation générale que certains « schèmes affectifs » de la personnalité que nous retrouvons chez Jean-Jacques dès son enfance, et qui sont l'expression de la réaction affective à la rupture de l'équilibre entre l'assimilation du monde et l'adaptation au monde, sont à la fois à la base de ses obsessions et à la base des aspects de sa pensée théorique dans lesquels se manifeste sa sensibilisation particulière aux situations d'aliénation dans la société [55], ces deux motifs s'interpénétrant à un certain moment d'une manière inextricable.

Examinons les réalités sociales que Rousseau met en relation avec le « monde des apparences » et la désintégration de la personnalité de l'homme. Nous voyons, avant tout, une société dans laquelle l'intérêt constitue le lien social fondamental. Elle se compose d'individus autonomes dont le mobile d'action est l'intérêt tel que chacun d'eux le conçoit, ce qui ne mène nullement à l'harmonie, mais à la concurrence, au conflit des intérêts et au désordre social. Dans cette société, la relation qualitative et concrète de l'homme à la chose a été bannie, tant que les buts des actions et aspirations humaines s'expriment dans des chiffres, dans des grandeurs abstraites que les besoins réels de l'homme ne limitent pas [56]. Cet intérêt est, de plus, toujours égoïste, il ne tient jamais compte du bien public et ne peut être satisfait que si « les hommes s'entredévorent [57] ». Nous avons également mis en relief le motif caractéristique qu'est pour Rousseau le sentiment de menace que l'individu éprouve face à des rapports sociaux qui se compliquent en fonction du développement de l'économie marchande, face au caractère anonyme de ces liens. Ces phénomènes s'associent directement avec le thème de l'argent sous ses aspects les plus divers, dont celui, le plus symptomatique, de l'économie monétaire et marchande : la réification des rapports entre les hommes et, en particulier, l'éclatement des choses en leur valeur d'usage et en leur valeur d'échange [58]. Rappelons enfin des réalités sociales telles que le rôle dépersonnalisant de la division du travail, l'uniformisation des individus, etc.

Toutes ces questions, liées de toute évidence au nouveau type de rapports sociaux, convergent dans le thème de la grande ville, si caractéristique de Rousseau en général, et de la problématique de l'aliénation dans son œuvre en particulier. Ainsi, c'est dans les célèbres lettres de *La Nouvelle Héloïse,* écrites par Saint-Preux à Paris, que nous lisons les descriptions les plus suggestives du monde aliéné. Dès que Rousseau peint la grande ville, en particulier Paris, toutes les couleurs s'épaississent et s'obscurcissent. Certes, les accents physiocratiques (la critique du caractère parasitaire de la grande ville et de la cour, de l'improductivité du travail destiné à satisfaire le luxe) ne manquent pas chez Jean-Jacques, plus particulièrement dans ses analyses économiques [59], où il oppose à la ville la productivité des travaux agricoles. Mais ces accents ne sont pas dominants. Ce qui se profile au premier plan, c'est le tableau de Paris en tant que symbole de la ville. Paris est une « ville de bruit, de fumée et de boue », un

« vaste désert du monde », « une foule qui est un désert », où l'individu ne trouve qu' « une solitude affreuse » où, au milieu du bruit, « règne un morne silence [60] ». Du temps encore de Rousseau, ce thème — doté déjà d'une tradition — poursuivra en quelque sorte sa carrière, dans *Tableau de Paris* de Mercier et *Le paysan perverti* de Restif de la Bretonne, pour ne citer à titre d'exemples que deux de ses variantes. Puis, au XIXᵉ siècle, il sera repris dans les versions et les contextes les plus divers, aussi bien dans la philosophie que dans les belles-lettres. « La jungle de la grande ville » entrera dans les idéologies comme le symbole des contradictions sociales, de la corruption des mœurs, du règne de l'argent ; symbole qu'on opposera tantôt à un talent véritable, tantôt à un individu noble et généreux, ou encore à la souffrance et à la misère du peuple. Relevons en passant que Rousseau esquisse dans *Emile,* sans toutefois le développer, le thème de la réussite d'un jeune provincial dans la capitale. Sachant combien les autres sont méprisables, et capable de rester maître de lui, Emile pourrait « à trente ans écraser tous ces insectes et devenir leur maître », et s'il ne le fait pas, c'est parce qu'il « les méprise trop pour daigner les asservir [61] ».

Dans la description de la grande ville, nous avons, d'une part, l'image très suggestive des réalités sociales dont, au premier plan, l'aliénation de la richesse [62] ; d'autre part, l'image de l'individu solitaire, avec son sentiment d'être étranger et opposé au monde. Qu'il s'agisse d'Emile, de Saint-Preux, ou du Jean-Jacques des *Confessions,* ce sentiment non seulement traduit la conscience de la particularité et de l'autonomie de l'individu par rapport à ses propres formes de socialisation, mais il signifie également la mise en question de la légitimité morale des relations et des institutions sociales qui font de l'individu une partie du « monde des apparences ». Dans la vision du monde de Rousseau, la personnalité humaine est, sous nombre de ses aspects, fonction de l'image du « monde des apparences ». Elle en est la fonction dans la mesure où, tout en étant la négation de celui-ci, elle en est aussi le complément. En effet, à chacun des aspects de l' « apparence » Rousseau oppose telle ou telle proposition d'existence dans laquelle l'individu échappe à l'aliénation. Aussi, le problème des rapports d'aliénation et de leur dépassement est-il l'un des motifs majeurs qui constituent sa conception de l'individu et de ses rapports avec le monde.

Nous procéderions cependant à une grossière simplification si nous rapportions les phénomènes d'aliénation dénoncés par Rousseau aux seuls processus spécifiques pour le développement du capitalisme. La chose est beaucoup plus compliquée, et un examen même superficiel suffit pour constater que la matière sociale que travaille Jean-Jacques, dans sa description des phénomènes d'aliénation, est extrêmement riche, mais aussi hétérogène. La démarche habituelle de l'auteur d'*Emile* est non seulement d'utiliser des concepts ambigus, mais aussi d'avoir recours à des agrégats thématiques, c'est-à-dire qu'il saisit comme un seul problème des complexes de problèmes qui, souvent, en cours d'analyse se dissocient, ne gardant plus entre eux que des rapports très vagues. De plus, Rousseau envisage des phénomènes sociaux historiquement hétérogènes comme s'ils étaient homogènes.

Cette hétérogénéité frappe dès qu'on se penche, par exemple, sur la critique du luxe, ce lieu commun des polémiques du siècle des Lumières. Jean-Jacques considère le luxe comme un élément du système des rapports sociaux qu'il envisage eu égard à leur caractère spécifiquement aliénant, et il accentue alors les rapports entre le luxe et l'argent, l'inégalité sociale, la division du travail, etc. Cependant, il arrive souvent que sa critique ne dépasse pas la critique du luxe de l'aristocratie et de la cour ; critique banale, couramment pratiquée par les Lumières et aux contenus sociaux nettement bourgeois. Mais, même dans ce cas, le phénomène critiqué est considéré par Jean-Jacques précisément comme « l'existence hors de soi », il est mis en rapport avec l'aliénation de l'individu. Autre exemple frappant. Dans les premiers livres de *La Nouvelle Héloïse*, Rousseau développe des thèmes sentimentaux qu'imprègne une morale bourgeoise qui s'attaque aux préjugés de caste faisant obstacle à l'amour authentique, oppose les « liens du cœur » aux barrières sociales artificielles, critique les duels et le faux sentiment de l'honneur, etc. Mais, une fois de plus, Rousseau opère cette critique en recourant aux mêmes descriptions globales de « l'existence hors de soi », de « l'apparence » substituées aux liens authentiques, etc. [63].

Enfin, passons à notre dernier exemple qui est la critique du théâtre. Dans sa *Lettres à d'Alembert sur les spectacles*, Rousseau attaque le théâtre en partant des positions les plus diverses, en manifestant des opinions les plus disparates, depuis l'antagonisme à l'égard de Voltaire jusqu'à l'idéalisation de Genève, à ses goûts esthétiques, etc. Il est cependant facile de dégager le thème critique dans lequel le théâtre est considéré comme un phénomène social qui participe aux mécanismes généraux caractérisés ci-dessus : engendrement de besoins factices, complication des liens sociaux, aggravation des inégalités, pouvoir de l'argent, etc. Mais, par ailleurs, le spectacle lui-même et le type des rapports qui s'y nouent sont envisagés en fonction des éléments constitutifs de la situation d'aliénation. L'esprit général du théâtre est de nous montrer « d'autres êtres que nos semblables », d'altérer « les véritables rapports des choses ». Même les pièces « qui se veulent morales », « elles opèrent toujours par des moyens si peu communs qu'on n'attend rien de pareil dans le cours naturel des choses humaines ». « Tout ce qu'on met en représentation au théâtre, on ne l'approche pas de nous, on l'en éloigne [64]. » Ainsi, quand le spectateur pleure des malheurs imaginaires, admire les belles actions, il acquiert le sentiment d'avoir « satisfait à tous les droits de l'humanité, sans avoir plus rien à mettre du sien », de s'être « acquitté de tout ce qu'il doit à la vertu ». L'art théâtral qui « a ses règles, ses maximes, sa morale à part, ainsi que son langage et ses vêtements », n'unit les hommes qu'en apparence : « L'on croit s'assembler au spectacle, et c'est là que chacun s'isole ; c'est là qu'on va oublier ses amis, ses voisins, ses proches, pour s'intéresser à des fables, pour pleurer les malheurs des morts, ou rire aux dépens des vivants [65]. »

Quant à l'acteur, son art consiste à « se contrefaire (...), paraître

différent de ce qu'on est » ; par son métier, il « met publiquement sa
personne en vente [66] ». Qui plus est, dans le divertissement que Jean-
Jacques propose au peuple, dans la fête publique (nous reviendrons encore
à ce sujet), il accentue « les doux liens du plaisir et de la joie » qu'il
oppose aux rapports d'aliénation qu'on retrouve sur la scène du théâtre.
Il souligne la spontanéité de ce spectacle auquel chacun contribue et
où le « regard unit au lieu d'isoler » : « Donnez les spectateurs en
spectacle ; rendez les acteurs eux-mêmes ; faites que chacun se voie et
s'aime dans les autres, afin que tous en soient mieux unis [67]. »

Ainsi donc, le schéma de la situation aliénante, bien qu'étroitement mis
en relation avec les réalités socio-économiques, ne se limite, ni ne se
réduit à celles-ci. C'est une description complexe et synthétisante de la
situation globale créée dans le « monde des apparences », ainsi qu'une
description de l'intériorisation de ce monde en tant qu'univers réifié, de
l'inauthenticité de l'existence de l'homme dans cet univers. Si le marchand
parisien qu'on peut « toucher aux Indes » est porté hors de lui-même,
nous sommes aussi « hors de nous-mêmes » quand il faut s'adapter au
ton des autres ; nous sommes « hors de nous-mêmes » lorsque nous
nous plions aux exigences de la mode ; nous sommes « hors de nous-
mêmes » en conférant aux objets une valeur autre que celle qu'ils
possèdent « vraiment ». Aussi, le propre de toutes ces descriptions est-il
leur suggestivité, obtenue au moyen de la métaphore et du symbole, grâce
au recours aux évidences immédiates, aux impressions et émotions.
L'aliénation, exprimée dans la symbolique des « apparences » et de
« l'existence hors de soi », devient ainsi quasi universelle, d'autant plus
qu'à certains moments Rousseau affirme que cette « apparence » s'introduit dans toutes les relations interindividuelles, qu'elle devient un phénomène qui empêche toute communication entre les hommes [68]. Les situations
d'aliénation donnent donc lieu à des descriptions riches tantôt en réalités
sociales et contenus historiques, tantôt en significations psychologiques
où toute la problématique de l'aliénation semble être uniquement l'effet
d'une déformation psychique, enfin, elles débouchent sur des développements qui forment ce qu'on voudrait aujourd'hui appeler une description
phénoménologique du vécu de l'aliénation. Ces descriptions s'inscrivent
de plus dans une troisième dimension que nous pourrions — provisoirement — appeler morale, et qui constitue l'aspect le plus essentiel de
l'aliénation, l'un des axes principaux autour desquels s'organisent les
paradoxes de Jean-Jacques. Cette « existence hors de soi » signifie effectivement qu'une rupture se produit entre l'existence de l'homme et sa
nature : l'homme naît bon — les hommes sont méchants, l'homme naît
libre — les hommes sont partout dans les chaînes. Les hommes n'écoutent
pas la voix de la conscience — voix universelle, exprimant les propriétés
essentielles de la nature humaine — mais ils se laissent guider par leurs
intérêts égoïstes et leurs passions ; ils suivent non pas la raison mais les
préjugés (que de fois Jean-Jacques identifie les préjugés avec le règne de
l' « Opinion » qui aliène l'homme, substitue à la raison et à la « voix de
la nature » les opinions des autres). Entre l'essence ou la nature de
l'homme et son existence sociale s'interposent les institutions humaines ;

instaurées par les hommes eux-mêmes, ce sont elles qui séparent
« l'homme », bon et libre, de lui-même, qui altèrent sa nature et font de
lui l'esclave des préjugés et des passions. Ainsi donc, « l'existence hors de
soi » signifie qu'à travers les progrès de la civilisation, l'individu perd les
propriétés essentielles du genre humain, son humanité, ainsi que — soulignons-le — sa propre personnalité. Le problème de l'aliénation traduit la
rupture entre l'essence et l'existence de l'homme, entre sa vocation et ses
actions. Et comme l'aliénation se situe dans l'histoire, elle relève de la
philosophie de l'histoire, mais aussi de la métaphysique, car elle introduit
un conflit dans l'ordre de la nature.

L'auteur du *Contrat social* et des *Confessions* suit dans ses raisonnements une démarche très particulière : il passe constamment de la description spécifiquement sociologique des phénomènes à la description de
l'expérience psychologique de l'individu dans le cadre « de l'histoire de
l'âme ». Enfin, il juge chaque phénomène, chaque acte individuel en
raison de sa conformité avec la vocation morale de l'homme en général,
chaque divergence étant alors considérée comme une infraction à la fois
contre cette vocation et contre l'homme lui-même. Les frontières entre
l'individu et ses objectivations, entre l'individu et les valeurs humaines
universelles exprimées dans l'idée de la vocation de l'homme, sont fluides.
Du moment que l'homme « est porté au-delà de lui-même » et qu'il
y a contradiction entre « être et paraître », ce qui s'opère alors à
l'extérieur de l'individu, dans le monde de ses relations avec les autres,
dans le monde des institutions sociales, équivaut pour Rousseau à une
déformation de l'individu lui-même, de la structure de sa personnalité.
Nous sommes, certes, ici en présence du sentiment que « l'homme, c'est
le monde de l'homme », pour employer les mots de Marx, mais aussi
de l'estompement des contours de la personnalité même, des lignes de
démarcation entre la conscience de soi de l'individu et le monde dans
lequel il vit. En concevant la personnalité comme si elle était indissociable
des valeurs humaines générales, de l'humanité, on aboutit aisément soit
à la subjectivation totale de ces valeurs, soit à l'identification de la
personnalité même avec ces valeurs. La pensée de Jean-Jacques oscille
entre ces pôles qui, de plus, ne sont nullement différenciés en tant que
thèmes particuliers, mais s'interpénètrent et se complètent spécifiquement
dans leur antinomie. Cette fluidité de points de vue hétérogènes est
d'autant plus grande que l'appareil conceptuel du siècle des Lumières
était d'une ambiguïté notoire, cette ambiguïté étant à mettre en rapport
avec le schéma sensualiste et individualiste de l'interprétation de l'homme.
Dans le cadre de ce schéma, tous les rapports sociaux étaient ramenés à
la coopération des individus, décrite à l'aide de catégories appropriées
aux motivations psychologiques telles que l'aspiration à la jouissance,
le désir d'éviter la douleur, etc. Or, Jean-Jacques emploie justement
cette grille conceptuelle ; plus encore, dans certaines limites, il recourt au
même modèle de l'homme et de la coopération des individus. Mais en
même temps, il exprime clairement dans son œuvre le sentiment de la
spécificité, du caractère supra-individuel des phénomènes sociaux qui,
de même que les traits de la personnalité, doivent être analysés en fonc-

tion de leur place dans certaines structures sociales, autonomes par rapport
aux individus.

Prenons par exemple le problème des besoins. D'une part, Rousseau
considère ceux-ci comme les propriétés de l'individu : chacun crée ses
propres besoins, chacun peut les limiter, les maîtriser ; l'émergence de
besoins artificiels, superflus, étant le seul résultat du développement de
la vanité, etc. Mais d'autre part, de l'émergence du premier besoin et
de la nécessité de le satisfaire « naît le premier rapport de l'homme à
tout ce qui l'environne ; ici se forge le premier anneau de cette longue
chaîne dont l'ordre social est formé [69] ». Or, dans cette « longue chaîne »,
les besoins s'émancipent de l'individu qui ne les crée plus lui-même ;
ils lui sont imposés par la société, ils fonctionnent comme l'élément
d'une totalité spécifique, changent et se multiplient à l'issue de processus
spontanés, s'imbriquent dans un système de relations interindividuelles de
plus en plus compliquées [70]. Qui plus est, les « corps artificiels » créés par
les individus, en particulier l'Etat, possèdent leurs besoins spécifiques
qui diffèrent des besoins individuels tant par leur extension que par leur
nature [71]. Il est aisé de remarquer que, au cours de ces analyses, Rousseau
identifie parfois le caractère spécifiquement social des besoins avec l'aliénation des individus et de la nature humaine. Est-ce que Rousseau est
conscient, et si oui dans quelle mesure, des distorsions entre l'appareil
conceptuel de son temps et les diverses positions qu'il prend, les
divers aspects qu'il distingue dans les phénomènes ? Il nous est difficile
de trancher ce problème, mais il est certain qu'il se rendait compte de
l'inadéquation de l'appareil conceptuel employé par rapport à la complexité de la matière étudiée [72].

Tout ce que nous avons dit jusqu'ici prouve combien l'analyse des
phénomènes d'aliénation par l'auteur d'*Emile* est hétérogène, cette hétérogénéité caractérisant aussi bien les relations et institutions sociales
analysées que les points de vue adoptés. Cependant, ces éléments hétérogènes composent une image globale suggestive, riche en contenus sociaux et psychologiques, dans laquelle la réalité sociale se révèle comme
étant aliénée dans son ensemble par rapport à l'homme, par rapport à
sa vie authentique. Précisons bien que nous constatons cette hétérogénéité
en appliquant notre grille de catégories et de concepts à l'œuvre et au
style spécifique de la réflexion philosophique de l'auteur du *Contrat
social*, et que cette confrontation n'est légitime que dans certaines limites.
Elle l'est quand elle permet de mieux pénétrer dans une œuvre, quand
elle contribue à une interprétation qui se veut être une compréhension
de la totalité de l'œuvre et de ses différents éléments. Par conséquent,
il importe d'autant plus de souligner que la particularité de la structure
de l'œuvre de Rousseau est précisément d'indifférencier ces divers
aspects de la question, de recourir à une image globale dans laquelle des
phénomènes hétérogènes apparaissent comme les variantes d'une situation au fond identique, comme l'effet de l'action des mêmes mécanismes.

Nous ne voudrions pas analyser ici dans le détail les mécanismes
d'engendrement des situations d'aliénation tels que Rousseau nous les
expose dans son œuvre, car il nous faudrait nous engager dans toute sa

conception des processus de dénaturation et de socialisation de l'homme. Nous tenons par contre à mettre en relief la question que nous avons déjà mentionnée ci-dessus en analysant le concept de « besoin ». Dans les analyses des phénomènes d'aliénation, nous sommes en quelque sorte à chaque fois renvoyés au « premier anneau dans la chaîne des événements », « au premier rapport de l'homme à tout ce qui l'environne [73] », et c'est justement là, dans ce premier lien entre les individus, que Jean-Jacques cherche l'origine de l'aliénation.

La situation d'aliénation naît au cours de la coopération des individus, dont chacun, en nouant « des rapports avec ce qui l'environne », est motivé par l'amour de soi, l'aspiration à satisfaire ses besoins. L'interdépendance des hommes a cependant pour effet de faire progressivement agir l'individu eu égard non plus à sa personne, mais à ce qu'il est aux yeux des autres ; son action est dictée non pas par l'aspiration à l'utile, mais par l'ambition (le désir de se distinguer) ; il cesse « d'être lui-même », il commence à « exister dans le regard des autres ». Nous demeurons donc dans le cadre d'une conception qui réduit à l'utilité toute la diversité des liens et comportements sociaux. Comme on le sait, cette conception est typique pour la pensée bourgeoise classique et elle a assumé au cours des âges, en particulier au siècle des Lumières, deux fonctions au moins. D'une part, une fonction critique : en rapportant toutes les actions humaines aux mêmes motifs, ce modèle imposait une interprétation homogène, profane et, du moins dans certaines de ses variantes, égalitaire des actions et conduites sociales. Il permettait, en effet, de ramener toutes les actions — qu'elles fussent accomplies au nom de Dieu (donc sacrées), ou en se réclamant de « la raison d'Etat » (donc politiques) — à des actions engagées au nom de l'intérêt particulier. La deuxième fonction de ce modèle, régulatrice ou normative, intervenait ici d'emblée : toutes les institutions et actions sociales doivent servir à la satisfaction des intérêts des membres de la société, elles doivent être conformes à l'intérêt durable et dûment compris de la société dans son ensemble, identique avec les intérêts de ses membres [74]. Or, nous l'avons vu, cette conception courante du lien et du comportement sociaux sert à Rousseau de point de départ pour son analyse critique de la société de son temps. Certes, l'intérêt lie les hommes entre eux ; la recherche de l'utilité est à l'origine des liens interindividuels. (Remarquons qu'il s'agit là d'un élément supplémentaire qui permet de considérer des phénomènes différents par leurs contenus sociaux comme les symptômes d'une même et unique situation, et d'associer différents points de vue dans l'analyse ; d'autant plus que le concept de l' « intérêt » est grevé des mêmes ambiguïtés que le concept du « besoin ».) Mais, de l'avis de Jean-Jacques, il est peu vraisemblable que les intérêts particuliers s'harmonisent spontanément dans la société ; il est plutôt inévitable que ces intérêts s'opposent, engendrant l'inégalité sociale et le chaos. Ce qui est considérablement plus important aux yeux de Jean-Jacques, c'est que toute action entreprise par l'individu au nom de sa propre conservation, toute objectivation de l'individu équivalant à l'établissement de rapports avec autrui possède « des effets moraux », porte en elle le risque de l'aliénation. Dès que des relations sociales se nouent, « l'amour de soi », « sentiment naturel qui porte tout animal à veiller à sa propre conservation », risque de dégénérer en « amour-propre qui n'est qu'un sentiment relatif, factice, né dans la société et qui porte chaque individu à faire plus de cas de soi que de tout autre [75] ». « Le premier regard porté sur moi-même », et sur les autres — donc la perception de son altérité — fit d'emblée naître « le premier mouvement d'orgueil » qui aboutit, à mesure que de nouvelles interdépendances se formaient entre les hommes, à ce qu'il « fallut pour son avantage se montrer autre que ce qu'on était en effet [76] ».

Ainsi donc l'aliénation des structures sociales de différent type et les processus subséquents de dépersonnalisation ne sont pas dans l'œuvre de Rousseau un phénomène partiel, spécifique pour telle ou telle sphère de la vie sociale, ils caractérisent au contraire toute la réalité humaine, deviennent son aspect essentiel, une menace constante. Et la conscience de ce danger imprègne toute la vision du monde de Jean-Jacques. L'inégalité sociale et le rapport de l'homme à Dieu, la liberté et la place de l'espèce humaine dans l'ordre universel, le rapport des hommes à la nature et de l'individu à la société, toutes ces questions acquièrent en quelque sorte une nouvelle dimension sous-jacente — la possibilité de l'aliénation. Nous retrouvons cette dimension aux endroits de prime abord les plus inattendus, comme par exemple dans les descriptions du jardin classique et du jardin sentimental. Rappelons également les passages d'*Emile* où, dans les premiers pleurs de l'enfant et les réactions de l'entourage, Rousseau décèle les premiers dangers cachés, cette « longue chaîne » déjà évoquée et qui contient potentiellement la possibilité de l'aliénation et de l'inégalité sociale [77]. Dans des termes plus généraux : la spécificité de la doctrine de Jean-Jacques consiste non seulement à décrire des situations d'aliénation et à les déceler dans les domaines les plus divers, mais encore à introduire le danger possible et même inéluctable de l'aliénation en tant que prémisse implicite de toute sa conception anthropologique (ainsi que de toute sa vision de la réalité, de la structure ontologique du monde). Si Rousseau reprend nombre de problèmes et schémas courants dans les idées philosophiques et sociales des Lumières, il les développe dans ce contexte spécifique, provoquant ainsi leur modification. D'autre part, cette même prémisse ouvre des perspectives à maintes questions nouvelles. La philosophie acquiert un nouveau sens : exprimer le désir de l'homme de se sentir partout « chez lui » — pour employer les mots de Novalis —, ce désir dérivant du sentiment exacerbé du règne de l'aliénation sur l'ensemble de la vie de l'individu et de la société. Cette prémisse sous-tend également les efforts constants que déploie l'auteur du *Contrat social* pour donner à l'objectivation des hommes et au lien social des formes qui empêcheraient que l'action au nom « de l'amour de soi » n'aboutisse à l'aliénation, à l'éclatement de l'existence en « être » et « paraître ». Dans la société même et dans les motifs d'action des hommes qui y vivent, Jean-Jacques cherche à confirmer que la « philosophie triste » a tort quand elle identifie « le bien » de l'individu avec son « intérêt égoïste ». « L'état présent des choses, où le méchant prospère et le juste reste opprimé », ne prouve rien [78].

Tout en introduisant dans sa conception de la personnalité la menace potentielle et permanente de l'aliénation, Jean-Jacques structure son idée de l'homme de manière à impliquer que celui-ci peut se libérer du système des rapports dépersonnalisants. Cette libération est non seulement possible, elle est, de plus, un impératif moral qui résulte de la vocation de l'homme, être libre et intelligent qui possède « l'idée et le besoin du bien [79] ». Toute l'œuvre de Jean-Jacques proteste et s'insurge contre l'état existant des choses ; elle exhorte à « un retour à soi-même », aux forces qui, dans la personne humaine, sont capables d'assurer ce retour. Tel est en effet le sens d'une vision du monde dans laquelle « l'homme est bon, mais les hommes sont méchants », le sens de son exhortation à conformer la vie quotidienne à la vocation de l'homme, à son essence, dont il est impossible qu'elle soit entièrement détruite, anéantie, et qu'on peut retrouver même parmi les habitants d'un monde dépravé.

D'ailleurs, toute vision du monde qui s'insurge contre la réalité existante en opposant « l'apparence » et « l'authenticité », est structurée de manière que la description de cette apparence non seulement se réfère implicitement à un certain idéal, mais soit aussi à la fois un élément contribuant à former cet idéal. En effet, « l'authenticité » supposée est toujours mise en relation avec des ensembles de valeurs qu'on oppose à la réalité et en vertu desquels on juge que celle-ci est « apparente ». Ces ensembles forment les noyaux d'une ou plusieurs utopies plus ou moins formulées et concrétisées ; utopies comprises au sens le plus large du mot, c'est-à-dire en tant que dépassement global de la réalité sociale au nom précisément de ces valeurs. Sous un certain aspect, tous les principaux axes autour desquels s'agence l'œuvre de Jean-Jacques sont des propositions ou/et des règles en vue du dépassement du « monde des apparences ». Tel est effectivement le sens de l'éducation d'Emile, tel est l'idéal que se propose de réaliser le *Contrat social,* ou l'économie à Clarens, dans *La Nouvelle Héloïse. Les Confessions* se proposent également d'aboutir à une communication entre les hommes qui éliminerait l'apparence et instaurerait le lien authentique. Mais l'énumération de ces titres suffit à démontrer que, sans être en présence d'idéaux de dépassement absolument opposés, leur conformité n'étant pas évidente, il faut d'abord procéder à leur reconstruction sur la base de l'interprétation de tous les principaux éléments constitutifs de la doctrine.

Il semble cependant opportun de distinguer en quelque sorte préliminairement certaines propositions ou encore certains idéaux mis en relation avec la conception du dépassement par l'individu des rapports d'aliénation. Nous voudrions dégager ces propositions en schématisant, en les séparant en quelque sorte de l'organisme vivant de la doctrine, bien que nous soyons conscients des dangers qui accompagnent ce genre d'opérations. Le risque mérite cependant d'être couru au moins pour deux raisons. Premièrement, la démarche proposée peut nous aider à expliciter et articuler les prémisses sous-jacentes de la problématique de l'aliénation, alors que le thème donné apparaît dans l'œuvre même de Jean-Jacques dans une tout autre association. Deuxièmement, nous retrouvons dans ces schémas, à l'état encore embryonnaire, nombre des utopies, idéologies et mystifications qui ont étoffé la problématique de l'aliénation durant la première moitié du XIXᵉ siècle, époque où elle a fait carrière, et dont certaines ont gardé leur vitalité jusqu'à ce jour. Les thèmes qui par la suite, au XIXᵉ siècle, deviendront autonomes, apparaissent ici dans leur agencement réciproque, bien qu'ils soient moins clarifiés qu'ils ne le seront un demi-siècle plus tard, et théoriquement moins bien élaborés. Nous ne nous préoccuperons pas ici de la question de savoir si (et dans quelle mesure) les différentes propositions d'émancipation assument elles-mêmes des fonctions mystificatrices et, en créant les apparences idéologiques d'un dépassement de l'état de choses existant, deviennent à leur tour une forme particulière de l'aliénation de l'idéologie et des idéologues par rapport au mouvement réel de la réalité sociale. Il s'agit uniquement pour nous d'esquisser certains thèmes qui émergent dans l'anthropologie philosophique dès l'instant où la problématique de l'aliénation est introduite dans la représentation de la personnalité et du monde.

Ainsi, l'un des premiers à faire son apparition est le thème déjà signalé de l'authenticité opposée à l'apparence. L'équivocité et la généralité de ce sujet font qu'il peut servir de contenant sans fond à des contenus et des sentiments hétérogènes et contradictoires. Ainsi, le sens conféré au postulat de « l'existence authentique » peut être en général déchiffré à partir non seulement des descriptions positives de « l'authenticité », mais aussi de la description des formes de l'existence sociale ou des institutions sociales, dont on considère qu'elles sont aliénées et représentatives du monde de l'apparence. De plus, « l'existence authentique » symbolise parfois le seul besoin de changer la situation existante, besoin qui, bien qu'il soit intensément vécu, ne se prête pas à l'expression discursive [80].

En tout cas, chez Jean-Jacques, la conception de l'authenticité est associée avec une valeur fondamentale, l'émancipation de l'homme (de la société comme de l'individu) des relations et institutions sociales aliénées et aliénantes. « Etre soi-même » signifie être libre, et les chemins de la désaliénation sont les chemins de la liberté. Evidemment, le concept même de la liberté, ses contenus sociaux et son horizon philosophique ne se précisent que dans le contexte des autres éléments de la pensée de Rousseau, dans lesquels ils sont imbriqués. Tout ce que nous voulons souligner, c'est que la liberté, considérée en tant que désaliénation, acquiert en quelque sorte de nouvelles dimensions sociologiques et philosophiques, s'enrichit d'un nouveau type de problématique. L'analyse des problèmes de la liberté fait très nettement apparaître le phénomène que nous avons caractérisé ci-dessus : Jean-Jacques inclut dans sa vision du monde, à titre de prémisse implicite, le possible permanent de l'aliénation. En effet, dans les termes les plus généraux, l'existence sociale enrichit la personnalité et à la fois la menace. Grâce à l'assimilation des valeurs humaines universelles, produites dans la société, l'individu réalise sa vocation humaine ; il se définit comme un être moral autonome ; il approfondit et élargit sa liberté. L'individualisation et la socialisation sont les éléments ou encore les aspects d'un seul et même processus qui engendre la réalité du « monde des apparences », mais aussi le possible de l'autonomie de l'individu en tant qu'être moral et le possible du « règne de la liberté » dans les relations interindividuelles. La liberté est à l'origine de l'émergence des rapports d'aliénation, mais elle est en même temps la prémisse du dépassement de ces rapports. La problématique de la liberté est imbriquée dans l'analyse d'un processus dialectique où — comme le définit Rousseau — il devient possible « de tirer du mal même le remède qui doit le guérir » [81] ; elle devient l'axe organisateur d'une construction historiosophique qui inclut dans l'histoire aussi bien l'apparition de l'aliénation que le besoin impérieux de sa négation. Mais elle devient également l'axe autour duquel se structure une personnalité pour laquelle la liberté signifie l'indépendance par rapport aux processus de dépersonnalisation qui la menacent ; d'une personnalité qui, en réalisant seule et en dépit du monde environnant les valeurs humaines universelles, peut et doit défendre dans la solitude « la cause du genre humain contre lui-même [82] ».

Les images d'une personnalité harmonieuse et d'une société idéale, d'un véritable « siècle d'or », « d'un monde idéal » [83] s'entremêlent dans la vision du monde de Jean-Jacques. Nous nous abstiendrons ici de répondre à une question par ailleurs importante : dans quelle mesure ce monde idéal est l'image d'un monde futur, d'un monde à conquérir, et dans quelle mesure est-il l'image d'un monde passé, perdu ? Quoi qu'il en soit, l'idéal d'une personnalité harmonieuse et d'un monde idéal est caractérisé en fonction d'un certain modèle des relations interindividuelles et du rapport de l'homme aux choses ; modèle dans lequel on déchiffre aisément la négation des situations d'aliénation décrites ci-dessus. Ainsi, Rousseau nous propose l'idéal de la transparence des relations interindividuelles opposé à leur opacité, à leur inintelligibilité dans le « monde des apparences ». Cette transparence des rapports est identifiée avec leur simplicité, avec l'intelligibilité pour chaque individu de l'ensemble des relations qui le lient aux autres individus et à la société dans sa totalité, ainsi qu'avec l'entière univocité du rapport de l'individu au monde des hommes et des choses qui l'entoure. La transparence et la simplicité font que ces rapports sont « vrais » dans le sens de la réalisation des valeurs fondamentales dont on considère qu'elles sont inhérentes à l'humanité, tandis que la véracité acquiert ici un sens moral en tant qu'opposition au mensonge et à l'apparence qui règnent dans le monde de l'aliénation. L'idéal de la transparence et de la simplicité s'associe avec quelques thèmes extrêmement caractéristiques de Rousseau, ou même se concrétise en eux. Les rapports simples et transparents sont des rapports immédiats. L'immédiateté, opposée aux institutions et valeurs aliénées, est postulée par rapport à l'ensemble des relations de l'homme. Il s'agit en particulier de trouver ou de rétablir le rapport immédiat aux choses, d'envisager celles-ci en raison de leur utilité réelle pour l'homme, en raison de leur caractère concret et significatif « humain », en raison de leur « véritable » valeur, et non pas de la valeur artificielle qui leur est conférée. Mais il s'agit aussi d'un rapport immédiat à Dieu, de supprimer, de

dépasser les institutions qui servent d'intermédiaires entre l'individu et
Dieu uniquement en apparence, séparant en réalité l'un de l'autre (« Que
d'hommes entre moi et Dieu », s'exclame le vicaire savoyard). Le rapport
de l'homme à son espèce, aux valeurs humaines universelles, doit également
être immédiat, équivalant ainsi à la réalisation directe de la vocation
humaine dans chaque individu. Enfin, un rapport immédiat et personnel
doit s'établir entre les hommes, remplaçant le lien anonyme dans lequel
l'individu est identifié avec sa « position sociale », son rôle, ou est considéré comme s'il constituait un instrument interchangeable pour la réalisation des « apparences », l'accumulation des richesses, la satisfaction des
ambitions, etc.

D'une manière plus générale, l'idéal de l'immédiateté dans les relations
interindividuelles est lié à la recherche d'un lien social en vertu duquel
les rapports avec autrui ne mèneraient pas à des médiations qui, en devenant autonomes, pourraient isoler les individus et les opposer les uns aux
autres. La tendance à éliminer toute médiation débouche parfois sur
l'idéal d'une communication qui se passerait même de la parole, la médiation verbale étant remplacée par la communication silencieuse des
cœurs. En tout cas, les mots devraient retrouver leur « véritable » signification, de manière à ne pas masquer les rapports entre les hommes.
Ainsi, les liens sociaux se transformeraient en liens affectifs, en « l'union
directe des cœurs », aussi bien dans les relations entre les différents individus que dans le rapport de l'individu à la communauté. Le postulat du
lien affectif a pour corrélatif l'idéal d'une communauté intégrée grâce au
fait que l'amour pour la communauté et ses valeurs s'impose aux individus par une évidence spontanée du cœur. Cette communauté se doit d'être
petite, autarcique, si ce n'est carrément fermée ; ce qui lui assure une
plus grande transparence et cohérence, permet de considérer chacun de
ses membres en fonction de ses propriétés personnelles, au lieu de l'identifier avec son seul rôle social. Dans cette communauté, tout devient
transparent : aussi bien les hommes les uns par rapport aux autres que
les relations qui les unissent. « Etre soi-même » s'identifie avec l'existence
dans la communauté, avec l'extension de son propre « moi » à la communauté entière, à son ordre moral.

Dépasser les rapports où l'individu reste étranger et extérieur à la totalité dont il fait partie, tel est l'idéal que Jean-Jacques exprime sous les
versions les plus diverses et qui abonde en antinomies dont nous nous
occuperons de plus près par la suite. Dans le contexte qui nous intéresse
ici, nous ne soulèverons qu'un problème. L'idéal de la démocratie politique et sociale, en bref, l'idéal de l'Etat, tel que Rousseau l'esquisse
dans le *Contrat social,* s'inscrit également dans le contexte sous-jacent
de l'aliénation. Il existe un lien indissoluble entre toutes les constructions
politico-juridiques du *Contrat social* et l'aspiration de Rousseau à identifier optimalement l'individu — le citoyen avec le tout social — l'Etat
qui est une patrie pour tous ses membres. Le système complexe des
médiations juridico-politiques ne doit pas être « extérieur » par rapport
aux membres de la communauté. La personnalité doit s'exprimer dans les
institutions politiques, s'y reconnaître et s'y affirmer. Il s'agit de plus du

modèle d'une communauté politico-juridique dans laquelle l'action collective et rationnelle de la société remédierait ou du moins pourrait à tout instant remédier au possible de l'aliénation ; d'un modèle dans lequel le sujet social collectif exerce un contrôle sur sa propre mobilité et activité sociale. Dans la construction de ce modèle, un rôle particulier échoit aux mécanismes capables d'empêcher que les différentes institutions et couches sociales, en particulier l'appareil du pouvoir, s'aliènent par rapport au souverain identifié avec l'ensemble de la société, avec le peuple. D'expression de la volonté des citoyens, la loi ne peut pas se transformer en « apparence », en contrainte extérieure et en instrument d'oppression. Ainsi, les idées égalitaires de Jean-Jacques, l'identification de la société avec le peuple en particulier, sont également à considérer dans le cadre des solutions proposées pour empêcher la désintégration sociale, la scission de la vie en « apparence » et « authenticité », la division en gouvernants et gouvernés qui fait de ces derniers des êtres extérieurs à la totalité sociale. Evidemment, l'idéal de la démocratie chez Rousseau ne se ramène pas aux problèmes de la désaliénation : nous tenions uniquement à mettre en relief la correspondance réciproque.

Enfin, un autre grand thème de l'anthropologie de l'auteur des *Confessions,* dans lequel la question de la désaliénation est insérée. Nous avons dit ci-dessus que l'idéal de la communauté harmonieuse et l'idéal de la personnalité harmonieuse sont complémentaires dans la vision du monde de Rousseau. Il faut cependant tenir compte de ce que l'individu dans la singularité n'est jamais réductible à ses conditionnements sociaux. Dans la conception de la personnalité esquissée par l'auteur des *Confessions,* l'individu ne se ramène pas aux conditions, forces et valeurs qui lui sont extérieures, et l'authenticité recherchée n'existe pas si elle n'est pas une expérience vécue par l'homme, si elle se situe hors de son « intériorité ». Ainsi, être heureux — état auquel chacun doit aspirer en vertu d'une loi de la nature humaine —, ce n'est pas seulement satisfaire tels et tels besoins et désirs, mais c'est aussi éprouver le sentiment d'être satisfait, et le bonheur n'a pour seule mesure que la subjectivité de son expérience. Ce vécu subjectif, incommunicable et unique, ne peut cependant être authentique que dans la mesure où il a pour contenu des valeurs générales, des valeurs universelles indissociables de la nature humaine. La conception de la personnalité chez Rousseau consiste tantôt à construire celle-ci en vertu de sa participation aux valeurs universelles (ou de leur individualisation), donc en un « essentialisme » spécifique, tantôt à l'analyser comme le résultat d'un ensemble d'actions extérieures, de l'environnement (les Anglais disposent d'un excellent terme pour désigner cette conception : /« environmentalism »), ou encore à l'agencer autour de l'acte unique du vécu de sa propre existence, autour du doux sentiment de l'existence. Quand ce vécu est particulièrement intense, l'homme ne perçoit pas les limites entre ce qui est « intérieur » et « extérieur », il assimile totalement la réalité et à la fois « étend son existence », projette sa propre personnalité « à l'extérieur ». En effet, l'autonomie et la particularité de l'individu ne font de lui un être étranger et extérieur au monde de la nature et des hommes. En modernisant, nous pourrions

dire que, dans la vision du monde de Rousseau, l'individu n'est pas
« jeté dans le monde », il n'y a pas de rupture ontologique entre lui et
le genre humain ou la nature. Si l'aliénation émerge, si la folie des institutions humaines s'insère entre l'individu et sa vocation, c'est qu'une crise
existe, tant dans la société qui aliène l'individu, que dans l'individu aliéné.
Le « monde des apparences » condamne l'individu à la solitude, le « tire
de l'ordre ». Pour « se retrouver », « redevenir lui-même », l'homme doit,
dans son intériorité et dans l'isolement, par un acte de conscience de soi,
reconstruire son appartenance à l'ordre supra-individuel, opérer la synthèse de sa particularité et de son appartenance à l'espèce, jeter un
pont sur l'abîme que la civilisation et le progrès ont creusé entre l'existence des hommes et leur vocation. D'où — pour employer une expression
très juste — la recherche d'une « transcendance immanente [84] » en tant
que chemin conduisant à « être soi-même ». Ainsi, le problème de l'aliénation, la révolte qu'elle suscite et la recherche d'une voie spécifique
d'émancipation, constituent également l'une des dimensions sous-jacentes
des divers sens de la solitude chez Rousseau.

L'aliénation et la crise

Jusqu'ici — et à ce qu'il nous semble — nous en avons trop dit et pas assez. Trop, parce qu'en montrant la liaison des différents thèmes de la vision du monde de Rousseau avec les problèmes de l'aliénation, nous avons pu, en dépit de nos intentions, donner l'impression que c'est l'unique axe organisateur de la doctrine, que la vision du monde de l'auteur du *Contrat* est réductible à cette problématique. De ce fait, nous n'en avons cependant pas assez dit : en développant de plus près les contextes dans lesquels la problématique de l'aliénation s'inscrit, nous aurions en effet dissipé les apparences d'autonomie de cet ensemble de problèmes, montré que celui-ci constitue uniquement un des aspects de l'anthropologie de Rousseau, quelque important qu'il soit. Nous avons néanmoins jugé utile de lui donner ce relief, non seulement parce que Rousseau a éminemment contribué au développement historique de cette problématique dans la pensée philosophique, mais aussi parce que l'analyse de ces problèmes à l'un des premiers stades historiques de leur formulation permet — à notre avis — de mieux saisir leur ambiguïté et leur indétermination notoires jusqu'à nos jours. Une telle analyse permet en particulier de constater combien il est facile, à l'aide du sentiment de l' « aliénation », d'opérer une synthèse totalisante de situations et de processus sociaux très hétérogènes, depuis la frustration personnelle et l'incapacité d'adaptation au milieu jusqu'aux mécanismes des processus économiques ; de voir comment, entre autres pour cette raison, la problématique de l'aliénation s'enrobe facilement dans des mythes et des utopies. Ce qui, d'ailleurs, n'enlève rien à l'importance sociale de cette catégorie et de certains sentiments et attitudes qui trouvent en elle leur expression. Bien que cette vérité soit devenue un lieu commun, rappelons que, dans la formation de la conscience des individus et des groupes sociaux, les mystifications de leurs situations jouent un rôle historiquement aussi important que les processus de rationalisation de cette conscience, et que l'idée d'une conscience sociale rationnelle et transparente se prête elle-même aux mystifications.

Nous voudrions encore signaler brièvement deux autres questions, afin d'éviter une autonomie excessive de la problématique de l'aliénation dans la vision du monde de Rousseau. La première, c'est le concours de circonstances qui a rendu l'auteur des *Dialogues* particulièrement sensible aux problèmes de l'aliénation ; la seconde, c'est de savoir (mais nous ne ferons que poser le problème) dans quelle mesure le complexe de ques-

tions liées à l'aliénation est spécifique pour la vision du monde de Rousseau, par rapport aux autres systèmes de pensée du siècle des Lumières.

Premièrement, nous voulons donc attirer l'attention sur certains facteurs
qui, en quelque sorte, conditionnent la situation particulière de l'auteur
même dans la structure de la société de son temps ; situation qui contribuait à le sensibiliser aux manifestations de l'aliénation dans la réalité
sociale. Ce problème mérite qu'on s'y arrête, entre autres parce que nous
sommes en présence d'un concours de facteurs psychologiques et d'attitudes sociales, dont chacun est envisagé comme un élément autonome
dans les diverses tentatives entreprises pour interpréter la genèse de la
vision du monde de l'auteur d'*Emile*. La raison de cette situation réside
d'ailleurs en partie dans l'œuvre même de Rousseau. En effet, à l'opposé
de la majorité des cas où il est difficile à l'historien de découvrir les liens
unissant l'œuvre de l'auteur avec sa biographie, c'est le contraire qui se
produit ici. L'auteur des *Confessions* suggère en quelque sorte lui-même
l'interprétation — ou les interprétations — de la genèse et du sens de
son œuvre, s'oppose à toute tentative de considérer son œuvre comme
autonome par rapport à sa biographie, oblige à l'analyser comme l'expression de sa manière spécifique, personnelle au plus haut point, de vivre la
réalité. Mais n'oublions pas que ces interprétations sont souvent elles-
mêmes des constructions, ou des éléments de construction de sa propre
personnalité (comme c'est le cas pour les *Confessions*), et qu'elles demandent à leur tour d'être interprétées. Nous essaierons donc de dégager
du moins les quelques facteurs particulièrement importants qui formèrent
la perspective spécifique dans laquelle Rousseau saisissait les phénomènes
de l'aliénation. Mais nous savons que notre tentative peut uniquement
servir à montrer comment certains contenus idéologiques pénètrent dans
la vision du monde de Jean-Jacques, et qu'elle ne remplace pas l'analyse
de ces contenus et de la structure de la doctrine même.

Nous avons donc avant tout en vue le facteur déjà signalé et auquel
il nous faudra encore revenir, à savoir certains schémas affectifs fixés qui
se traduisent par un sentiment d'inadaptation personnelle au monde, par
une tendance à se considérer soi-même comme un « étranger dans le
monde » ; ces schémas devenant nettement pathologiques à une étape de
la vie de l'auteur des *Confessions*. Ses situations conflictuelles personnelles, ses frustrations, Jean-Jacques les interprète presque toutes dans
le cadre justement de ces schémas et, d'emblée, les insère dans sa vision
généralisante du monde en tant que monde aliéné [85]. D'ailleurs, à maintes
reprises, Jean-Jacques explique lui-même son œuvre, et son destin, par
sa propre « singularité », par son « tempérament et son caractère [86] ».
Si nous ajoutons à cela les complexes spécifiques de Jean-Jacques, en
particulier ses complexes sexuels, rien d'étonnant à ce que les essais
d'interprétation psychologique et, surtout, psycho-analytique, voient dans
son œuvre la projection spécifique de ses propres mythes sur la réalité
environnante. Car s'il est vrai que l'une des fonctions psychologiques
que la création peut assumer par rapport à l'auteur même, est de créer
une médiation spécifique entre l'individu et le monde, de résorber les

conflits et complexes par leur objectivation, Jean-Jacques constitue alors un exemple classique [87].

Bien que nous mesurions à sa juste valeur la structure psychique particulière à Rousseau, nous ne pouvons cependant pas la séparer de ce que Mannheim appelait « les aspects sociaux et fonctionnels de la personnalité », le rapport des dispositions psychiques de l'individu aux « sphères sociales de son action », à la situation sociale complémentaire vis-à-vis de la personnalité [88]. D'autant plus que Jean-Jacques lui-même n'omet pas de faire également des suggestions dans ce sens. Il est le premier à interpréter son sentiment d'être étranger au monde et son conflit avec la société dans les catégories de l'antagonisme social : l'injustice dont il a lui-même souffert, vraie ou imaginaire, est toujours pour lui une manifestation de l'oppression des pauvres par les puissants. « Je hais les grands, je hais leur état, leur dureté, leurs préjugés, leur petitesse, et tous leurs vices, et je les hairois bien d'avantage si je les méprisois moins » — écrivait-il à Malesherbes [89]. « La nature veut qu'on fasse des enfants — lit-on dans sa lettre par laquelle il avouait à Mme de Francueil l'abandon des siens — puisque la terre produit de quoi nourrir tout le monde, mais c'est l'état des riches, c'est votre état qui vole au mien le pain de mes enfants [90]. » Au sujet d'un pot de beurre livré par erreur à M. de Lastic qui fit chasser Mme Le Vasseur venue chercher le pot, Jean-Jacques écrivit au comte : « Ce ne serait pas la peine d'avoir des Gens s'ils ne servoient à chasser le pauvre quand il vient réclamer son bien (...). Justice et humanité sont des mots roturiers [91]. »

Ce point de vue plébéien se concrétise dans l'idéal de l'artisan vivant du travail de ses mains : idéal que Jean-Jacques à maintes reprises glorifie comme la condition qui correspond le mieux au modèle de l'individu libre et indépendant, ainsi qu'à sa vocation personnelle, bien que jamais réalisée [92]. Cette identification sociale de Rousseau, clairement explicitée, servit de point de départ à une interprétation sociologique qui voit dans l'œuvre de Rousseau l'expression des tendances et aspirations petites-bourgeoises, et dans ses conceptions philosophiques la projection des idéaux du petit propriétaire [93].

Cependant, il suffit de comparer même superficiellement l'œuvre de Jean-Jacques avec celle d'autres écrivains qui exprimèrent aussi des aspirations égalitaires plébéiennes, comme par exemple Mably, pour se rendre compte que Jean-Jacques, malgré la convergence de nombre d'idéaux sociaux fondamentaux [94], saisit les phénomènes dans une perspective qui lui est spécifiquement propre. Ni chez Mably, ni chez Morrely, la révolte sociale ne s'associe avec le sentiment exacerbé de leur propre aliénation. Ces écrivains sont considérablement moins sensibilisés au caractère aliénant des phénomènes sociaux et quand ils le perçoivent, cette vision ne donne pas lieu à la révolte subjectiviste et individualiste si caractéristique de Rousseau. Il ne semble pas non plus que nous puissions avancer dans notre recherche des conditionnements sociaux de la vision du monde de l'auteur des *Confessions*, en invoquant l'hétérogénéité sociale, caractéristique du « peuple » français au XVIIIᵉ siècle.

Il y a par contre lieu de nous arrêter à un facteur supplémentaire qui

permet de définir de plus près la place de l'auteur des *Confessions* dans
la structure de la société de son temps, et dont le rôle gagne particulièrement en relief dans le contexte de l'analyse de la problématique de
l'aliénation dans son œuvre. (Ce facteur pourra nous aider en partie à
expliquer les aspirations sociales qui se manifestent dans l'œuvre, bien
que la vision du monde — en tant que structure globale — ne soit évidemment pas réductible à l'ensemble de ses conditionnements génétiques.)
Nous avons ici en vue le fait que Jean-Jacques vit en marge de toutes les
structures sociales établies de son époque, il est un être marginal [95]. Il
est du reste le premier à souligner que cette situation est exceptionnelle et
« avantageuse » en tant que point d'observation et d'étude de la société.
« A compter l'expérience et l'observation pour quelque chose, je suis à
cet égard dans la position la plus avantageuse où jamais mortel, peut-
être, se soit trouvé, puisque sans avoir aucun état moi-même, j'ai connu
tous les états ; j'ai vécu dans tous depuis les plus bas jusqu'aux plus
élevés, excepté le trône. Les Grands ne connoissent que les Grands, les
petits ne connoissent que les petits. Ceux-ci ne voyent les premiers qu'à
travers l'admiration de leur rang et n'en sont vus qu'avec un mépris
injuste. Dans des rapports trop éloignés, l'être commun aux uns et aux
autres, l'homme, leur échappe également. Pour moi, soigneux d'écarter
son masque, je l'ai reconnu par tout (...). Admis chez tous comme un
homme sans prétentions et sans conséquence, je les examinois à mon
aise ; quand ils cessoient de se déguiser je pouvois comparer l'homme à
l'homme, et l'état à l'état [96]. » Toute la biographie de Jean-Jacques est
une succession de situations réelles ou vécues de « vrai vagabond »,
ainsi qu'il s'appelle lui-même [97], « d'étranger parmi les hommes ». Remarquons en effet que même l'idéal de l'artisan, dont il considérait la condition comme sienne, est pour Jean-Jacques une construction, l'image d'un
état perdu vers lequel il n'y a plus vraiment de retour. A Paris, il est
« étranger », il est non seulement un plébéien qui veut faire carrière, mais
aussi un citoyen de Genève possédant de ce fait un certain recul par
rapport à la vie parisienne et ses réalités [98].

Parce que Jean-Jacques a souvent opposé la France à Genève, certains
auteurs ont interprété sa vision du monde et, surtout, ses idées socio-
politiques, comme si elles étaient principalement conditionnées par la
structure et les conflits sociaux de Genève au XVIIIe siècle [99]. Or, ce citoyen
de Genève, qui souligne démonstrativement son origine, est aussi étranger
à Genève qu'à Paris, et ses contemporains lui reprochent que son image
idéalisée de Genève n'est qu'une construction ne correspondant pas à la
réalité. Cet homme converti à deux reprises n'est pas plus intégré dans la
communauté confessionnelle catholique que dans la communauté protestante (ce qui d'ailleurs influe nettement sur la nature de l'individualisme religieux de l'auteur de la *Profession de foi*). A Paris, il reste également à l'extérieur du milieu spécifique des « hommes de plume », et
son conflit avec les « philosophes », auquel nous reviendrons sous peu,
approfondit son sentiment d'isolement.

Cette situation sociale d'un homme déraciné, déclassé, nous pourrions
la suivre à travers de nombreux thèmes particuliers de la vision du monde

de Jean-Jacques — depuis la conception des *Confessions* jusqu'à l'apothéose du vagabondage dans *Emile*. Elle est un élément de la biographie
intellectuelle et philosophique de Jean-Jacques, de cet autodidacte qui
avait accumulé son « magasin d'idées » au hasard de la vie, elle se
combine avec ces dispositions psychiques particulières dont nous avons
parlé, se projette sur toute la tragédie de sa destinée. Dans une certaine
mesure, cette situation sociale se manifeste également dans le mélange
particulier d'égalitarisme plébéien et d'élitarisme éthique, caractéristique
de toute l'idéologie de Jean-Jacques et qui rend si difficile une structuration sociologique univoque des idées que son œuvre exprime et des attitudes qu'elle manifeste [100]. Ce sentiment de « déracinement » a également
pour composante la conscience d'être rejeté hors du monde des relations
univoques stables, de la destruction de ce monde tant à Genève qu'à
Paris par l' « esprit mouvementé des tems ». Cette conscience, très
complexe psychologiquement, est marquée tant par les réalités sociales
de la Genève patricienne et calviniste de l'époque que par les mythes
de « l'enfance perdue » ; enfance que Rousseau passa parmi des étrangers
et tout imprégnée du regret sublimé de sa mère ainsi que des complexes
éprouvés envers son père.

Ce concours de circonstances biographiques et sociales dont les traits
principaux reviendront plusieurs fois dans nos analyses, explique jusqu'à
un certain point, à ce qu'il nous semble, pourquoi la problématique de
l'aliénation est si dense et si ambiguë dans la vision du monde de
Rousseau. Par contre, il nous est infiniment plus difficile de répondre à la
question de savoir si, parmi les doctrines de l'époque en France, il est
caractéristique du seul Rousseau d'introduire l'aspect de l'aliénation dans
la description des phénomènes sociaux, d'incorporer — dans sa vision
du monde — le sentiment de l'aliénation des institutions sociales définies,
des effets dépersonnalisants de l'aliénation, etc. Tout est en effet dans ce
domaine encore à étudier, et un ouvrage sur le problème de l'aliénation
dans la pensée des Lumières reste à écrire. Nous ne pouvons que montrer
un aspect de la question, en précisant d'emblée que nous voulons le faire
avec la plus grande prudence, conscients de l'absence de recherches préliminaires, alors qu'il y va d'aspects très importants de l'idéologie du
Siècle français des Lumières. Il conviendrait de consacrer une étude
spéciale à cette question, aussi toutes les suggestions formulées ci-dessous
sont-elles uniquement destinées à souligner l'importance du problème.
De la manière la plus générale, nous avons en vue de situer la problématique de l'aliénation dans la vision du monde de Rousseau en raison
de ce qu'on peut appeler la dynamique de la critique des Lumières,
en raison donc de la fonction de cette problématique par rapport au
processus complexe qu'est l'expression de la crise en cours par l'idéologie
des Lumières.

Nous nous trouvons cependant ici en présence d'un aspect d'un problème plus général, à maintes reprises signalé dans la littérature par les
historiens, mais que les historiens et les sociologues de l'idéologie n'ont
jamais analysé dans le fonctionnement de ses mécanismes ; d'un problème
auquel Tarle a donné sa formulation la plus lapidaire en affirmant que

« la conscience sociale n'atteint pas au XVIII⁰ siècle l'extension et la clarté adéquates à la rapidité avec laquelle la crise se rapproche [101] ». Un exemple caractéristique, bien que superficiel de cette inadéquation de l'idéologie à la crise menaçante est la conviction notoire parmi les « philosophes » du milieu du XVIII⁰ siècle que la France est parfaitement à l'abri de toutes les révolutions et secousses. « Pourquoi — écrivait Beaumarchais en 1767 — la relation du tremblement de terre qui engloutit Lima et ses habitants, à trois milles lieues de moi, me trouble-t-elle, lorsque celle du meurtre juridique de Charles Iᵉʳ, commis à Londres, ne fait que m'indigner ? C'est que le volcan ouvert au Pérou pouvait faire son explosion à Paris, m'ensevelir sous ses ruines, et peut-être me menace encore ; au lieu que je ne puis jamais appréhender rien absolument semblable au malheur inouï du roi d'Angleterre [102]. »

Nous avons là affaire à un phénomène très particulier : la pensée française des Lumières, en étendant sa critique à de nouvelles sphères de la vie sociale, approfondit la crise de la société existante ; la critique devient elle-même un élément de cette crise, mais la conscience de la crise n'est pas l'élément dominant de cette critique. Qui plus est, la critique des Lumières masque, dissimule cette crise, surtout en ce qui concerne la crise politique, la crise du pouvoir, et ce justement par son point de vue critique [103]. D'une manière plus générale, une revue sommaire de la littérature du siècle des Lumières (or nous manquons d'analyses plus approfondies sur ce sujet) suffit à constater que plus les penseurs des Lumières étendent leur critique, et plus ils ressentent combien les structures sociales traditionnelles et le système du pouvoir absolu leur sont étrangers, extérieurs. A une certaine étape, le mouvement spontané, visant à se libérer des formes sociales pétrifiées, se traduit non seulement par un recul par rapport aux institutions existantes et par leur jugement, mais aussi par un sentiment confus de leur « extériorité ». Nous pourrions même risquer l'hypothèse de recherche que si l'on entreprenait une analyse de la critique des Lumières, justement du point de vue de l'émergence en elle de ce climat spécifique d' « extériorité », de son degré d'intensité, de ses formes d'expression, etc., il serait alors possible d'explorer plus en profondeur ce que nous avons appelé la dynamique de la critique des Lumières, c'est-à-dire la manière dont l'idéologie reflète plus ou moins adéquatement l'aliénation réelle des différentes structures et institutions sociales, des valeurs et normes morales, etc. Le diagnostic d'une crise par rapport à sa propre époque n'y est cependant pas formulé ; il le sera, à ce qu'il semble, relativement très tard, à partir de 1770, et ce sous l'influence de la révolution américaine. La perception du chaos et de l'anarchie des événements, le sentiment d'insécurité de l'individu, de l'instabilité du monde existant, la mise en question du sens de son époque, etc., tous ces éléments caractéristiques de la conscience d'une crise dominent rarement dans les jugements que la critique des Lumières porte sur son siècle. Si, pour reprendre l'expression de Hazard, une « crise de la conscience européenne » caractérise la fin du XVII⁰ siècle et le début du siècle suivant, la critique des Lumières, par contre, tout en raffermissant la conviction de l'absurdité des institutions et des formes de socialisation critiquées, amène cependant à minimiser, dans sa vision du monde, le sentiment d'une crise sociale, à en neutraliser les attitudes [104].

Comme on l'a à juste titre remarqué, la philosophie des Lumières est sapée dans ses fondements par une antinomie inconsciente entre le rationalisme attribué à la nature humaine et l'irrationalisme découvert dans la marche de l'histoire [105]. Mais elle considère cette irrationalité, cette contradiction, comme un facteur déterminant du passé ; elle la projette rétrospectivement sur l'histoire, ou elle en impute dans la vie contemporaine la responsabilité aux survivances du passé — la superstition, le fanatisme, la tyrannie, etc.

Toutes les accusations qu'on formule à l'encontre de son époque, telles que l'intolérance, la tyrannie, l'ignorance et les préjugés, ne portent pas atteinte à la vision optimiste du présent, fondée sur la conviction profonde de la supériorité de ce « siècle éclairé » ; ce siècle étant supérieur parce qu'il donne naissance à un avenir qui verra la victoire durable de la raison et de la liberté. Certes, Voltaire ébauche dans *Candide* la vision d'un monde dépourvu de tout sens et de tout ordre, dans lequel règne le chaos et où les actions humaines rationnelles conduisent les individus à s'engager en permanence dans des situations irrationnelles. Cette vision traduisait une crise réelle — intellectuelle et morale — de Voltaire, à la suite d'événements qui mirent en question le bien-fondé du jugement de l'époque considérée comme le siècle de la philosophie et de la critique rationnelle [106]. Mais *Candide* n'est pas le récit tragique du destin de Cunégonde, et son héros n'est nullement extérieur au monde et étranger sur terre. Malgré toute l'ambiguïté de *Candide,* la structure à elle seule de l'œuvre, le recul philosophique et l'ironie critique de son auteur équivalent au dépassement, à l'intérieur même de l'œuvre, de la conscience de la crise qui s'y exprime et à l'affirmation de la philosophie critique et rationnelle.

Dans le contexte qui nous intéresse, nous voudrions nous arrêter encore à un phénomène, à savoir à la critique qui, dans l'idéologie des Lumières, s'affirme comme une attitude relativement autonome. Nous n'entendons évidemment pas par là que la critique devient un but en soi, que la pensée des Lumières ne fait que détruire, comme l'affirmera la réaction romantique qui l'appréhendera à travers le prisme de la Révolution française. La critique servait à l'affirmation de valeurs, d'idéaux sociaux, de modèles de la personnalité humaine, etc., elle se fondait sur une conception de la nature humaine comme sur une idée du progrès. Ce que nous avons en vue, c'est que dans la pratique même de la critique philosophique, dans l'élargissement de son extension, dans l'accroissement de son autorité sociale, on voyait un acte d'affirmation des valeurs de ce « siècle éclairé » auxquelles elle devait servir. La critique a l'ambition d'englober la totalité de la vie sociale, « les mœurs, le naturel des peuples, leurs intérêts respectifs, leurs richesses et leurs forces domestiques, leurs ressources étrangères, leur éducation, leurs lois, leurs préjugés et leurs principes (...). Enfin tout ce qui en morale et en physique peut concourir à former, à entretenir, à changer, détruire et à rétablir l'ordre des choses

humaines, doit entrer dans le plan d'après lequel un savant discute
l'histoire [107] ».

Aussi, prendre part à la critique philosophique, c'est accomplir la
vocation morale du savant et du philosophe, et le « critique philosophique » est appelé à devenir un guide capable de distinguer dans l'histoire — mais aussi dans la vie contemporaine — « la vérité de l'opinion,
le droit de l'autorité, le devoir de l'intérêt, la vertu de la gloire elle-
même [108] ». Cette autonomie relative de l'attitude critique approfondissait
indéniablement la crise idéologique et politique dans la France du
XVIIIe siècle. Par ailleurs, dans le domaine de l'idéologie, elle confirmait
la vision historiosophique optimiste de l'époque contemporaine qui était
appréhendée dans la perspective de la victoire progressive et inéluctable
de la raison sur le préjugé, mystifiant et dissimulant ainsi la crise, en
particulier la crise du pouvoir.

Evidemment, la critique des Lumières est beaucoup plus multilatérale
et différenciée, sa dynamique et ses fonctions sont beaucoup plus complexes que ne le laisse entendre le schéma ici esquissé. Il semble cependant que, même sous cette forme, celui-ci est utile pour saisir les fonctions
qu'assumait l'image du monde aliéné, telle qu'elle est esquissée chez
Rousseau, dans une question particulièrement importante pour la pensée
de l'époque. En effet, dans la vision du monde de Rousseau, toute la
problématique de l'aliénation fonctionne comme l'élément du diagnostic
plus général qu'il porte sur son propre siècle considéré comme une époque
de crise. Cela signifie, évidemment, une radicalisation de la critique des
Lumières ; mais par une dialectique spécifique, cette radicalisation débouche sur la mise en question de la valeur même de l'attitude critique,
sur la critique de la critique.

Plus Rousseau radicalise l'opposition entre la réalité contemporaine et
ce qu'il considère comme « authentique », comme véritablement humain,
plus l'image du monde qu'il obtient constate la crise de la société existante. « Tout est délire et folie dans les installations humaines » — c'est
ainsi que Jean-Jacques entrevoit non seulement le passé, mais encore et
surtout son époque, quand, alors qu'il se dirigeait vers Vincennes, il eut
une vision et que l'éblouit l'idée directrice de son « triste système ».
Dans l'image du monde aliéné se manifeste le sentiment — pour employer un terme moderne — d'une crise structurelle de la société. Mais
cette conscience se manifeste comme un ensemble de pressentiments et
d'impressions, comme un climat émotionnel dont la verbalisation se fait
au moyen de symboles et de métaphores.

Toutes les institutions établies — l'Eglise, le pouvoir, les mœurs —
sont extérieures, aliénées par rapport à l'individu. Prendre le chemin du
« retour à soi-même », c'est les remettre en question, opposer le « moi »
aux structures et institutions sociales existantes. L'homme ne peut accomplir sa vocation qu'en dehors de ces institutions et qu'en dépit
d'elles. Précisons que nous avons ici en vue un individu conscient de
sa vocation humaine, un individu réalisant les valeurs universelles. Aussi
le constat de la crise de l'époque contemporaine, contenu dans cette
vision du monde, est-il d'autant plus radical. La réalité sociale est en

conflit avec les valeurs fondamentales sans lesquelles nul n'est homme, sans lesquelles aucun individu ne peut atteindre les buts inhérents à sa propre existence. Montrer l'apparence de cette réalité, la critiquer et faire appel aux valeurs authentiques, vraies, c'est donc à la fois exprimer et approfondir cette crise.

Nous avons déjà fait remarquer l'hétérogénéité des phénomènes sociaux que Jean-Jacques considère comme des variantes d'un seul et même modèle de l' « existence inauthentique ». Les réalités sociales — objet d'un discours politique ou économique — sont souvent mystifiées par un langage symbolique et moralisant. Mais c'est précisément le recours au discours sur « l'existence hors de soi », avec toute sa symbolique et ses métaphores, qui permet à Rousseau de totaliser des phénomènes hétérogènes, d'exacerber le sentiment de la crise morale qui ronge l'époque, de faire prendre conscience à l'homme de son extériorité par rapport à la réalité existante. Or il semble que pour les processus idéologiques de l'époque, ce climat général qui traduit d'une manière confuse mais compacte l'extériorité de l'homme et la mise en question des normes et valeurs établies, le sentiment d'instabilité de l'époque et l'impératif de chercher le sens de sa propre existence en prenant du recul par rapport aux formes sociales existantes et aux systèmes reconnus de valeurs, rôles et comportements sociaux, etc., que ce climat donc était non moins important que telle ou telle observation sociologique ou politique précise, contenue dans les œuvres de l'auteur du *Contrat social,* que telle et telle réflexion théorique. Ce qui était souvent vague, imprécis, sociologiquement indéfini, contribuait à intensifier le climat émotionnel et décida en grande partie de l'impact social de l'œuvre de Jean-Jacques. On pouvait en effet appliquer en quelque sorte ce sentiment obscur d'aliénation et les mythes d'émancipation qui y étaient associés, à diverses situations, leur faire véhiculer des contenus très différents. Ils devenaient facilement autonomes par rapport au concret social avec lequel on les mettait en relation. Pour les uns, la sphère de l'aliénation était aisément réductible au règne du style classique dans le jardin, l'émancipation consistant alors à le transformer en jardin sentimental ; pour d'autres, il y allait de la transformation de toute la société.

Dans toute la vision de l'aliénation, l'accent est mis — nous l'avons déjà fait remarquer — sur le problème de l'attitude pratique, de la réforme morale, de la réorganisation de la vie quotidienne. « Le retour à soi-même » ne s'opère pas par la réflexion philosophique, la critique et le doute. « Comment peut-on être sceptique par système et de bonne foi ? (...). Le doute sur les choses qu'il nous importe de connaître est un état trop violent pour l'esprit humain : il n'y résiste pas longtemps [109]. »

Tout en constatant la crise de la société contemporaine, la vision du monde de Rousseau n'est pas de ce fait une philosophie de l'incertitude et du doute, elle ne prône pas la perdition inéluctable de l'individu, ni l'absurdité du monde en général. Même durant les années les plus noires, quand ses obsessions prirent des dimensions de toute évidence pathologiques, Jean-Jacques garda sa foi intacte dans les valeurs fondamentales qui décident de l'essence de l'humanité : l'homme est bon, et un état constant de doute est contraire à sa nature. L'incertitude morale est précisément le produit du « monde des apparences », elle est la preuve que l'individu a perdu le sens moral inhérent à l'homme [110]. Qui plus est, si Rousseau adopte une position négative envers la philosophie de son temps, c'est entre autres parce qu'il a à lui reprocher d'être unilatéralement critique. C'est uniquement quand ils se moquent les uns des autres qu'ils ont tous raison, dit-il des « philosophes ». « Si vous pesez les raisons (des philosophes), ils n'en ont que pour détruire [111]. » « La littérature et le savoir de notre siècle tendent beaucoup plus à détruire qu'à édifier. On censure d'un ton de maître ; pour proposer, il en faut prendre un autre, auquel la hauteur philosophique se complaît moins. » Du fait notamment de son caractère unilatéralement critique, la philosophie est la partie constitutive d'une culture aliénée. « Cette commode philosophie des heureux et des riches », « dogmatique dans son prétendu scepticisme [112] », glorifie l'amour-propre, l'ambition, étouffe la voie de la conscience qu'elle considère comme un préjugé. Rousseau interprète précisément le triomphe de la philosophie, de son criticisme, comme un signe de la crise de l'époque, de sa crise morale — car « tous les devoirs de la conscience sont anéantis », et de sa crise sociale — car il n'existe « nul autre lien social que la force [113] ». Une situation paradoxale finit par se dégager : le criticisme radical de Rousseau par rapport à son époque se manifeste dans le réquisitoire qu'il dresse contre la philosophie du siècle des Lumières coupable, selon lui, de pratiquer un criticisme unilatéral, de se contenter d'un point de vue critique et sceptique. D'où évidemment, une situation particulière qui se prête à une nouvelle mystification : la philosophie des Lumières qui, au moyen précisément de la critique, voulait se distinguer de l'ordre existant, est considérée comme une partie constitutive du monde qu'elle critique. Aussi l'attitude de Rousseau ne pouvait-elle pas ne pas engendrer des malentendus : le reproche fait aux « philosophes » d'être des destructeurs et des fauteurs de troubles était courant dans la littérature apologétique de l'époque, et les accusations de Rousseau à leur encontre furent promptement reprises par celle-ci [114]. Mais le radicalisme de la critique contenue dans l'œuvre de Rousseau empêchait les idéologies traditionnelles d'assimiler ses aspects même antiphilosophiques : la *Profession de foi* « antiphilosophique » dut être condamnée tant par l'archevêque de Beaumont que par les pasteurs genevois.

« La critique de la critique » équivalait à mettre en question le criticisme non seulement en tant qu'attitude morale, mais aussi en tant que conception de l'action sociale, car elle mettait, en effet, en question toute une philosophie de l'histoire : l'idée du progrès que la victoire de la raison critique sur la tyrannie et le préjugé permet d'atteindre. Nous reviendrons par la suite aux implications résultant de tout ce complexe de problèmes pour la critique du progrès chez Rousseau, ainsi qu'aux accents anti-intellectualistes de toute sa doctrine. En tout cas, « la critique de la critique » signifiait la prééminence de la « raison pratique » dans toute sa vision du monde : l'homme n'a pas été créé pour la réflexion, mais

pour l'action, affirme Jean-Jacques, et s'il le proclame lui-même en raisonneur, c'est une tout autre affaire.

Nous voudrions ici éviter les malentendus ; rien de plus facile en effet
que d'interpréter cette priorité de l'action chez Rousseau comme un
impératif d'action révolutionnaire, d'autant plus que l'accent plébéien,
caractéristique de toute sa critique de l'aliénation, existe également dans
la critique de la philosophie et des « philosophes » (quand Holbach
demande à Rousseau pourquoi celui-ci « ne répondait pas à ses avances »,
Jean-Jacques lui répondit : « Vous êtes trop riche [115] »). Mais les choses
sont beaucoup plus compliquées. Non seulement parce que Jean-Jacques
lui-même récuse à plusieurs reprises toute idée d'action révolutionnaire.
Ce qui compte plus, c'est que toute la conception de l'action chez Rousseau est entachée de ces mêmes ambiguïtés et de cette même indétermination que nous avons déjà tant de fois constatées. Cette action est
en effet principalement conçue comme un acte et un effort moral.
L'apothéose de l'action peut aussi — paradoxalement — se traduire par
le fait de fuir le monde, de rechercher la solitude ; la communion avec
l'ordre moral qui n'existe qu'indépendamment de toute société, devenant
alors une chance d'existence authentique.

La désaliénation garde toujours chez Rousseau son aspect moral, mais
elle équivaut à un choix, à l'autodétermination de l'homme par rapport
à lui-même et au monde. Le caractère aliéné du monde des relations
humaines, son opacité, font de lui un univers équivoque, un univers à la
fois propre et étranger à l'homme. La liberté se manifeste et s'affirme
par l'effort de l'homme visant à dépasser ce caractère du monde et à
transformer sa propre vie en une existence stable et univoque. Mais en
même temps, aussi longtemps que le monde reste justement ce qu'il est,
chaque autodétermination de l'individu demeure ambiguë, approfondit
l'opacité accumulée autour de lui, et son « retour à lui-même » devient
un cheminement constamment inachevé et menacé. L'action dans le
« monde des apparences » engage l'individu dans un enchaînement
d'événements que celui-ci ne maîtrise pas et qui le fait dépendre de forces
sociales anonymes. L'action devient donc antinomique : étant l'expression de la liberté, elle la menace en même temps. Ainsi, l'œuvre de Jean-
Jacques s'insurgeait contre l'aliénation engendrée par le monde des
apparences, mais en même temps elle renforçait le sentiment d'extériorité
par rapport aux contraintes que ce monde impose ; elle s'imbriquait dans
le vécu de ces antinomies et dans leur expression sans cesse réitérée.

On peut certes affirmer à juste titre qu'indépendamment des intentions
de Rousseau, du moment où il proposait l'action comme solution à la crise
de l'époque, son œuvre révolutionnait les esprits, et la carrière du jeune
avocat d'Arras qui vint voir Rousseau à Ermenonville juste avant la mort
de celui-ci, en serait une preuve convaincante. Mais le geste de Marie-
Antoinette qui fit un pèlerinage sur la tombe de J.-J. Rousseau, provoquant l'indignation et semant le trouble à la cour [116], était également
un acte moral, une apparente tentative d'échapper au monde raisonneur
et froid de la cour, à ses conventions factices. Des attitudes morales et
des pensées des plus diverses s'entremêlent dans le thème de l'action.

telle que l'auteur du *Contrat social* et des *Confessions* la concevait. Mais
ce n'est pas à les démêler que nous nous emploierons, car cela semble
impossible sur la base du fragment analysé ici. Nous tenons à signaler
leur équivocité et leur imprécision sociologique en tant qu'élément même
de la structure de l'œuvre. Et si ses significations ont été précisées de plus
près, ce n'est pas tant à l'auteur du *Contrat social* et de *La Nouvelle
Héloïse* que nous le devons, mais plutôt aux événements qui se sont
chargés de sélectionner et de concrétiser les contenus, en faisant éclater,
par cela même, l'unité structurelle de l'œuvre.

Notes de la première partie

1. « Aliéner, c'est donner ou vendre. » J.-J. Rousseau, *Du contrat social, in
Œuvres complètes,* Paris, Bibliothèque de la Pléiade, 1964, t. III, p. 355.
2. F. Hegel, *Phénoménologie de l'esprit,* Paris, Aubier, 1939-1941, t. II, p. 77 *sq.*
3. « L'homme véritable, on ne le reconnaît d'abord que sous la forme de
l'individu égoïste, et l'homme réel sous la forme du citoyen abstrait. » K. Marx,
La question juive, Paris, Union Générale d'Editions, 1968, p. 44 ; *cf.* également
p. 24-29.
4. K. Mannheim, *Ideologie und Utopie,* Francfort, 1952, p. 234.
5. Cf. C. Lévi-Strauss, *Anthropologie structurale,* Paris, Plon, 1958, p. 13.
6. Dans la littérature consacrée à Rousseau, on accorde une place de plus
en plus importante aux problèmes de l'aliénation. Citons en tout premier lieu le
livre de Jean Starobinski, *J.-J. Rousseau : la transparence et l'obstacle,* Paris, Gal-
limard, 1957, dont plusieurs analyses sont organisées autour de ces problèmes.
Signalons aussi les développements de P. Burgelin, *La philosophie de l'existence
de J.-J. Rousseau,* Paris, 1952, en particulier les pages 236-261, 288-297 ; de
B. Groethuysen, *J.-J. Rousseau,* Paris, 1949, en particulier les pages 212-243,
43-51 ; du même auteur, *Philosophie de la Révolution française,* Paris, 1956,
en particulier les pages 171-185. Voir également G. Lapassade, « L'œuvre de
J.-J. Rousseau », *Revue de Métaphysique et de Morale* 3/4, 1956 ; H. Barth,
« Über die Idee der Selbstentfremdung des Menschen bei Rousseau », *Zeitschrift
für Philosophische Forschung* 1, 1959 ; J. Proust, « Le premier des pauvres »,
Europe 391/392, 1961. Dans les introductions et commentaires aux *Confessions,*
dans l'édition critique fondamentale des *Œuvres complètes* de J.-J. Rousseau par
la Bibliothèque de la Pléiade, Paris, 1959, t. I, M. Raymond et B. Gagnebin font
aussi la part des problèmes de l'aliénation. J'ai moi-même abordé cette problématique dans mon étude « Hegel a Rousseau » (Hegel et Rousseau), *Studia
Filozoficzne* 6 (9), 1958 et 1 (10), 1959. Quant à savoir quelles sont les causes
de cet intérêt accru de la littérature rousseauiste pour la problématique de l'aliénation, quelles sont les diverses tendances et inquiétudes qui s'expriment ainsi,
voilà qui relève de la sociologie et de l'histoire des idées, non plus du siècle des
Lumières mais du nôtre.
7. J.-J. Rousseau, *Préface de Narcisse, in Œuvres complètes, op. cit.,* t. II, p. 968.
Voir également P. Burgelin, *op. cit.,* p. 250.
8. *Préface de Narcisse, ibid.*
9. J.-J. Rousseau, *Jugement sur le projet de paix perpétuelle in Œuvres complètes,
op. cit.,* t. III, p. 595.
10. *Préface de Narcisse, ibid.*
11. J.-J. Rousseau, *Discours sur l'origine et les fondements de l'inégalité* (sera
désormais cité dans les notes : *Sur l'origine de l'inégalité), in Œuvres complètes,
op. cit.,* t. III, p. 202. Nous y lisons également : « Il n'y a peut-être pas un homme
aisé à qui ses héritiers avides et souvent ses propres enfants ne souhaitent la mort

en secret ; pas un Vaisseau en Mer dont le naufrage ne fût une bonne nouvelle pour quelque Négociant ; pas une maison qu'un débiteur de mauvaise foi ne voulût voir brûler avec tous les papiers qu'elle contient ; pas un peuple qui ne se réjouisse des désastres de ses voisins (...). Mais ce qu'il y a de plus dangereux encore, c'est que les calamités publiques font l'attente et l'espoir d'une multitude de particuliers. Les uns veulent des maladies, d'autres la mortalité, d'autres la guerre, d'autres la famine (...). » Voir également Streckeisen-Moultou, *Œuvres et correspondance inédites de J.-J. Rousseau*, Paris, 1861, p. 144, 145.

12. J.-J. Rousseau, *Les confessions*, in *Œuvres complètes*, *op. cit.*, t. I, p. 327 ; *cf.* p. 82 ; J.-J. Rousseau, *Rousseau juge de Jean-Jacques : dialogues*, in *Œuvres complètes*, *op. cit.*, t. I, p. 887.

13. « La première source du mal est l'inégalité ; de l'inégalité sont venues les richesses ; car ces mots de pauvre et de riche sont relatifs, et partout où les hommes seront égaux, il n'y aura ni riches ni pauvres. » (J.-J. Rousseau, *Réponse à Stanislas*, in *Œuvres complètes*, *op. cit.*, t. III, p. 49, 50). « Je regarde autour de moi ; je vois des peuples infortunés gémissans sous un joug de fer, le genre humain écrasé par une poignée d'oppresseurs, une foule affamée, accablée de peine et de faim, dont le riche boit en paix le sang et les larmes, et partout le fort armé contre le faible du redoutable pouvoir des loix. » (J.-J. Rousseau, *Que l'état de guerre naît de l'état social*, in *Œuvres complètes*, *op. cit.*, t. III, p. 609).

14. J.-J. Rousseau, *Lettre à Christophe de Beaumont, archevêque de Paris*, in *Œuvres complètes*, *op. cit.*, t. IV, p. 937.

15. *Du contrat social*, *op. cit.*, p. 354 ; *cf.* p. 367. Voir également E. Cassirer, *Philosophy of the Enlightenment*, Boston, 1955, p. 260, 261.

16. J.-J. Rousseau, *Julie ou la Nouvelle Héloïse*, in *Œuvres complètes*, *op. cit.*, t. II, p. 233.

17. *Lettre à C. de Beaumont*, *op. cit.*, p. 937. J.-J. Rousseau, *Essai sur l'origine des langues*, éd. Ducros, Bordeaux, 1970, p. 97.

18. J.-J. Rousseau, *Emile* (Manuscrit Favre), in *Œuvres complètes*, *op. cit.*, t. IV, p. 56.

19. Voltaire, *Les Anciens et les Modernes, ou la toilette de Mme de Pompadour*, in *Mélanges*, Paris, Bibliothèque de la Pléiade, 1961, p. 755, 756. Par ailleurs, les idées de Voltaire à ce sujet étaient loin d'être homogènes et invariables, mais ce n'est pas à nous d'en débattre ici.

20. J.-J. Rousseau, *Emile ou de l'éducation*, in *Œuvres complètes*, *op. cit.*, t. IV, p. 463.

21. *Ibid.*, p. 307.

22. *Ibid.*, p. 309, 305.

23. « Du tumulte des sociétés naissent des multitudes de rapports nouveaux et souvent opposés qui tiraillent en sens contraires ceux qui marchent avec ardeur dans la route sociale. » (*Rousseau juge* (...), *op. cit.*, p. 823). « De libre et indépendant qu'étoit auparavant l'homme, le voilà par une multitude de nouveaux besoins assujéti, pour ainsi dire, à toute la Nature, et surtout à ses semblables dont il devient l'esclave en un sens, même en devenant leur maître ; riche, il a besoin de leurs services ; pauvre, il a besoin de leurs secours, et la médiocrité ne le met point en état de se passer d'eux. » (*Sur l'origine de l'inégalité*, *op. cit.*, p. 174, 175.)

24. *Emile*, *op. cit.*, p. 602.

25. *Ibid.*, p. 306 ; *La Nouvelle Héloïse*, *op. cit.*, p. 235.

26. *Emile*, *op. cit.*, p. 543.

27. *Sur l'origine de l'inégalité*, *op. cit.*, p. 202.

28. *Cf. Correspondance générale de J.-J. Rousseau*, éd. Th. Dufour, Paris, 1931, t. XVII, p. 156-167 (lettre au marquis de Mirabeau du 26 juillet 1767). La publication de la *Correspondance complète de J.-J. Rousseau* ayant été entreprise par l'Institut et le musée Voltaire à Genève depuis 1965, mais n'étant pas encore achevée, pour les derniers tomes, nous citerons l'édition Dufour sous la désignation de *Correspondance générale*, réservant la désignation de *Correspondance complète* pour l'édition de Genève (n.d.t.).

29. *Sur l'origine de l'inégalité*, *op. cit.*, p. 177.

30. *Ibid.*, p. 202 ; *cf. Emile*, *op. cit.*, p. 586.

31. *Cf. Lettre à C. de Beaumont*, *op. cit.*, p. 937 ; *Emile*, *op. cit.*, p. 588 ; *Quatre lettres à M. le Président Malesherbes*, *in Œuvres complètes*, *op. cit.*, t. I, p. 1135, 1136.

32. *Sur l'origine de l'inégalité*, *op. cit.*, p. 174 (c'est l'auteur qui souligne. Voir également la *Lettre à C. de Beaumont*, *op. cit.*, p. 966, où Rousseau donne « l'histoire de ses idées » : « Sitôt que je fus en état d'observer les hommes, je les regardois faire, et je les écoutois parler ; puis, voyant que leurs actions ne ressembloient point à leurs discours, je cherchois la raison de cette dissemblance (...). Je la trouvai dans notre ordre social. »

33. J.-J. Rousseau, *Lettres morales*, *in Œuvres complètes*, *op. cit.*, t. IV, p. 1112.

34. *Cf. Dernière réponse de J.-J. Rousseau (à Bordes)*, *in Œuvres complètes*, *op. cité.*, t. III, p. 73.

35. *Sur l'origine de l'inégalité*, *op. cit.*, p. 193 ; *cf. Emile*, *op. cit.*, p. 494 ; *Œuvres et correspondances inédites*, *op. cit.*, p. 135.

36. *Emile*, *op. cit.*, p. 307 ; *cf. Lettre de J.-J. Rousseau à M de Voltaire* (sur la Providence), *in Œuvres complètes*, *op. cit.*, t. IV, p. 1061.

37. *Rousseau juge... Histoire du précédent écrit*, *in Œuvres complètes*, *op. cit.*, t. I, p. 985 ; *cf. Sur l'origine de l'inégalité*, *op. cit.*, p. 169.

38. *Emile*, *op. cit.*, p. 309.

39. *Sur l'origine de l'inégalité*, *op. cit.*, p. 193. Notons ici, sans entrer dans les détails, que Rousseau distingue également des apparences qui assument des fonctions différentes dans les rapports humains et ne les défigurent pas. Ainsi, la conception de l'éducation des filles, exposée dans le livre V d'*Emile*, est entre autres fondée sur la nécessité d'un jeu d'apparences d'un genre spécifique dans les rapports entre les deux sexes.

40. *La Nouvelle Héloïse*, *op. cit.*, p. 255 ; *Sur l'origine de l'inégalité*, *op. cit.*, p. 175 ; *cf. Rousseau juge...*, *op. cit.*, p. 783, 790.

41. *La Nouvelle Héloïse*, *op. cit.*, p. 249.

42. *Ibid.*, *cf. Emile*, *op. cit.*, p. 312.

43. *Emile*, *op. cit.*, p. 457 ; *cf. La Nouvelle Héloïse*, *op. cit.*, p. 547 *sq* ; *Les confessions*, *op. cit.*, p. 36, 37, ainsi que les notes et variantes établies par M. Raymond *in Œuvres complètes*, *op. cit.*, t. I, p. 1250, 1251.

44. J.-J. Rousseau, *Mon portrait, in Œuvres complètes*, *op. cit.*, t. I, p. 1121.

45. La citation n'est pas de Heidegger, mais bien de *La Nouvelle Héloïse*, *op. cit.*, p. 253.

46. *Emile* (Manuscrit Favre), *op. cit.*, p. 57 ; *cf. La Nouvelle Héloïse*, *op. cit.*, p. 233.

47. *Emile*, *op. cit.*, p. 690.

48. Préface de *Narcisse*, *op. cit.*, p. 970 ; *Emile*, *op. cit.*, p. 770, 771 ; *Essai sur l'origine des langues*, *op. cit.*, p. 109 ; *Sur l'origine de l'inégalité*, *op. cit.*, p. 173. Nous retrouvons la même idée et les mêmes images jusque dans l'opposition du jardin classique et du jardin sentimental : le goût des jardins classiques, donc des « belles perspectives », « des points-de-vue et des lointains », « vient du penchant qu'ont la plupart des hommes à ne se plaire qu'où ils ne sont pas. Ils sont toujours avides de ce qui est loin d'eux » (*La Nouvelle Héloïse*, *op. cit.*, p. 483).

49. *Cf. Emile*, *op. cit.*, p. 491 ; *La Nouvelle Héloïse*, *op. cit.*, p. 234.

50. *Emile* (Manuscrit Favre), *op. cit.*, p. 57.

51. *Cf. La Nouvelle Héloïse*, *op. cit.*, p. 231 ; *Rousseau juge...*, *op. cit.*, p. 713.

52. Rousseau, *Les rêveries du promeneur solitaire*, *in Œuvres complètes*, *op. cit.*, t. I, p. 998, 999.

53. *Cf.* V. S. Elosu, *La maladie de J.-J. Rousseau*, Paris, 1928 ; P. J. Mobius, *J.-J. Rousseau's Krankheitsgeschichte*, Leipzig, 1889.

54. *Cf.* Starobinski, *J.-J. Rousseau...*, *op. cit.*, p. 259 *sq.*, ainsi que le commentaire de M. Raymond *in Œuvres complètes*, *op. cit.*, t. I, p. 1819.

55. *Cf.* Jean Piaget, *La formation du symbole chez l'enfant*, Paris-Neuchâtel, 1945, en particulier p. 212-225 ; du même auteur, *Introduction à l'épistémologie génétique*, Paris, 1950, t. III, p. 207 *sq.* (pages consacrées en particulier à l'analyse

des fonctions de la pensée symbolique dans l'idéologie). « Dans la perspective d'une analyse globale, il apparaîtra que certaines conduites premières constituent à la fois la source de la pensée spéculative de Rousseau, et la source de sa folie. Mais ces conduites, à l'origine, ne sont pas morbides par elles-mêmes. C'est seulement parce qu'elles vont à l'excès et à la rupture, que la maladie se déclare et se développe. » (Starobinski, *J.-J. Rousseau...*, op. cit., p. 253). Rousseau projette sur la vie sociale les thèmes de sa mythologie personnelle (Starobinski, *Montesquieu*, Paris, 1957, p. 104). Mais d'autre part, comme nous avons essayé de le montrer, son affectivité même se forme en s'alimentant — au niveau du vécu — des conflits et des tensions sociales de son époque. Voir également J. Guéhenno, *Jean-Jacques*, Paris, 1952, t. III, p. 301 *sq.* Au sujet des correspondances entre les plans psychologique et sociologique dans la vision du monde de Rousseau, voir G. Poulet, « Expansion et concentration chez Rousseau », *Les Temps modernes* 178, févr. 1961, p. 960 *sq.*

56. *Cf. La Nouvelle Héloïse*, op. cit., p. 546, 547.

57. *Cf. Dernière réponse...*, op. cit., p. 92.

58. Il y a lieu de dégager l'idéal positif qui se dissimule derrière les critiques de Rousseau : l'homme peut recouvrer sa relation immédiate aux choses grâce à leur valeur authentique, en d'autres termes, grâce à leur valeur d'usage opposée à la valeur d'échange. Précisons que cet idéal d'une « relation immédiate aux choses » n'implique nullement pour Jean-Jacques qu'il faille complètement éliminer l'argent de la vie économique et sociale.

59. *Cf.* J.-J. Rousseau, *Discours sur l'économie politique*, in *Œuvres complètes*, op. cit., t. III, p. 274 *sq.* ; voir également *Emile*, op. cit., p. 851, 852.

60. *La Nouvelle Héloïse*, op. cit., p. 231, 236 ; *Emile*, op. cit., p. 691.

61. *Emile*, op. cit., p. 665.

62. L'attitude de Jean-Jacques à l'égard de Paris est plus complexe que nous ne pourrions en témoigner ici. Certes, il était sincère quand il écrivait de Paris :

> « Ville où règne l'arrogance,
> Où les plus grands fripons de France
> Régentent les honnêtes gens,
> Où les vertueux indigens
> ....
> Sont des objets de raillerie.
> Paris. Malheureux qui t'habite. »

Mais d'autre part, c'est à Paris « que le bon goût se cultive, et il paroit peu de livres estimées dans l'Europe dont l'auteur n'ait été se former à Paris », même si la capitale est « le lieu policé sur la terre où le goût général » est peut-être le plus mauvais. La raison de ce fait est « que le goût se corrompt par une délicatesse excessive qui rend sensible à des choses que le gros des hommes n'aperçoit pas : cette délicatesse mène à l'esprit de discussion, car plus on subtilise les objets plus ils se multiplient : cette subtilité rend le tact plus délicat et moins uniforme » (*Emile*, op. cit., p. 674). Et c'est à ces raisons que Jean-Jacques attribue le grand succès de *La Nouvelle Héloïse* à Paris, ville corrompue, certes, où « il n'existe plus ni mœurs ni vertus », mais où « il existe encore quelque amour pour elles ». *Les confessions*, op. cit., p. 545, 546 ; voir également, dans le même volume, p. 1465, le commentaire de M. Raymond. De plus, à une certaine époque de la vie même de Rousseau, Paris devint non seulement le symbole du mal et de la servitude, mais aussi le symbole de la liberté, thème fréquent dans la littérature de l'époque. Au sujet du rôle de Rousseau dans la formation du mythe de Paris, voir P. Citron, *La poésie de Paris dans la littérature française*, Paris, 1961, t. I, p. 100 *sq.* ; R. Mauzi, *L'idée du bonheur au XVIIIᵉ siècle*, Paris, 1961, p. 149 *sq.*

63. *Cf. La Nouvelle Héloïse*, op. cit., p. 85. 193, 194-200.

64. J.-J. Rousseau, *Lettre à M. d'Alembert sur son article Genève* (sur les spectacles), Paris, Garnier-Flammarion, 1967, p. 79-81, 84.

65. *Ibid.*, p. 79.

66. *Ibid.*, p. 163.

67. *Ibid.*, p. 233, 234.

68. *Cf. Ebauches des confessions, in Œuvres complètes, op. cit.,* t. I, p. 1148, 1149.

69. *Emile, op. cit.,* p. 286.

70. *Cf. Sur l'origine de l'inégalité, op. cit.,* p. 174-176 ; *Emile, op. cit.,* p. 524, 525.

71. *Que l'état de guerre..., op. cit.,* p. 605.

72. *Cf. Emile, op. cit.,* p. 345 ; *Du contrat social, op. cit.,* p. 373 ; *Réponse à Stanislas, op. cit.,* p. 53.

73. *Emile, op. cit.,* p. 286.

74. *Cf.* K. Marx, *L'idéologie allemande,* Paris, Editions Sociales, 1968, p. 278 *sq.* ; M. Weber, *Rechtssoziologie,* Neuwied, 190, p. 267.

75. *Sur l'origine de l'inégalité, op. cit.,* p. 218.

76. *Ibid.,* p. 166, 174.

77. *Emile, op. cit.,* p. 286 *sq.*

78. *Ibid.,* p. 589, 599.

79. *Ibid.,* p. 589.

80. Nous ne multiplierons pas les renvois aux textes de Rousseau, car à notre avis, dans les textes cités jusqu'ici pour illustrer le « monde des apparences », on peut facilement dégager les correspondances à partir des schémas que nous élaborons ici.

81. *Du contrat social* (première version), *in Œuvres complètes, op. cit.,* t. III, p. 288.

82. *Lettre à M. de Voltaire, op. cit.,* p. 1061.

83. *Rousseau juge..., op. cit.,* p. 668.

84. *Cf.* M. Rang, *Rousseau's Lehre von Menschen,* Göttingen, 1959, p. 563, 564.

85. Un exemple nous servira d'illustration. Outre ses nombreux troubles qu'on qualifierait aujourd'hui de neuro-végétatifs, Rousseau souffrait d'une maladie de l'urètre, dont le diagnostic ne fut d'ailleurs jamais bien précis et qui donnait lieu, quand il était « dans le monde », à des situations embarrassantes. Dans une lettre datée du 25 mars 1767 et adressée au marquis de Mirabeau, il explique pourquoi il ne cherche pas la société et ne fréquente pas les « salons » qui pourtant, au xviiie siècle, étaient pour les « philosophes » un milieu social en quelque sorte naturel, dans lequel l'intellectualisme nivelait les conditions sociales, leur substituant la hiérarchie des talents et des « vraies » valeurs. « Vous supposez que je fuis la société par aversion pour elle : vous vous trompez dans les deux points. Je ne la hais ni ne la fuis. J'en hais la gêne que j'y trouve, et je hais cette gêne mortellement (...). Il faut que je parle, quand je n'ai rien à dire ; que je reste en place, quand je voudrais marcher ; assis, quand je voudrais être debout ; enfermé dans une chambre, quand je soupire au grand air (...) ; que je raisonne avec les raisonneurs ; que je suive le phebus des beaux esprits ; que je dise des fadeurs aux femmes ; enfin que je fasse toute la journée tout ce que je sais le moins et qui me déplaît le plus, et que je ne fasse rien, je ne dis pas seulement de ce que je voudrois faire, mais de ce que la nature et les plus pressans besoins me demandent, à commencer par celui de pisser, plus fréquent et plus tourmentant pour moi qu'aucun autre. Je frémis encore à m'imaginer dans un cercle de femmes, (forcé) d'attendre qu'un beau diseur ait fini sa phrase, n'osant sortir sans qu'(on) me demande si je m'en vais, trouvant dans un escalier bien éclairé d'autres belles dames qui me retardent, une cour pleine de carrosses toujours en mouvement, prêts à m'écraser, des femmes de chambre qui me regardent, Messieurs les laquais qui bordent les murs et se moquent de moi ; ne trouvant pas une muraille, une vouste, un malheureux petit coin qui me convienne ; ne pouvant en un mot pisser qu'en grand spectacle et sur quelque noble jambe à bas blancs. » (*Correspondance générale, op. cit.,* t. XVII, p. 3, 4).

86. *Les confessions, op. cit.,* p. 644, 645 ; 98, 99 ; voir également *Lettres à Malesherbes, op. cit.,* p. 1142, 1143.

87. *Cf.* R. Laforgue, *Psychopathologie de l'échec,* Paris, 1944, ch. IX ; Elosu, *La maladie de J.-J. Rousseau, op. cit.,* ainsi que les commentaires de Raymond aux *Confessions, op. cit.,* p. 1235, 1236.

88. K. Mannheim, *Essays on the Sociology of Culture,* Londres, 1956, p. 46, 47.

89. *Lettres à Malesherbes, op. cit.,* p. 1145, 1146. Relevons que Jean-Jacques

souligne démonstrativement qu'il adresse ces paroles au « fils du Chancelier de France », à un homme « né d'un sang illustre ». Par ailleurs, par ces mêmes paroles et dans cette lettre, il semble se justifier de son amitié avec M. le Maréchal de Luxembourg dont il avait accepté l'hospitalité au château de Montmorency, mais à qui il ne veut pas « demander un asile » pour le reste de ses jours, car, quel que soit « l'attachement des personnes », « la distance reste toujours la même entre les états ».

90. *Correspondance complète, op. cit.*, t. II, p. 143.

91. *Ibid.*, t. III, p. 231.

92. « Rien n'étoit plus convenable à mon humeur ni plus propre à me rendre heureux, que l'état tranquille et obscur d'un bon artisan (...). J'aurois été bon Chrétien, bon citoyen, bon père de famille, bon ami, bon ouvrier, bon homme en toute chose. » (*Les confessions, op. cit.*, p. 43 ; *cf. ibid.*, p. 145, 146 ; *Emile, op. cit.*, p. 456, 457).

93. Voir, par exemple l'introduction de J.-L. Lecercle au *Discours sur l'inégalité*, publié aux Editions Sociales, Paris, 1954, p. 8 *sq.*

94. Rousseau voit même dans les *Dialogues de Phocion*, publiés par l'Abbé de Mably en 1763, une « compilation de ses écrits faite sans retenue et sans honte » (*Les confessions, op. cit.*, p. 261).

95. St. Czarnowski, éminent sociologue polonais, définit les marginaux comme des « individus déclassés qui ne possèdent aucun statut social défini en fonction de la production tant matérielle qu'intellectuelle, définis par leur société comme des êtres inutiles et qui se considèrent eux-mêmes comme tels ». Les marginaux existent dans « toutes les sociétés où les moyens de production sont accaparés par la famille, le clan, l'Eglise ou par une organisation fermée de producteurs (comme les corporations médiévales), quel que soit le niveau du développement technique, politique et spirituel de la société » (St. Czarnowski, *Ludzie zbedni w sluzbie przemocy* (Les marginaux au service de la violence), *in Dziela* (Œuvres), Varsovie, 1956, t. II, p. 186-187).

96. *Ebauche des confessions, op. cit.*, p. 1150, 1151.

97. *Les confessions, op. cit.*, p. 101.

98. Il est intéressant de constater que chez Béat de Muralt, l'auteur des *Lettres sur les Anglois et les François* que Jean-Jacques avait lues attentivement et même annotées, on retrouve le même sentiment d'aliénation d'un Suisse à Paris ; sentiment qui donne un ton spécifique à son subjectivisme et son individualisme religieux. *Cf.* A. Ferrazini, *Béat de Muralt et Jean-Jacques Rousseau, étude sur l'histoire des idées au XVIIIᵉ siècle*, La Neuveville, 1952, p. 25, 26.

99. *Cf.* A. Alekseev, *Etiudy o J.-J. Rousseau*, Moscou, 1887, t. II, p. 64-68.

100. Cet enchevêtrement d'attitudes, d'idées et de sentiments est particulièrement manifeste dans les *Ebauches des Confessions*. Aux fragments déjà cités, ajoutons cette page : « Il est donc sûr que si je remplis bien mes engagements j'aurai fait une chose unique et utile. Et qu'on ne m'objecte pas que n'étant qu'un homme du peuple, je n'ai rien à dire qui mérite l'attention des lecteurs. Cela peut être vrai des événemens de ma vie : mais j'écris moins l'histoire de ces événemens en eux-mêmes que celle de l'état de mon âme, à mesure qu'ils sont arrivés. Or les âmes ne sont plus ou moins illustres que selon qu'elles ont des sentiments plus ou moins grands et nobles, des idées plus ou moins vives et nombreuses (...). Dans quelque obscurité que j'aye pu vivre, si j'ai pensé plus et mieux que les Rois, l'histoire de mon âme est plus intéressante que celle des leurs. » (*Op. cit.*, p. 1150). Voir également les analyses de A. Hauser, *Sozialgeschichte der Kunst und Literatur*, München, 1953, t. II, p. 80, 81.

101. Voir les remarquables analyses sociologiques de E. W. Tarle, *Padienije absolutizma v zapadnoi Evropie, Sočinienija*, Moscou, 1958, t. IV, p. 381, 359-363, et 377-380.

102. Beaumarchais, *Essai sur le genre dramatique sérieux, in Œuvres complètes*, Paris, 1874, p. 3.

103. *Cf.* R. Koselleck, *Kritik und Krise*, Fribourg, 1959, p. 5 *sq.*, p. 102 *sq.* L'auteur présente une ingénieuse interprétation de la « critique » de ses fonctions, ainsi que de son évolution dans la pensée des Lumières. Nous ne souscrivons pas cependant à ses analyses concernant Rousseau et son rôle dans cette évolution.

104. Remarquons pourtant que l'idée du développement cyclique de l'histoire, assortie du sentiment de vivre à la fin d'une époque, s'associe souvent à la critique des Lumières. *Cf.* par exemple, Voltaire, *Défense de Louis XIV, in Œuvres historiques,* Paris, Bibliothèque de la Pléiade, 1957, p. 1286 *sq.* Néanmoins, c'est dans l'autre camp idéologique, du côté des adversaires des Lumières, que la conscience d'une crise sociale, morale et religieuse est souvent la plus intense ; crise dont on impute évidemment la responsabilité aux « philosophes ». *Cf.* H. Vyverberg, *Historical Pessimism in the French Enlightenment,* Cambridge, Mass., 1958.

105. *Cf.* B. Groethuysen, *Philosophie de la Révolution française,* Paris, 1956, p. 249 ; voir également B. Willey, *The Eighteenth Century Background,* Londres, 1949, p. 157, 158.

106. *Cf.* I. O. Wade, *Voltaire and Candide,* Princeton, 1959, p. 305 *sq.*

107. *Cf. Encyclopédie, l'article* « Critique », section « Critique dans les sciences », texte de Marmontel. *Cf.* Voltaire, *Dictionnaire philosophique,* Paris, Garnier-Flammarion, 1954, p. 155.

108. *Encyclopédie, ibid.* Voir également Koselleck, *op. cit.,* p. 86, 87, 190 *sq.* (remarques sur l'évolution du terme « critique » au XVIII⁰ siècle).

109. *Emile, op. cit.,* p. 567, 568.

110. *Ibid.,* p. 567-570.

111. *Ibid.,* 568 ; *cf. ibid.,* p. 241.

112. *Rousseau juge..., op. cit.,* p. 971 ; *Emile, op. cit.,* p. 568.

113. *Rousseau juge..., op. cit.,* p. 971.

114. Rousseau reprochait également aux « philosophes » leur athéisme ou, du moins, leur cynisme en matière de religion : « Chez les croyans il (le philosophe) est athée, chez les athées il seroit croyant. » (*Emile, op. cit.,* p. 569). Et ce sont ces reproches que la littérature apologétique contemporaine « récupéra » le plus facilement et retourna contre les « philosophes ». Diderot cherchera les sources du succès et de l'impact social de l'œuvre de Rousseau dans l'hostilité manifestée à l'encontre des philosophes et par laquelle il rejoignait le camp adverse. *Cf.* D. Diderot, *Œuvres,* éd. J. Assézat, Paris, Garnier Frères, 1875-1877, t. III, p. 97.

115. *Les confessions, op. cit.,* p. 371 ; *cf. Lettre à M. de Voltaire* (sur la Providence), *op. cit.,* p. 1063.

116. *Cf.* F. M. Grimm, *Correspondance,* éd. *Tourneux,* t. XII, p. 405, 406.

DEUXIÈME PARTIE

La « nature » et l'idée de l'histoire

Dans le développement de l'anthropologie philosophique, l'une des particularités de la pensée du siècle des Lumières est qu'on y assiste au passage d'une philosophie qui met en rapport l'essence de l'homme, sa vocation et son destin avec un ordre rationnel, supratemporel et se manifestant dans l'infinité de l'univers, à une anthropologie historiosophique qui résout ces mêmes questions en les rapportant au processus historique, à ses tendances de développement, à ses fins, etc. Ce caractère transitoire du siècle des Lumières n'a pas manqué de donner naissance à des descriptions globales qui développaient un seul des aspects de la pensée des Lumières. Ainsi, on a considéré cette pensée comme une vision du monde qui avait amené à son terme la « philosophie de l'absolu abstrait rationnel ». Dans son interprétation de la réalité humaine, cette philosophie se réfère à l'idéal de la connaissance absolue et confère un rôle central au concept de la « nature », comprise tant au sens physique qu'au sens normatif, et identifiée avec l'ordre moral universel qui englobe également la place de l'homme dans l'univers. D'autres analyses démontrent par contre que c'est précisément au Siècle des Lumières que s'élaborent les prémisses de la pensée historique moderne. Les penseurs de l'époque avaient conscience de la spécificité de la réalité humaine et de son autonomie par rapport aux choses de la nature ; autonomie fondée dans l'histoire et demandant une approche historique des phénomènes sociaux.

S'il est si difficile de saisir ce caractère transitoire des Lumières, c'est entre autres parce que les différentes conceptions ne sont pas distinctes les unes des autres, mais sont employées conjointement et s'interpénètrent. Le terme « nature », tel qu'il fut employé au siècle des Lumières, nous fournit à cet égard un exemple classique. Comme l'affirme Lovejoy en se fondant sur l'analyse de quelques dizaines de significations principales, ce mot appartient aux termes les plus ambigus dans l'histoire des idées. Or, dans la vision du monde des Lumières, il se voit attribuer un rôle majeur et est employé, si l'on peut dire, dans toutes ses nuances sémantiques. Ainsi, on transforme des conceptions anthropologiques par l'application de ce terme à l'interprétation d'une problématique nouvelle, en l'insérant dans de nouveaux contextes, etc. Dans ces conditions, il n'est pas aisé de saisir à quel moment les réflexions sur la « nature » en tant qu'ordre, en tant que théodicée déiste, se transforment en réflexions sur l'histoire, et quand les réflexions sur la « nature humaine » s'orientent vers une recherche et une critique historiques.

Dans la vision du monde de l'auteur du *Discours sur l'inégalité,* cette complexité de la formation de la conscience historique des Lumières se manifeste avec une intensité particulière, et même avec une tension dramatique. Pour Rousseau, l'insertion de l'histoire dans l'interprétation de la situation et de la destinée de l'homme dans le monde n'est pas un problème uniquement, voire principalement, théorique. Le secours de l'histoire s'avère indispensable moins pour répondre à la question : quoi penser de soi-même et du monde, que pour formuler une réponse à la question : comment vivre pour se déterminer soi-même par rapport au monde où l'on vit. Ce que fait Jean-Jacques est moins une réflexion sur l'histoire qu'un affrontement avec l'histoire pour en trouver le sens humain, au terme d'un pénible et solitaire effort. Les questions, les recherches et les solutions historiosophiques ne constituent pas chez lui une sphère autonome de réflexion — elles se trouvent au cœur même de sa vision du monde. Souvent on dirait même que Rousseau se trouve face à l'histoire, alors qu'il ne s'y attendait pas. Il prend conscience de la dimension historique irréductible des problèmes humains même quand il veut aller au-delà de cet horizon, quand il tend à libérer l'homme — son rapport à la nature et à lui-même, à Dieu et à l'humanité, à sa liberté et à sa solitude — de sa propre histoire, de l'histoire humaine. Nous ne parviendrons pas à suivre dans cette partie de nos analyses tous les problèmes en rapport avec la conscience historique dans la vision du monde de Rousseau ; certains problèmes resteront ouverts et il nous faudra y revenir. Nous commencerons par la reconstruction d'un schéma d'interprétation de la réalité humaine, caractéristique de la pensée française des Lumières et qui est le « retour aux origines » ; nous examinerons ensuite les modifications que ce schéma subit dans la vision du monde de Rousseau, en particulier dans sa construction de l'état de nature et dans sa représentation du processus de socialisation en tant que processus d'individualisation. Nous analyserons enfin les relations entre l'idée de l'histoire et la conception de la culture et de la personnalité chez l'auteur d'*Emile,* en particulier les questions liées avec la critique de l'idée de progrès.

« Retours aux origines »

Ce qui entre autres caractérise le style de pensée des Lumières dans le domaine des faits humains, c'est la fréquence d'une certaine structure qu'on pourrait appeler « le retour aux origines ». Cette recherche des « origines » frappe l'esprit dès qu'on lit les titres des ouvrages de l'époque. Mais nous retrouvons cette structure conceptuelle, ce type d'approche des phénomènes humains, également là où elle n'est pas explicitée dans les titres. Car il n'existe quasiment pas un seul domaine de la réalité humaine dans lequel la pensée des Lumières ne prendrait pas un certain « recul » par rapport aux institutions, mœurs, croyances, valeurs, etc., existantes.

Les penseurs des Lumières posent donc la question de « l'origine » du christianisme et des croyances religieuses, de « l'origine » de l'inégalité sociale, de « l'origine » des langues et des connaissances humaines, de la « source des préjugés dont le genre humain fut si longtemps victime »[1], etc.

On pourrait formuler l'hypothèse que l'évolution de la pensée des Lumières se manifeste par la multiplication des questions sur les « origines » et leur extension progressive à la totalité de la réalité sociale.

Nous essaierons un peu plus tard de mettre en relief les différentes intentions et présuppositions qui se dissimulent derrière cette tendance apparemment homogène à poser la question des « origines ». Il semble cependant important de souligner de prime abord que, dans chacune de ses versions, l'interrogation sur les « origines » équivaut à une mise en question : les institutions et les structures sociales ne sont plus évidentes par le fait même de leur existence. En effet, les penseurs de l'époque identifient plus ou moins la question des origines avec la question du « sens » de l'institution ou de la norme morale existante.

Quelle que soit la réponse donnée par rapport à telle ou telle institution, valeur, etc., réponse apologétique ou critique, le fait même que la question du « sens » fut posée à une si large échelle est l'expression explicite de sentiment de crise de la structure sociale. Même quand l'interrogation sur « les origines » n'est pas, dans son intention, critique, elle témoigne qu'une distance sociale s'est formée entre la structure sociale sur laquelle la question porte, et ceux qui s'interrogent. Si, par exemple, la question des « origines » de l'absolutisme en France (à laquelle nous reviendrons plus en détail sous peu) est posée aussi bien par les représentants de l'aristocratie que par ceux de la bourgeoisie, par les parlementaires et les « philosophes », si les apologistes de l'absolutisme doivent également recourir à ses « origines » pour expliquer son sens et même sa légitimité, cela signifie que l'absolutisme et son existence ont cessé d'être évidents d'eux-mêmes. Poser la question des origines de l'absolutisme, c'est donc prendre conscience d'une situation dans laquelle, comme le caractérise Tarle, l'absolutisme était devenu un phénomène « supra-social », dans ce sens qu'il s'était aliéné par rapport aux besoins et changements réels de la vie sociale, qu'il s'était transformé en une institution dont les fins et les raisons étaient « étrangères » et contradictoires par rapport non seulement à telle ou telle classe et couche sociale, mais aussi — dans des limites définies — par rapport à la société dans sa totalité[2].

Rapportée aux phénomènes sociaux, l'interrogation sur les « origines » témoigne que l'évidence des institutions sociales et des structures mentales traditionnellement fixées s'est affaiblie dans la conscience sociale. Le siècle des Lumières voit en effet culminer le processus à l'issue duquel se forme l'idée de l'individu humain qui cherche la raison et le « sens » de son existence dans le sentiment de sa propre autonomie. Cet individu

considère les conditions sociales de son existence comme des rapports
« extérieurs », s'interrogeant sur leur utilité et leur finalité en fonction de
lui-même, en fonction de ses « propres » intentions et de ses « propres »
intérêts, compte tenu des possibilités optimales requises pour la réalisation de ses décisions économiques, religieuses, morales, etc. Dans cette
optique, les liens sociaux maintenus en vertu de la tradition et fondés
sur elle, étaient devenus problématiques. Pour l'individu, la question des
« origines » dissimule donc une interrogation sur la raison d'existence de
la structure sociale donnée, considérée de son point de vue individuel.
La multiplication des interrogations sur les « origines » constitue donc
l'une des composantes des structures mentales et idéologiques dans lesquelles se manifeste le processus général de l'affranchissement de l'individu
« des liens naturels qui font de lui, à des époques historiques antérieures,
un élément d'un conglomérat humain déterminé et délimité [3] » de l'individualisation de l'homme dans son propre processus historique.

Ce processus d'individualisation [4] se révèle entre autres dans le sentiment naissant de la particularité de l'homme par rapport à son milieu
social et dans la référence à l'autonomie de l'individu comme critère
d'évaluation des phénomènes sociaux. Aussi l'interrogation sur les « origines » assume-t-elle dans l'idéologie des Lumières des fonctions critiques.
Plus se multipliaient les phénomènes sociaux aux origines desquels on
s'intéressait, plus était importante la fonction réelle de ces phénomènes,
et plus l'interrogation sur les origines mettait en question toute la structure sociale contemporaine, se transformant en interrogation sur « le sens
de l'époque ». Le recul ainsi pris ne signifie nullement que le centre des
préoccupations se déplace sur le passé. L'interrogation sur les origines
ne porte pas toujours sur la genèse historique (ce que nous préciserons
dans un instant) ; par contre — et c'est le plus important —, elle est
toujours formulée par rapport à l'époque contemporaine. Ce recul sert
donc à jeter un regard plus pénétrant sur le présent, à mieux le saisir.

Cette démarche du « retour aux origines », avec le recul qu'elle suppose, impliquait tout un ensemble de principes épistémologiques et
sociologiques. Ainsi, elle suppose non seulement que les facultés intellectuelles de l'homme — de chaque individu — sont suffisantes pour
porter un jugement sur l'ensemble des phénomènes contemporains, mais
aussi que ces facultés doivent être exercées. Mais juger, c'est d'abord
comparer les phénomènes mis en cause avec des principes dont aussi
bien la genèse que la valeur transcendent l'époque, et que l'individu qui
procède au jugement trouve seul, les considérant comme des principes
indépendants des institutions sociales existantes, si ce n'est opposé à
celles-ci.

L'interrogation sur les « origines » porte en réalité à la fois sur la
genèse et la raison d'existence de tels ou tels phénomènes contemporains.
Le terme « origine » véhicule lui-même cette ambivalence, signifiant à la
fois le « début » et la « cause », le « fondement » des choses. Dans la
pensée des Lumières, cette équivocité associe d'ailleurs étroitement ce
terme avec l'ambiguïté du terme « nature » qui signifie également « ce
qui est le fondement rationnel » et « ce qui est génétiquement originel »

par rapport à telles ou telles institutions sociales (en ce qui concerne le terme « nature », ces deux significations coexistent d'ailleurs depuis l'Antiquité) [5].

Le « retour aux origines » dans l'interprétation de la réalité humaine revêt par conséquent un double caractère. Dans certaines versions, il est une interrogation sur la genèse des institutions, des systèmes de croyances et de valeurs, etc. ; une interrogation qui porte sur les faits en tant qu'unique objet de la recherche et de la réflexion rationnelles. Dans d'autres versions, l'interrogation porte par contre sur leur raison d'être, sur leur principe qui, par le truchement du concept de la nature humaine, aurait son fondement dans la nature même, comprise couramment comme l'ordre universel et rationnel.

On peut saisir distinctement ces deux modèles du « retour aux origines », sous leur forme relativement la plus pure, dans la fameuse discussion sur la constitution française [6]. Dans ces débats, les « origines » auxquelles il fallait remonter, c'étaient l'histoire et la tradition pour les uns, la « nature » et le « droit naturel » pour les autres.

Le premier modèle est exposé de la manière la plus explicite par Dubos et Boulainvilliers, dans leurs conceptions de la genèse de la monarchie française, formulées à la fin du XVIIe siècle et au début du XVIIIe, et dans lesquelles se manifestent les symptômes d'une crise profonde du système absolu du pouvoir à la fin du règne de Louis XIV. Ces conceptions s'opposent d'ailleurs dans leurs conclusions finales qui, dans le premier cas, légitiment le système existant du pouvoir, alors qu'elles le compromettent dans le second. Boulainvilliers cherche la genèse de la monarchie française dans la conquête des Gaulois par les Francs qui constituaient une caste militaire et étaient tous nobles, tous égaux, et dont les rois, conformément aux coutumes germaniques, n'auraient été que des chefs militaires librement choisis. Cette première « inégalité fondamentale entre les vainqueurs et les vaincus, ainsi que l'égalité fondamentale entre les vainqueurs » furent au cours de l'histoire altérées. L'histoire de la monarchie française serait donc l'histoire de l'usurpation par le roi et le tiers état des droits de l'aristocratie issue des anciens conquérants. La conception de Dubos s'oppose à la première à de nombreux égards. Elle vise également à fonder l'absolutisme dans l'histoire, dans la tradition, mais elle nie l'existence d'une « aristocratie des conquérants » : la conquête n'a pas anéanti les institutions romaines et n'a pas assujetti les Gaulois aux Francs. C'est au contraire la communauté gallo-romaine, existante au moment de la conquête, qui a intégré les Francs, et les Mérovingiens exerçaient le même pouvoir que les empereurs romains. Dubos retourne donc aux « origines » pour en faire dériver le pouvoir absolu (ainsi d'ailleurs que des droits limités pour la bourgeoisie, en particulier pour les parlements) [7].

Nous ne nous arrêterons pas ici aux différences évidentes dans les deux interprétations des « origines » de la monarchie et qui sont un exemple quasi classique d'une projection rétrospective de conceptions politiques et sociales divergentes. (Ces différences contiennent sous forme embryonnaire les principaux éléments de la querelle entre les « germa-

nistes » et les « romanistes »). Ce qui, ici, nous importe le plus, c'est
que l'une et l'autre conception se réfèrent à la tradition et, par suite,
aux faits historiques (ou plutôt à ce qu'on considérait comme tels) comme
à « l'origine » qui doit fournir des raisons pour la légitimation (ou la
mise en question) du système du pouvoir existant. L'interrogation sur les
« origines » porte ici sur la genèse historique ; la conformité de l'institution sociale donnée avec les « origines », avec le fait envisagé tantôt
comme une coutume, tantôt comme un acte juridique fondant le processus
qui a amené à l'état actuel, constituant une raison particulièrement
importante, si ce n'est décisive. Boulainvilliers préconisait en outre la
nécessité de rechercher dans l'histoire « des vérités expérimentales qui
puissent être appliquées à notre état présent [8] ». Nous retrouvons ce
même modèle du « retour aux origines » chez de nombreux écrivains
du XVIIIe siècle, en particulier chez ceux qui, liés avec des groupes sociaux
ou des institutions (par exemple les parlements) cherchaient dans leur
ancienneté et dans la tradition des raisons pour fonder leur opposition à
l'absolutisme, opposition aux contenus politiques d'ailleurs souvent divergents. Ces groupes, ne serait-ce qu'en raison de leur profession, atta-
chaient une importance particulière aux actes juridiques dont ils esti-
maient qu'ils étaient à l'origine du principe du pouvoir et qu'ils l'expri-
maient.

Le second modèle du « retour aux origines », esquissé dans cette
même discussion sur la constitution française, se réfère aux conceptions
du droit naturel qui possédaient déjà à l'époque des positions bien assises.
L' « origine » à laquelle on remonte pour lui confronter « l'état présent »,
ce n'est ni la tradition, ni le fait historique, mais un ensemble défini de
principes et de lois immuables, indépendants de la marche de l'histoire et
qui définissent le rapport de l'individu à lui-même, à la société, et à Dieu.
L'état primitif et originel, c'est l'état dans lequel « l'homme se trouve
placé par la main même de Dieu et indépendamment d'aucun fait humain ». Quant aux « faits humains », on en tient compte dans la caractéristique de cet « état primitif et originel » dans la seule mesure où ils
correspondent à la « nature humaine », et, « comme la nature de l'homme
consiste essentiellement dans la raison, il faut dire que l'état naturel de
l'homme, à parler en général, n'est autre chose qu'un état raisonnable [9] ».

Sans nous préoccuper, dans la mesure du possible, de toute l'ambiguïté du terme « nature », ce qui importe de notre point de vue, c'est
que le « retour aux origines » équivaut ici non pas à remonter à la
genèse et à la légitimité historiques de l'institution donnée, mais à invoquer des principes immuables qui ont leur fondement dans une structure
de la réalité ; structure universelle et rationnelle que la pensée des
Lumières identifie en général avec un ordre moral — un ensemble
hiérarchisé de valeurs et de normes.

La conception physiocratique est un exemple classique de cette démarche, en tant qu'elle se réfère « à l'ordre naturel et immuable, l'archétype
des gouvernements », lequel est « la base du gouvernement le plus parfait », « la règle de toute action humaine dans l'ordre moral [10] ». Remonter aux principes signifiait également prendre du recul par rapport aux

institutions existantes, équivalait donc à définir l'époque contemporaine comme l'objet d'une recherche critique, d'une confrontation avec des principes immuables. D'autre part cependant, dans le cadre de cette structure conceptuelle, il n'est pas nécessaire, pour obtenir le recul requis, de remonter dans le temps, de se référer à des faits du passé. Les principes, grâce auxquels on prend du recul par rapport à son époque, sont intemporels et, en tant que tels, donnés à la raison en quelque sorte à tout instant ; pour les découvrir et les comprendre, il suffit que la raison soit éclairée, libre des préjugés accumulés précisément dans le temps, au cours de l'histoire. Aussi, d'après les physiocrates, est-ce en vertu de l'évidence qu'on connaît les principes du droit naturel impliqués par l'ordre moral et physique. Les faits historiques peuvent tout au plus servir d'illustrations pour les vérités acquises par ailleurs [11].

La théorie physiocratique de l'évidence — en tant que source de la connaissance — donne une formulation particulièrement radicale au motif d'un « retour aux origines » conçu de manière à ne pas impliquer une rétrospection dans le temps, un « retour » à la genèse des phénomènes interprétés. Certes, des connexions avec la pensée de Descartes et de Malebranche isolaient plutôt les conceptions des physiocrates dans le contexte général des tendances empiristes du siècle des Lumières. Cependant, les physiocrates ne sont pas les seuls à concevoir le « retour aux origines » dans les termes précisés ci-dessus. Tout au plus, leur conception de l'évidence explicitait certaines prémisses contenues implicitement dans la démarche courante de l'empirisme rationaliste qui invoquait lui aussi un ordre intemporel. « Ne croyons pas — écrivait Robinet — que les Etres aient la force de sortir de leur état naturel... Sur ce fondement, leur sort actuel sera regardé comme leur condition naturelle. L'étude du présent suffit au Sage [12]. » L'étude du présent et de l'état actuel considéré évidemment, comme un ordre immuable qui se manifeste dans les relations entre les choses et est inhérent à leur « nature », un ordre différent des déformations introduites par les hommes au cours de l'histoire. Même Voltaire, pourtant si éloigné du physiocratisme et porté vers l'étude des origines historiques de chaque croyance, de chaque opinion reconnue, oppose à l'empire de la coutume, muable et transitoire, l'empire de la nature, constant et immuable, qui assure l'unité au monde humain, fonde un nombre limité de principes immuables [13].

Si l'on considère les deux modèles ici esquissés du « retour aux origines » du point de vue du radicalisme de leurs positions critiques, force nous est d'admettre que le « retour aux principes » était considérablement plus radical dans sa critique des institutions sociales. Il contenait implicitement la négation de l'un des éléments constitutifs de la conscience sociale de l'Ancien Régime, à savoir de la tradition ; il traduisait également une tendance vers l'universalisation des interrogations sur la raison et le sens des choses. Aussi, comme nous l'avons évoqué, le « retour aux origines » est-il plus souvent invoqué par l'opposition aristocratique à l'absolutisme, tandis que le « retour aux principes » est souvent constitutif de l'idéologie du tiers état. Cependant, ce schéma n'est valable que d'une manière très générale et abstraite, et l'on ne peut obtenir une

3

ligne de démarcation plus nette qu'en faisant abstraction du déroulement
concret de la crise idéologique des institutions politiques de l'absolutisme ; de ce système qui se référait aux traditions, alors qu'il était né
grâce à l'ébranlement des structures politiques et étatiques traditionnelles,
à l'abolition partielle des privilèges et de la hiérarchie aristocratique et
nobiliaire des valeurs. D'une part, l'opposition aristocratique au système
du pouvoir absolu (au nom précisément de la défense du système traditionnel, de sa hiérarchie en fonction du rang des familles, de l'ancienneté
des mérites, etc.) se cristallise, on le sait, plus tôt que l'idéologie du tiers
état. De plus, la noblesse de robe, cette couche particulière à toute la
structure sociale de la France des XVIIe et XVIIIe siècles, possède déjà au
XVIIIe siècle sa tradition, le sentiment de la continuité de sa propre
condition sociale, de ses fonctions et institutions, sentiment de surcroît
renforcé par le caractère pratiquement héréditaire des plus hautes fonctions. Aussi, dans les litiges des parlements avec le roi tout le long du
XVIIIe siècle, la noblesse de robe, dans son opposition à l'absolutisme,
invoque-t-elle souvent la tradition. D'autre part, le physiocratisme, dans
ses postulats économiques et dans toutes ses conceptions morales,
réclame par contre des « principes », et ce pour défendre l'absolutisme
et en même temps accélérer la transformation des structures économiques
et sociales traditionnelles. L'exemple le plus caractéristique de l'enchevêtrement de ces différents courants est le fait qu'on argumente la demande
de la convocation des états généraux en invoquant aussi bien la formule
historique : *lex consensu populi fit et constitutione regis* que les principes
de la liberté puisés de la « raison », et non pas des traditions et de
l'histoire [14]. La crise de l'absolutisme est si complexe que, pour des raisons
les plus diverses et parfois même contradictoires, presque toutes les
couches sociales le contestent, même celles dont l'absolutisme défendait
objectivement les intérêts et les privilèges ; cette complexité finissant par
trouver son expression en quelque sorte la plus concise dans le fait que la
Révolution française commencera par ce que les historiens appelleront
une « révolte aristocratique ». Or, les discussions idéologiques sur les
« origines du pouvoir », les types d'argumentation employés, ne pouvaient
pas ne pas refléter, à leur manière spécifique, la complexité sociale de
cette crise.

Les deux structures conceptuelles distinguées ci-dessus du « retour aux
origines » — la recherche de la genèse historique et la recherche de la
raison extra-historique — existent sous une forme aussi nette et dans
une opposition mutuelle aussi contrastée uniquement en tant que types
idéals, à la seule exception des écrivains qui prennent des positions
extrêmes. En général, elles se partagent l'esprit d'un seul et même penseur,
dans des proportions et avec des implications les plus diverses. Comme
exemple classique, choisissons Montesquieu. Dans le livre premier de
L'esprit des lois, celui-ci use de la conception « des lois possibles »
antérieures à toute loi positive et découlant de la place des « êtres particuliers intelligents » dans l'ordre rationnel du monde. Par contre, dans
les livres XXX et XXXI, il « remonte aux origines » germaniques du
droit et du régime politique de la France, affirmant que « le beau système

de gouvernement politique » dont l'Angleterre est le modèle, « a été trouvé dans les bois [15] ». Il est également intéressant de suivre l'évolution de penseurs tels que Mirabeau le père (Ami des hommes) et Mably qui, du « retour aux origines » envisagé comme le recours aux traditions, passent dans leurs analyses à la confrontation de la réalité sociale existante avec des « principes » plus ou moins abstraits [16].

La dynamique de la lutte idéologique — surtout dans le domaine de la critique du système du pouvoir — se caractérise par la propagation de « systèmes mixtes » qui usent aussi bien de l'argument historique que de la référence aux principes. Cependant, avec le temps, on voit comment s'étend la tendance à « séparer la politique de l'histoire » et se répand la conviction que « les faits ne prouvent rien » et que c'est dans les « principes », et non pas dans le droit positif, qu'il faut chercher le point de départ pour la réforme du système [17].

Dès que nous quittons le terrain des discussions juridiques et politiques pour examiner les versions courantes dans la littérature des Lumières, les différences entre nos deux modèles du « retour aux origines » s'estompent encore plus. C'est que dans la culture intellectuelle de l'époque, plusieurs facteurs de nature générale étaient venus modifier la conception des « principes ».

Nous avons déjà dit ci-dessus que la version rationaliste et aprioriste du « retour aux origines » dans le physiocratisme se référait uniquement à des prémisses implicites du style de pensée des Lumières, qu'elle demeurait par contre en opposition par rapport à l'empirisme explicite de cette même pensée. Or, dans certaines variantes du physiocratisme (en Pologne, par exemple, chez Kołłątaj), « l'évidence » subit des modifications ; on reconnaît que la raison a pour donnée évidente et première non pas un ensemble de vérités fondamentales, mais un système défini de liens de l'homme avec le monde, en particulier le système de ses besoins, donc un ensemble de faits. Ainsi, les « premiers principes » sont ramenés à un ensemble de faits empirico-psychologiques inhérents à l'essence de l'homme, donnés dans les liens empiriquement observables de l'homme avec son milieu. « En morale comme en physique, il faut partir des observations. Les principes véritables ce sont les faits : pour les éléments des sciences, il faut se servir des faits le plus généralement connus. On veut exposer les éléments du droit naturel et en faire découler les règles d'un seul principe ; qu'il ne soit donc que l'expression d'un fait connu de tout le monde. Or, c'est un fait que partout les hommes désirent de se conserver et de garder ce qui leur appartient [18]. »

Déjà chez les jurisconsultes, et plus nettement chez Hobbes et Locke, on constate l'identification ou la confusion du problème du principe de l'Etat et de ses origines [19]. Le rôle décisif dans cette « confusion » est à imputer à la catégorie de la « nature humaine » avec son ambiguïté notoire. En tout cas, c'est dans la catégorie de la « nature », en particulier de la « nature humaine », que se manifeste ce que Cassirer appelle le dilemme de la vision du monde des Lumières. Ce dilemme s'insère entre la thèse sur l'*a priori* des lois, leur structure immuable et universelle qui résulte du seul fait de leur rationalité, et la démarche qui vise à fonder l'ensemble de la connaissance sur l'accumulation de données empiriques, variables et hétérogènes [20]. Aussi la « nature » est-elle comprise tantôt comme l' « ordre », comme la structure rationnelle qui fonde la réalité empirique, tantôt comme un ensemble de faits empiriquement donnés. Quant à la « nature humaine », elle est considérée tantôt comme l'essence de l'homme en rapport avec l'ordre rationnel, tantôt comme un ensemble de faits donnés empiriquement — dans l'introspection et l'observation — c'est-à-dire d'attitudes et de conduites humaines partout constatées et en cela seul universelles.

Une version intermédiaire, notoirement équivoque, circule couramment : la « nature humaine » est un fait donné dans chaque individu, mais un fait qui est en quelque sorte lui-même placé dans le contexte de l'ordre rationnel existant dans l'univers et connu par ailleurs. La version courante du « retour aux origines » se réfère à la « nature humaine » ainsi conçue comme à un fait psychologique et historique ou plutôt pseudo-historique ; fait universel, inhérent à l'existence même de l'homme.

Pourtant, l'équivocité du concept de « nature » n'éveillait pas d'inquiétude intellectuelle, même si la pensée des Lumières en était consciente (déjà Bayle avait distingué plus de dix significations de ce concept dans la *Première Épître aux Corinthiens* de saint Paul). En effet — comme le remarque pertinemment Willey — ce que la pensée de l'époque perçoit avec le plus d'intensité, ce n'est pas l'équivocité du terme « nature », mais plutôt sa clarté, son caractère en tant que fondement absolu et la possibilité d'application quasi universelle de la « nature » et des « lois naturelles ». La « nature » cesse alors d'être sémantiquement associée avec ce qui est « primitif », « originel » ; elle se rapporte plutôt à la « nature humaine » qui se révèle pleinement chez les nations les plus éclairées et civilisées [21].

Nous parlions de pseudo-historicité car, dans la conception de la « nature humaine » en tant que fait, on présuppose que l'homme, à chaque instant de l'histoire, possède une seule et même nature. Cette pseudo-historicité — et à la fois la fonction critique — de la nature ainsi conçue sont mises en évidence du fait que la nature est présentée comme l'ensemble immuable des droits que l'homme possède eu égard à sa place dans la structure rationnelle de tous les êtres (la « loi » et le « droit » sont mis en corrélation, ils sont en quelque sorte les deux aspects de la place de l'homme dans l'ordre). Précisons que la pensée des Lumières, en structurant la « nature humaine » comme un fait, attribue des contenus spécifiques au concept même du fait, surtout du fait historique. La recherche du « fait » est elle aussi entachée des ambiguïtés du rationalisme empirique. Vouloir constater et étudier des faits ne signifie pas vouloir se référer exclusivement, et même souvent se référer tout court, à l'agencement des événements dans le processus historique, mais plutôt expliquer le fait donné en le rapportant à « l'ordre de la nature », en fonction de sa conformité avec la raison. Le lien entre les faits, le « sens » d'un fait historique peut être établi en rapportant celui-ci à l'ordre découvert par la raison, et non pas à la succession des événements dans le temps ; l'évolution historique étant reconnue en grande partie comme fortuite [22]. Au XVIIIe siècle, la référence au fait traduit l'idée majeure de la philosophie de Bayle : les individus conscients de leur rationalité examinent chaque récit du passé en fonction de cette même rationalité ; ils ne l'acceptent que d'une seule manière critique, en vertu de sa conformité avec une pensée qui, bien qu'individuelle, applique les principes universels de la raison. D'ailleurs, à l'époque de « la crise de la conscience européenne », Bayle et d'autres penseurs considéraient que la raison ne s'affirme pas dans ce qu'elle établit et approuve en tant que « fait », mais plutôt dans la reproduction permanente de son attitude critique : c'est dans cette activité qu'elle se reconnaît comme autonome et universelle.

Ainsi, même dans sa version du « retour aux faits », le « retour aux origines » comporte le « retour aux principes » comme une composante qu'on accentue plus ou moins, et qu'on fait intervenir sur divers plans. Mais en même temps, une série de facteurs, sans affaiblir cette tendance, la relègue du moins au second plan où elle demeure dissimulée et inconsciente. A mesure que s'élargit l'horizon géographique et historique — facteur fondamental pour les perspectives de la connaissance en sciences humaines et dans la philosophie sociale des Lumières — le processus d'accumulation des faits et le poids spécifique des faits déjà réunis repoussent au second plan les constructions et les présuppositions théoriques [23].

Dans ce contexte, la recherche des « origines » prend la signification, caractéristique des Lumières, d'une lutte contre les préjugés : il s'agit de découvrir quand et comment la « nature des choses » a été déformée à la suite des préjugés et des erreurs. La recherche des « origines » revêt donc un caractère pratique et thérapeutique, permet de poser un diagnostic aux maladies de l'époque contemporaine et à la fois de proposer une thérapie dont les principes sont élaborés par l'esprit éclairé et émancipé. Ce qui explique que le « retour aux origines » soit si fréquemment mis en relation avec l'utopie sociale ou encore, dans les études sur les « origines » des croyances religieuses, avec l'idéal d'une religion naturelle rationnelle.

De surcroît, la nécessité de lutter contre l'universalisme chrétien qui postulait *a priori* la conformité de toutes les données empiriques et historiques avec la tradition de l'Ecriture, poussait à souligner la diversité des faits humains accumulés dans le temps et l'espace, à rechercher pour ces faits une interprétation différente de l'interprétation dictée par la tradition chrétienne. Le « retour aux origines » et la recherche de la « nature humaine » en tant que raison ultime des événements et des institutions revêtent, dans cette version et dans ce contexte, la forme d'un recul dans le temps. L'exemple classique en est la construction déjà mentionnée de l'état originel de l'humanité. Dans la pensée des Lumières, la conscience du caractère fictif de cette construction est toujours présente. On affirme qu'on peut employer l'idée de « l'état originel » comme une hypothèse théorique, comme une abstraction à laquelle la raison a le droit de recourir dans la mesure où elle envisage l'homme en fonction de sa place dans le système rationnel des lois immuables déterminant la structure du monde moral et physique. La construction qu'est « l'état de nature » accentue également l'autonomie de la raison dans la mesure où elle envisage l'homme en faisant abstraction de toute autorité religieuse et profane, où elle souligne le caractère profane du pouvoir, en tant que celui-ci peut être sanctionné uniquement en vertu de sa conformité à la nature humaine. Elle accentue le point de vue individualiste dans la mesure où « l'état originel » définit l'ensemble des droits et des devoirs de l'individu et où cette construction est mise en relation avec les conceptions du contrat social. D'autre part, les penseurs des Lumières ont cependant tendance à situer cette construction dans le temps, à traiter « l'état originel » comme un état qui a effectivement existé et dont on peut trouver des équivalences parmi les peuples « primitifs ». En même temps qu'on reconnaissait ces peuples comme « primitifs », naissait et se précisait l'idée de progrès ; d'un progrès compris comme une accumulation de la culture, de la civilisation et des lumières, considéré d'autre part comme l'élimination des préjugés et des erreurs de la « barbarie » dans le cours de l'histoire. L'association de l'idée de « l'état de nature » avec l'idée de progrès cause d'ailleurs, comme nous le verrons, plus d'un ennui. Comment en effet concilier l'idée d'un progrès linéaire et diachronique du savoir et de la culture avec l'idée que la « nature humaine » sous sa forme pure et originelle, libre des erreurs et des préjugés humains, se manifeste comme rationnelle, harmonieuse, etc. ? Aussi ces deux perspectives s'affrontent-elles souvent dans la littérature ethnologique et les récits de voyages de l'époque. Tantôt le voyageur ou l'explorateur « découvre », saisi d'admiration, que les peuples « primitifs » sont « naturels », rationnels, doux, tolérants, affranchis des préjugés (tout un genre littéraire dont L'ingénu voltairien est un exemple classique, se fonde sur la confrontation de « l'homme de la nature » ainsi conçu avec l'époque contemporaine). Tantôt il trouvera parmi les peuples « primitifs » la barbarie, les préjugés, l'adoration des idoles et des fétiches (de Brosse est probablement le premier à interpréter l'ensemble des croyances religieuses comme un « fétichisme »)[24].

Les différentes versions du « retour aux origines » ici esquissées n'épuisent évidemment pas toute la diversité des variantes de cette structure conceptuelle au siècle des Lumières[25]. La structure du « retour aux origines » joue toutefois un rôle si important dans toute l'œuvre de Rousseau qu'il convenait de présenter d'une manière très générale certaines de ses versions, du moins à titre d'exemples, avant d'aborder la même problématique chez l'auteur d'Emile. Nous pouvons en effet affirmer que Jean-Jacques confère au « retour aux origines », précisément dans la version du « retour à la nature », une importance particulière dans toute sa vision du monde, développant en quelque sorte jusqu'à l'extrême les versions courantes à l'époque et, en même temps, transformant radicalement toute cette structure.

Le caractère de l'hypothèse sur l'état de nature

Le motif du « retour aux origines » passe et repasse dans l'œuvre de Jean-Jacques comme l'un des thèmes dominants. Nous le retrouvons exprimé explicitement dans les titres — dans le *Discours sur l'origine et les fondements de l'inégalité parmi les hommes* (remarquons d'emblée l'emploi simultané des concepts de fondement et d'origine) ou dans le *Discours sur l'origine des langues*. D'ailleurs, quels que soient les titres des autres ouvrages, toute l'œuvre de Jean-Jacques est une suite de variations sur le thème du « retour aux origines », une longue tentative pour saisir, retrouver le point de départ. *Emile* est un essai pour reconstituer l'origine des vices humains à travers l'histoire du cœur de l'homme. *La profession de foi du vicaire savoyard* est une tentative pour surmonter la crise morale et religieuse par le retour aux « dispositions primitives », le recouvrement de « l'évidence des principes », de la « clarté des lumières primitives ». Il est d'ailleurs caractéristique de toute la démarche d'*Emile* d'analyser les divers types de relations entre l'élève et le milieu environnant comme l'origine, le point de départ d'un processus qui — s'il est mal dirigé — peut devenir dans ses effets destructif pour toute la personnalité, anéantir tous les résultats de l'éducation, imbriquer l'individu dans le « monde des apparences[26] ».

Dans son analyse de chaque phase de l'éducation, Jean-Jacques nous renvoie aux « origines » ou aux « principes » premiers qui expliquent la place de l'homme dans le monde et sa vocation. Nous retrouvons la structure du « retour aux origines » également dans *Les confessions*. Son application à l'organisation d'une sphère d'expériences tout à fait différentes transforme cette structure, lui confère en quelque sorte une autre dimension. Néanmoins, nous retrouvons ici le même schéma conceptuel. Dans les lettres à Malesherbes, la première esquisse de ses *Confessions*, Jean-Jacques rend compte des motifs qui le poussent à écrire l'histoire de sa vie. Son propre caractère est pour lui incompréhensible, foncièrement contradictoire ; il faudrait l'expliquer en se référant aux « principes », mais les « principes » n'éclairent pas cette contradiction. Il convient donc de revenir au point de départ, à la plus tendre enfance, et par « une espèce d'historique », faciliter la compréhension de l'état actuel des choses[27]. Rappelons enfin que nous avons lu une autre version du « retour aux origines » dans les développements sur l'aliénation, avec leurs exhortations réitérées au « retour à soi-même », à la recherche « en soi » de ce qui est authentique, de ce qui n'est pas altéré par les rapports d'aliénation. « Rentrez en vous-même, écoutez cette voix secrète qui parle à tous les cœurs [28]. »

La recherche de son propre « soi » ne signifie d'ailleurs nullement qu'il faille s'enfermer dans les limites de l'individu : ce que l'homme doit retrouver en lui, c'est cette « évidence des principes » dont parlait le Vicaire, l'évidence des principes premiers qui définissent la place de l'homme dans le monde et de l'individu parmi les hommes. L'authenticité semble être ici identique avec la « nature », et le « retour à la nature » signifie le « retour à soi-même », le recouvrement du sentiment de son propre « moi » et de sa propre identité perdus dans le « monde des apparences ».

Nous voudrions choisir ici comme objet de nos analyses une seule version du « retour aux origines » particulièrement importante chez Rousseau, à savoir la version dans laquelle tout ce schéma est mis en relation avec l'hypothèse de l'état de nature et avec l'analyse des processus de dénaturation.

Dès que nous confrontons dans ce domaine la position de l'auteur du *Contrat social* avec les types schématiquement différenciés ci-dessus du « retour aux origines », c'est le thème du « retour aux principes » qui émerge incontestablement au premier plan. Dans ses polémiques avec Grotius et Montesquieu, Rousseau souligne maintes fois que pour juger les institutions sociales existantes et établir ce que devrait être la société, il faut recourir aux « principes qui résultent de la nature des choses et sont fondés dans la raison ». Ce qu'il reproche à Grotius, c'est que sa « manière de raisonner est d'établir toujours le droit par le fait » ; or, cette méthode est la plus favorable aux tyrans, car elle sanctionne le droit positif [29]. Montesquieu — « le seul moderne en état de créer cette grande science » qu'est le droit politique — commit une erreur analogue. « Il se contenta de traiter du droit positif des gouvernements établis », sans se préoccuper de l'étude des principes du droit politique, de définir la nature de la société (du « corps social ») ; or « rien au monde n'est plus différent que ces deux études [30] ».

Il faut « examiner les faits par le droit », « examiner les institutions humaines en les confrontant avec leurs principes » : telle est la directive majeure de la démarche à suivre dans l'analyse de la réalité sociale [31]. L'histoire en effet ne peut être comprise qu'à la lumière des premiers principes moraux. Elle n'est pas un simple recueil de faits ; d'ailleurs le concept même du « fait » implique — de l'avis de Rousseau et conformément à la tradition intellectuelle esquissée ci-dessus — qu'il faut « apprécier les actions (des hommes) par leurs rapport moraux [32] ». Polémiquant contre l'article de Diderot sur le droit naturel dans l'*Encyclopédie*, Rousseau réfute l'opinion disant qu'on pourrait connaître la « volonté générale », ayant pour but le bien général, en étudiant les éléments communs dans le droit positif de différents pays. « Les principes du droit écrit », les « conventions tacites » en vigueur dans une société sont toujours des pactes « entre les ennemis même du genre humain [33] ». Pour comprendre le présent et les vices moraux et sociaux qui y règnent, il faut accéder aux « fondements réels de la société humaine », comparer le droit positif avec le droit naturel, comparer les hommes et leurs rapports, tels qu'ils sont dans la société, avec la nature humaine. En se référant directement à toute la tradition des jurisconsultes, Rousseau cite en l'approuvant Burlamaqui qui, dans ces questions les plus générales, ne faisait que répéter et vulgariser les points de vue communs à toute l'école : « Car l'idée du droit, dit M. Burlamaqui, et plus encore celle du droit naturel, sont manifestement des idées relatives à la Nature de l'homme. C'est donc de cette Nature même de l'homme, continue-t-il, de sa constitution et de son Etat qu'il faut déduire les principes de cette science. » Il faut donc revenir « aux origines », « connaître l'homme naturel », pour déterminer ce qu'est la loi « qui convient le mieux à sa constitution [34] », comme pour obtenir une échelle comparative applicable à la réalité existante, pour pouvoir « examiner les faits par le droit ».

Ainsi, le « retour aux origines », équivalant ici à invoquer la « nature de l'homme » et « l'homme naturel » en tant que fondement immuable de toutes les institutions humaines, semblerait coïncider avec le schéma classique du « retour aux principes ». C'est de ces principes qu'on peut déduire, par raisonnement, en faisant abstraction des faits historiques et même en s'opposant à eux, l'unique modèle des rapports sociaux qui soit juste, immuable, parce que conforme à la nature humaine.

A la version courante du « retour aux principes » viennent cependant s'ajouter certains éléments qui la modifient considérablement. L'originalité de la démarche de Rousseau consiste en ce qu'il radicalise l'interrogation sur « les raisons », sur les « principes ». Jean-Jacques ne se borne pas à mettre en question telles ou telles autres institutions sociales : « Tout est folie dans les institutions humaines. » Rousseau associe l'interrogation sur les fondements des institutions sociales existantes avec une vision générale de son propre siècle qu'il considère comme l'époque d'une crise morale et sociale fondamentale. Et c'est justement pourquoi son interrogation porte non seulement sur ce qu'est la société de son temps, mais aussi, et le plus souvent, sur ce qu'est l'homme de son temps, l'homme tel qu'il vit dans cette société.

L'oppositition entre « l'homme de l'homme » et « l'homme de la nature [35] » est développée jusqu'à son extrême limite. « L'âme humaine altérée au sein de la société par mille causes sans cesse renaissantes (...) a, pour ainsi dire, changé d'apparence au point d'être presque méconnoissable ; et l'on n'y retrouve plus (...) que le difforme contraste de la passion qui croit raisonner et de l'entendement en délire. » L'interrogation sur les origines est ainsi radicalisée jusqu'à devenir une interrogation sur le sens de toute l'époque contemporaine, ou devient indissociable de cette question. Mais elle devient de ce fait une interrogation sur le chemin parcouru qui sépare « l'homme de l'homme » — vivant dans un monde aliéné — de son « origine », de « l'homme de la nature ». Qui plus est, le problème même de parvenir jusqu'à ces principes devient à cette lumière très compliqué. « Car comment connoître la source de l'inégalité parmi les hommes, si l'on ne commence pas par les connoître eux-mêmes ? Et comment l'homme viendra-t-il à bout de se voir tel que l'a formé la Nature, à travers tous les changements que la succession des tems et des choses a dû produire dans sa constitution originelle [36] ? » Ce « chemin parcouru » est donc un obstacle entre le chercheur et « l'origine », l'objet de ses études. L'abîme séparant l'époque contemporaine et ses origines, « l'homme de l'homme » et « l'homme de la nature » doit donc être pris en considération quand on formule la question et qu'on trace les voies à suivre pour y répondre [37].

Si, à cette lumière, on examine de plus près les présupposés méthodologiques que Rousseau adopte dans sa « recherche des origines », on constate que ceux-ci sont beaucoup plus compliqués qu'il n'aurait pu paraître à partir de sa directive générale : « Je reviens toujours au principe, et il me fournit la solution de toutes mes difficultés [38]. »

Ces présupposés ne sont pas toujours explicitement formulés, ou plutôt des présupposés explicites s'associent avec une certaine démarche dont les directives ne sont nulle part exposées, bien qu'elles soient extrêmement importantes. Pour nous, le plus pratique sera peut-être de dégager toute la complexité de la construction de Rousseau en organisant les raisonnements autour de la réponse aux questions : qu'est-ce que l'état dans lequel se trouvait l'homme naturel et quelles sont les voies qui mènent à sa connaissance ?

Il pourrait sembler que nous sommes tout simplement en présence d'une confusion entre les « principes » et les origines », de cette confusion déjà signalée et si symptomatique pour la pensée des Lumières. « L'état de nature » construit comme une abstraction, comme la caractéristique d'une certain ensemble de relations abstraites entre les individus eux-mêmes d'une part, et entre l'homme et la nature d'autre part, est considéré comme un état qui a réellement existé, ou qui existe encore par endroits. Comme nous l'avons signalé, ces deux points de vue sont exposés dans toute la pensée philosophique des Lumières ; nettement différenciés dans certains cas, ils s'interpénètrent dans d'autres. Pufendorf écrivait déjà que l'état de nature peut être envisagé « soit comme une fiction, soit comme un état qui existe réellement » ; « l'état réel de nature » équivalant alors à des relations nouées entre les hommes de manière que les engagements réciproques de ceux-ci résultent uniquement de leur humanité, et non pas de conventions et d'obligations transcendantes [39].

Quand, avant l'élaboration du *Discours sur l'inégalité*, Jean-Jacques se rendit à Saint-Germain et « enfoncé dans la forest, y cherchoit, y trouvoit l'image des premiers temps dont il traçait fièrement l'histoire [40] », il pourrait sembler qu'il procédait uniquement à l'une de ces expériences mentales pseudo-historiques, si caractéristiques de l'esprit des Lumières. Dans ce genre d'expériences, la thèse sur l'immuabilité et l'uniformité de la nature humaine servait de fondement pour reconstituer le point de départ des processus historiques à travers l'étude de la psychologie individuelle. (Cette thèse, par ailleurs, ne servait pas de fondement aux seules expériences mentales : ainsi, l'anecdote raconte que Staszic, savant et « philosophe » polonais, emmenait des enfants dans une forêt voisine de Varsovie et les y laissait seuls en vue d'étudier comment se conduisent les hommes dans l'état de nature. D'ailleurs, Jean-Jacques lui-même avoue qu'il avait du goût pour « la morale observatrice [41] ».)

Cependant, en accumulant les détails dans le *Discours sur l'inégalité*, en faisant référence (en général dans les notes) aux récits des voyageurs qui décrivent des « peuples primitifs », enfin en invitant à entreprendre des voyages à des fins d'observation et d'élaboration de données empiriques [42], Jean-Jacques donne l'impression qu'il réduit « l'état de nature » à un état historique ayant vraiment existé ou existant encore, quelque part, parmi les heureux sauvages.

Mais en même temps, il suffit de lire plus attentivement ce que Rousseau dit de ce qu'il a ressenti durant ses longues méditations dans la forêt de Saint-Germain, pour comprendre immédiatement que sa conception de « l'état de nature » ne se situe pas vraiment dans la classification de Pufendorf. Le sentiment de la réalité de « l'état de nature » se fonde ici dans une expérience vécue spécifique, dans laquelle la condamnation de sa propre époque engendre la vision d'un autre univers, une vision en suspens entre le rêve et la réalité. La construction théorique de l' « état de nature » est fondée dans ce vécu de la société contemporaine en tant que « monde des apparences » et dans le sentiment d'être soi-même étranger par rapport à celui-ci. Elle possède un sens tant cognitif que moral. Elle traduit l'intention consciente d'obtenir un recul intellectuel et moral par rapport à ce monde, de se séparer de lui, de se situer « à l'extérieur » de la civilisation que « l'homme de l'homme » reconnaît comme « sienne » spontanément, d'une manière irréfléchie. En procurant le modèle d'une autre situation de l'homme dans le monde, l' « état de nature » permet de prendre du recul envers cette dimension du propre « moi » qui est une « apparence », un « masque ». Ainsi, il équivaut à une expérience différente de soi et des autres. Dans le *Discours sur l'inégalité*, Rousseau affirme explicitement qu'il suppose un état fictif. « Commençons (...) par écarter les faits », stipule-t-il au début du *Discours* [43]. Qui plus est, c'est précisément la conscience que cet état n'a pas existé et n'existera pas qui rend d'autant plus nécessaire le besoin de le décrire, de s'en rendre compte. Le paradoxe se manifeste ici non pas en tant que tournure rhétorique, mais comme la forme d'expression de l'antinomie réelle de la situation des hommes. « J'ai hasardé quelques conjectures (...). D'autres pourront aisément aller plus loin dans la même route, sans qu'il soit facile à personne d'arriver au terme. » Car il s'agit « de bien connoître un Etat qui n'existe plus, qui n'a peut-être point existé, qui probablement n'existera jamais, et dont il est pourtant nécessaire d'avoir des Notions justes pour bien juger de notre état présent ». Jean-Jacques précise également que ce qu'il reconstitue est une seule « histoire hypothétique des gouvernements », pourtant utile à l'homme [44]. Nous sommes donc loin d'une naïve description d'une prétendue préhistoire. Rousseau possède la conscience méthodologique de toute la complexité de l'hypothèse à laquelle il recourt, et il met cette conscience d'autant plus en évidence qu'il souligne constamment aussi bien l'originalité de sa propre démarche que des tâches qu'il s'est fixées.

« L'étude convenable à l'homme est celle de ses rapports. Tant qu'il
ne se connaît que par son être physique, il doit s'étudier par ses rapports avec les choses (...) quand il commence à sentir son être moral,
il doit s'étudier par ses rapports avec les hommes [45]. » Or, c'est précisément la connaissance de l'homme, « la plus utile de toutes les connaissances humaines », qui est « la moins avancée [46] ». Cette lacune n'est pas
fortuite ; Jean-Jacques fait à maintes reprises aux philosophes le reproche « de philosopher toujours sur les origines des choses d'après ce
qui se passe autour de nous ». Ce reproche — nullement original, car
notoirement formulé dans les polémiques de l'époque sur l'état de nature — concerne également les voyageurs qui, « sous le nom pompeux
d'étude de l'homme, ne (font) guère que celle des hommes de (leur)
pays ». Mais il se rapporte également à Hobbes et Grotius qui projettent
sur l'état de nature et l'image de l'homme naturel tous les vices, les
passions, les types de rapports, caractéristiques de la civilisation, de la
société. « Quand nous nous mettons à la place des autres nous nous
y mettons toujours tels que nous sommes modifiés, non tels qu'ils doivent l'être, et quand nous pensons les juger sur la raison, nous ne faisons
que comparer leurs préjugés aux nôtres [47]. » Aussi, pour Rousseau, la
question la plus difficile est-elle de définir « les précautions à prendre
pour faire (...) de solides observations » sur l'état de nature, « quelles
expériences seraient nécessaires pour parvenir à connoître l'homme naturel ; et quels sont les moyens de faire ces expériences au sein de la
société [48] ». Rousseau n'entend pas par là que « l'état de nature » est
inaccessible à la raison humaine : ce genre d'irrationalisme qui implique-
rait que les diverses époques, cultures et situations historiques sont
impénétrables les unes aux autres, est étranger à Jean-Jacques, comme
à toute la pensée des Lumières. Au contraire — et nous le verrons
ci-dessous — chacun peut accéder aux « origines » sans être savant.
La situation n'en est pas moins antinomique. L'homme désire connaître
cet état originel justement aujourd'hui, quand, « mécontent de son état
présent, par des raisons qui annoncent à sa postérité malheureuse de
plus grands mécontentements encore, peut-être voudroit-il pouvoir rétro-
grader [49] ». Mais ce besoin de connaître son état originel, l'homme
l'éprouve alors qu'il l'a perdu, car quand il « pouvoit en jouir », il
ne pouvait pas le connaître, puisqu'il ne pratiquait pas la réflexion, il
durait tout simplement en lui, sans connaître d'autres systèmes de
référence.

Le besoin de connaître se manifeste au moment même où tout sépare
l'homme de cet « état naturel », où « la douce voix de la nature n'est
plus pour lui un guide infaillible [50] ». Mais c'est justement parce que
nous avons perdu cet état qu'il est nécessaire d'en avoir des « Notions
justes pour bien juger de notre état présent ». Le même cours des événements qui nous a éloignés de « l'état naturel », de nos « origines »,
et a donné naissance à la crise de l'époque contemporaine, crée en même
temps le besoin d'un « retour aux origines ». La conscience même
de ce besoin équivaut à faire un premier pas vers une rupture avec l'état

existant, dans la mesure où elle est la reconnaissance de « l'apparence » de celui-ci.

Nous avons jugé utile de reconstituer tout cet enchaînement de raisonnements, afin de faire observer que la définition même des positions du sujet de l'étude et de ce que nous appellerons ici son « objet », comporte des prémisses implicites. Nous n'avons pas encore quitté la sphère des considérations méthodologiques générales et nous n'avons rien dit sur ce qu'est cet état de nature. Et pourtant, il est aisé de remarquer qu'aussi bien Jean-Jacques — le sujet qui entreprend l'étude et recherche les origines — que l' « objet » de ses études — « l'homme en état de nature » — sont imbriqués dans une situation antinomique. L'antinomie n'appartient pas à la seule connaissance ; la connaissance elle-même est conditionnée par les contradictions qui marquent le développement de la société.

Cette construction implique toute une dialectique de l'évolution de l'homme et de la société (« nous connaissons les hommes par la société et la société par les hommes »). Cette dialectique se rattache par un jeu complexe à une vision critique de son temps, dans laquelle la possibilité de la connaissance devient fonction d'un choix moral ; ce choix impliquant une expérience vécue de son siècle — l'expérience d'une crise morale. « Tous les progrès de l'espèce humaine l'éloignant sans cesse de son état primitif, plus nous accumulons de nouvelles connoissances, et plus nous nous ôtons les moyens d'acquérir la plus importante de toutes, et que c'est en un sens à force d'étudier l'homme que nous nous sommes mis hors d'état de la connoître [51]. »

Friedrich Schiller, qui analysait Rousseau à travers Kant et révéla maintes fois les prémisses et possibilités contenues dans l'œuvre de Jean-Jacques grâce à leur développement conséquent et à leur systématisation, confère également à toute la construction ici esquissée la forme distincte d'une thèse historiosophique. Selon Schiller, le moment où l'homme formula l'idée de l'état naturel fut décisif dans la dialectique du développement de l'homme en tant qu'être libre et intelligent. L'humanité, à son âge adulte, rattrape en quelque sorte son enfance et crée l'idée de l'état de nature ; état qui certes n'est donné dans aucune expérience, mais qui est nécessaire en vertu de la définition de la raison. Elle fait de cet état idéal un objectif final qu'elle n'a pas connu dans l'état naturel réel, et procède à un choix qu'elle ne pouvait pas alors accomplir ; elle agit maintenant comme si elle devait recommencer son existence [52]. Cette conception va au-delà de la conception de Rousseau, justement parce que les conclusions ont été déduites, les prémisses explicitées, un schéma de développement délibérément employé, là où chez Rousseau il y a ambiguïté et imprécision. Mais, de ce fait, Schiller dégage un thème important de l'œuvre de Rousseau, met en relief l'idée maîtresse qui confère son caractère spécifique à sa conception de l'état de nature.

Sous cet éclairage, toute la conception de l'état de nature se révèle, à notre avis, moins incohérente qu'elle ne pouvait sembler de prime abord. Certes, des éléments hétérogènes la composent. D'une part, la conscience de recourir à un état fictif, d'autre part, la minutie de la description ; d'une part le souci de la rigueur, de conférer à tout l'exposé le caractère d'un raisonnement presque déductif, dans lequel chaque étape du passage à l'état social est inférée en quelque sorte avec une nécessité logique, d'autre part, la poétisation de toute la description, le recours au sentiment et à l'imagination, mais aussi aux données empiriques observées ; d'une part, encore le raisonnement « déductif » : « écartons tous les faits », d'autre part, enfin, l'auteur nous dit que « c'est dans cette lente succession des choses qu'il (le lecteur) verra la solution d'une infinité de problèmes de morale et de politique que les Philosophes ne peuvent résoudre [53] ». Et pourtant, ces éléments hétérogènes font partie d'un ensemble cohérent ; cette cohérence participant de développements théoriques et méthodologiques qu'on associe avec une certaine attitude morale et un type spécifique d'expérience vécue.

Ainsi et en premier lieu, Jean-Jacques se sert de la conception de l'état de nature comme d'un modèle théorique. Celui-ci est heuristique et, même s'il est hypothétique, il est nécessaire de le connaître pour comprendre l'essence de l'homme et des modification qu'il a subies [54]. C'est certes Lévi-Strauss qui a le mieux saisi cette intention de Rousseau, peut-être parce qu'il est proche de lui par toute sa démarche intellectuelle. L'auteur du *Discours sur l'inégalité* — constate Lévi-Strauss — visait à « bâtir un modèle théorique de la société humaine, qui ne correspond à aucune réalité observable », à en « étudier les propriétés (...) pour appliquer ensuite ces observations à l'interprétation de ce qui se passe empiriquement (...). Derrière les abus et les crimes, on recherche donc la base inébranlable de la société humaine [55] ».

La conscience de faire précisément usage d'un modèle est extrêmement caractéristique de toute la méthodologie de Rousseau. Ainsi *Emile* constitue dans son ensemble — et Rousseau ne manque pas de le souligner à maints endroits — une analyse de la dynamique du développement de la personnalité sur la base d'un certain modèle (ou d'une série de modèles), des corrélations entre l'individu et son milieu naturel et social. « L'étude convenable à l'homme est celle de ses rapports. » « Quand il est question d'objets aussi généraux que les mœurs et les manières d'un peuple, il faut prendre garde de ne pas toujours rétrécir ses vues, sur des exemples particuliers. Ce seroit le moyen de ne jamais apercevoir les sources des choses. » « Il faut examiner les rapports qui peuvent être » entre différentes « choses qui influent sur les mœurs d'une nation (...). Examiner tout cela en petit et sur quelques individus, ce n'est pas philosopher, c'est perdre son temps et ses réflexions, car on peut connoître à fond Pierre ou Jacques, et avoir fait très peu de progrès dans la connoissance des hommes ». « Avant d'observer, il faut se faire des règles pour ses observations ; il faut se faire une échelle pour y rapporter les mesures qu'on prend. » Les « principes » découverts seront cette échelle, les données empiriques — le droit positif, les faits historiques, les mœurs des autres nations, etc. — les mesures [56].

Le modèle proposé est intemporel et universel. L'une des intentions qui président à sa construction est de saisir l' « homme naturel » en tant que modèle de « l'homme et de ses rapports ». L'homme naturel ainsi conçu est une modalité virtuelle de l'existence humaine qui dérive de l'essence de l'homme. Il suffit de comparer la société existante avec ce modèle pour constater que celle-ci n'est pas définitive ; ainsi, en suivant la démarche théorique, nous nous détachons de cette société et de l'existence quotidienne qui est son corrélatif. Quand nous appliquons « l'échelle des mesures » à une autre société — par exemple à la société des « sauvages » — il s'avère que celle-ci non plus ne « correspond » pas au modèle : elle n'est peut-être, ni absolument bonne, ni à tout égard meilleure que la nôtre. Néanmoins, ce modèle nous permet de découvrir dans une société différente de la nôtre d'autres modalités d'existence. Les données empiriques sur les « sauvages » ne sont pas faites pour que nous nous comparions avec leur société en tant qu'idéale, ou avec notre existence passée. Elles servent à comparer l'existence actuelle avec l'essence inhérente à tout homme, avec sa nature, ses tendances et aspirations les plus personnelles, ainsi qu'avec les principes et buts inhérents à toute société. Ces comparaisons nous renvoient donc en quelque sorte à nous-mêmes, aux principes de notre humanité.

Mais, ainsi que nous l'avons constaté, la recherche des « principes », des « fondements » est notoirement équivoque et, de même que la recherche de la « nature », elle nous conduit à la fois à « ce qui est essentiel » comme à « ce qui est originel ». Cette ambiguïté facilite l'association du modèle intemporel, universel, avec l'étude de la genèse de l'état existant. La découverte donc des principes résultant de la nature de l'homme et des rapports qui l'unissent à d'autres hommes, à ses formes de socialisation, etc., permet d'expliquer l'état existant des choses par son « histoire hypothétique ». Nous le savons, Jean-Jacques est pleinement conscient de ce caractère hypothétique — aussi toute sa reconstruction de l'état de nature, comme des étapes séparant l'état social de l'état naturel, est-elle en réalité fondée sur un raisonnement déductif, sur une démarche consistant à « remonter de principes en principes [57] ». Et c'est pourquoi, dans les cas où l'histoire ne fournit pas de données sur « les faits intermédiaires » entre deux phénomènes, « c'est à la philosophie (...) de déterminer les faits semblables qui peuvent les lier », car toute la démarche théorique « suit l'ordre même de la nature (...) pour trouver l'origine des institutions humaines [58] ».

Le point de départ de l'étude nous est donc donné sous la forme du « principe premier » de toute morale, du principe fondamental de toutes les relations interindividuelles, du principe définissant l'essence de l'homme : « L'homme est un être naturellement bon. » Nous disposons également du point d'aboutissement : l'homme tel qu'il est dans la société contemporaine et dont il n'est pas moins vrai qu'il est devenu méchant. Pour expliquer le rapport mutuel de ces deux vérités, du principe et de l'état réel, il est nécessaire de « suivre la généalogie des vices humains », « d'étudier l'histoire du cœur humain [59] ».

Le diagnostic de l'époque contemporaine dont se sert Jean-Jacques, et qui constate un désaccord fondamental entre l'existence sociale de l'homme et son essence, fait du problème de la genèse de l'état existant une question d'une importance particulière. D'où il résulte que le

« retour aux origines » doit également comporter la reconstruction du processus au cours duquel les « principes » ont été reniés, il doit permettre de comprendre pourquoi les hommes « sont devenus ce qu'ils sont [60] ».

Mais en nous interrogeant sur les origines de l'état actuel, nous n'avons pas en vue un état de choses qui nous serait extérieur. Quiconque formule cette question se la pose à lui-même. L'interrogation sur l'origine du mal n'omet jamais la personne qui s'interroge. Aussi, en remontant aux « origines », nous ne remontons pas vraiment dans le temps, nous pénétrons plutôt à l'intérieur de nous-mêmes ; prenant conscience de « ce que nous sommes devenus », nous devons suivre « l'histoire du cœur humain ».

Chez Rousseau, l'hypothèse sur l'état de nature possède donc non seulement une dimension méthodologique et historiosophique, mais encore un autre aspect, sensible dans chaque fragment de l'œuvre de l'auteur des *Confessions* — un aspect existentiel et moral [61]. La vérité n'est pas pour Rousseau donnée comme un ensemble de thèses abstraites, la vérité doit être vécue. « La vérité que j'aime — écrivait-il à Dom Deschamps qui lui avait envoyé son *Vrai Système* — n'est pas tant métaphysique que morale. » Elle « est plus près de nous et il ne faut pas pour l'acquérir un si grand appareil de Science [62] ».

Aussi Jean-Jacques recourt-il non seulement à l'argumentation rationnelle et aux faits, mais aussi au sentiment, à l'expérience intérieure de cet « état de nature ». « D'où le peintre et l'apologiste de la nature aujourd'hui si défigurée et si calomniée peut-il avoir tiré son modèle, si ce n'est de son propre cœur — écrit-il à son propre sujet. Il l'a décrite comme il se sentoit lui-même [63]. » Tout le *Discours sur l'inégalité* se propose de faire naître ce même genre d'expérience dans le cœur du lecteur auquel l'œuvre fait directement appel. Et l'invocation suivante n'est pas une simple tournure rhétorique : « O Homme, de quelque Contrée que tu sois, quelles que soient tes opinions, écoute ; voici ton histoire (...). Les tems dont je vais parler sont bien éloignés : combien tu as changé de ce que tu étois ! C'est pour ainsi dire la vie de ton Espèce que je te vais décrire d'après les qualités que tu as reçues, que ton éducation et tes habitudes ont pu dépraver, mais quelles n'ont pu détruire [64]. »

La vérité, dans la mesure où elle possède un caractère moral, est précisément fondée dans la subjectivité, dans l'authenticité de l'expérience vécue personnelle, dans la résonance en nous-mêmes de la voix pure de la nature, de la voix de la conscience étouffée sous les couches superposées de la culture, sous les passions artificielles, etc.

C'est dans ce sens que l'image de l'état de nature peut être retrouvée en nous-mêmes, et que la recherche de cette image est la recherche de nous-mêmes. Il suffit de faire naître le besoin du retour aux origines, de susciter en l'homme le besoin de s'interroger lui-même sur ce qu'il est, pour qu'il cesse de chercher « l'essence de son existence dans le regard des autres [65] ». Et c'est pourquoi tout l'enchaînement des raisonnements de Rousseau doit aboutir non seulement — ni même principalement — à une thèse théorique, mais à un « sentiment (qui) doit faire l'éloge de tes premiers ayeux, la critique de tes contemporains », au désir que l'espèce humaine se soit arrêtée à un certain âge, à une certaine étape de son évolution [66]. Ne nous hâtons pas de tirer des conclusions. Le retour à cet « âge passé » est-il possible de l'avis de Rousseau et celui-ci exhorte-t-il à ce retour ? La réponse à cette question est beaucoup plus compliquée qu'elle pourrait le sembler.

« L'homme de la nature » et « l'homme de l'homme »

« Lui seul me parut montrer aux hommes la route du vrai bonheur en leur apprenant à distinguer la réalité de l'apparence, et l'homme de la nature de l'homme factice et fantastique que nos institutions et nos préjugés lui ont substitué » — disait Jean-Jacques de lui-même [67]. Il n'est pas dans toute l'œuvre de l'auteur des *Confessions* d'autre terme plus capital, dont les contenus sont reconnus comme des plus évidents, et qui serait en même temps plus confus et ambigu que celui de « nature », de « naturel », en particulier quand on l'emploie pour caractériser l'homme — « l'homme de la nature » ou « la nature de l'homme ». Evidemment, le lecteur contemporain doit ajuster la compréhension de ce terme à la distance qui le sépare de l'époque où est née cette œuvre, et où le recours à la « nature » n'exigeait pas d'explications supplémentaires. Mais, même à cette époque, les modalités d'emploi de ce mot par l'auteur du *Discours sur l'inégalité,* les contenus qu'il lui faisait véhiculer, provoquaient des oppositions et des controverses. « L'histoire de l'homme de la nature a fait rêver les philosophes ; ils lui ont donné, comme au dieu théologique, des attributs contradictoires ; ils se sont disputés sur son essence ; les flots d'encre ont coulé, et rien n'a été éclairci [68]. » Nous pourrions dire que la place de Rousseau dans la dialectique spécifique du concept de « nature », tel que celui-ci fut employé par les penseurs des Lumières, consiste entre autres dans le fait que, tout en lui attribuant le premier rôle dans toute sa vision du monde et en se référant à lui comme à un terme les plus évidents, Jean-Jacques le rend problématique et l'expose à la critique, il lui enlève son évidence. En effet, comme le fait remarquer Wright Mills, les problèmes de la « nature humaine » s'imposent comme des questions particulièrement vitales quand les formes routinières de la vie sont si ébranlées et les hommes si aliénés par rapport à leurs rôles sociaux qu'une nouvelle manière de les appréhender devient possible. Quand les processus sociaux se déroulent harmonieusement, la « nature humaine » semble être si enracinée dans les routines traditionnelles qu'aucun problème de nature générale ne se pose. Les hommes savent ce qu'ils peuvent espérer les uns des autres, les modes d'expression de leurs émotions et leurs motifs stéréotypés d'action sont perçus comme s'ils étaient tout simplement donnés et communs à tous. Cependant, quand la société est engagée dans un processus de transformation profonde et les hommes placés au centre des changements historiques, la nature humaine elle-même devient problématique [69].

Une comparaison même des plus sommaires des descriptions par Rousseau de « l'homme naturel » et de la « nature humaine » révèle la multiplicité de leurs contenus et intentions. « L'homme de la nature », c'est un être qui « voit par ses yeux et sent par son cœur (...) qu'aucune autorité ne gouverne, hors celle de sa propre raison [70] », un homme opposé —conformément à la tradition générale des Lumières — à l'autorité et au préjugé, un individu libre qui fonde le sentiment de son autonomie dans « la nature humaine », dans l'idée de l'humanité. Mais « l'homme naturel », c'est aussi l'homme qui est bon, « de cette bonté absolue qui fait qu'une chose est ce qu'elle doit être par sa nature ». « L'homme naturel » vit dans un état d'innocence, dans l'état préréflexif d'avant la connaissance du mal et du bien ; « il ne veut que vivre et rester oisif, et l'ataraxie même du Stoïcien n'approche pas de sa profonde indifférence pour tout autre objet [71] ».

Cet état d'innocence, de sérénité, dans lequel vit « l'homme naturel », est tour à tour identifié ou bien avec la vision rétrospective d'une enfance que rien n'est encore venu troubler, quand la « conscience de soi-même » naît à peine ; ou encore avec l'atmosphère à Clarens où règnent « l'ordre, la paix, l'innocence » ; ou enfin avec la situation du « bon sauvage » qui est un « homme de bien » vivant dans « la paix et l'innocence [72] ». Mais « l'homme de la nature », ce n'est pas seulement — ni même principalement — le « bon sauvage » rapporté aux réalités hypothétiques de « l'état présocial ». Au cœur même du projet d'*Emile,* Rousseau place le problème « de former l'homme naturel vivant dans l'état de société », « un sauvage fait pour habiter les villes ».

Il s'agit donc d'un certain modèle de la personnalité humaine, décrit sous plusieurs aspects. Ce modèle suppose que l'individu possède un rapport concret et significatif aux choses et à la nature considérée comme un tout ; une structure définie des besoins, capacités et dispositions assurant sa cohérence interne et le particularisant comme une « totalité » spécifique et indépendante des autres. L'individu ainsi conçu est conscient de sa propre identité, « d'être soi-même ». L'expérience de « son propre soi », se recouvre à chaque instant avec la totalité de son existence. Nous arrêterons là notre énumération nullement exhaustive. La « nature » ainsi conçue distingue l'individu par rapport aux autres et à la société, lui permet d'acquérir une indépendance poussée jusqu'à l'isolement optimal. La « nature » concentre l'individu sur lui-même. Seul l'homme bon qu'est « l'homme de la nature » peut être solitaire. Mais, d'autre part, c'est uniquement en vertu de « l'identité de la nature » chez différents individus, et grâce au sentiment naturel de la pitié, que l'individu peut s'identifier avec ses semblables, établir des rapports de solidarité avec son espèce. La « nature » est donc dans certains contextes un concept défini par la négation, elle est le contraire des malheurs liés à l'état social, elle est l'anticulture. Mais on attribue également à la « nature » des caractères positifs : elle permet de rappor-

ter l'homme à l'ordre universel, de « voir l'homme dans l'homme »,
d'envisager l'humanité eu égard à sa « place dans l'ordre du monde »,
à « la vocation de l'homme », et de considérer l'individu comme « la
petite partie du grand tout » qu'est l'espèce humaine. Car « l'homme
est sociable par sa nature, ou du moins fait pour le devenir [73] ». La
nature est ce qui est stable, durable dans les hommes, ce qu'on trouve
en eux de commun, ce qui est l'expression des propriétés génériques de
l'homme, conformes aux intentions durables de l'Etre suprême ; la nature
désigne la constitution humaine. Toutefois, tout ce qui est commun aux
hommes est loin d'être identique avec ce qui est en eux naturel : la société
uniformise les hommes et ce que les hommes trouvent en eux de commun, dans l'état de société, est, en général, contraire à leur « nature ».
Dans un autre contexte, la nature se rapporte par contre à ce qui est le
plus dynamique dans la personnalité. « La nature » dans l'individu, c'est
la quête constante de l'authenticité, de « l'identité avec soi-même »,
c'est « être la plénitude de soi à chaque instant de sa vie ». La « nature »
s'identifie avec cette inquiétude même, cette quête sans cesse renouvelée,
avec le désir de fixer ce qui est immédiatement donné en tant qu'impératif « d'être soi-même » et à la fois le plus insaisissable [74].

Nous pourrions multiplier ces diverses descriptions du naturel en
l'homme. Elles sont d'ailleurs moins contradictoires entre elles qu'elles ne
semblent de prime abord. Mais même une énumération exhaustive ne
nous permettrait pas de saisir toute la diversité des contenus véhiculés
par le concept de « nature » et de « l'homme naturel ». Toute tentative
de définition du concept de « nature » dans le cadre de la pensée
de Jean-Jacques est vouée à l'échec. En effet, dans les termes les plus
généraux, ce sont les concepts « homme naturel » et « homme social »,
se définissant par leur opposition, qui déterminent le cadre de l'interprétation de la totalité de la réalité humaine. L'analyse de la réalité dans
le cadre de ces concepts opposés révèle ses contradictions et ses tensions
internes. « L'homme de la nature » et « l'homme de l'homme » sont
des catégories de l'interprétation théorique de la réalité, mais ils sont
également — comme nous l'avons vu — des symboles, ainsi que l'expression d'un jugement moral, des modèles de la personnalité, etc.

En opposant les deux états — l'état naturel et l'état social —, ou bien
ces deux conceptions de l'existence humaine — « l'homme de la nature » et « l'homme de l'homme » —, Rousseau place au centre de
l'attention le processus de la transformation en son contraire de ce qui
était le point de départ : le processus de dénaturation ou de socialisation.
Cette démarche est caractéristique de Jean-Jacques. Plus celui-ci souligne
l'opposition, plus « l'homme de l'homme » se manifeste comme la négation de « l'homme de la nature », et plus l'interrogation sur les voies et
les causes de la dénaturation, ainsi que sur son sens par rapport à la
vocation de l'homme, devient importante pour toute la problématique
anthropologique et sociologique de Rousseau. L'interrogation sur les origines de l'état présent, explicitement condamné et nié parce qu'équivalant
au « monde des apparences » dans lequel l'homme perd son humanité et
se déprave moralement, cette interrogation donc nous renvoie au proces-

sus (nous employons ce terme avec toute une série de réserves que nous
formulerons par la suite) à l'issue duquel l'homme naturellement bon et
libre s'est transformé en une collectivité d'hommes méchants et enchaî-
nés. L'opposition : « l'homme naturel, — l'homme social » est fondée
dans ce seul processus et s'explique à travers l'analyse de celui-ci : on
ne peut connaître la vérité sur l'homme — en tant qu'individu et en tant
qu'espèce — sans répondre à la question sur les voies de la dénaturation conçue avant tout comme un processus historique et social.

Rappelons une prémisse méthodologique que nous avions déjà soulignée : la connaissance de l'histoire conçue comme un processus de
dénaturation est un élément indispensable pour l'acquisition de la conscience de soi individuelle. Mais précisons d'emblée, si nous ne voulons
pas moderniser la perspective de Rousseau, que celui-ci n'entend pas
par là que la conscience historique, la pensée à soi dans les catégories
de la participation de l'individu à l'histoire, devraient constituer un élément essentiel de la conscience de soi. La réflexion sur l'histoire
doit permettre à l'homme contemporain de retrouver sa « nature »,
grâce au recul que cette réflexion crée entre son propre « lui », l'histoire et ses résultats. Mais en même temps, l'histoire n'est pas considérée comme une succession d'événements et de faits révolus, comme un
passé extérieur à l'homme contemporain. Car « l'homme de l'homme »
et son monde appartiennent à l'histoire ; pour le contemporain, ils équivalent à son propre univers tel qu'il lui est donné tout fait. C'est dans la
marche de l'histoire que naissent le mal moral, les défauts et les vices
que l'homme contemporain retrouve en lui. C'est dans la seule perspective historique que ce monde se révèle comme une entité autre que
naturelle et qui dans son historicité n'a rien d'absolu et demeure provisoire. Les interrogations anthropologiques possèdent donc une dimension
historique, puisqu'elles portent sur le processus séparant « l'homme de
la nature » de « l'homme de l'homme » ; mais elles n'ont cette dimension que dans la mesure où elles concernent le sens de ce processus
eu égard à la « nature ». « L'homme de la nature » ne pratique pas
la réflexion sur lui-même, il n'en a pas besoin, car son existence est dans
chacun de ses fragments temporels identique avec son essence, rien ne
le « sépare » de lui-même. En revanche, la réflexion sur l'histoire fait
partie de la conscience de « l'homme de l'homme », ne serait-ce qu'en
tant que point de départ vers la découverte de ce qui l'avait séparé de
lui-même, vers son émancipation de l'histoire et de la réflexion sur l'histoire, pour tenter de dissocier le sens de sa propre existence de l'histoire.

Aucune sphère de la réalité sociale ne peut être expliquée en dehors
du processus de dénaturation ; aussi l'interrogation fondamentale sur
l'essence de l'homme et sa vocation doit également chercher à répondre
à la question : comment se fait-il qu'un conflit existe entre l'essence de
l'homme et son existence sociale ?

L'homme est le sujet et l'objet du processus de dénaturation — il se
transforme lui-même en son propre contraire. Les questions sur la nature
de l'homme passent donc par l'interrogation sur ce processus spécifique
et possédant sa dynamique interne. Ces questions subissent de ce fait une

modification : à travers la connaissance des contradictions du monde humain, de la « généalogie des vices humains », du chemin qu'a parcouru le genre humain « pour devenir enfin ce qu'il est [75] », on arrive à connaître l'homme lui-même. Ce qui confère à la pensée de Rousseau son caractère dynamique, c'est la certitude que l'état social, la réalité humaine ne sont pas définitifs. Conscient de sa dénaturation, l'homme se trouve face au problème de son émancipation de l'état présent, du recouvrement de sa propre nature qu'il a perdue et qui, pourtant, lui est inhérente. La conscience du caractère inéluctable du processus accompli n'implique donc pas qu'il faille l'accepter, du moins l'accepter entièrement.

Nous voudrions analyser le problème de la dénaturation d'après la version dans laquelle Rousseau associe les concepts de « homme naturel » et de « nature humaine » avec l'hypothèse sur l'existence de l'état de nature et sur le passage de cet état à l'état social. En gros, cette version est esquissée dans le *Discours sur l'inégalité.* Nous avons déjà vu antérieurement que ce n'est pas là l'unique plan sur lequel la dénaturation soit examinée. Dans *Les confessions,* ce même problème apparaît dans la reconstitution rétrospective de sa propre biographie et dans la recherche constante de soi-même, de sa « propre place » parmi les hommes ; dans *Emile,* il se manifeste comme la question de l'éducation de « l'homme naturel vivant dans l'état de société ». Cependant, la version que nous propose le *Discours sur l'inégalité* mérite un intérêt particulier pour plusieurs raisons, dont l'énumération constituera peut-être la meilleure introduction à la problématique même. Premièrement, c'est dans cette version que se traduit le plus explicitement un ensemble de problèmes extrêmement importants pour toute la vision du monde de Rousseau et qui concernent le rapport de la personnalité au « monde de l'homme » produit dans l'histoire, ainsi que la transformation causée par la socialisation dans la structure même de la personnalité. Deuxièmement, les développements du *Discours sur l'inégalité* sont autant d'exemples qui illustrent la manière dont un schéma traditionnel change quand il est confronté à une nouvelle problématique, s'imprégnant ainsi d'idées et de connaissances nouvelles. Dans le cas de l'hypothèse de l'état de nature chez Jean-Jacques, ce schéma d'interprétation qui a comme point de départ le problème du droit naturel est appliqué à une problématique considérablement plus large et fonde une démarche qui s'engage dans une réflexion sur l'évolution et le sens de l'histoire.

Cela ne signifie pas que l'hypothèse sur l'état de nature n'assume pas, dans la pensée de l'auteur du *Contrat social,* les fonctions déjà traditionnelles à l'époque et développées surtout par l'école du droit naturel. Nous avons déjà examiné cette conception sous certains de ses aspects en parlant du « retour aux origines ». Ajoutons encore que, depuis la fin du XVIe siècle et le début du XVIIe, la conception du droit naturel exprimait, dans ses diverses versions, une tendance plus ou moins radicale à affranchir la problématique sociale, en particulier celle de l'Etat, de la tradition religieuse, à « inférer le droit naturel des propriétés de la nature humaine et d'elles seules [76] ». L'idée de l'état de nature, polémique à l'encontre du mythe du paradis et du péché origi-

nel, concourait plus particulièrement à la réalisation et à la concrétisation de cette tendance. L'hypothèse de l'état de nature, avec toutes ses
ambiguïtés et son mélange d'un raisonnement juridique abstrait et d'une
image quasi empirique et quasi historique, constituait un moyen extrêmement commode pour passer du raisonnement déduisant le droit naturel
d'une nature humaine abstraite et de l'ordre universel à la description
de cette même nature dans des catégories psychologiques ; pour passer
également à l'analyse des fonctions et des compétences de l'Etat sous
l'angle de leur conformité avec les tendances et aspirations « naturelles »
de l'individu.

L'idée juridique d'un contrat social et de ses principes, considérés
comme le fondement de toute société, pouvait être située dans le temps
et l'espace. Les caractères et les droits de l'homme, inférés déductivement du concept de la nature humaine, étaient alors envisagés comme
autant de motivations réelles des actions individuelles.

Les présupposés anthropologiques touchaient ici directement la politique, et chaque nouvelle image de l'état de nature ainsi que la théorie
subséquente de la nature humaine universelle servaient en quelque sorte
d'écran pour la projection des thèses et des options politiques, sociologiques et idéologiques [77]. Aussi l'histoire des versions successives de « l'état
de nature », depuis Grotius jusqu'à Rousseau, pourrait-elle être une
excellente contribution à l'histoire du rapport de l'anthropologie philosophique avec la politique, ainsi que de l'utopie avec la métaphysique.

L'hypothèse de « l'état de nature », telle qu'elle était élaborée à
l'époque et dont Rousseau se servit pour l'interprétation de la problématique politique et juridique dans son articulation avec l'anthropologie,
était particulièrement commode, grâce entre autres, et si l'on peut dire,
à son extrême élasticité. En effet, on pouvait sans peine construire une
image de l'état de nature de manière que la conception de l'homme et
de ses propriétés trouvât son fondement dans des réalités, si ce n'est
historiques, du moins psychologiques. Cette convention déjà si élastique,
Rousseau la rendit encore plus souple. Cependant, comme nous l'avons
établi, l'idée même de l'état de nature ne fonctionne pas chez Rousseau
en dehors de son imbrication dans la conception du processus de dénaturation : par l'analyse de ce processus, « l'état de nature » est connecté
avec son contraire — avec la culture, la civilisation. L'accent est mis sur
la dénaturation, sur le passage de l'état de nature à la société. Il faut
toutefois bien préciser que ce qui préoccupe Jean-Jacques, ce n'est pas
de reconstituer les événements historiques, mais de situer ce passage dans
le temps, de l'analyser comme un processus. Autrement dit, nous sommes en présence d'une « histoire hypothétique », d'une projection des
facteurs et des forces qui, dans la structure de la société, sont destructifs
pour l'homme, et d'une tentative de les montrer dans leur dynamique
comme des éléments produits par les hommes eux-mêmes.

Le problème de la nature humaine caractérisée par un ensemble de
propriétés constantes et immuables, en rapport avec la vocation de
l'homme et sa place dans l'ordre universel, et le problème de l'homme
« en voie de devenir », de se façonner lui-même dans ses activités sociales,

s'interpénètrent ici l'un l'autre. D'autre part, en effet, le problème de l'essence et de la vocation de l'homme est imbriqué dans la thèse sur le conflit fondamental entre la nature de l'homme et son existence sociale ; il est donc indissolublement lié à l'effort de « suivre la généalogie des vices humains », de « faire voir comment, par l'altération successive de leur bonté originelle, les hommes deviennent enfin ce qu'ils sont ». D'autre part cependant, l'évaluation de l'état de choses existant et l'analyse du processus de dénaturation prennent leur point de départ dans la thèse sur la nature immuable et originelle de l'homme en tant qu'être « naturellement bon, aimant la justice et l'ordre [78] ».

Il peut sembler à première vue que l'auteur du *Discours sur l'inégalité* a structuré l'idée de l'état de nature de manière à empêcher en général que soit posé le problème du passage de l'état de nature à la société. L'opposition de la nature et de la culture est poussée si loin que l'état de nature semble être un cercle fermé dont il n'y a pas d'issue. Cette impression se confirme quand on lit les nombreuses polémiques de Rousseau contre les conceptions plus anciennes et contemporaines de l'état de nature, en particulier contre la tradition des jurisconsultes, ainsi que sa discussion avec Diderot exposée dans la première version du *Contrat social*. Jean-Jacques s'oppose surtout à toutes les versions de l'idée formulée par Grotius et énonçant qu'une loi naturelle oblige les hommes à une coopération sociale et que l'état de nature donc, s'il n'était pas un état social (« societas »), était pour le moins un état de socialisation embryonnaire, de coopération entre les hommes, quoique ces liens fussent si lâches et instables que l'emploi du terme « société » serait dans ce cas injustifié. Néanmoins, la tendance à la coexistence sociale serait innée à la nature humaine, et la société aurait été non pas une rupture avec l'état naturel et le droit naturel, mais plutôt sa continuation et son renforcement. D'après Rousseau, au contraire, l'identité de la nature des hommes n'explique ni le besoin, ni la nécessité de leur coopération sociale. L'état de paix et de coopération n'est pas l'effet des propriétés de la nature humaine, puisque, malgré l'immuabilité de cette nature, « elle est autant pour les hommes un sujet de querelle que d'union, et met aussi souvent entre eux la concurrence et la jalousie que la bonne intelligence et l'accord ». « Ce prétendu traité social dicté par la nature est une véritable chimère. » Rousseau rejette par là même la conception de Hobbes sur « l'état de guerre universelle de chacun contre tous », en tant qu'état de nature véritable. Cette dernière conception est non seulement contraire à sa thèse anthropologique fondamentale sur l'homme considéré comme un être naturellement bon, mais aussi à son opinion que les rapports entre les hommes en état de nature ne sont ni assez constants, ni assez étroits, pour que s'établisse entre eux ce type de relations durables que supposerait l'état de guerre [79].

Evidemment, Rousseau garde certains motifs fondamentaux des conceptions en cours. Sa construction est elle aussi élaborée dans le cadre du schéma impliquant l'existence d'une nature humaine universelle, propre à tous les hommes. Il considère également que « l'état de nature » ne connaît aucune autre réalité sociale que les individus autonomes et indé-

pendants, et que leur seul motif d'action est la recherche — conçue
dans tels ou tels autres termes — de la conservation et du bien-être
Il résulte de ces présuppositions que toutes les institutions sociales, en
particulier l'Etat, ne pouvaient être instaurées que pour garantir la réalisation d'objectifs individuels. Nous pouvons même dire que l'auteur
du *Contrat social* radicalise ce schéma individualiste. Aucune institution,
aucun type de lien social n'est donné, même sous une forme embryonnaire, dans l'état de nature. Les individus y sont isolés d'une manière
quasi absolue ; l'identité de leur nature échappe à leur conscience. Pour
Rousseau, toute recherche dans l'état de nature de caractères sociaux
et d'embryons d'institutions sociales est uniquement une projection sur
l'état naturel et l'homme naturel des propriétés de l'homme actuel ;
erreur que les philosophes commettent communément.

Il est aisé de remarquer que cette radicalisation du schéma courant
accentue la tendance, caractéristique de toute l'école du droit naturel,
qui consistait à libérer de la tradition chrétienne la problématique sociale
et, d'une manière plus générale, la problématique humaine. Toutes les
institutions humaines sont le produit de l'homme lui-même. L'homme
qui les a créées, si différent de l'homme du livre de la Genèse, est
un individu possédant des propriétés bien définies, en particulier des
propriétés psychologiques, des aspirations et des émotions très précises.
Le soin de sa conservation est l'unique raison d'existence non seulement
des institutions juridiques et politiques, mais aussi de toutes les institutions sociales et de toutes les relations morales. « Le monde moral » est
le monde des « conventions » et des « devoirs » qui existent uniquement
dans la société [80]. Mais cette radicalisation équivaut d'autre part à priver
l'homme en état de nature de toutes les propriétés humaines universelles
qui se développeront dans le seul contexte de la socialisation. Et Jean-
Jacques n'hésite pas à décrire l'homme dans l'état de nature comme un
« animal féroce », comme un être « borné au seul instinct physique »,
dont il dit « qu'il est nul, il est bête [81] ». Dans l'état de nature, l'individu
a « la sensibilité bornée à lui-même », il n'est pas conscient des rapports
qui l'unissent à son milieu, des rapports des choses entre elles [82].

L'individu se suffit pleinement : ses besoins sont limités et les possibilités conformes aux besoins, il n'a que le sentiment de son existence
actuelle ; dans ce sens, l'homme naturel est à chaque instant « tout pour
lui », « l'unité numérique », « l'entier absolu ». Il fait à chaque instant
« usage de tout son être », mais cet « être » est limité au seul sentiment de sa propre existence qu'aucun autre contenu ne remplit à l'exception du sentiment de ses besoins et de leur satisfaction, mais au seul
moment donné où il l'éprouve, sans percevoir la continuité de son existence dans le temps. L'identité de la personnalité et sa cohérence interne
se forment spontanément, ne nécessitant ni effort, ni réflexion : elles
résultent du contact direct avec la nature, de la constance des rapports
entre l'individu et l'environnement, de l'immuabilité des besoins humains
et du mode de leur satisfaction, lequel n'exige pas la transformation du
monde ni la coopération avec autrui. Les besoins physiques — or ce
sont les seuls que l'homme éprouve dans l'état de nature — ne contri-

buent pas à l'établissement de rapports avec les autres, ils isolent l'individu. L'homme ne possède pas le sentiment de son individualité, « chacun possède ici uniquement sa forme primitive et commune ». Il n'a pas non plus le sentiment d'appartenir à une espèce commune, il ne se distingue pas des autres espèces animales en fonction de propriétés spécifiquement humaines. Il connaît le seul aspect physique de son être et se connaît lui-même dans les seuls rapports avec les choses. La situation de l'homme naturel est stable : il y a adéquation entre ses possibilités et ses besoins. Il peut toujours satisfaire ses besoins limités, faire ce qu'il veut, et c'est dans ce sens qu'il est libre. L'homme se distingue de l'animal par « sa qualité d'agent libre » qui se manifeste dans ce qu'il « se reconnoît libre d'acquiescer ou de résister » par rapport aux nécessités de la nature. « C'est surtout dans la conscience de cette liberté que se montre la spiritualité de l'âme de l'homme » — cette thèse est centrale dans toute l'anthropologie de Rousseau, mais dans la mesure où elle fonctionne dans le cadre de la description de l'état de nature, sans modifier l'image ci-dessus esquissée. Car cette liberté n'est pas mise à profit, elle ne stimule pas l'activité de l'homme et ne sert à aucun choix. L'unique motif d'action est en effet le soin de la conservation de soi, l'unique passion, l'amour de soi. Le problème du choix ne se pose pas, « les hommes dans cet état n'ayant entre eux aucune sorte de relation morale », dans la mesure où aucun rapport durable n'existe entre eux. L'homme dans l'état de nature n'est pas immoral, mais amoral ou prémoral : « L'unique passion qui naisse avec l'homme, savoir l'amour de soi, est une passion indifférente en elle-même au bien et au mal. » Il est indépendant des autres, car il est privé de relations durables tant avec ses contemporains qu'avec les générations passées : « Les générations se multiplioient inutilement ; et chacune partant toujours du même point, les Siècles s'écouloient dans toute la grossièreté des premiers âges. »

Si donc Rousseau caractérise cet état comme l'état de l'innocence, comme un état dans lequel l'homme était heureux, était bon, était libre, indépendant, etc., toutes ces caractéristiques sont en quelque sorte apportées de l'extérieur, et seul un moraliste peut *ex post* les attribuer à l'état de nature, en analysant rétrospectivement la situation de l'homme naturel [83].

Toutes ces caractéristiques sont en effet inadéquates dans la mesure où l'état de nature est un état prémoral, préconscient, et « l'homme naturel » ne possède pas la conscience de sa propre situation caractérisée dans les catégories morales. « Les Sauvages ne sont pas méchants précisément, parce qu'ils ne savent pas ce que c'est qu'être bons », écrit Jean-Jacques en polémiquant contre Hobbes [84]. Le Sauvage est heureux sans penser au bonheur ; libre sans faire usage de sa liberté ; bon par absence de conscience morale. Ses actions et ses conduites sont rationnelles, bien qu'il agisse instinctivement et sans savoir ce qu'est la réflexion. Il est pleinement lui, bien qu'il n'ait pas le sentiment de sa particularité individuelle, etc. « L'heureuse vie de l'âge d'or — écrit Jean-Jacques — fut toujours un état étranger à la race humaine » ; cet état fut « insensible aux stupides hommes des premiers temps » qui l'ont « méconnu quand ils pouvoient en jouir », quant « aux hommes éclairés des tems postérieurs », ils l'ont « perdu quand ils auroient pu le connoître [85] ».

S'il avait été pleinement conséquent, Rousseau aurait dû donc employer des caractéristiques telles que : l'homme de la nature n'est pas malheureux, n'est pas méchant, n'est pas asservi, etc, soit des caractéristiques négatives. Pourtant, il ne renonce pas à la description de l'état de nature dans des termes positifs. Il fait donc preuve d'une manifeste inconséquence dont il est de surcroît — comme nous l'avons vu — entièrement conscient. D'où une multitude de malentendus, le caractère paradoxal de toute la conception. Comment concilier la description ici reconstituée de l'état de nature avec l'appel au retour à la nature ? S'agit-il d'un retour à l' « état animal » ? Et qu'est donc cette « nature humaine », si elle ne se réalise pas positivement dans un milieu extra-social, naturel, et si, d'autre part, les relations sociales amènent à sa dépravation ? Cependant, essayer de rendre la pensée plus conséquente en en éliminant tout simplement les caractéristiques positives de l'homme naturel, ce serait la simplifier, entre autres parce que toutes les questions capitales de la conception de Jean-Jacques deviendraient sans objet. Or, ce sont ces questions qui, dans une large mesure, ont décidé de son impact et de ses fonctions. Car, pour les contemporains de Rousseau, elles ne concernaient pas seulement une construction théorique, mais elles avaient aussi un caractère pratique. Dans le style de la pensée des Lumières, la « conformité avec la nature » sert en effet de cadre théorique pour la définition des motivations des actions et conduites qui se manifestent dans la vie quotidienne.

En analysant comment l'homme est sorti de l'état de nature et de son processus de dénaturation, même si nous ne résolvons pas toutes les difficultés accumulées, nous pourrons du moins mieux comprendre leur place dans la vision du monde complexe de l'auteur d'*Emile,* et dégager en même temps certaines prémisses supplémentaires de la conception de « l'état naturel » et de la « nature humaine ».

Aucune impulsion extérieure, aucune action consciente n'explique pourquoi l'homme est sorti de l'état de nature ; qui plus est, la nature elle-même a pris peu de soin pour « rapprocher les hommes ». « Elle a peu préparé leur Sociabilité (...), elle a peu mis du sien dans tout ce qu'ils (les hommes) ont fait pour en établir les liens [86]. » Et pourtant, pour employer l'expression pertinente de Durkheim — la dénaturation est naturelle —, l'homme sort de l'état de nature naturellement, et la formule contradictoire ici employée révèle la contradiction interne du processus [87]. L'homme sort de l'état de nature « naturellement », et ce dans un double sens.

Premièrement, à la suite de causes naturelles, l'équilibre entre l'individu et son milieu naturel fut ébranlé ; la stabilité des rapports entre l'homme naturel et le milieu naturel, maintes fois soulignée par Jean-Jacques, fut rompue. Les « obstacles de la Nature » à surmonter, le « Genre humain » qui s'étendait, la « différence des terrains, des climats, des saisons », forcèrent les hommes à adopter différentes manières de vivre. L'homme se trouva en conflit avec son milieu, il dut « arracher à la nature » ce qu'elle lui offrait jusqu'alors. La nature l'oblige à l'action, au travail, et c'est sur la base de cette activité que des liens se nouent entre les hommes. L'homme met en action les facultés dont la nature l'a pourvu pour se conserver, or « l'homme seul en a de superflues », ce qui se manifeste dans le fait que « dans tout pays les bras d'un homme valent plus que sa subsistance [88] ». La description du processus de dénaturation sous cet aspect se distingue par la perspicacité de l'observation sociologique et par son radicalisme social : elle attribue un rôle décisif à des facteurs tels que la production des outils, le processus de travail, les changements dans le mode de production, la propriété et l'inégalité sociale [89].

Mais la dénaturation est également naturelle dans un autre sens, et nous perdrions de vue un aspect extrêmement important de toute la doctrine si, inhibés par la modernité des suggestions de Rousseau, nous saisissions ce processus sous ses seuls aspects sociologiques. La socialisation de l'homme n'est pas en effet uniquement le résultat de tels ou tels facteurs naturels et historiques, mais elle est fondée dans la nature même de l'homme, dans sa vocation. Certes, l'homme dans l'état de nature est asocial et amoral, et cet état est celui de l'innocence, mais « on n'en peut douter, l'homme est sociable par sa nature, ou du moins fait pour le devenir », on ne peut douter qu'il existe « une vocation sociale de l'homme [90] ». Ces deux aspects du processus de socialisation s'articulent grâce au concept des facultés virtuelles que Rousseau attribue à l'homme dans l'état de nature. Ces facultés, la nature « les a mises comme en réserve au fond de l'âme (de l'homme), pour s'y développer au besoin [91] ». Ces « facultés en puissance » ne suffisent pas à elles seules pour que l'homme quitte l'état de nature ; elles-mêmes ne se mettent en mouvement, ne s'actualisent qu'au moment où l'équilibre entre l'individu et le milieu est rompu. Il est par ailleurs difficile d'énumérer les « facultés virtuelles » que Jean-Jacques attribue à la nature humaine. Tantôt leur quantité est extrêmement réduite et elles se ramènent avant tout à la capacité de l'homme à se perfectionner, à la perfectibilité ; tantôt elles sont plus nombreuses, mais leur actualisation peut se produire sur la seule base de la perfectibilité. Par celle-ci, Jean-Jacques entend la faculté de l'homme « à perfectionner la raison », à accumuler les connaissances et l'expérience, tant à l'échelle individuelle qu'à l'échelle sociale. L'homme possède également en puissance des « vertus sociales », en premier lieu sous la forme de certains sentiments innés, liés à son appartenance à l'espace. Il s'agit ici de la commisération ou de la pitié, comprises comme la faculté de l'individu d'étendre l'amour de soi sur les autres êtres dont il partage la condition, de s'identifier aux autres. Cette faculté d'identification affective avec autrui constitue la prémisse de l'extension de son propre « moi » sur les autres : l'individu passe du « moi » à « nous ». Mais ces sentiments ne sont pas les seules facultés de l'homme à exister en puissance : potentiellement, l'homme est un être rationnel ; potentiellement, il est libre, si par liberté on entend la faculté du choix moral, et non cette liberté négative dont nous avons parlé ci-dessus. Potentiellement, l'homme est également une individualité, car Jean-Jacques reconnaît qu'outre la constitution commune à l'espèce chacun apporte en naissant u⁻ tempérament particulier qui détermine son génie et son caractère », et, de ce fait, sa « place » individuelle « assignée dans le meilleur ordre des choses... ». Ainsi, l'ensemble des propriétés ontologiques fondamentales de l'espèce humaine, sa place dans l'ordre universel, sont également dans l'état de nature uniquement en puissance. L'homme de la nature et la nature humaine en général se révèlent dans ce contexte comme un ensemble de virtualités. Et telle est l'une des significations particulières qu'acquiert chez Rousseau l'idée d'une nature humaine constante et immuable ; elle est l'ensemble des virtualités individuelles et génériques ; ensemble constant et durable, inhérent à l'individu, correspondant à la vocation originelle de l'homme, fondée dans l'ordre universel [92].

La tendance à associer le concept de la « nature humaine » avec le concept de la virtualité et, par suite, de concevoir que la nature humaine et l'ordre universel contiennent un facteur d'évolution, se dessine très nettement dans la pensée des Lumières, mais elle est particulièrement manifeste chez Rousseau et influence toute son anthropologie [93] (il nous faudra revenir à cette question par la suite). Cependant, l'originalité de Rousseau consiste ici entre autres à concevoir l'actualisation des facultés virtuelles de l'homme comme un processus à l'issue duquel celles-ci se transforment en leur contraire, ce qui fait précisément que ce processus est contradictoire. De ce fait, la nature humaine, saisie dans la perspective des résultats du processus de socialisation, apparaît comme l'ensemble des possibilités de l'homme qui n'ont pas été réalisées dans la vie sociale, ou du moins dans la société actuelle. Mais, subséquemment, elle se manifeste aussi comme la négation de l'état de choses existant et comme la possibilité permanente de le dépasser.

En effet, toutes les « facultés virtuelles » ne se réalisent qu'au cours de la socialisation de l'homme, dans ses relations avec d'autres hommes, mais en même temps « tout dégénère entre les mains de l'homme [94] ». Sans prétendre à une énumération exhaustive, nous pouvons suivre ce processus sur l'exemple des quelques questions les plus essentielles. Le passage de l'homme être physique à l'homme être moral, — possédant une conscience morale et « sentant son être moral », s'accomplit aussi bien chez *Emile,* dans le développement de l'individu, qu'au niveau du *Discours sur l'inégalité,* dans l'évolution de l'espèce, à travers l'établissement et le renforcement des relations sociales. L'actualisation des facultés potentielles de l'homme s'opère par leur objectivation dans la société, dans les multiples domaines des rapports interindividuels ; la langue, l'ordre juridique, etc. A l'issue de ce processus, l'homme acquiert la conscience de son appartenance au genre humain, mais aussi — soulignons-le — la conscience de sa place particulière, individuelle, dans l'espèce, la conscience réflexive de soi. Grâce au développement de la raison, il sait ce qu'est le bien et, dès ce moment, « l'amour du bien » inné, instinctif, trouve son objet. Grâce au développement de la raison et à la formation de l'idée de loi, l'homme acquiert la notion de l'ordre et crée les concepts religieux. Il lui est alors possible de découvrir les valeurs esthétiques, le charme de la nature « qui est dans son propre cœur [95] ».

Même les sensations, la source la plus fondamentale des liens de l'homme avec son milieu et — conformément à toute la tradition sensualiste — la source fondamentale de son sentiment d'existence, se transforment, prennent en quelque sorte une dimension sociale et morale. En effet, « elles ne nous affectent point seulement comme des sensations mais comme signes ou images, et leurs effets moraux ont aussi des causes morales » ; elles sont « les causes occasionnelles des impressions intellectuelles et morales [96] ».

Dans les termes les plus généraux, « nous ne commençons proprement à devenir hommes qu'après avoir été citoyens ». Indépendamment de ce qui a poussé les hommes à s'unir, l'instinct naturel ou les besoins mutuels, il est certain que c'est du commerce des hommes que sont nés leurs vertus et leurs vices, leur essence morale dans un certain sens [97].

Toute l'existence de l'individu subit une transformation radicale : l'individu qui était un « moi absolu » devient un « moi relatif », une grandeur fractionnelle dont la valeur consiste en son rapport au tout qu'est la société.

Si donc « vivre, ce n'est pas respirer, c'est agir ; c'est faire usage de nos organes, de nos sens, de nos facultés, de toutes les parties de nous-mêmes, qui nous donnent le sentiment de notre existence [98] », le « sentiment de l'existence » lui-même se transforme radicalement, s'étend à de nouvelles sphères et s'enrichit de nouveaux contenus moraux, affectifs, esthétiques et intellectuels. Et c'est pourquoi le tableau de la socialisation de l'homme envisagée sous cet aspect est l'image de sa grandeur. Rappelons que le premier *Discours* de Rousseau *sur les sciences et les arts*, tout en critiquant la culture du fait de son influence destructrice sur les mœurs, commence par la description suivante du perfectionnement de l'homme dans la société : « C'est un grand et beau spectacle de voir l'homme sortir en quelque manière du néant par ses propres efforts ; dissiper, par les lumières de sa raison, les ténèbres dans lesquelles la nature l'avoit enveloppé ; s'élever au-dessus de soi-même ; s'élancer par l'esprit jusque dans les régions célestes ; parcourir à pas de Géant ainsi que le soleil, la vaste étendue de l'Univers ; et, ce qui est encore plus grand et plus difficile, rentrer en soi pour y étudier l'homme et connoître sa nature, ses devoirs et sa fin [99]. »

Mais en même temps, au cours de ce processus de socialisation, « tout dégénère entre les mains de l'homme ». Sa faculté de se perfectionner, « cette faculté distinctive, et presque illimitée, est la source de tous les malheurs de l'homme » et « faisant éclore avec les siècles ses lumières et ses erreurs, ses vices et ses vertus, le rend à la longue le tiran de lui-même, et de la Nature [100] ». Les possibilités de l'homme s'objectivent dans des rapports sociaux qui sont en contradiction avec les aspirations fondamentales de l'homme au bonheur et à la paix. Tout le processus de socialisation s'opère spontanément, et la conscience de ce qui s'est produit survient toujours trop tard, quand les rapports sociaux se sont déjà pétrifiés et ont faussé la nature de l'homme. L' « amour de soi », devenu « amour propre », donne naissance à des passions et besoins artificiels qui asservissent la personnalité et la détruisent. Le « monde des apparences » et de l'aliénation s'étend avec sa spécifique « existence inauthentique » des hommes, « l'existence dans le regard des autres », avec son type spécifique de rapports sociaux fondés sur la propriété et l'inégalité. La raison s'est développée, mais des passions se sont formées qu'elle ne domine plus et qui la subjuguent. La cohérence interne et l'harmonie de l'homme éclatent, et ce dernier cesse d'être « un corps qui peut se soutenir par lui-même [101] ». Les différents aspects de la personnalité humaine — la raison, les passions, la conscience — s'opposent l'un à l'autre ; de même, les différents domaines de la société se développent chacun d'une manière autonome, se dissocient et s'opposent les uns aux autres, sans créer une totalité cohérente. La société, point de départ de la conscience de la solidarité humaine et des vertus sociales, sépare les hommes et les oppose. La loi, instituée pour la défense de la liberté et de l'égalité, les détruit. En acquérant de nouvelles forces, l'homme devient plus faible ; en développant sa conscience de la liberté, il devient esclave.

En tombant dans la servitude, il renonce à la liberté, n'étant plus capable de la supporter ; mais « renoncer à sa liberté, c'est renoncer à sa qualité d'homme [102] ». Le développement de l'autonomie individuelle s'accompagne d'une division en états qui nie toute individualité, réduisant l'individu à sa position sociale. Le développement de la conscience morale s'accompagne de la domination du vice. « Toute notre sagesse consiste en préjugés serviles ; tous nos usages ne sont qu'assujettissement, gêne et contrainte [103]. »

La conscience développée sur la base des sentiments innés à l'homme ne peut pas se faire entendre : sa voix est étouffée par tout le mécanisme des rapports sociaux et des passions qu'ils font naître. Les hommes ne choisissent pas consciemment ce qui est devenu le motif fondamental de leurs actions : « l'amour propre ». Celui-ci s'impose à eux spontanément, sans qu'ils puissent le dominer et — forme fondamentale de l'existence aliénée — il devient leur maître, les tyrannisant [104]. La science et l'art renforcent et sanctionnent cette situation humaine, accumulant les erreurs et les illusions.

Ainsi donc, « le bien et le mal coulent de la même source ». L'homme imbriqué dans le processus de sa socialisation révèle à la fois sa grandeur et sa faiblesse, accomplit sa vocation et assume sa chute. « C'est Hercule qui se sent à la fois brûler sur son bûcher et devenir Dieu [105]. »

Nature, personnalité, culture

Le problème de la personnalité est au centre des mécanismes et contradictions du processus de dénaturation, esquissés ici sous leurs traits les plus généraux. Les contradictions du processus de dénaturation ne sont pas extérieures à l'individu, elles le pénètrent, engendrent en lui des tensions et des conflits. Dans la mesure où l'individu vit en société, il est toujours et inéluctablement « l'homme de l'homme », une « grandeur fractionnelle », mais, d'autre part, la société n'extirpe pas définitivement la nature de l'homme, bien qu'elle la déforme, la rende méconnaissable.

L'analyse du processus de dénaturation révèle la situation précaire de la personnalité. En effet, considéré sous cet angle, le processus de dénaturation est, d'une part, un processus de socialisation de « l'homme naturel », à l'issue duquel chaque individu acquiert une « existence sociale » ; d'autre part, il est un processus d'individualisation, car c'est dans et par lui que se façonnent l'autonomie de l'individu, sa conscience de soi en tant qu'être libre, rationnel et moral. Mais ces deux tendances ne s'harmonisent nullement entre elles. Certes, de l'avis de Rousseau, elles ne sont pas fondamentalement contradictoires. Cependant, dans le déroulement réel du processus de dénaturation, réel parce que son produit est la société existante, l'individu se trouve face à un monde social qui lui est extérieur et le menace, le monde de la culture. Ces deux concepts — de la personnalité et de la culture — se rejoignent et à la fois s'opposent, tandis que la question sur « la nature humaine » devient une question sur la nature sociale de l'homme, sur le rapport de la nature humaine à la culture, de la personnalité à la culture.

Comme nous l'avons déjà souligné, les aspects sociologiques de cette problématique n'apparaissent pas chez l'auteur des *Confessions* en dehors de leur imbrication dans la thématique morale, ou encore morale et religieuse, en dehors de l'interrogation sur la vocation de l'homme et le sens du mal moral qui n'appartient pas à l'essence de l'homme, mais est le produit de l'histoire des actions des hommes et des rapports dans lesquels ceux-ci se sont impliqués.

A la jonction de ces différents problèmes et perspectives surgit ce que nous avons appelé la réflexion de Rousseau sur le sens de l'histoire ; en même temps, ces divers thèmes interfèrent dans sa conception de la personnalité. Aussi n'est-il pas facile de les distinguer. Jean-Jacques était loin de posséder un esprit méthodique. De plus, dans cette partie de nos considérations, il nous faudra en grande partie faire abstraction des problèmes du mal moral, pourtant si importants pour toute cette perspective. Notre analyse sera donc inachevée et nos conclusions provisoires.

Rousseau est donc pleinement conscient que la transformation du principe même de l'existence de l'individu constitue le fondement de la vie sociale. Il répète à maintes reprises, dans divers contextes : « Notre plus douce existence est relative et collective, et notre vrai moi n'est pas tout entier en nous » ; « l'homme naturel est tout pour lui ; il est l'unité numérique, l'entier absolu, qui n'a de rapport qu'à lui-même ou à son semblable. L'homme civil n'est qu'une unité fractionnaire qui tient au dénominateur, et dont la valeur est dans son rapport avec l'entier, qui est le corps social [106]. » On a souvent souligné que, grâce à ce principe, l'anthropologie de Rousseau débouchait sur une conception sociologique de l'homme [107]. L'existence en société ne vient pas tout simplement s'ajouter à l'homme naturel ; elle n'est pas non plus le prolongement des propriétés psychologiques ou physiologiques naturelles de l'individu, elle est une réalité spécifique sur la base de laquelle le « moi social » commence à se façonner. Etudier l'homme social, c'est le saisir à travers ses rapports sociaux, c'est examiner son « existence collective », et la question : « qui suis-je » doit être posée par « l'homme de l'homme », non seulement par rapport à lui, mais surtout par rapport à la société dans laquelle il vit. Se connaître, c'est se connaître « par ses rapports avec les hommes [108] ».

Nous perdrions cependant de vue la principale tendance de toute l'anthropologie de Rousseau si nous isolions ce point de vue sociologique (comme c'est le cas, à ce qu'il semble, dans l'interprétation de Durkheim), et si nous en déduisions la conclusion que l'individu est uniquement un être passif formé par la culture, son produit, ou encore qu'il est réductible à l'ensemble de ses rôles culturels.

Rousseau formule sa thèse sur « l'existence relative, collective » de l'individu sur la base de la négation de la société existante, et non pas de son approbation. Cette thèse ne traduit pas une attitude de conformisme envers cette société ; elle est l'expression d'une opposition contre les forces culturelles qui s'imposent à l'individu vivant dans la société, mais contre lesquelles il se révolte. Si la personnalité perçoit la culture comme une force extérieure, comme un milieu qui introduit en elle le changement, la transformation, c'est parce qu'elle vit avec une intensité optimale le sentiment de sa particularité par rapport à ce milieu. « L'homme de la nature » ne se particularisait pas par rapport à son milieu et, évidemment, ne réfléchissait pas sur les liens qui l'unissaient à lui ; par contre, l'existence que l'individu acquiert dans la société est une « existence nouvelle », et le milieu social n'est pas simplement donné. Ce milieu peut et doit être consciemment accepté ou refusé. L'auteur des *Confessions* est conscient de la spécificité de la culture et du caractère supra-individuel des rapports sociaux, mais il ne participe pas à la totalité sociale naïvement et sans esprit critique ; au contraire, il envisage celle-ci en quelque sorte de l'extérieur, conscient de lui être étranger. Et c'est pourquoi, bien que cela puisse sembler paradoxal, la thèse sur « l'existence collective » de l'individu dans la société est inséparable du sentiment, caractéristique de toute la personnalité de Rousseau, de sa propre extériorité par rapport à la société dans laquelle il vit ; elle est indissociable de sa révolte contre cette société et de sa sensibilisation à l'ensemble des processus d'aliénation qui s'y produisent. Le concept de « l'existence collective » de l'homme se constitue chez Rousseau conjointement avec sa critique de la culture, et ces deux thèmes ne sont ni indépendants, ni, encore moins, contradictoires. D'ailleurs, Rousseau emploie rarement le terme même de « culture », et l'extension des phénomènes sur lesquels porte sa critique est tantôt plus large, tantôt plus étroite. Cependant, il a toujours en vue « de ne pas rétrécir ses vues sur des exemples particuliers », de ne pas identifier l'étude « de Pierre ou Jacques » avec l'étude des rapports et de la « liaison nécessaire » qui s'instaurent entre le développement de la « culture des sciences et des arts » et l'évolution des mœurs, entre la progression de l'inégalité et l'accroissement du vice [109]. La culture et la civilisation constituent pour lui une totalité spécifique par rapport aux individus. En ce qui concerne les individus, Pierre ou Jacques, la science et les mœurs peuvent s'harmoniser entre eux ; mais à l'échelle sociale, entre les sciences et les mœurs s'établissent des rapports d'un autre type. Une structuration spécifique des phénomènes et des processus se produit dans la civilisation, la « liaison nécessaire » s'établissant entre eux spontanément, à mesure même que le temps s'écoule.

En concevant « l'existence collective » de l'individu et la culture dans les termes décrits ci-dessus, Rousseau formule incontestablement en précurseur l'idée qu'il faut aborder les phénomènes sociaux d'une manière spécifiquement sociologique et considérer l'individu en tant qu'être social et partie prenante de la culture. Mais il est d'autant plus curieux qu'en concevant la culture comme un problème sociologique et historiosophique — cette conception étant historiquement l'une des premières et indéniablement l'une des plus importantes —, Rousseau identifie en même temps la spécificité et l'autonomie des phénomènes culturels avec l'ensemble des rapports qui dépersonnalisent l'individu et aliènent l'homme.

Cette identification est probablement traduite le plus clairement dans la conception de l'éducation d'Emile. Un des problèmes fondamentaux de l'éducation d'Emile, de cet « homme de la nature fait pour habiter des villes », est le rapport de l'individu à un système de valeurs, d'institutions et de relations sociales qui est donné, fixé et intérieurement structuré. Selon la conception propre à Jean-Jacques du processus de formation et d'éducation de la personnalité, celle-ci, dès l'entrée de l'individu dans la vie, n'a pas affaire tout simplement à tels ou tels hommes, à tels ou tels objets particuliers : elle entre toujours en contact avec un certain système, avec une structure globale, avec la société et la culture. Tout le système d'éducation d'Emile, surtout de son « éducation négative », alors qu'il entre en contact avec les seules choses de la nature (il importe peu que cette règle soit oui ou non respectée jusqu'au bout par Rousseau), doit protéger l'élève contre une inconsciente intériorisation des normes et valeurs existantes dans le monde de la culture. Les premiers pleurs de l'enfant, témoignant de l'insatisfaction d'un de ses besoins, équivalent, de l'avis de Rousseau, à la possibilité d'un contact de l'enfant avec tout l'univers de la culture, à un moment où « se forge le premier anneau de cette longue chaîne dont l'ordre social est formé [110] ».

Quand Emile atteint l'âge de l'adolescence, il doit consciemment accepter et intérioriser certains éléments de la culture, mais en même temps maintenir toujours une distance entre lui et la culture en tant que totalité. Sa « volonté, son entendement, son être, tout ce par quoi il était lui et non pas un autre » doivent demeurer indépendants des changements et des rapports dans le milieu social qui l'entoure, bien que ce milieu ne cesse de le menacer [111].

Le sentiment d'un conflit entre la personnalité et la culture ainsi comprise donne naissance à une interrogation sur le sens de la culture. Ce dont il s'agit ici, c'est évidemment non pas la culture historique d'une société concrète, mais la culture en général, telle qu'elle est définie par les effects du processus de dénaturation, donc d'un processus qui concerne la nature humaine dont l'idée se réfère aux valeurs universelles, à la vocation universelle de l'homme.

De même, l'individu se pose le problème du sens de la culture en raison non seulement de ses propres traits spécifiques, mais aussi du fait qu'il retrouve en lui, en son for intérieur, les propriétés et valeurs humaines universelles, lesquelles décident de son humanité, de ce qu'il est « premièrement homme [112] ».

Il résultait de la reconstitution du processus de dénaturation que ces propriétés ou ces valeurs humaines universelles ne sont données à « l'homme de la nature » qu'en puissance, qu'elles ne s'actualisent que dans le processus de socialisation.

Mais la culture — dans le sens ici concerné — constitue aussi la négation de ces valeurs et propriétés de l'homme. Celles-ci ne sont pas réalisées dans une société où règnent l'injustice et la propriété, où le jeu spontané des intérêts et ambitions se substitue à la solidarité humaine, où la place de l'individu dans la collectivité est fonction non pas de la raison et de la liberté, mais des inégalités et de l'oppression. Les facultés humaines universelles qui s'étaient actualisées dans la personnalité grâce à son existence dans la société et sa participation à la culture, sont constamment étouffées par les passions et les besoins factices engendrés par le monde de la culture ; la désintégration de la société met en péril la cohérence interne et l'harmonie de la personnalité, son intégration interne.

Nous modernisons certes en employant le terme d' « intégration ». Mais, à notre avis, ce terme traduit le mieux une prémisse contenue dans la conception de la nature chez Rousseau, dans son association avec l'idée de la personnalité. Nous avons dit ci-dessus que l'une des significations que revêt le terme de « nature humaine » chez Rousseau, est la définition de celle-ci comme l'ensemble des possibilités génériques de l'homme, identiques avec sa vocation. Nous entendons bien par là une structure cohérente, et non pas un simple assemblage de possibilités. La nature de l'homme équivaut à une structuration de ces possibilités, elle les agence de manière à ce que les différents éléments s'enrichissent mutuellement, tout en restant subordonnés à la totalité. La tendance à former précisément une totalité cohérente et harmonieuse de ce genre est inhérente à la personnalité. Sans son accomplissement, l'homme n'est pas « lui-même ». « Etre soi » est un besoin vécu par l'individu. L'homme ne peut pas réaliser son aspiration au bonheur s'il « n'est pas lui-même ». Mais « être soi » est en même temps un impératif moral qui résulte de la place de l'homme dans l'ordre universel. L'authenticité des sensations et expériences humaines est indissociable de la conscience qu'on est précisément, à chaque instant de son existence, une totalité cohérente et harmonieuse, qu'on se sent et l'on s'éprouve soi-même en tant qu'un tout. Jean-Jacques ne ramène pas cette structure de la personnalité conforme à la nature humaine à la seule organisation de la vie intérieure. Doivent être intégrés tous les aspects, tous les domaines de la vie de l'individu en tant que totalité spécifique. La personnalité ainsi conçue est mise en relation avec des idéaux sociaux et économiques définis : l'égalité, l'accord entre les besoins et les moyens de leur satisfaction, la transparence des rapports sociaux, etc.

Le caractère destructif et aliéné de la culture s'exprime dans la projection permanente de l'homme « hors de lui-même ». Mais cela ne signifie pas que tous les éléments de la culture doivent être par essence étrangers à la « nature » considérée comme une entité intégrale et harmonieuse. En affirmant qu'Emile peut et doit intérioriser des éléments de la culture, la conception de son éducation implique qu'il est possible d'intégrer ceux-ci dans ce genre de totalité harmonieuse, d'en faire des composantes de « l'homme naturel ». Qui plus est, la conception de l'éducation d'Emile met en relief la seconde prémisse de la construction ou de l'idéal de la personnalité chez Rousseau.

La désintégration du monde de la culture résulte des « abus », du développement excessif des différents aspects de la nature humaine, des différentes possibilités de l'homme, de sorte que les uns se développent au détriment des autres, finissant par se transformer en leur contraire. Ces possibilités ne sont plus alors des éléments intégrés à une totalité, mais des facteurs autonomes qui portent atteinte à sa cohérence, la détruisent. L'intégralité et l'harmonie de la personnalité, le sentiment de sa propre identité n'excluent pas la possibilité de l'enrichir avec des éléments qui ne peuvent être produits que dans le monde de la culture : la réflexion intellectuelle et morale, le bon goût, etc. Et le modèle de personnalité d'*Emile* réalise les deux impératifs : la personnalité enrichie des possibilités de la nature humaine, actualisées dans le processus de socialisation, garde sa cohérence interne et son identité, constitue une totalité harmonieuse et fermée qui possède, à chaque instant, le sentiment « d'être elle-même ».

Entre ces deux idéaux de l'universalité et de la richesse de la personnalité d'une part, et de son sentiment d'authenticité et « d'intégralité » d'autre part, Rousseau accorde la primauté au second. La « richesse » de la personnalité ne consiste pas en l'extension de ses liens sociaux, mais principalement et prioritairement en l'intensification de la vie intérieure. La « richesse » de la personnalité n'est pas non plus une fin en soi, elle ne peut pas consister à accumuler des connaissances, des impressions, des opinions et des valeurs que la personnalité ne peut pas assimiler en tant que « siennes » et qui disloquent sa cohérence. Ce qui caractérise « l'homme naturel », c'est qu'il est « pleinement lui-même » dans chaque fragment de son existence. La conception de la « nature humaine » est associée avec une conception expressive de la personnalité ; d'une personnalité telle que le sentiment de l'authenticité est pour elle indissociable de l'expression spontanée de toute sa particularité, et ce dans chaque geste, chaque mot, chaque attitude vis-à-vis des hommes et des choses. Emile ne fait rien qui ne découle d'un besoin intérieur. Il n'apprend rien qui ne soit pour lui « utile » — et une signification spécifique est attribuée à ce terme courant dans le langage des Lumières —, dont il n'aurait senti en lui le besoin. Ainsi, la « nature » impose une « mesure » aux possibilités de l'homme, à sa faculté illimitée de se perfectionner.

Il est aisé de remarquer que l'identification de la « nature » avec un idéal ainsi conçu de la personnalité — personnalité ayant pour caractéristiques « l'intégralité » et l'authenticité — met cette conception en relation avec l'image de « l'état naturel » et en même temps l'en délivre. « L'homme naturel », c'était le « bon sauvage », mais Emile peut l'être aussi. Qui plus est, la supériorité d'Emile sur ce sauvage est évidente. Certes, le « sauvage » est lui aussi une totalité intégrale à chaque moment de son existence, mais il n'a pas actualisé les facultés humaines en puissance. Emile, lui, réunit les deux principes : il développe les « facultés virtuelles » de l'homme et les agence en une totalité cohérente. Et Rousseau peut ainsi, sans inciter à « un retour dans les forêts », affirmer que l'homme primitif était plus heureux et meilleur que l'homme contemporain, car il était « lui-même ».

Le « naturel » n'équivaut donc pas à une négation totale de la culture. Le « naturel » peut être reproduit dans le monde de la culture : ainsi, dans la *Nouvelle Héloïse*, Julie déploie beaucoup d'efforts pour donner artificiellement au jardin sentimental tous les traits du naturel.

Plus Rousseau souligne la contradiction entre la culture et la nature et plus est nette la perspective d'une « naturalisation » de la culture, qui signifierait la réalisation des deux principes aussi bien à l'échelle sociale qu'à l'échelle individuelle *. La société harmonieuse et la personnalité intégrée s'enrichiraient mutuellement ; l'existence sociale des hommes serait la plénitude de leur existence, unirait l'individu avec la nature au lieu de l'en séparer. Dans cette perspective, la nature humaine se révèle comme le point de départ et comme l'objectif d'un processus social visant à se rapprocher de la vision d'une « culture naturalisée », considérée comme l'entière réalisation de la nature humaine. L'accomplissement de cet idéal serait en même temps un « retour aux origines » dialectique, s'effectuant selon un rythme ternaire spécifique.

* Faute de pouvoir créer le néologisme « naturation », par analogie à « dénaturation » qui signifie « perdre les caractères considérés comme naturels », « altérer la nature de... », nous emploierons le terme existant « naturalisation », tout en en modifiant le sens biologique, pour désigner le processus inverse, à savoir : « retrouver ou acquérir la nature de... » (n.d.t.).

Nous avons ici l'esquisse d'un schéma que nous retrouvons dans diverses constructions historiosophiques du XIXᵉ siècle. Le point de départ est la nature humaine, ou encore la vocation de l'homme en tant que structure harmonieuse et intégrée des possibilités génériques. Le point culminant d'un long processus, au cours duquel les possibilités de l'homme se réalisent en subissant diverses aliénations, est l'époque contemporaine, une époque de crise où le conflit entre l'essence et l'existence de l'homme atteint son plus haut point. Le point d'aboutissement de toute la vision est une utopie de l'avenir équivalant à l'entière réalisation des possibilités contenues dans le point de départ et au dépassement des antinomies et des contradictions caractéristiques de l'histoire humaine. Cet aboutissement signifie la réconciliation de l'homme avec lui-même, la pleine réalisation des possibilités génériques contenues dans chaque individu et dans la communauté humaine, l'acquisition par l'homme d'une authenticité totale, dans son existence sociale comme dans son expérience subjective, dans le rapport de l'individu à la société et à la nature [113].

Rousseau ne tire pas des conclusions aussi générales des prémisses contenues dans sa pensée ; d'autre le feront à sa place (l'exemple de Schiller frappe une fois de plus). Mais développer ces prémisses et en déduire les conséquences, c'est dépasser la pensée de Rousseau, c'est faire disparaître l'élément de sa structure qu'est son indétermination dans de nombreux points. Pour que ces conclusions soient légitimement déduites et un schéma historiosophique soit construit, il faudrait, en particulier, admettre que la contradiction qui émerge dans le processus de socialisation entre les deux tendances — entre l'entière réalisation des possibilités génériques et leur intégration dans une totalité harmonieuse — est la forme nécessaire de leur accomplissement et que, de ce point de vue, la crise de la société contemporaine a son sens désigné par l'orientation du processus historique et sa finalité. Or, Rousseau ne franchit pas ce pas, bien que des lueurs d'une pareille pensée soient discernables dans son œuvre. Il n'applique pas au devenir historique une conception qui assignerait à ce processus une tendance de développement aussi nette et inéluctable. Il n'écrit jamais l'histoire avec un grand « H » ; il ne la considère pas comme une théodicée : au mal moral et à la crise morale de sa propre époque il n'attribue pas un sens qui se manifesterait dans la marche de l'histoire et enrichirait la personnalité et l'humanité dans son ensemble. De même, les projets de réformes sociales de Rousseau ne sont pas des constructions historiosophiques. Pour les fonder, il se réfère à la raison de l'homme, à son aspiration au bonheur, et non pas aux « tendances » du processus historique. Ces réformes doivent remédier à ce que le processus social se poursuive d'une manière spontanée et aveugle ; elles ne sont ni la continuation ni le couronnement de l'histoire.

Le siècle où il vit est avant tout pour Rousseau une époque de crise, et la conscience du mal moral qui y triomphe imprègne toute sa vision du monde. Sortir de cette crise devient un problème d'autant plus crucial. Le siècle contemporain se révèle de ce fait comme une réalité inachevée et antithétique par rapport à la vocation de l'homme identique à la nature humaine. L'individu trouve cette vocation en lui indépendamment de l'histoire, ce qui approfondit son conflit avec la société telle qu'elle existe. Il ne peut pas accepter le mal social existant s'il veut rester « soi-même ». Cette négation doit être la synthèse à la fois de la vocation individuelle et de la vocation universelle, de l'essence de l'homme et de son existence sociale, de la nature et de la culture. Nous retrouvons ici le même rythme ternaire que dans le schéma historiosophique de la « naturalisation » de la culture, car il s'agit fondamentalement des mêmes conflits, envisagés cette fois-ci comme les problèmes intérieurs de la personnalité. L'expérience vécue de son propre siècle, jugé comme une époque de crise, s'associe chez Rousseau avec le sentiment particulièrement intense de l'aliénation de l'individu : le thème de la crise et le thème de l'aliénation sont indissociables dans la structure de sa pensée. La conscience de l'aliénation accentue d'autant plus l'autonomie de l'individu, l'impératif de réaliser sa vocation indépendamment de l'état social actuel et en dépit de lui. La personnalité est imbriquée dans le processus de socialisation, mais elle ne se réduit pas à lui, de même que l'individu ne se réduit pas à ses conditionnements sociaux. Car ce n'est pas dans l'histoire qu'est fondé l'idéal de la personnalité intégrée : celui-ci est inhérent à la nature de l'homme. L'individu le découvre en lui, mettant en quelque sorte en parenthèse le monde de la culture, « remontant à son être ». Déblayant toutes les superpositions sociales, il découvre la voix de la conscience, qui est l'expression de sa vocation et s'impose à lui comme la chose la plus personnelle et spontanée. C'est à ce seul moment que l'individu peut « revenir au monde », le reconstruire comme un ordre malgré le chaos et y retrouver sa place, quelles que soient les circonstances historiques et sociales immédiates. Il reconstruit également les devoirs qu'il doit assumer envers la communauté humaine, indépendamment de l'état actuel de la société. Le postulat de la synthèse devient donc ici l'impératif d'une action morale individuelle qui est à la fois une opposition à la société existante et l'affirmation de son autonomie par l'individu qui choisit de s'isoler de la société au nom d'une communauté et d'une solidarité humaines authentiques.

C'est dans le cadre du schéma ici esquissé que s'opère le développement de « l'intériorité », thème extrêmement caractéristique de la conception de la personnalité chez Rousseau. En lui-même, dans son « intériorité », l'individu retrouve les problèmes et les conflits que l'humanité n'a pas résolus dans le processus social ; c'est là qu'il doit également découvrir les valeurs humaines universelles susceptibles de le tirer de la crise morale et sociale de son époque.

Tous les problèmes moraux acquièrent de ce fait leur dimension sociale : le mal moral est en effet produit par l'homme lui-même au terme du processus de socialisation ; mais tous les problèmes sociaux sont des problèmes moraux : ils ne sont pas extérieurs par rapport à l'individu et à son harmonie intérieure, à la réalisation de sa vocation morale. « Il faut étudier la société par les hommes, et les hommes par la société : ceux qui voudront traiter séparément la politique et la morale n'entendront jamais rien à aucune des deux [114]. »

L'expérience de sa propre époque comme le point culminant du conflit

entre la nature humaine et la culture, la politique et la morale, l'authenticité et l'aliénation, fonde chez Rousseau une perspective que nous pourrions appeler naturaliste et dans laquelle l'homme est conçu comme un
être défini par son appartenance à l'ordre de la nature qui possède en
propre les propriétés de l'ordre moral. Ce vécu fonde également une
perspective que nous pourrions appeler historiciste et dans laquelle
l'homme est considéré comme un être qui se définit lui-même dans l'ordre
de l'histoire dont il est l'unique sujet et objet. Dans ce que nous appellerons « l'historiosophie de la nature humaine » chez Rousseau, la confrontation entre la nature et l'histoire n'a pas pour seul ni même principal
terrain la réflexion théorique, mais la personnalité elle-même. Le vécu
et l'analyse de la situation de la personnalité dans le « monde des apparences » servent de point de départ à une conception dans laquelle l'histoire a une réalité spécifique par rapport à l'ordre de la nature, une réalité
qu'on peut comprendre uniquement comme un processus contradictoire
et engendrant des contradictions. Aux contradictions engendrées par
l'histoire, Jean-Jacques oppose le désir de l'unité, l'aspiration à
être « soi-même » ; sentiments que l'individu ne doit pas à l'histoire, mais
qui lui sont donnés en même temps que son existence, au-delà et au-
dessus de l'histoire. L'histoire ne fait que contribuer à la prise de conscience de ces aspirations de la personnalité, parce qu'elle ne les réalise pas.
Elle pose la personnalité face au problème du dépassement des contradictions et antinomies qu'elle a elle-même engendrées dans son cours.
L'homme — en tant qu'individu et en tant que collectivité — ne peut
accomplir ce dépassement que voué à ses propres forces. Dans l'histoire,
ni la nature, ni la providence ne veillent sur lui. « La nature nous
délivre des maux qu'elle nous impose ou nous apprend à les supporter ;
mais elle ne nous dit rien pour ceux qui nous viennent de nous ; elle nous
abandonne à nous-mêmes [115]. » A maintes reprises, dans diverses versions, Rousseau revient à cette thèse : « L'homme de la société n'est plus
l'homme de la nature, il le faut autrement fait, et qui est-ce qui fera pour
lui ce nouvel être si ce n'est l'homme même ? Quand l'homme empiète
une fois sur les soins de la nature elle abandonne l'ouvrage [116]. »
« L'homme abandonné à lui-même » se trouve face à sa liberté qui se
pose comme le problème principal. La synthèse recherchée ne peut être
qu'une synthèse opérée par la liberté. Mais de ce fait le problème de la
liberté s'élargit, il acquiert diverses dimensions : la liberté se révèle être
le principe de l'autonomie de l'individu, mais aussi le principe de l'ordre
social, une catégorie de l'existence individuelle et une catégorie politique,
une valeur niant l'état existant et constituant à la fois le fondement de
toutes les constructions de l'avenir. La liberté était donnée à l'homme
naturel en tant que valeur négative et elle est devenue le point de départ
des transformations dans la nature de l'homme. L'état social, l'époque
contemporaine et toute la culture — à travers tout le système des institutions sociales — sont la négation de la liberté, mais ils ont en même
temps approfondi la conscience de la liberté et réveillé son besoin.
« L'exercice de la liberté », c'est le retour de l'homme à ses « dispositions primitives » et le dépassement de l'état présent. Il est facile de

remarquer que le concept même de liberté est ici inclus dans un rythme ternaire spécifique ; ce même rythme dans lequel est imbriqué chez Rousseau tout le problème du « retour aux origines », et où la perception de son propre siècle en tant qu'époque antithétique et éphémère est particulièrement importante.

Afin d'éviter de compliquer excessivement des questions déjà très complexes, nous avions choisi d'omettre jusqu'ici une série d'aspects essentiels touchant à la manifestation de la conscience historique dans l'historiosophie de Rousseau. Nous devons à présent les aborder, même si nous risquons certaines redites, et poser surtout le problème du rapport de sa philosophie de l'histoire à l'étude historique et à l'historiographie, ainsi qu'à l'idée de progrès prônée par les Lumières.

Notons immédiatement que dans le cas de Jean-Jacques nous avons affaire à une situation très ordinaire : Rousseau construit une philosophie de l'histoire sans s'occuper de l'étude historique. En d'autres termes, il est un philosophe de l'histoire sans être historien. Sa réflexion sur le sens de l'histoire prend le pas sur son intérêt pour le cours des événements historiques. Certes, les rapports entre l'historiographie et la philosophie de l'histoire sont extrêmement complexes. Toute étude historique possède des prémisses historiosophiques définies, bien qu'implicites, et ce dans la conception même du fait historique, dans la sélection des sources, dans le type d'explication appliqué aux motivations des actions dans le passé, etc. Mais la complexité de l'arrière-plan méthodologique dans l'étude historique, la présence dans cette étude de prémisses épistémologiques et anthropologiques implicites et souvent inconscientes ne doivent pas estomper la ligne de démarcation souvent déjà si floue entre l'historiographie et l'historiosophie. Nous n'avons pas besoin de préciser cette ligne pour nos analyses, il nous suffira de faire appel à l'intuition courante. Voltaire fait de la philosophie de l'histoire dans *Le siècle de Louis XIV* comme dans ses articles sur l'histoire dans le *Dictionnaire philosophique*. C'est ce que fait également Mably dans ses *Observations sur l'histoire de France* comme dans son essai méthodologique *De la manière d'écrire l'histoire*. Cependant, les textes cités en premier pour chacun des deux auteurs peuvent facilement être définis comme des ouvrages historiographiques dans leur intention, comme des textes dans lesquels la réflexion sur le sens des événements n'est pas autonome par rapport à l'interrogation sur la marche de l'histoire. (Evidemment, dans d'autres cas, cette distinction est souvent plus difficile à établir, du fait surtout de la tendance moralisatrice et pragmatique qui domine dans l'historiographie des Lumières.) Or, Jean-Jacques n'a écrit aucun ouvrage du type du *Siècle de Louis XIV* et des *Observations sur l'histoire de France* (à une époque où — malgré sa réputation « d'ahistoricité » — les livres historiques appartenaient aux lectures les plus répandues, tandis que de nombreux philosophes faisaient de l'histoire sous telle ou telle forme [117]). Certes, dans son *Discours sur l'origine de l'inégalité,* il reconstitue « une histoire hypothétique » qui concerne, si l'on peut dire, des époques préhistoriques ; mais le sujet même du *Discours* imposait certaines limites. Ce qui d'ailleurs caractérise essentiellement Rousseau de ce point de vue, c'est de croire qu'une fois les propriétés fondamentales de « l'homme de l'homme » et les principales institutions sociales se sont constituées, il importe peu de connaître la suite des événements pour connaître l'homme [118].

Aussi quand Rousseau s'intéresse à l'histoire en tant que science, ce qui frappe, c'est la banalité de ses remarques et observations, de ses points de vue limités aux opinions les plus en cours à l'époque ; banalité encore plus frappante quand on la compare avec l'originalité et l'audace de ses conceptions historiosophiques. Nous pouvons risquer la thèse que Rousseau accepte sans réserves, et de surcroît sous sa forme la plus radicale, la version pragmatique et moralisatrice de la pratique de l'histoire philosophique, dont l'expression la plus condensée est la formule connue de Bolingbroke qui définit l'histoire comme une philosophie enseignée par exemples.

La fonction qu'il assigne à l'histoire dans l'éducation d'Emile est à cet égard extrêmement significative. L'histoire est un moyen pour enseigner la morale et ne possède pas sa propre finalité en tant que science.

Tant qu'il est enfant, Emile « ne sait même pas le nom de l'histoire [119] », pas plus qu'il ne connaît les rapports moraux entre les hommes. Car enseigner l'histoire à un enfant est « une erreur ridicule ». On considère que l'histoire — écrit Rousseau — est un recueil de faits, « mais qu'entend-on par ce mot de faits ? ». Cette question aurait pu devenir le point de départ d'une féconde réflexion méthodologique à une époque où, comme ce fut le cas au siècle des Lumières, on accepte en général le concept de fait comme un concept évident, le transposant du domaine des sciences naturelles dans le domaine des sciences humaines sans réflexion méthodologique [120]. Mais, pour Jean-Jacques, le problème se ramène uniquement à expliquer de plus près « le rapport de l'historique au moral ». Il y a donc lieu d'apprécier les événements sur la base de l'enseignement moral qu'ils contiennent, mais que l'enfant — conformément à la conception de l'éducation de Jean-Jacques — ne peut pas saisir [121]. Le fait historique est si bien ramené à l'enseignement moral qu'on peut en tirer que même la véracité du fait devient secondaire dans la science de l'histoire. « Tirer un vrai parti de l'histoire », ce n'est pas réfléchir sur la véracité des faits. « Comme s'il importait beaucoup qu'un fait fût vrai, pourvu qu'on en pût tirer une instruction utile. Les hommes sensés doivent regarder l'histoire comme un tissu de fables dont la morale est très appropriée au cœur humain [122]. »

Cette conception pragmatique des fonctions de l'histoire, Rousseau la formule encore plus nettement quand il expose son point de vue positif sur la place de la science de l'histoire dans l'éducation. Emile commence à étudier l'histoire alors qu'il est déjà un adolescent et qu'il lui faut apprendre la vérité sur les rapports moraux et sociaux entre les hommes, « étudier la société par les hommes, et les hommes par la société ». L'éducateur peut atteindre cet objectif de deux manières : ou bien introduire le jeune homme parmi les hommes pour qu'il voie « l'homme par son masque » et le « monde des apparences », ou bien « l'instruire par les principes », en étudiant théoriquement « la nature du cœur humain » et les causes des conflits entre l'essence de l'homme et son existence sociale. Mais ces deux méthodes ont chacune leurs inconvénients : la première a pour effets le mépris et l'amertume ; la seconde est par trop abstraite, l'esprit du jeune homme n'est pas encore en état de comprendre la métaphysique, et l'autorité du maître se substituerait à sa propre expérience. Et c'est à ce moment que l'histoire peut intervenir, « elle peut mettre le cœur humain à la portée de l'élève sans risquer de gâter le sien ». « C'est par elle qu'il lira dans les cœurs sans les leçons de la philosophie. » L'histoire « instruira le jeune homme par l'expérience d'autrui », lui donnera sans dangers ce substitut de savoir que devraient lui procurer la philosophie ou la fréquentation du monde. L'étude de l'histoire doit donc constituer pour Émile « un cours de philosophie pratique » ; elle n'a pas pour but de lui faire connaître le passé, mais de se connaître « et se rendre sage aux dépens des morts ». Évidemment, de ce point de vue, Émile n'a pas besoin de connaître toute la marche de l'histoire ; il lui suffira d'étudier une époque, ou certaines périodes les plus riches en enseignement moral. Pour ces mêmes raisons morales et didactiques, le choix de la lecture est non moins important que le choix des époques. De l'avis de Jean-Jacques, l'époque la plus importante est l'Antiquité et l'auteur le plus indiqué Plutarque [123].

La connaissance historique ne procure donc aucun savoir spécifique ; en tant que science du passé, elle est « inutile » : « Après tout, que nous font des faits arrivés il y a deux mille ans ? » Si elle est utile, ce n'est pas en raison de ses contenus spécifiques, mais parce qu'en enrichissant la connaissance de la nature humaine elle est un moyen de se connaître soi-même. Et si Jean-Jacques demande à l'historien d'être impartial, c'est au seul nom de la pureté de cette science morale. S'il réclame des faits, son exigence n'est nullement contradictoire avec le dédain qu'il affiche par ailleurs pour eux, car son souci est que son élève ne tire pas de fausses leçons morales à partir de faits déformés. En effet, du point de vue de l'enseignement moral, le principal inconvénient de l'histoire est que l'historien introduit toujours son point de vue, qu'il invente la cause des événements, qu'il peint des portraits qui n'ont pour la plupart « leur modèle que dans son imagination ». L'histoire déforme donc constamment la vérité sur l'homme, et le lecteur risque de se « laisser sans cesse guider par le jugement de l'auteur » et de ne voir « que par l'œil d'un autre », de ne pas apprendre à juger lui-même non pas le passé mais le présent, autrement dit, à juger lui-même les principes constants de la nature humaine qui se manifestent dans l'histoire. De même, parce qu'il veut que l'histoire assume mieux ses fonctions de propédeutique morale, Rousseau se solidarise avec la tendance caractéristique de toute « l'histoire philosophique » des Lumières à déplacer l'accent des « temps héroïques » des guerres et des conquêtes sur les époques de prospérité et de paix. L'histoire devrait étudier « les causes morales » qui déterminent les événements, et non pas se contenter de décrire les différentes batailles, révolutions ou actions des grands hommes. Jean-Jacques reconnaît que « l'esprit philosophique » a certes « tourné de ce côté les réflexions de plusieurs écrivains de ce siècle ». Mais il formule aussi des réserves à leur encontre : « La fureur des sistêmes s'étant emparée d'eux tous, nul ne cherche à voir les choses comme elles sont, mais comme elles s'accordent dans son sistême [124]. » Malgré ces critiques, de par sa conception des fonctions sociales de l'historiographie, de son extension et de la spécificité de sa connaissance, Rousseau reste finalement fidèle aux tendances de « l'histoire philosophique » de son siècle ; il ne s'écarte pas de son schéma pragmatique et moraliste.

En restant à l'intérieur de ce schéma, Jean-Jacques l'enrichit cependant de quelques éléments nouveaux. Ceux-ci résultent — soulignons-le — moins d'une réflexion sur l'histoire, que d'une réflexion sur la problématique morale. Si la principale fonction de l'histoire en tant que science est didactique et moralisatrice, le type de vérité morale et les contenus moraux que l'auteur des *Confessions* a en vue, déteignent nécessairement sur sa manière de comprendre l'histoire. Quelques moments méritent qu'on s'y arrête. Le premier, c'est l'importance accordée aux époques historiques susceptibles de fournir un modèle moral. Ce modèle, Rousseau le cherche non pas aux époques d'épanouissement de la culture, non pas au siècle de Périclès et d'Auguste, mais à Sparte et dans la République romaine qui incarnent l'une et l'autre la vertu civique et la simplicité des mœurs. L'exemple de ces époques devait confirmer la véracité de la thèse que la vertu morale ne doit rien au développement des sciences et des arts, qu'au contraire l'épanouissement de la culture et l'accroissement de la puissance politique coïncident souvent avec la corruption des mœurs et le début de la décadence des Etats et des nations [125]. En outre, l'accent social est très net dans les jugements portés par Rousseau sur le passé : les critères de jugement moral appliqués incluent le niveau d'égalité aux différentes époques, la participation de la majorité des citoyens à la vie politique, etc. L'histoire doit en effet assumer ses fonctions didactiques non pas par rapport aux souverains, mais par rapport au peuple. Elle n'a pas à apprendre l'art de gouverner, mais doit être une école de morale et d'éducation civique, former « cet esprit libre et républicain, ce caractère indomptable et fier, impatient de joug et de servitude » que Jean-Jacques avait acquis dans son enfance grâce à la lecture des Anciens [126]. Cet accent social est également sensible dans les violentes attaques que Rousseau lance contre les historiens qui flattent les puissants de ce monde. L'histoire doit montrer les hommes non pas « sur la scène du monde », mais dans « leurs vies privées » ; ne pas les présenter « dans leurs vêtements de parade », mais les suivre de manière à découvrir ce qui fait « un homme » de chacun des grands hommes. Pour que l'histoire soit une source d'enseignement moral, il est important qu'elle recoure non seulement aux exploits, mais aussi à « tous les détails familiers et bas », non pas par amour pour l'anecdote ou par désir de dévaloriser les grandes actions, mais bien pour présenter ce que sont les grands hommes en tant qu'hommes. Car il s'agit de juger ceux-ci en fonction non seulement de leur position sociale ou de la valeur publique de l'exploit, mais aussi de leurs valeurs morales. Plutarque est une fois de plus proposé comme modèle aux historiens, car il excelle « à peindre les grands hommes dans les petites choses », « qui les font connoître et aimer [127] ».

Nous reconnaissons là aisément une tendance qui, elle, est commune à toute l'historiographie des Lumières, et dont les prémisses épistémologiques sont à mettre en rapport avec les nouveaux contenus sociaux que l'histoire est chargée de véhiculer à cette époque, avec les fonctions qu'on confère à cette science dans la formation de la conscience sociale. L'historiographie se veut profane : ce sont les hommes, dont les motifs d'action sont les mêmes tout le long du devenir historique, qui créent leur propre histoire. D'où une seconde tendance à enlever à l'histoire ses dimensions héroïques traditionnelles : l'héroïsme, l'honneur, la fidélité au monarque et à la foi ne constituent plus une échelle des valeurs suffisante pour juger les actions passées. Il faut appliquer au passé les mêmes valeurs qui permettent de juger le présent : le niveau de propagation des lumières, de généralisation du bien-être et du bonheur. Le héros lui-même doit être présenté tel qu'il est dans la vie, jugé en fonction des valeurs morales universelles qui font de lui un « honnête homme ». Enfin, l'historiographie se doit de prendre le contre-pied de l'histoire dynastique, de s'intéresser aux sphères de la vie extra-politique, et non seulement aux actes et effets importants pour la grandeur d'une famille ou pour la raison d'Etat.

Mais, dans le cadre de cette tendance, Rousseau fait également preuve d'une certaine particularité par rapport à « l'esprit philosophique ». Tout en acceptant le point de vue pragmatique et toutes ses prémisses, Rousseau conçoit cependant dans d'autres termes la vérité morale que l'histoire doit enseigner. Ainsi, en premier lieu, l'histoire doit apprendre à distinguer la vérité de l'apparence, les hommes tels qu'ils sont de ce qu'ils veulent paraître. Ce qu'Emile doit voir dans l'histoire ne diffère pas de l'image que lui présentera la société contemporaine : « le genre humain, dupe de lui-même ». En étudiant l'histoire, il confrontera les actions des hommes avec ce qu'ils en disent et, grâce au recul du temps, il verra plus aisément dans l'histoire que dans le monde tel qu'il le fréquentera les divergences entre l'univers du discours et de l'apparence d'une part, et les motifs réels des actions humaines d'autre part. Il apprendra à regarder « la scène du monde, ou plutôt, placé derrière le théâtre, à voir les acteurs prendre et poser leurs habits, à compter les cordes et les poulies dont le grossier prestige abuse les yeux des spectateurs [128] ». Mais Emile ne s'arrêtera pas aux apparences ; aussi, après avoir confronté les mots aux paroles, il cherchera dans les actes « les traits du cœur humain », « l'état des cœurs » des grands personnages historiques. Le rapport d'Emile à l'histoire n'est pas seulement une relation intellectuelle, mais encore une relation affective. Ou plutôt, pour être plus précis, en restant dans le seul cadre de la connaissance discursive, il est impossible de saisir les contenus et les vérités que l'histoire doit fournir. Ces vérités

doivent être morales, elles doivent donc être vécues. Les leçons fondamentales qu'Emile tire de l'étude de l'histoire, concernent beaucoup
plus la personne même de l'élève que le processus historique. Il apprend
à adopter une certaine attitude envers le monde, à dominer ses passions, à acquérir la mesure adéquate de son propre bonheur. Aussi
Emile vit l'histoire : il la vit dans ce sens qu'elle éveille en lui des
sentiments d'admiration pour la vertu constatée chez des hommes
véritablement grands. Il la vit comme le faisait Rousseau lui-même quand,
dans son enfance, il lisait Plutarque ou quand, dans sa jeunesse, en
parcourant le Pont-du-Gard, « il sentit, il ne sait quoi qui lui élevait
l'âme » et qui lui fit dire, perdu « dans une contemplation ravissante »,
« que ne suis-je né Romain [129] ! ». Mais en même temps, l'histoire suscite en Emile des sentiments contradictoires : « mouvements de honte
et de dédain pour son espèce », affliction « de voir ses frères s'entre-
déchirer pour des rêves [130] ».

Gardons-nous de moderniser ce type d'expérience de l'histoire ; il ne
s'agit pas pour Rousseau de « revivre » et de « saisir » les époques
révolues dans leurs significations particulières et spécifiques. Ce sont toujours les mêmes vérités morales qui font l'objet du vécu. L'histoire ne fait
en quelque sorte que fournir des prétextes pour l'émergence d'états affectifs, sans en être la source spécifique. D'autre part, l'histoire se dessine
confusément comme un domaine particulier du rêve, d'une expérience du
moi qui se nourrit de rêveries sur la grandeur des siècles passés.

Il se peut que nous minimisions la spécificité et la signification de cette
manière de vivre l'histoire, comparée aux accents intellectualistes qui
dominent dans l'historiographie courante des Lumières. Telle n'était pas
notre intention. Nous voulions uniquement souligner que Rousseau étend
au passé l'aura émotionnelle qui lui est propre, et que n'ont engendrée ni
la réflexion sur l'histoire, ni le goût du passé. Ce dernier est ici tout au
plus un objet non privilégié, fragmentaire du vécu et de la réflexion morale, lesquels ne s'enrichissent pas d'une manière essentielle, ni ne gagnent
en intensité au contact des événements passés.

Cependant, dans nos développements antérieurs, nous avions démontré
que cette réflexion morale est elle-même imbriquée chez Rousseau dans
des thèmes historiosophiques, ou encore que la problématique morale
se transforme en une philosophie de l'histoire. Serions-nous donc en présence d'une philosophie de l'histoire qui ne serait pas véhiculée par la
réflexion sur le passé ? L'idée de l'histoire serait-elle en quelque sorte
bâtie dans une matière extra-historique ? Toutefois, ce n'est pas à ces
conclusions que nous tendions en démontrant la part relativement minime de la réflexion autonome sur l'histoire dans l'œuvre de Rousseau.
Nous ne voulions pas non plus uniquement souligner le rôle particulier
qui, dans la pensée historiosophique de Jean-Jacques, incombe au vécu et
à l'analyse de ce fragment de l'histoire qu'est sa propre époque, au vécu
de son temps en tant que situation de crise. Le sentiment de la crise n'est
pas toujours conceptualisé dans des catégories historiosophiques. Qui
plus est, nous pouvons dire que l'interprétation des phénomènes contemporains à l'aide de catégories telles que « époque » et « siècle » suppose

déjà une certaine idée de l'ensemble de l'histoire. Penser dans les catégories d' « époque » et de « siècle » équivaut à une certaine forme de réflexion sur l'histoire et, dans le cas de Jean-Jacques, elle équivaut indiscutablement à une conscience historiosophique, c'est-à-dire à une conscience qui recourt à une vision globale du processus historique en fonction de son sens.

L'histoire des idées et visions du monde abonde en exemples où la philosophie de l'histoire trouve sa substance dans la pensée religieuse, les œuvres littéraires, les œuvres d'art, etc. Dans le cas de Rousseau, il semble cependant que nous ayons affaire à une situation où l'idée de l'histoire trouve sa « substance intellectuelle » dans une autre conception historiosophique. Jean-Jacques parle de l'histoire et du passé, énonce des thèses historiosophiques, etc., en prenant position par rapport à une vision de l'histoire déjà élaborée et qui lui sert de système de référence négatif. Ce système de référence négatif, dans lequel la conscience historique possède déjà sa forme théorique et philosophique, c'est, en tout premier lieu, l'idée de progrès. Toute la conception du processus de socialisation, ou encore de dénaturation, se situe chez Rousseau dans le contexte de la critique de l'idée de progrès, telle qu'elle était formulée au siècle des Lumières, ou du moins de certains de ses contenus. Depuis son premier et célèbre *Discours* sur les rapports entre le progrès des sciences et des arts d'une part, et l'évolution des mœurs d'autre part, le destin personnel de Rousseau, sa carrière littéraire, mais aussi le sort historique de sa doctrine, sont indissociables des polémiques centrées sur l'idée de progrès. Dans ce premier *Discours,* la critique de l'idée de progrès était le facteur qui agençait les divers thèmes et motifs de la vision du monde de Rousseau, articulait ses thèses théoriques avec ses attitudes pratiques, sa révolte plébéienne avec sa réflexion sociologique et morale. Elle était le point de départ à la fois de « la grande réforme » de sa vie (abandon de la vie parisienne, refus de ses mœurs) et de la construction de son « triste système ». D'autre part, dans l'esprit de ses contemporains, c'est la critique du progrès tel que l'époque le concevait, qui conférait à toute l'œuvre de Rousseau son caractère paradoxal : comment peut-on propager, préconiser une réforme morale tout en critiquant le progrès ? Et comme cette critique occupait souvent le premier plan, comme elle se manifestait à la surface en quelque sorte de la vision du monde de Jean-Jacques, elle attirait les polémiques en laissant dans l'ombre les autres éléments de la doctrine.

Cependant, vouloir définir avec précision le rapport de Rousseau à l'idée de progrès, c'est se heurter d'emblée à une série de difficultés qui — si l'on peut dire — se trouvent tant du côté du critique que du côté de l'idée critiquée.

A première vue, la position de Rousseau est univoque et peut être résumée dans l'invocation suivante de *La profession de foi du vicaire savoyard* : « Otez nos funestes progrès, ôtez nos erreurs et nos vices, ôtez l'ouvrage de l'homme, et tout est bien [131]. » Cependant, les raisonnements antérieurs sur les voies de la dénaturation imposent l'évidence que nous sommes loin ici de l'univocité. L'affaire se complique d'autant plus qu'il n'est pas facile de préciser l'objet même de la critique, alors que le siècle des Lumières est communément désigné comme le « siècle de la raison et du progrès ». Certes, l'idée de progrès est réellement contenue dans le climat de l'époque, mais elle n'est pas de ce fait plus facile à expliciter. C'est d'ailleurs par là que nous commencerons pour mieux comprendre la critique que Rousseau développe.

Nous avons délibérément employé l'expression de l'idée de progrès, car, au milieu du XVIIIe siècle, c'est bien d'une idée qu'il s'agit, et non pas d'une théorie du progrès élaborée. L'*Encyclopédie* définit « le progrès » comme un « mouvement en avant » et, à titre d'exemples de l'emploi de ce terme, cite « le progrès du soleil sur l'écliptique », le « progrès du feu », ajoutant qu'on dit également au sens figuré « faire des progrès dans la science ou l'art ». Certes, en 1750, le jeune Turgot prononce ses *Dicours aux Sorbonniques* qui contenaient les fondements d'une théorie du progrès ; fondements déjà élaborés et qui font de leur auteur un précurseur non seulement par rapport à Condorcet, mais même par rapport à Saint-Simon et Comte. Cependant les textes de ces *Discours* ne furent publiés que beaucoup plus tard, et ne se sont pas répercutés sur la littérature de l'époque. Nous pouvons par contre dire de Turgot qu'il ne fit que préciser et donner la forme d'une théorie à des idées courantes de son temps. La conviction de l'existence du progrès est si universelle qu'elle satisfait la plupart du temps, même dans son imprécision. Nous définissions ci-dessus la pensée des Lumières comme une formation intelectuelle transitoire ; or, l'idée de progrès est un des exemples qui confirment cette définition. Sous sa forme caractéristique des Lumières françaises, cette idée se situe entre une réflexion sur l'histoire et la culture d'une part, et une réflexion sur la théodicée, c'est-à-dire sur le rapport entre l'ordre qui règne dans un univers considéré dans des termes déistes et le mal présent dans l'histoire des hommes. Et c'est précisément la conception de l'ordre et de la théodicée qui fournira les prémisses et les inspirations théoriques pour la construction de la théorie du progrès (il nous faudra encore revenir à ces questions par la suite).

En tout cas, courons le risque de résumer dans une thèse générale un développement historique complexe : l'idée de progrès est l'une des idées majeures les plus répandues à l'époque des Lumières, alors que ses prémisses théoriques fondamentales sont à peine en voie d'élaboration. Le siècle des Lumières crée cette idée, mais le processus de gestation est pénible depuis la conviction plus ou moins évidente de l'existence du progrès jusqu'aux tentatives de construction d'une théorie du progrès. Outre des généralités de ce genre, nous n'avons en réalité rien d'autre à dire à ce sujet. En effet, presque tout est encore à faire dans l'étude de l'histoire de l'idée de progrès, du processus de formation de cette idée centrale des Lumières, de sa genèse et de ses diverses versions, de la dynamique de son application à différentes sphères du processus historique et aux différentes époques, de son fonctionnement dans les divers domaines de la culture, de la vie politique, etc. [132]. Surtout qu'en parlant d'une seule idée de progrès, nous simplifions la question. Nous avons en effet ici affaire à un exemple typique de ce que Lovejoy appelait « unit idea » : à un ensemble ou un complexe de thèses et d'opinions connectées, dont les éléments constitutifs, différemment organisés et articulés aux diverses époques et chez divers auteurs, assument des fonctions cognitives et conceptuelles différentes, etc. Comment se formèrent les différents éléments de l'idée de progrès et quelle fut la dynamique de cette formation ? Comment son application s'étendit-elle aux différents domaines et aux différentes époques de l'histoire (mais aussi comment cette idée pénétra-t-elle dans les sciences naturelles, dans la biologie et la géologie) ? Quel était le degré d'élaboration théorique des diverses prémisses ? Quelles étaient les corrélations entre l'idée de progrès et l'idée du changement historique et social ? Quel est le rôle à attribuer aux multiples sources d'inspiration théorique et sociale dans l'émergence et l'élaboration de cette idée, etc. Seules des analyses détaillées de ce genre permettraient de connaître l'histoire de l'idée de progrès et de sa fonction dans la pensée des Lumières.

Il est évidemment difficile d'entreprendre une tâche de ce genre en marge d'autres problèmes. Néanmoins, il nous faut procéder à une reconstruction, même des plus provisoires et schématiques, de ce que nous pourrions appeler l'idée de progrès usuelle au siècle des Lumières. Nous avons en vue la reconstitution d'un ensemble de points de vue ayant précisément « le progrès » comme noyau, et non pas telle ou telle version de cette idée chez tel ou tel auteur. Et cette reconstitution, nous y procéderons en quelque sorte à travers le prisme de la vision du monde de Rousseau. En effet, il importe de constater que Rousseau ne polémique contre aucune conception ou théorie particulière du progrès (à l'exception des réponses aux écrits provoqués par le premier *Discours,* mais chez aucun de ses polémistes, l'idée de progrès ne revêt une forme théoriquement élaborée et ne porte une marque plus individuelle). Jean-Jacques polémique contre la version usuelle de cette idée. Comme on l'a fort judicieusement fait remarquer, le caractère vague et indéterminé de l'idée de progrès n'affaiblissait nullement sa fonction en tant que partie constitutive fondamentale de la *Weltanschauung* de l'époque. Même sous sa forme indécise et indéterminée, elle fournissait une base suffisante pour la motivation, par contre déterminée et univoque, de l'activité idéologique et politique [133]. Jean-Jacques ne polémique pas contre telle ou telle conception du progrès, mais contre « l'esprit de son siècle », même si la perspective historique nous pousse à inclure cette polémique dans « l'esprit du siècle », concept combien extensif...

Notre tentative de reconstituer les thèmes les plus généraux de l'idée de progrès se heurte à des difficultés d'autant plus grandes que la littérature du milieu du XVIIIe siècle nous propose des thèses qui, à première vue, semblent souvent contradictoires avec les éléments de la théorie du progrès, du moins telle qu'elle sera formulée, quelques décennies plus tard, dans *Essai d'un tableau historique des progrès de l'esprit humain* de Condorcet. L'un des éléments constitutifs de cette théorie du progrès est indéniablement la certitude qu'il existe une loi du progrès ; on entend par là la nécessité, déterminée par tels ou tels facteurs, avec laquelle l'homme au cours de son histoire passe par des stades de développement qui témoignent d'une certaine régularité, cette nécessité étant non seulement décelable dans le passé mais aussi applicable au futur. La continuité de l'histoire, fondée dans cette nécessité, se traduirait par la supériorité des stades postérieurs sur les stades antérieurs et constituerait le fondement permettant aussi bien de saisir le passé dans son unité que de poser un pronostic optimiste quant aux étapes futures. La continuité découverte dans l'histoire définit la direction et le sens de celle-ci, c'est-à-dire l'affirmation de la raison humaine et la réalisation des aspirations humaines dans l'histoire, grâce à une rationalisation croissante des relations interindividuelles, à la victoire de la raison sur le préjugé et l'ignorance, grâce à l'extension de l'activité innovatrice économique, technique et culturelle des hommes. Le caractère cumulatif du processus historique est défini par le caractère cumulatif des connaissances humaines. L'accumulation de ces connaissances et leur propagation décident de la dynamique de l'histoire et définissent le caractère universel de cette orientation de l'histoire, tout comme sont universelles la connaissance de la vérité et la raison connaissante. Ce caractère cumulatif constitue également le point de départ de l'articulation interne de l'histoire en « époques », « siècles », dont les cadres limites sont désignés en fonction des acquis dans l'accumulation des connaissances et des lumières.

Même si nous nous contentons de cette caractéristique générale et dans une grande mesure formelle, nous pouvons sans peine constater que des penseurs par ailleurs représentatifs pour l'époque prônent des opinions opposées. Ainsi Voltaire répète à maintes reprises que l'histoire, saisie dans sa totalité, n'a pas de sens, qu'elle est l'histoire des folies réitérées des hommes et de leurs crimes ; son *Essai sur les mœurs* se propose de brosser le tableau des misères de l'homme, ainsi que des « folies de l'esprit humain » sur terre. Le rapport de Voltaire à l'idée de la continuité de l'histoire n'est pas homogène ; il accentue certes le déterminisme dans l'histoire, mais il conçoit le lien causal dans des termes tels que celui-ci prend facilement la forme de la fatalité qui pèse sur les actions humaines et dont on ne peut découvrir ni la direction, ni le sens [134]. Cette conception s'associe avec une tendance générale, caractéristique de la pensée des Lumières et qui vise à expliquer « les grands événements par les petites causes », pour reprendre le titre d'un des ouvrages d'alors [135]. Le fameux aphorisme de Pascal sur l'influence de la forme du nez de Cléopâtre sur le sort du monde traduit le mieux la pensée majeure de cette tendance. Selon cette conception des « petites causes », particulièrement chère à Voltaire, l'histoire se fractionne, se scinde en événements fortuits dont on ne peut découvrir le sens en les rapportant à une totalité, quelle qu'elle soit. Mais d'autre part, Voltaire recourt à la conception des « grands siècles de l'histoire » qui se détachent de la toile de fond constituée par le cours monotone de l'histoire où « tous les siècles se ressemblent par la méchanceté des hommes ». Ces « grands siècles » sont distingués en raison surtout de leur patrimoine culturel. Mais comment s'opère la continuité entre ces « grands siècles », voilà qui, chez Voltaire, est pour le moins très imprécis. Il semble les considérer comme de rares îlots perdus dans l'immensité de la bêtise et de l'ignorance humaines, soulignant que chacun des quatre grands siècles dégagés a ses bornes, et que « le génie n'a qu'un siècle, après quoi il faut qu'il dégénère [136] ». Dans ce siècle proverbial de l'optimisme, l'une des idées les plus répandues et que nous retrouvons aussi bien chez Montesquieu que chez Condillac et d'Alembert (ainsi d'ailleurs que chez Rousseau) était l'idée du développement cyclique des Etats : après une époque de croissance et de puissance, chaque Etat doit inéluctablement connaître une époque de décadence (l'analogie établie avec le développement puis la mort de l'individu continue à être un lieu commun, malgré les critiques formulées déjà par Fontenelle et l'abbé de Saint-Pierre [137]).

Il serait cependant faux de croire, d'après cette poignée d'exemples, que la pensée des Lumières considère l'histoire uniquement comme un chaos, comme une succession d'événements fortuits dans laquelle il est impossible de découvrir une tendance plus marquée, tandis qu'un jugement pessimiste est la seule perspective qui s'impose par rapport à l'avenir. Qui plus est, des motifs des plus « pessimistes » s'harmonisent à merveille avec des attitudes « optimistes ». En effet, les mêmes prémisses qui fondent l'existence du désordre dans l'histoire, servent également à construire des thèses sur la continuité et le progrès dans l'histoire. Cela n'est pas un paradoxe. En citant les exemples en question, nous tenions à illustrer la thèse que la théorie du progrès, sous la forme achevée que lui conférera Condorcet, n'existe pas encore dans la pensée classique des Lumières. Certes, l'idée de progrès domine déjà en tant qu'attitude générale, mais elle est encore en voie de devenir, elle n'est pas appliquée à l'agencement de tout le savoir sur le passé ; sa clarification s'opère à travers son imbrication dans des contextes polémiques. C'est en particulier sur ce dernier point qu'il nous faut insister. Les idées les plus « pessimistes », qui équivalent à une négation du progrès, révèlent en quelque sorte leur seconde face quand on les lit dans le contexte polémique. Les thèses sur le « chaos » ou « l'absurdité » de l'histoire, examinées dans le cadre de la dynamique de la vision du monde des Lumières, sont parfois l'expression des efforts visant précisément à cerner et à fonder la conception de la continuité et du progrès dans l'histoire.

Ainsi, remarquons en premier lieu qu'en soulignant le déterminisme des « petites causes » et en obtenant subséquemment l'image d'un chaos dans l'histoire, on prend nettement le contre-pied du providentialisme. On ne peut plus découvrir aucun ordre dans l'histoire et aucune direction de sa marche autrement qu'à travers l'analyse des actions des hommes dans l'histoire. Nous retrouvons cette même tendance antiprovidentialiste dans la conviction « pessimiste » de la dégénérescence inéluctable et de la chute de chaque grand Etat, dues à l'action de causes immanentes — de causes à découvrir dans son système de gouvernement, dans les mœurs, la morale, etc. Il fallait nécessairement détruire d'abord la vision providentialiste de l'histoire, dans sa version naïve comme dans sa version philosophiquement élaborée dans l'esprit de Bossuet, pour que puisse se faire jour la tendance à étudier la continuité des actions humaines dans le temps en tant que continuité spécifiquement historique, à rechercher les facteurs constants des mutations dans l'histoire, en tant que facteurs immanents par rapport à l'histoire. Le point de vue de la « mutation », de la « révolution » (ce terme garde presque jusqu'à la fin du siècle sa signification empruntée des sciences naturelles) domine aussi bien dans la perspective cognitive des Lumières que dans les titres des écrits de l'époque [138]. L'accumulation de faits des plus multiples et divers, leur chevauchement renforce l'impression du chaos, mais en même temps brise définitivement l'enceinte à l'intérieur de laquelle la tradition biblique avait enfermé l'histoire.

En montrant comment se manifestent invariablement dans l'histoire les mêmes absurdités, les mêmes passions, les mêmes préjugés, etc., on crée l'apparence que l'histoire n'a pas de sens et, toujours en apparence, on nie que l'histoire puisse être envisagée comme un ligne continue et ascendante. Mais cette vision de l'histoire contient en même temps des prémisses implicites qui neutralisent, si l'on peut dire, cette image de chaos, ou qui permettent de ne pas s'y arrêter. En soulignant le rôle des passions en tant que motif fondamental des actions individuelles, non seulement on laïcise l'histoire, mais encore on lui enlève son héroïcité ; les guerriers et les rois, les saints et les prophètes cessent d'être des personnages exceptionnels, les guerres et les conquêtes ne sont plus les événements les plus importants. Autrement dit, aussi longtemps qu'elles sont dans l'histoire les événements les plus importants, aussi longtemps que l'histoire de l'humanité est l'histoire des passions, des malheurs et des crimes, aussi longtemps que la violence et l'intolérance règnent sur les hommes, l'histoire est l'histoire de la sottise et de la folie humaines. Mais par là même on accentue dans l'histoire d'autres valeurs, d'autres aspects et d'autres facteurs actifs : le bien-être et le bonheur des populations en temps de paix, la légitimité opposée à l'arbitraire du despote ; le savoir, la raison et les lumières opposés aux superstitions et aux préjugés ; la tolérance opposée au fanatisme. On reconnaît que le rapport entre un pouvoir éclairé et le bien public, le développement de la culture, des mœurs, du commerce et de l'industrie est plus essentiel pour l'histoire que les batailles, les vies des saints, les événements de la cour et les biographies des grands hommes. Dégager dans l'histoire ses aspects absurdes et chaotiques, c'était implicitement présupposer qu'on ne peut trouver un sens de l'histoire que dans ses éléments qui témoigneraient de la victoire des principes rationnels, du triomphe de la raison sur les passions et les superstitions, qui confirmeraient donc les valeurs fondamentales et les idéaux des Lumières. A son élève princier, Condillac expliquait qu'il faut étudier « les erreurs de l'esprit humain », non pour « savoir des opinions, rien ne serait plus frivole. Il les faut étudier, comme un pilote étudie les naufrages de ceux qui ont navigué avant lui [139] ». Rien ne nous empêche, affirmait Chastellux, de juger les Anciens comme nous jugeons nos contemporains, appliquant à leur égard les principes de la morale et de la politique les mieux connus [140].

Quelques décennies plus tard, ce didactisme si caractéristique des Lumières choquera par son a-historicité. Nous ne devons cependant pas perdre de vue que, solidaire de la conception moralisatrice de l'histoire, il contenait une prémisse extrêmement importante pour l'idée de progrès. Son enjeu était de faire valoir sa propre époque, de la situer dans le processus *historique*. Autrement dit — en abordant la question sous un autre angle — il y allait de l'interprétation de tout le processus historique en fonction de la conscience de la particularité de sa propre époque, considérée comme le « siècle éclairé », le « siècle philosophique », comme un siècle auquel incombaient une mission et une place particulières dans l'histoire. Bien qu'au milieu du siècle le différend sur « les anciens et les modernes » fût déjà désuet et que se fût renforcée la tendance à reconnaître, dans une certaine mesure, la place spécifique de l'Antiquité et de ses valeurs, la thèse fondamentale des « modernes » avait cependant survécu, du moins dans la formulation modérée qu'on retrouve, par exemple dans l'un des dialogues de Voltaire : « Les derniers siècles sont toujours plus instruits que les premiers, à moins qu'il n'y ait eu quelque révolution générale qui ait absolument détruit tous les monuments de l'Antiquité (...). On a été assez heureux pour conserver les ouvrages de votre père (de Cicéron, dont la fille Tullia est l'une des protagonistes du dialogue), et ceux de quelques autres grands hommes : ainsi le feu sacré n'a jamais été totalement éteint, et il a produit à la fin une lumière presque universelle [141]. »

La condamnation même de la barbarie, de la superstition et de l'ignorance dans le passé, impliquait un jugement de valeur : la conviction de la supériorité intellectuelle de l'époque actuelle sur les époques écoulées. Il serait difficile de présumer trop du rôle qu'il convient d'attribuer dans la formation de la conscience historique des Lumières et de l'idée de progrès à cette certitude de la particularité et de la supériorité de son siècle, ainsi qu'aux prémisses — parfois implicites — qui sous-tendaient cette conviction en voie de fixation. Le concept même de « siècle » subit une modification très significative, il devient l'un des concepts clefs de l'époque [142]. En 1719, Dubos formule une nouvelle acception du terme. Un « siècle » n'équivaut pas à « cent ans » ; on ne peut pas appliquer à l'histoire une mesure qui ne doit sa légitimité qu'au caractère « arrondi » des chiffres. Il faut trouver dans l'histoire des démarcations qui lui soient spécifiques, distinguer ses périodes en fonction de leurs particularités. Les limites d'un « siècle » — même s'il est baptisé du nom d'un monarque — ne se recouvrent même pas avec les dates de la naissance de celui-ci, de son intronisation ou de sa mort. Ainsi, dans son *Essai sur les mœurs,* Voltaire constate que c'est Corneille qui, en 1636, avec la présentation de son *Cid,* inaugura le siècle qu'on appelle le siècle de Louis XIV [143].

L'attention des « philosophes » se concentre sur la définition de la spécificité de leur propre « siècle » qui devient « le siècle philosophique », « notre siècle éclairé ». Dans ces caractéristiques se manifestent et se forment la conscience historique des Lumières, une perspective nouvelle de l'historicité spécifique de l'époque, comme de l'historicité en général. De ces définitions jaillit la fierté d'appartenir justement à ce siècle (« je ne connais aucun autre siècle dans lequel je voudrais naître », écrivait Beaumarchais). Les « philosophes » situent leur siècle au centre de l'histoire, et c'est de sa perspective qu'ils jugent les siècles passés et anticipent sur l'avenir, se posant même maintes fois la question de savoir comment cet avenir jugera le « siècle » présent. La confrontation avec le passé comme avec l'avenir renforçait la conscience de la particularité et de l'importance du siècle présent : la supériorité sur le passé était incontestable ; quant aux « siècles » à venir, ils retrouveraient leurs propres origines dans le « siècle philosophique », dans « le siècle éclairé ». Car le XVIIIᵉ siècle voit sa particularité et son unité précisément dans son caractère « philosophique », « éclairé », c'est-à-dire non seulement dans les nouvelles acquisitions de la science, de la littérature, de l'art, mais surtout dans la propagation des « nouvelles idées », dans leur triomphe sur les préjugés, dans le rôle de plus en plus important de « l'esprit éclairé ». L'histoire des siècles passés n'est compréhensible que par rapport aux « révolutions » qui marquent le « siècle éclairé ». Le jugement du passé constitue une composante importante dans la formation de la conscience de la propre particularité historique du siècle et de sa dynamique culturelle. Cette même conscience s'exprime également dans le sentiment de fascination éprouvé pour d'autres cultures, lequel devient souvent la recherche de l'exotisme. Ce que les Lumières cherchent, ce n'est pas vraiment à comprendre les autres cultures dans leurs significations spécifiques, mais plutôt à s'y regarder comme dans un miroir : elles veulent y retrouver, et y retrouvent, ces mêmes facteurs durables de la nature humaine et ces possibilités de la raison humaine qu'elles découvrent en elles-mêmes, dans leur propre « époque ». On peut situer chaque culture, chaque époque révolue dans l'histoire, en la reconnaissant ou non comme une époque « éclairée ». Ainsi, les Lumières appliquent à chacune des cultures examinées les mêmes mesures qu'elles emploient par rapport à leur époque : les mesures du « progrès » et de la raison, du règne d'une « philosophie saine », du degré de bien-être et de bonheur des peuples, de « l'utilité » des hommes les uns pour les autres et, au fur et à mesure que la pensée sociale et politique des Lumières se radicalise, les mesures de la liberté et de l'égalité. La raison humaine ne contient pas de limites en elle-même : son développement, son « perfectionnement », son progrès sont illimités. La mesure appliquée à l'histoire est donc la participation au progrès, à ce que l'homme a lui-même créé ou atteint dans son histoire. Envisagé dans cette perspective, le passé n'éveille ni regret, ni nostalgie. La conscience de la particularité de son temps est orientée vers l'avenir : elle est la conscience des perspectives qu'ouvre à l'humanité l'époque contemporaine grâce à son activité et à son pouvoir d'innovation, grâce à la rationalisation de la conscience des hommes et des rapports interindividuels.

Le siècle contemporain façonne une personnalité plus riche que celle des temps révolus. « Plus riche », non seulement parce que l'époque est plus rationnelle, mais aussi parce qu'elle permet le développement de toutes les sphères de l'activité humaine, crée de nouveaux besoins et les moyens de les satisfaire, parce que enfin les liens unissant les individus entre eux sont plus nombreux et diversifiés. Et ce, grâce à la participation à la culture intellectuelle, comme du fait des multiples rela-

tions se nouant dans la vie quotidienne et témoignant de « l'utilité »
réciproque des hommes.

La partie la plus intéressante de l'histoire, disait Voltaire, commence
avec les temps modernes, et il est dommage de perdre du temps pour
les « fables anciennes ». « Voilà l'histoire qu'il faut que tout le monde
sache. C'est là qu'on ne trouve ni prédications chimériques, ni oracles
menteurs, ni faux miracles, ni fables insensées : tout y est vrai, aux petits
détails près, dont il n'y a que les petits esprits qui se soucient beaucoup.
Tout nous regarde, tout est fait pour nous. L'argent sur lequel nous
prenons nos repas, nos meubles, nos besoins, nos plaisirs nouveaux, tout
nous fait souvenir chaque jour que l'Amérique et les Grandes-Indes, et
par conséquent toutes les parties du monde entier, sont réunies depuis
environ deux siècles et demi par l'industrie de nos pères. Nous ne pouvons faire un pas qui ne nous avertisse du changement qui s'est opéré
depuis dans le monde [144]. »

La référence au développement des sphères fondamentales de l'activité humaine sous-tendait la conception de Turgot sur les quatre « progrès » dont les corrélations définissent la marche de l'histoire : les
progrès de la science, de la technique, des mœurs et de la création artistique. (Dans la conception de Turgot, l'idée de progrès se cristallise
déjà en théorie : le problème posé est non seulement celui de l'orientation de l'histoire et de sa continuité, mais aussi celui de ses disproportions. Les disproportions entre les différents « progrès » expliquent
les particularités entre les sociétés et cultures existantes dans l'histoire,
alors que la nature humaine est identique, comme elles expliquent
l'immobilisme et le dynamisme qui règnent tour à tour aux différentes
époques.)

Si le sentiment et la certitude de la particularité de son « siècle »
et de sa supériorité s'intensifiaient dans la conscience historique, cette
intensification n'amenait cependant pas toujours à concevoir l'histoire
comme un processus *continu*. Nous avons déjà dit que Voltaire ne
voyait dans le passé que des époques isolées, des « grands siècles » où
la raison humaine triomphe sur la barbarie, le préjugé et l'ignorance.
Néanmoins, le problème fut posé de savoir comment, à travers toutes
les erreurs et les désillusions, l'esprit humain était parvenu au degré actuel
de culture et de lumières.

Le problème de la continuité du processus historique engendrait plus
d'une difficulté. Mais le point de vue qui accentuait la supériorité du
siècle, explicitée dans le caractère universel des vérités découvertes par
la raison et la « philosophie saine », amenait à saisir le processus
historique dans son unité. La raison humaine souveraine, la conscience
moderne de l'homme s'exprimant dans la culture de son « siècle »,
constituaient un fondement suffisant pour l'uniformisation de la vision
du passé. Cette raison souveraine est en effet appliquée à l'étude et
au jugement de chaque époque, la confrontation ainsi opérée donnant
naissance au postulat de l'agencement rationnel des événements, ainsi
qu'à un problème dont nous ne risquons pas de présumer l'importance
pour l'évolution de la philosophie de l'histoire, quelle que fût la valeur

des réponses proposées : le problème du rapport du cours de l'histoire
aux principes rationnels de l'esprit humain. A la raison considérée comme
l'authentique sujet de l'étude du passé, du savoir historique, correspond
la conception de l'objet de cette étude, la lecture de l'histoire en tant
qu'ensemble de faits. Le concept du fait, emprunté par les sciences
humaines aux sciences naturelles (conformément d'ailleurs à la tradition du XVIIᵉ siècle, en particulier à la tradition de l'analyse « historique
et critique » de Bayle), impliquait que les témoignages et récits historiques fassent l'objet d'une analyse philosophique et critique, avant
d'être reconnus comme source digne de fonder « le fait », et que tout
ce qui ne peut être accepté, en tant que « faits », soit éliminé de
l'histoire. Fréret définit la tradition historique comme l'adhésion collective d'un peuple à la véracité des faits, cette adhésion n'étant fondée
sur aucun témoignage, excepté les croyances de la génération actuelle
et des générations anciennes. La tradition est donc un ensemble de
convictions relatives à des faits, et ne peut être authentifiée qu'à travers
la vérification des faits. D'Alembert recommandait d'agir avec la même
prudence dans l'étude de l'histoire que dans les sciences naturelles, et
de distinguer soigneusement la vérité de la vraisemblance, et la vraisemblance de la fiction. Pour le philosophe, l'histoire n'est pas un recueil
de curiosités, mais une suite d'expériences morales pratiquées sur le genre
humain : on étudie le passé pour mieux connaître les contemporains [145].

L'histoire, considérée comme un ensemble de faits, est « épurée »
des événements à l'origine desquels se trouveraient des forces surnatu-
relles, des événements qui ne se prêtent pas à une interprétation rationnelle. De même que les phénomènes de la nature peuvent constituer
l'objet de la science si on les saisit comme un ensemble homogène de
faits, de même le donné historique — qu'il soit transmis par la Bible
ou par les chroniques — peut être inclus dans l'histoire, à condition
qu'il contienne des informations sur les faits. Il peut être accepté après
avoir été soumis à une analyse vérificatrice, critique. Le « scepticisme »,
le « pyrrhonisme » dans l'histoire, recommandé à titre de méthode,
est l'affirmation de l'universalité de la raison humaine, de sa souveraineté
par rapport à tout l'espace historique. La connaissance des motifs des
actions humaines, du degré de leur efficacité et rationalité, suffit pleinement à expliquer les époques révolues. Or, cette connaissance peut
être acquise grâce à l'expérience et l'observation de l'époque actuelle.
D'où une seconde certitude portant sur la simplicité fondamentale des
actions sociales des hommes. Pour les expliquer, il suffit de connaître
les motifs qui ont guidé les individus impliqués dans ces actions ; or
ces motifs, on peut les reconstituer en connaissant les passions de ces
individus, la mesure dans laquelle la raison prenait le pas sur les passions,
les « lumières » acquises par cette même raison et, enfin, le rôle à
attribuer au préjugé dans les motivations individuelles. Les faits historiques concernent en effet les actions et les pensées d'hommes qui, dans
les époques passées, étaient semblables à nous, parce que les motivations
et les mécanismes de leurs actions étaient analogues aux nôtres. On
peut toujours interpréter leurs actions comme étant rationnelles et fina-

listes dans leur structure, c'est-à-dire comme des actions visant à la réalisation de leurs intérêts. Tout au plus, ces intérêts, ces avantages, pouvaient être mal compris, la raison pouvait être inefficace, étouffée par les passions et les préjugés. Si les hommes agissaient irrationnellement, c'est parce qu'ils n'étaient pas assez rationnels. Si, au cours des siècles écoulés, les actions et conduites humaines étaient différentes des nôtres, c'est parce que les hommes ne connaissaient alors ni l'homme, ni la nature comme nous les connaissons aujourd'hui.

L'idée ici impliquée était elle aussi si évidente qu'elle n'avait besoin ni d'être argumentée, ni d'être formulée sous la forme d'une thèse générale, à savoir la certitude qu'une action sociale rationnelle est possible. Aussi bien les choses naturelles que le monde social peuvent être, de par leur essence, l'objet d'une activité humaine rationnelle visant à la transformation et l'innovation. L'élément le plus inerte et réfractaire à cette action est le préjugé qui exploite les passions et la sottise humaines. Mais le siècle contemporain, le Siècle éclairé, prouve qu'il est possible de vaincre le préjugé. Aussi ce siècle possède-t-il cette autre particularité de permettre une action efficace en vue de construire un avenir rationnel. D'où la certitude que le progrès équivaut également à ce que les idéaux sociaux et moraux actuels, dans lesquels se manifeste l'aspiration actuelle de l'homme au bonheur, et la reconnaissance de cette aspiration par la raison se réalisent mieux dans l'avenir que par le passé. La connaissance du passé participe aussi à la réalisation du progrès, ainsi compris. En effet, « l'histoire philosophique » ne rend pas seulement, ni même principalement, les hommes plus savants, mais plus sages. En leur expliquant comment et pourquoi les hommes ont essuyé tant d'échecs dans le passé, elle leur apprend comment ils doivent aujourd'hui agir efficacement, créant ainsi l'avenir [146].

Une telle perspective de l'avenir est indissociable d'une certitude portant sur la direction du développement du présent. Et comme dans les cas précédents, ce n'est pas une réflexion autonome qui traduit cette certitude le plus pleinement. La réflexion sur le siècle présent contient plus qu'il ne faut de pensée critique ; mais cette critique exprime souvent la surprise et l'indignation du fait que la réalité du siècle ne soit pas encore conforme aux idéaux et à la conscience du siècle. Qui plus est, l'attitude pratique exprimée dans la critique des Lumières, dont nous avons déjà parlé par ailleurs, implique la conviction que l'époque contemporaine crée un avenir qui verra la victoire durable de la raison et de la liberté. Cette attitude se traduit par l'élaboration de tels ou tels « projets » visant à la réalisation des idées qui ont déjà triomphé dans les esprits humains et à l'amélioration de la réalité existante par l'instauration de nouvelles institutions sociales, etc., fondées sur « les principes de la raison éclairée ». On a à juste titre démontré que ces « projets », si nombreux à l'époque des Lumières et dont Diderot argumenta théoriquement l'importance dans l'Encyclopédie, sont souvent l'expression d'un besoin encore imprécis d'un changement politique et social. D'ailleurs, l'Encyclopédie elle-même, avant de devenir une réalité, avait été un « projet » ; elle avait été précédée par des intentions plus ou moins réelles de créer une œuvre digne de son siècle, dans laquelle on procéderait à la synthèse de chaque art mécanique avec la science dont il peut tirer des lumières, comme par exemple de l'horlogerie avec l'astronomie, ou de la tapisserie avec l'histoire, etc. [147].

Il n'est pas difficile de constater le rôle essentiel qui incombe dans cet ensemble d'opinions et d'attitudes au rationalisme éthique, dans sa version caractéristique des Lumières. Le savoir n'assume pas seulement, ni même principalement, des fonctions cognitives. Ce qui importe, ce n'est pas qu'il rende les hommes plus savants, mais qu'il les rende plus sages. Cela concerne surtout la connaissance systématique de l'homme, comprise comme la connaissance de la nature humaine et à laquelle on demande de fonder non seulement la sagesse à l'usage de l'individu dans sa vie personnelle, mais aussi l'organisation de la coopération sociale des hommes. Holbach donna à cette conviction une formulation radicale : « Les méchants ne sont jamais que des hommes ivres ou en délire ; s'ils raisonnent, ce n'est que quand la tranquillité s'est rétablie dans leur machine, et, pour lors, les idées tardives qui se présentent à leur esprit, leur laissent voir les conséquences de leurs actions, idée qui porte en eux le trouble que l'on a désigné sous le nom de honte, de regrets, de remords (...). C'est dans l'erreur que nous trouverons la vraie source des maux dont la race humaine est affligée : ce n'est point la nature qui la rendit malheureuse ; ce n'est point un Dieu irrité qui voulut qu'elle vécût dans les larmes ; ce n'est point une dépravation héréditaire qui a rendu les mortels méchants et malheureux, c'est uniquement à l'erreur que sont dus ces effets déplorables [148]. »

Dans cette optique, le mal et le malheur devenaient des anti-lumières, et par conséquent, un anti-progrès [149]. L'idée de progrès des Lumières contient en outre la certitude que l'homme sait déjà ce que sont fondamentalement le bien et le vrai, du moins en ce qui concerne ses besoins et ses buts spécifiques. Or, ce sont précisément eux qui doivent désigner le champ de la connaissance : celle-ci doit servir à l'accroissement du bonheur de l'individu et de la société, elle doit être un savoir utile, portant sur les phénomènes que les besoins pratiques des hommes circonscrivent dans le monde. Il y a lieu de rappeler ici que le style de pensée des Lumières se manifeste dans la tendance à ramener les valeurs et les normes aux faits. L'idéal de l'homme et des relations humaines est considéré comme un fait donné avec la nature humaine, contenu dans les aspirations couramment observables parmi les hommes et dont les objectifs sont le bonheur, le bien-être, la paix et la liberté. La connaissance de la nature humaine comporte un idéal moral qu'on découvre comme un fait appartenant à l'ordre même de la nature. Seuls l'erreur et le préjugé séparaient l'homme de la vérité la plus simple qui lui est donnée avec son existence ; en découvrant ce que l'homme *est* de par sa nature, on constate en même temps ce qu'il *doit* être conformément à sa nature qui définit ses aspirations et sa vocation. Même quand le ton devint pessimiste en parlant de la condition humaine, du malheur qui est le sort de l'homme tout le long de sa vie et tout au cours de l'histoire, on ne renonce pas pour autant à la certitude qu'en se libérant des

préjugés et grâce à la « philosophie saine », l'homme peut du moins
éviter les tourments que lui infligent les superstititions nées de sa peur
devant la mort et la douleur. Le progrès de la raison, faute de pouvoir
libérer entièrement l'homme du mal, minimalise du moins ce dernier [150].
   Un lien naturel et nécessaire existe entre la connaissance d'une
part, le bonheur et la vertu d'autre part, l'existence de ce lien découlant
aussi bien de l'interprétation du processus et des fonctions de la connaissance, que d'une conception de la réalité étudiée qu'on considère comme
étant fondée sur une nature humaine immuable [151]. Le rapport entre la
raison et les passions, supposé dans la nature humaine même, désignait
les limites d'un bonheur à la mesure de l'homme, et ce dans la vie
individuelle comme dans la vie sociale. Un monde plus éclairé serait,
si ce n'est entièrement heureux, du moins optimalement heureux. Il se
délivrerait au moins du mal qui, constituant le produit des hommes
et ne relevant pas de « l'ordre de la nature », est précisément le plus
insupportable ; de plus, il créerait de nouvelles sources de bonheur.
Le progrès intellectuel doit se manifester dans l'ensemble des rapports
humains, aussi bien dans la science que dans les institutions politiques,
les coutumes et mœurs quotidiennes, le type de croyances religieuses, l'épanouissement de la littérature, le développement de l'industrie et de
l'agriculture, la diminution des maladies (seule la superstition empêche
les gens de se prêter à la vaccination contre la petite vérole), la sécurité
accrue de l'individu et de la propriété. Parce qu'ils sont, d'autre part,
convaincus de l'unité du progès intellectuel et moral, les penseurs des
Lumières recherchent un lien interne entre les diverses sphères de la
vie sociale, de ce que Voltaire appelait, dans le *Siècle de Louis XIV,*
« l'esprit des hommes » à une époque donnée [152]. En procurant aux hommes les moyens de réaliser l'aspiration d'être heureux définie par leur
nature, le « siècle éclairé » définissait également l'ensemble des valeurs
auquel se réduisait le sens de l'histoire. Cet ensemble des valeurs orga-
nisait le cours de l'histoire en une totalité sensée : si ce n'était dans
chacun de ses fragments, il le faisait du moins en définissant le but
qui pouvait donner un sens au tout. La pensée des Lumières découvrait
dans l'histoire l'affirmation d'elle-même et de son siècle.
   Herder qui, sous l'influence d'ailleurs de Rousseau, était lui-même
aux prises avec les limitations de l'idée de progrès des Lumières, parvint
à saisir son aspect essentiel quand il polémiquait ironiquement contre
« la philosophie de son siècle », bien qu'il « reconnût tout ce que notre
siècle a de beau, de grand et d'unique ». « Le philosophe du XVIIIe siècle, écrivait Herder, ne fait jamais plus la bête que quand il prétend
avec le plus d'assurance faire l'ange ; il en est de même pour les calculs
pleins d'assurance concernant le perfectionnement du monde. Si tout
avait la bonne idée d'aller bien en ligne droite, et si chaque homme,
chaque génération se perfectionnait par rapport à ses prédécesseurs
d'après son idéal selon une belle progression dont lui seul saurait donner
l'indice de vertu et de félicité, tout finirait toujours par aboutir à lui
au bout de la rangée : lui constituant le terme dernier, le terme suprême,
en qui tout s'achève [153]. » La propagation des idées du « siècle », la dif-

fusion des lumières, leurs constants triomphes dans les esprits des hommes devaient donc également décider du caractère de l'avenir. L'avenir se dessinait comme l'époque d'une coopération consciente d'individus éclairés au nom de fins humaines générales, communes. De même que la conception de l'histoire est universaliste (son sujet est le genre humain et c'est la propagation des vérités universelles qui décide du progrès), de même le modèle de l'avenir est universaliste. L'avenir en effet doit être conforme aux exigences de la nature humaine universelle et aux exigences de la raison universelle, subissant tout au plus sous sa forme concrète des modifications en fonction soit des conditions géographiques dans lesquelles vivent les nations, soit de la nécessité d'adapter la forme du gouvernement à la grandeur de l'Etat.

L'idée de Montesquieu [154] sur la nécessité d'adapter les lois à « l'esprit général de la nation » formé au cours de l'histoire, ne trouva pas un large écho. La particularité et la spécificité des nations et des époques apparaissaient plutôt comme des écarts par rapport à la norme, au modèle universel qu'était l'ensemble de vérités morales et sociales intemporelles. L'avenir fondé sur la connaissance de ces vérités devrait niveler ces écarts, les supprimer, de même qu'il aurait à supprimer les différences religieuses, soit en introduisant la religion naturelle universelle, soit en liquidant la religion en général. L'accumulation des connaissances témoignait de la capacité de se perfectionner propre à la raison humaine. La perfectibilité de la raison, de cette propriété majeure de l'homme, garantissait le progrès futur. Si la conformité de l'histoire avec la raison était évidente pour l'avenir, la question de la continuité de l'histoire dans le passé posait par contre sous cet éclairage, nombre de problèmes essentiels et difficiles à résoudre. En effet, si les hommes avaient toujours possédé en propre, du fait de leur nature, la faculté comme la tendance à perfectionner la raison, avec toutes les conséquences qui en résultent, comment expliquer alors qu'à une nature humaine rationnelle, identique à travers tous les siècles, ne corresponde pas une réalité sociale identique, conforme à cette nature ? Passer de la conception de la « perfectibilité », considérée comme la propriété de la raison individuelle, à l'extension de ce principe sur l'humanité et son développement dans l'histoire, voilà qui semblait relativement facile à résoudre. De plus, la conception de la « perfectibilité » brisait les liens dans lesquels était enfermée la nature humaine immuable, elle lui rendait sa dynamique, permettait d'envisager l'humanité, identifiée avec la raison perfectible, comme le sujet de l'histoire. Ainsi s'ouvrait la perspective d'éliminer de l'idée de progrès le concept de « l'ordre naturel », d'émanciper l'historiosophie de la théodicée et d'analyser l'histoire comme le processus du développement, du « perfectionnement » de la raison humaine se manifestant dans la culture. Cependant, ce passage annoncé par Fontenelle et l'abbé de Saint-Pierre et qui s'accomplit pleinement chez Condorcet, se heurtait au milieu du siècle à des obstacles importants, se trouvait en conflit avec d'autres prémisses de la pensée des Lumières.

Le passé, examiné dans cette perspective, aurait dû être saisi comme un processus continu, comme le processus d'un perfectionnement constant. Il aurait fallu concevoir les époques passées, avec leur barbarie, superstitions et ignorance, comme des étapes précédant et préparant le présent. Qui plus est, la raison elle-même n'aurait pu être considérée comme quelque chose d'éternel, d'immuable, et les jugements du passé auraient dû être reconsidérés dans des termes relativistes. L'identité de la raison et du bien moral, évidente dans le cadre de la psychologie analytique et atomiste, évidente également dans la construction esquissée ci-dessus d'une vision rationnelle de l'avenir, pouvait difficilement être étendue au passé. Le problème de la genèse et du sens du mal moral dans l'histoire conçue comme un processus dans lequel chaque événement est rationnel en tant qu'étape d'un processus continu de développement, aurait en quelque sorte justifié ces manifestations des époques passées que l'histoire didactique et philosophique précisément condamnait [155]. Le problème du Moyen Age et de son appréciation devenait dans ce contexte une question particulièrement épineuse. Qu'était cet âge dans la perspective de l'histoire : une démence inexplicable de l'esprit après la magnifique envolée de l'Antiquité, ou une étape nécessaire du développement de l'humanité ? Comment concilier la thèse déterministe « des petites causes provoquant les grands événements » avec une continuité de l'histoire, conçue de telle sorte qu'elle attribuerait un « sens » à chaque événement en fonction de sa conformité avec la tendance de développement de la totalité et de sa finalité ? Comment concilier la thèse du caractère universel de la raison avec l'inégalité du développement de la science et de la culture dans les différents Etats et pays à une seule et même époque ? L'histoire universelle, l'histoire du genre humain, devrait devenir l'histoire des différentes nations ou inclure dans son tableau les différentes nations, avec toute la spécificité de leur développement, ce qui aurait eu pour conséquence la nécessité de transformer le concept même de « genre humain » comme sujet de l'histoire. Les difficultés méthodologiques s'amoncelaient. Ainsi, on posait que les vérités de la raison et de la nature sont universelles, qu'elles doivent être accessibles à chacun — au plus et au moins instruit — du moment qu'elles concernent les questions vitales pour l'homme et à condition, évidemment, que le préjugé ne les masque pas. Il aurait donc fallu admettre que les vérités morales et religieuses sont données à l'homme en vertu de son bon sens, de sa raison considérée comme sa propriété naturelle ; partant, leur découverte ne pouvait être attribuée à la science. Sur le plan de l'interprétation des phénomènes religieux qui constituaient l'une des questions les plus cruciales pour l'idéologie des Lumières, tout ce raisonnement débouchait sur un primitivisme naturaliste spécifique, associé avec « une philosophie négative de l'histoire [156] ». Certaines versions du déisme en particulier impliquaient une philosophie de l'histoire affirmant que les hommes, à la toute première étape de l'histoire, se trouvaient dans une meilleure situation pour comprendre les vérités religieuses et morales qu'aux époques suivantes ; la religion primitive était une religion naturelle rationnelle, alors que les croyances postérieures sont autant d'écarts par rapport à cette religion naturelle, autant d'erreurs et de préjugés dont on expliquait souvent la naissance par les intérêts du clergé. Dans l'histoire de la religion, on assistait donc non pas à un progrès, mais à une accumulation et superposition de superstitions, tandis que les Lumières devenaient non pas l'expression de la continuité de l'histoire, mais plutôt « un retour aux origines », la redécouverte de la religion naturelle primitive [157].

Nous pourrions multiplier les difficultés et montrer comment les tentaties faites pour les résoudre amenèrent à chercher et à formuler diverses versions du progrès dans la pensée des Lumières. Mais nous nous éloignerions de notre intention qui est la reconstruction de l'idée de progrès usuelle ; reconstruction qui se situe entre la construction d'un type idéal de l'évolution historique et la généralisation des matériaux empiriques. Nous pénétrerions par contre dans l'histoire de la formation des théories du progrès ; nous verrions comment, en résolvant telles ou telles difficultés, l'idée de progrès, dans le sens employé précédemment, se transforma en historiosophies du progrès qui employaient le concept des lois du progrès, distinguaient les stades de développement, visaient à interpréter l'ensemble des données historiques et la nécessité exprimée dans les lois, essayaient d'expliquer l'inégalité du progrès, etc. Or, nous avions en vue de saisir précisément l'état de choses où l'on accepte l'idée de progrès, alors que des théories du progrès n'existent pas encore, ou naissent à peine. (Au milieu du siècle, on emploie donc toujours le concept des « progrès » des différents domaines — de la science, de l'art, des mœurs — plutôt que le concept général du progrès.) De plus, les présuppositions méthodologiques elles-mêmes ne sont pas suffisamment nettes et ne font pas l'objet d'une réflexion distincte plus importante. Elles forment plutôt un alliage de prémisses indéterminées qu'on accepte sans réflexion méthodologique, dans le souci de concilier d'une part la diversité et la variabilité des données de l'histoire dont on dispose, avec, d'autre part, la recherche dans cette même histoire de tendances à long terme qui décideraient de son sens et définiraient l'avenir. Le progrès « recherché » dans l'histoire devait surtout — pour employer les mots de Marx tirés de son excellente analyse des Lumières françaises dans *La Sainte Famille* — apprendre à « s'éprouver comme un être humain [158] », tant dans le présent que dans la réflexion sur le passé et l'avenir.

Il semblait opportun de risquer cette reconstruction de l'idée de progrès des Lumières, bien que la question soit secondaire par rapport à notre sujet principal qui est la place de la critique du progrès dans la structure de la doctrine de Rousseau. Nous pensons qu'à la lumière de cette reconstruction, nous pourrons mieux comprendre pourquoi, au moment où Jean-Jacques sur la route de Vincennes est frappé d'une véritable « illumination » en réfléchissant à la question de savoir « si le progrès des sciences et des arts a contribué à corrompre ou à épurer les mœurs », il fait l'expérience fulgurante d'une nouvelle vision globale du monde. « Je vis un autre univers et je devins un autre homme », « je me sens l'esprit ébloui de mille lumières ; des foules d'idées vives s'y présentèrent à la fois [159] ». Sans s'arrêter sur l'importance de ce moment dans la biographie de Rousseau lui-même, il convient de retenir que

« ces foules d'idées » avaient jailli sous l'effet des nombreuses liaisons de la question même avec la vision du monde des Lumières, liaisons que nous avons essayé de saisir sur l'exemple de l'idée de progrès. La question de la solidarité du progrès de la raison et du progrès des mœurs focalisait en quelque sorte les diverses questions liées à la vision du monde. Elle était un point central autour duquel pouvaient s'organiser et se manifester les diverses relations internes, les sentiments, les attitudes et les opinions plus ou moins cristallisées et fixées dans l'esprit de Jean-Jacques, en même temps qu'elle ouvrait de nouvelles perspectives et désignait la direction de la réflexion.

Dans nos précédentes considérations sur l'expérience de l'époque contemporaine vécue comme le règne des « apparences » et de l'aliénation, ainsi que sur les voies de la dénaturation, nous avions déjà esquissé les principaux points de départ et les thèses de Rousseau dans sa critique du progrès. Afin de mettre en relief leur rapport à l'idée de progrès, le plus commode serait peut-être d'adopter une démarche indirecte, à savoir de présenter les composantes de l'idée de progrès, considérée en tant que *unit idea,* que la critique de Rousseau ne concerne pas ; autrement dit, de voir quels éléments de l'idée critiquée fonctionnent dans sa propre vision du monde. Car il ne fait pas de doute que, tout en attaquant la thèse sur la solidarité du progrès moral et du progrès intellectuel, tout en condamnant le progrès en tant que tel dans des déclarations générales, l'auteur du *Contrat social* ne rejette nullement toutes les thèses et ne frappe pas de prescription tout ce qui était contenu dans cet ensemble historiquement défini que constitue l'idée de progrès. Qui plus est, nous pouvons risquer la thèse que par sa critique Rousseau contribue à cristalliser l'idée même dans de nombreuses questions. L'histoire des idées multiplie les cas où la réflexion critique explicite les prémisses implicites et acceptées comme évidentes dans les opinions critiquées auxquelles elle confère des contours précis.

Parmi les questions auxquelles nous voudrions nous arrêter dans ce contexte, la première est celle du rapport de Rousseau à la possibilité de mutation, de transformation de la société existante. Nous avons déjà dit plus haut, lors de l'analyse des problèmes de l'aliénation, qu'il est caractéristique de toute l'attitude de Rousseau vis-à-vis de son temps de vouloir le dépasser. Le diagnostic de l'époque contemporaine — crise morale et sociale — s'alliait en lui non seulement avec une attitude de refus, mais encore avec l'impératif moral d'aller au-delà de l'état existant des choses. Qui plus est, puisque nous avons distingué l'élaboration de projets comme l'élément caractéristique de l'idée de progrès, force nous est de constater que rares sont ceux qui, au siècle des Lumières, furent des « hommes de projets » comparables à Jean-Jacques. Depuis son projet de réformer la notation musicale, en passant par sa description de Clarens dans la *Nouvelle Héloïse,* les « projets » d'éducation dans *Emile,* le « projet » politique et social du *Contrat social,* jusqu'aux projets de réformes et d'une législation idéale pour la Pologne et la Corse, Jean-Jacques — durant presque toute sa vie — construit des « projets » visant à perfectionner l'avenir. Quand, en examinant les manuscrits de l'abbé de

Saint-Pierre, Jean-Jacques juge les « projets » de cet homme « paisible et
sensé » comme des « vues » irréelles qui ne sont pas « appliquées aux
hommes, aux tems, aux circonstances », ce « réalisme » (nous employons
les guillemets, car combien il serait facile de retourner tous ces reproches
contre Jean-Jacques lui-même !) allait de pair avec l'éloge des « projets »
en tant que tels, de leurs fonctions dans la vie sociale. Seule « la sottise
routinée » condamne « les nouvelles vues de la raison avec ces mots
tranchants de projets en l'air et de rêveries ». Car seule « l'ignorance
mesure le possible sur l'existant [160] ». Si un projet, un système visant
à améliorer la société, n'a pas été réalisé, cela ne témoigne pas contre
lui. « Qu'on ne dise donc point que si son système n'a pas été adopté,
c'est qu'il n'étoit pas bon, qu'on dise au contraire qu'il étoit trop bon
pour être adopté », écrit Jean-Jacques, toujours au sujet des projets
de l'abbé de Saint-Pierre, en usant délibérément de l'ambiguïté du
terme « bon [161] ».

De même le concept de perfectibilité, l'un des concepts majeurs dans
toute la conception du progrès, joue un rôle principal dans l'anthropologie et l'historiosophie de l'auteur du *Discours sur l'inégalité*. L'unique
faculté que l'homme possède dans l'état de nature *in actu* et non pas
in potentia, et qui « le tire de cette condition originaire », est la faculté
de se perfectionner. « Qualité très spécifique » et « faculté presque
illimitée », elle distingue l'homme de la bête « qui reste toujours avec
son instinct » ; « à l'aide des circonstances, elle développe successive-
ment toutes les autres, et réside parmi nous, dans l'espèce comme dans
l'individu [162] ». Qui plus est, cette faculté de se perfectionner, cette propriété distinctive des hommes, Rousseau l'associe dans sa conception
avec une tendance inéluctable qu'il attribue au processus historique et
qui se manifeste dans l'histoire comme la force des choses. Rappelons
la conception déjà analysée de la « dénaturation naturelle » : la faculté
de se perfectionner sort l'homme naturel de l'état d'équilibre où s'écou-
lait sa vie « tranquille et innocente » mais réduite à des « fonctions purement animales ». L'abandon de cet état engage un processus nécessaire.
Le caractère nécessaire, inévitable de l'évolution se manifeste dans la succession de « périodes du développement [163] ». Pour comprendre le déroulement du processus de dénaturation, il faut tenir compte du rôle qu'y
joua le temps avec sa « lente succession des choses », sa « succession
des événements » ; le temps qui amène nécessairement des révolutions [164].
Jean-Jacques emprunte la démarche caractéristique des Lumières qui
consiste à voir « les grands événements par les petites causes » ; elle
lui sert à mettre en relief la continuité du processus historique et sa
tendance. L'action des « petites causes » s'additionne en effet dans le
temps ; la durée même du temps est un facteur actif dans l'histoire.
Rousseau est conscient du « peu de vraisemblance » de sa reconstitution
des événements qui ont mené à la dénaturation ; mais « le laps de temps
compense le peu de vraisemblance ». Le plus important n'est pas en
effet de connaître les événements concrets qui ont tiré l'homme de son
état originel. « Les causes très légères lorsqu'elles agissent sans relâche » possèdent « une puissance surprenante ». La « lente succession

5

des événements » permet de saisir l'histoire « sous un seul point
de vue [165] ».

Dans la vision globale de l'histoire, la tendance de développement
se situe au premier plan ; il faut « suivre le progrès des tems et des
choses », étudier « dans le progrès des choses les liaisons cachées que
le vulgaire n'aperçoit pas » et qui décident du sort des nations et des
Etats, saisir la « force du tems et des choses » à laquelle la sagesse
humaine ne peut rien [166]. Ce n'est pas le chaos apparent, les rapports
extérieurs de causalité entre les événements qui composent le tableau de
l'histoire, mais précisément la continuité du processus historique qui se
manifeste dans une tendance inéluctable, dans « les progrès qui résultent de leur durée [167] ». Evidemment, la conception de la continuité du
processus historique ne sert pas à Rousseau à affirmer l'idée de progrès, mais à la critiquer. En isolant pour l'étudier ce thème de la
vision de l'histoire de Rousseau, nous ne pouvons perdre de vue cette
circonstance un seul instant. Nous voulions uniquement souligner que
cette critique non seulement ne nie pas la continuité de l'histoire, mais
encore l'admet comme point de départ et la dégage probablement plus
que ne le fait la version courante de l'idée de progrès de l'époque. Tout
en considérant l'histoire comme un devenir continu et le processus historique comme un processus nécessaire, Rousseau intègre également dans
sa conception, et ce beaucoup plus étroitement que ne le fait la version
courante, des éléments tels que la perfectibilité de l'homme et la civilisation envisagée comme le système structuré des rapports sociaux qui
sont l'expression ou l'objectivation de cette faculté. La continuité de
l'histoire est la continuité de la civilisation en tant que produit social
collectif, mais c'est précisément la réalité sociale qui aliène l'homme et
déforme sa nature. La continuité de l'histoire n'est pas une manifestation de l'action de la Providence, pas plus que les « liaisons cachées »
qu'on découvre derrière les événements historiques, ne sont les effets de
causes extra-historiques qui résulteraient de l'ordre universel. Les facteurs qui décident de la continuité de l'histoire et du progrès sont contenus dans les mécanismes sociaux que les hommes eux-mêmes engendrent
et qui ont une certaine durée dans les nouveaux rapports sociaux dans
le cadre desquels les hommes doivent continuer à agir après les avoir
mis en place. Citons un exemple particulièrement caractéristique, emprunté
à l'analyse par Rousseau du rôle de la division du travail. Cette division,
« le principe apparent de toutes nos institutions », permet de mieux satisfaire les besoins humains. Un seul homme qui « pour son nécessaire
s'applique à dix sortes de travaux », les fera moins bien que « dix hommes socialisés ». « Chacun profitera des talents des autres comme si lui
seul les avait tous ; chacun perfectionnera le sien par un continuel
exercice ; et il arrivera que tous les dix, parfaitement bien pourvus,
auront encore du surabondant pour d'autres. » Mais l'instauration de
la division du travail signifie en même temps que personne ne peut plus
vivre en société sans prendre part à cette division. « Un homme qui
voudrait se regarder comme un être isolé, ne tenant du tout à rien et
se suffisant à lui-même », dans un monde où tout est « tien et mien »,

ne pourrait pas subsister. « En sortant de l'état de nature, nous forçons nos semblables d'en sortir aussi : nul n'y peut demeurer malgré les autres ; et ce serait réellement en sortir, que d'y vouloir rester dans l'impossibilité d'y vivre ; car la première loi de la nature est le soin de se conserver [168]. »

Aucun des éléments du monde de la civilisation ne peut être saisi et considéré abstraction faite des autres, car le développement de l'un déclenche tout le mécanisme, agit sur les autres et cause de ce fait la transformation non pas d'un tel ou tel aspect de la personnalité, mais de l'homme dans sa totalité. Cette conception, Rousseau la développe avec un esprit de suite qui l'amène presque au bord de l'absurde, ainsi qu'on le lui reprocha maintes fois [169]. *La Lettre à d'Alembert sur les spectacles* fournit un exemple particulièrement caractéristique de cette démarche. Le théâtre est nuisible pour les mœurs, car le besoin du spectacle théâtral ne pouvait naître qu'en tant qu'élément d'un tout, en tant qu'effet « d'une pente naturelle » que « le temps seul donne à l'ordre des choses vers l'inégalité et un progrès successif jusqu'à son dernier terme ». Le théâtre, créé par cet « ordre des choses », « annonce un commencement de corruption qu'il accélère très promptement ». Rousseau envisage en quelque sorte chaque aspect du fonctionnement du théâtre, considéré en tant qu'institution sociale, en fonction de la nocivité de ses effets sociaux et moraux. Il le fait avec pédanterie, exagération et un pathos moral digne d'un prédicateur calviniste. Ainsi, les comédiens démoralisent par leur exemple et provoquent un relâchement des mœurs ; les divertissements « substituent leur goût à celui du travail » qui devient « moins assidu ». Il faut payer « à la porte », « de plus, un ouvrier (devra) prendre plus souvent ses habits des dimanches ; changer de linge plus souvent, se poudrer, se raser ; tout cela coûte du temps et de l'argent. L'hiver, il faudra faire des chemins dans la neige, peut-être les paver » pour que le théâtre « soit abordable en tout temps » — nouvelle perte de temps et d'argent, nouvelle augmentation des dépenses publiques, donc des impôts. Comme la différence du prix des places au théâtre n'est pas « en proportion de celle des fortunes des gens qui les remplissent », les spectacles augmentent l'inégalité sociale. Au théâtre, chacun cherche à se distinguer, soit par sa nature, soit par la place occupée ; or cette « émulation ne peut qu'exacerber les passions », changer d'autant plus « la réalité contre l'apparence », etc., etc. [170].

L'outrance frisant le ridicule, l'éloge de l'esprit petit-bourgeois et calviniste du travail et d'épargne, la réprobation de la paresse et de l'oisiveté peuvent facilement cacher le point de vue que Jean-Jacques essaie de faire adopter. Il n'y a pas de faits isolés les uns par rapport aux autres dans le monde social. Ils fonctionnent en tant qu'éléments de la totalité qu'est la civilisation, en tant qu'ensemble des rapports de propriété, des mœurs, des institutions politiques, des lois, des attitudes humaines et des rôles sociaux. Chaque phénomène social est déterminé dans sa genèse par « les liaisons cachées » qui décident du développement de cette totalité, de son développement inéluctable ; tandis que

la continuité et « le progrès successif » sont inhérents à la société, lui
sont « naturels », constituent le contenu de l'histoire [171]. Ainsi, ce qui
n'est souvent qu'une conviction ou qu'un postulat dans l'idée de progrès usuelle des Lumières, Rousseau le reconnaît comme un fait fondamental déterminant le cours de la vie sociale. Dans l'historiosophie de
Rousseau, le progrès n'est ni un postulat, ni une perspective du développement futur de l'humanité définie par une finalité morale. Il réside
dans les corrélations et la dynamique des différents éléments de la vie
sociale, découvertes dans l'histoire même et telles qu'elles se constituent
à l'issue de l'interaction de l'individu et de son milieu social ; il consiste
dans l'accumulation des connaissances et des habitudes productives, ren-
due possible grâce à la faculté de l'homme à se perfectionner, à transcender sa « nature », à engendrer de nouveaux besoins et les moyens de
les satisfaire, à instaurer de nouvelles formes de propriété, institutions
politiques, etc. Rousseau développe l'interrogation sur le sens et la valeur
du progrès en commençant par reconnaître le progrès comme un fait
constaté dans la réalité historique même. En reconnaissant en particulier le progrès intellectuel comme le facteur qui décide de la continuité
et de l'orientation de l'évolution historique, Jean-Jacques va beaucoup
plus loin que la plupart des versions courantes des Lumières et applique
conséquemment ce principe à l'interprétation du processus historique.
Pour l'idée de progrès des Lumières et son élaboration, l'un des problèmes majeurs était de démontrer l'existence du progrès dans l'espace
historique tout entier, ce qui aurait résolu le problème non seulement
de la continuité, mais aussi de la direction et du sens moral de l'histoire. Pour Rousseau, l'existence du progrès intellectuel explique le déroulement réel de l'histoire ; par contre, elle ne résout pas le problème
du sens de l'histoire, elle le pose dans toute son acuité. La critique de
Rousseau contribue à la cristallisation de l'idée de progrès, au moment
où celle-ci commence à devenir un cadre pour l'interprétation globale du
processus social et historique, mais cette critique désintègre cette idée,
dissocie ses valeurs corrélées et complémentaires, met en question le
rapport entre les moyens et les fins, démontre la complexité et les
contradictions internes d'un processus reconnu couramment comme un
processus homogène.

Dans la critique du progrès par Rousseau, la vision de l'histoire
ainsi que le diagnostic et le vécu du présent s'entremêlent inextricable-
ment. La critique du progrès est opérée dans la perspective du diagnostic du « siècle » contemporain considéré comme une époque de crise,
Nous pouvons dire en effet qu'aussi bien dans l'idée de progrès usuelle
que dans sa critique par Rousseau la conscience historique est avant
tout centrée sur la conscience du siècle contemporain, sur des tentatives
plus ou moins théoriquement élaborées et visant à comprendre l'époque
actuelle, à fonder ses valeurs et son rôle en se référant au processus
historique considéré comme une totalité évolutive. Dans le cas de l'affirmation du progrès comme dans celui de sa critique, les fonctions cognitives et théoriques par rapport au passé possèdent un degré d'autonomie
encore minime. Mais la fonction essentielle qu'assumait la critique du

progrès chez Rousseau était de diagnostiquer la crise morale et sociale
de l'époque contemporaine. Les contenus sociaux et existentiels véhiculés par le sentiment de l'aliénation du monde social par rapport à la
personnalité acquéraient ici une dimension historiosophique. Leur conceptualisation était opérée à l'aide précisément de la catégorie du « siècle »,
l'une des catégories fondamentales pour la conscience historique des
Lumières. Des idées et sentiments plus ou moins nets se cristallisaient
et s'agençaient en un « triste système », comme dans la fameuse « illumination » survenue sur la route de Vincennes. Il ne s'agissait pas de
banales lamentations moralisatrices sur la déchéance des mœurs, du
sens religieux et moral — plaintes si abondantes dans la littérature
« antiphilosophique » de l'époque —, mais d'une mise en question
de la valeur morale du « siècle » saisi dans son ensemble et rapporté
à l'histoire. Les contradictions et les conflits du monde contemporain
sont l'expression culminante de l'antinomie qui sape l'humanité, non pas
dans sa « nature », mais dans son « histoire ». Si le mal physique,
social et moral continue à éprouver l'homme, ce n'est pas seulement parce
qu'il n'a pas encore été supprimé, mais plutôt parce que l'homme l'a
lui-même engendré à l'encontre de ses propres dispositions naturelles.

L'individu aux prises avec les contradictions du monde contemporain,
l'inégalité sociale et la tyrannie, le « monde des apparences » tout entier
prouve que l'homme est imbriqué dans l'histoire qu'il a lui-même
créée. Les antinomies que la personnalité retrouve en elle équivalent aux
antinomies dans lesquelles l'humanité s'est imbriquée au cours de son
histoire ; au conflit qui s'est instauré entre les hommes dans l'histoire,
correspond le conflit interne que chacun peut retrouver en lui-même.

Nous ne voudrions pas pénétrer ici dans le détail de tous les thèmes
de la critique de l'idée de progrès chez Rousseau et en reconstituer toute
l'argumentation : elle est d'ailleurs en grande partie contenue dans l'image
du « monde des apparences » qui est à la fois le point de départ et le
point culminant de cette critique. Nous noterons uniquement le rôle que
joue dans cette critique le rapport entre l'aspect socio-économique et
l'aspect moral-existentiel, souligné par nous à maintes reprises et significatif pour toute la perspective de Rousseau. L'antagonisme social est
indissociable de la dégradation morale de l'individu et du conflit moral
entre les hommes. Le besoin même de connaître, d'accumuler les
connaissances, est déterminé par les besoins sociaux des hommes, leurs
aspirations, les moyens de les satisfaire. « L'entendement humain doit
beaucoup aux Passions qui, d'un commun aveu, lui doivent beaucoup
aussi. C'est par leur activité, que notre raison se perfectionne ; nous ne
cherchons à connoître, que parce que nous désirons de jouir (...), et
les passions, à leur tour, tirent leur origine de nos besoins, et leur progrès de nos connoissances. » Il faut déjà posséder un certain « degré
de connaissances pour désirer d'en acquérir de plus grandes ». La
raison humaine s'est développée en servant à satisfaire « les besoins
artificiels », et les « passions factices » sont les effets des actions
humaines, mais aucune intention consciente ne se trouve à leur origine ;
les hommes subissent leur évolution. La condition de leur développement

était l'émergence de facteurs sociaux permettant leur satisfaction, et
l'on ne peut comprendre le rapport dialectique des causes et des effets
qu'en prenant en considération « le laps de temps » dans lequel ces
causes et effets s'articulent les uns par rapport aux autres. « Les liens
de la servitude n'étant formés que de la dépendance mutuelle des hommes et des besoins réciproques qui les unissent, il est impossible d'asservir un homme sans l'avoir mis auparavant dans le cas de ne pouvoir se
passer d'un autre. » « Dès l'instant qu'un homme eut besoin du secours
d'un autre ; dès qu'on s'aperçut qu'il étoit utile à un seul d'avoir des pro-
visions pour deux, l'égalité disparut, la propriété s'introduisit, le travail
devint nécessaire, et les vastes forêts se changèrent en des Campagnes
riantes qu'il fallut arroser de la sueur des hommes, et dans lesquelles
on vit bientôt l'esclavage et la misère germer et croître avec les moissons. La Métallurgie et l'agriculture furent les deux arts dont l'invention
produisit cette grande révolution. Pour le Poète, c'est l'or et l'argent,
mais pour le Philosophe, ce sont le fer et le bled qui ont civilisé les
hommes, et perdu le Genre-humain [172]. » Cette réflexion sur l'histoire est
indissociable de la révolte plébéienne de Rousseau contre l'inégalité.
Dans l'oppression des pauvres par les puissants, dans l'accumulation de
la misère d'un côté et du luxe de l'autre, les aspects sociaux et moraux
sont solidaires. « L'extrême inégalité des Conditions et des fortunes »
donne naissance à une situation où « l'on voit une poignée de puissants
et de riches au faîte des grandeurs et de la fortune, tandis que la foule
rampe dans l'obscurité et la misère », où « l'oppression s'accroît continuellement sans que les opprimés pussent jamais savoir quel terme elle
aura, ni quels moyens légitimes il leur reste pour l'arrêter [173] ».

Dans la mesure où l'on peut procéder à de pareilles différenciations
schématiques, dégageons une autre composante non moins importante
de la perspective théorique et morale esquissée dans la critique du progrès : la conception de la personnalité de l'homme, de son caractère
« intégral ». Comme nous l'avons vu, l'idée de progrès des Lumières
était fondée sur la certitude que le progrès intellectuel et la propagation
des Lumières enrichissent la personnalité, lui assurent l'harmonie intérieure, élargissent ses rapports avec le monde, devenu dès lors plus pro-
pice à la réalisation des aspirations humaines. Pour Jean-Jacques, interpréter le processus historique, c'est inévitablement expliquer les effets néfastes
de ce processus : le déchirement intérieur de « l'homme », la perte
de son harmonie et de son unité, son sentiment d'être égaré dans le
monde tel que l'histoire l'a façonné. De ce point de vue, le caractère
cumulatif des connaissances devient également contestable — des
contradictions internes y sont décelables. Les hommes sont devenus plus
savants ; mais sont-ils devenus plus sages ? N'ont-ils pas, en développant
la science, accumulé en même temps une foule de connaissances inutiles, parce que ne servant à rien dans la réalisation des aspirations
de l'individu au bonheur ; des connaissances qui resteront toujours
« étrangères » par rapport à la personnalité dont elles ne sont pas l'expression et qui ne s'y reconnaît pas ? « Le temps qu'on emploie à savoir ce
que d'autres ont pensé étant perdu pour apprendre à penser soi-

même, on a plus de lumières acquises et moins de vigueur d'esprit. Nos esprits sont comme nos bras, exercés à tout faire avec des outils, et rien par eux-mêmes [174]. » Et ce qui est probablement plus important encore, les hommes n'ont-ils pas accumulé une foule de préjugés et d'idées fausses sur ce que l'homme est « vraiment », ne se sont-ils pas précisément dans ce savoir identifiés avec les besoins artificiels, les ambitions, les rôles et les « masques », projetant la personnalité « hors » de l'individu ? Il ne faut pas « mesurer » la personnalité de l'homme à son adéquation avec les résultats du progrès intellectuel de l'humanité et avec le degré d'assimilation de ces résultats ; il faut au contraire juger le progrès intellectuel d'après ses fonctions, et ses effets par rapport au sentiment du moi qui est irréductible à la réflexion intellectuelle. Le progrès intellectuel dérive des « passions factices » et du système élargi des interdépendances humaines ; mais c'est précisément dans ce réseau de relations que la personnalité s'égare, que l'individu perd son autonomie et que la raison, au lieu de maîtriser ses passions, devient leur esclave.

Le progrès intellectuel et le développement de la civilisation enrichissent la conscience individuelle par rapport au sentiment de « sa propre existence », presque dépourvu de tout contenu, auquel se réduit la conscience de « l'homme de la nature ». « L'homme de la nature » agit uniquement par instinct, il n'est pas doué de la faculté de la réflexion intellectuelle ; mais il n'en a pas besoin non plus, l'instinct lui suffit pour s'orienter dans le monde de la nature, toujours pareil et homogène. Il est conscient de sa liberté, bien que cette conscience ne soit que négative, mais il n'a pas besoin de procéder à des choix et d'exercer sa liberté ; il est solitaire, mais il n'a pas le sentiment de sa solitude. Grâce aux « progrès de la raison », « l'homme de l'homme » a acquis le sens moral, enrichi sa vie intérieure, il peut choisir consciemment le bien, sait ce que sont la beauté et la vérité. Si l'individualisation de l'homme s'opère dans la sphère de l'histoire, grâce au progrès intellectuel et au développement de tous les domaines de la vie sociale, c'est dans cette même sphère que se produit la dépersonnalisation, que la personnalité se perd dans « le monde des apparences ». L'histoire est le témoignage non seulement de la grandeur de l'homme et de sa raison, mais aussi de sa déchéance ; la personnalité est devenue à la fois plus riche et plus pauvre. Si des contenus et des valeurs humaines universels ont enrichi la conscience individuelle, par contre la personnalité humaine s'est désintégrée, elle a perdu son rapport univoque à elle-même, aux autres et au monde objectif. Le prix de la conscience de la liberté est la perte de la liberté ; la rançon de la conscience morale est l'assujettissement au mal moral et les tensions internes.

L'une des « premières acquisitions » que l'homme doit à la conscience intellectuelle est « la connaissance de la mort et de ses terreurs ». Le besoin de satisfaire « une multitude de passions factices » oblige l'individu à faire constamment preuve de prévoyance, à rechercher sans répit les moyens de satisfaire ses nouveaux besoins, à réfléchir, à déployer un constant effort intellectuel, à penser au lendemain, à s'occuper de l'avenir en sacrifiant le présent, en renonçant à vivre l'instant immédiat. La culture contient un élément morbide au sens figuré et au sens propre. « L'état de réflexion est un état contre Nature » et « l'on feroit aisément l'histoire des maladies humaines en suivant celle des Sociétés ci-viles [175]. » La personnalité enrichie de la conscience intellectuelle et morale est donc enracinée dans l'opposition entre l'existence de l'homme et sa nature, opposition qui s'est produite dans l'histoire en même temps que progressait l'individualisation de l'homme. Retrouvant en lui-même des forces étrangères contre lesquelles il doit se battre, l'individu fait l'expérience de la conscience de soi comme d'un problème qui l'oppresse, comme d'un voile qui lui cache ses plus profondes aspirations naturelles à « être soi », comme d'un poids dont il voudrait se délivrer.

La « critique du siècle » et la critique du progrès acquièrent une signification sous-jacente qui est la nostalgie de l'état pré-individualiste de l'homme, d'une existence irréflexive dans laquelle l'individu se libére-rait de ses tensions internes et du besoin de se définir lui-même ; la nostalgie d'une existence dans laquelle le sentiment de sa propre person-nalité ne serait pas liée avec le sentiment « d'être tiré de l'ordre » et avec la nécessité de se débattre contre le monde de l'histoire et contre soi-même. Cette nostalgie se fond avec l'image de « l'état de nature » et la vision de « l'homme naturel », ainsi qu'avec une exhortation à un « retour aux origines » qui serait un retour à soi-même et la néga-tion du processus de l'individualisation, tel qu'il s'est déroulé dans l'his-toire.

Le « retour » est-il possible ?

Nous sommes arrivés à l'un des moments les plus paradoxaux tant de la doctrine même de Jean-Jacques que de l'histoire de son impact spirituel et culturel. Des contemporains de Rousseau — et ils ne furent pas les seuls — interprétèrent la critique du progrès et le « retour aux origines », tels qu'ils se dessinaient dans son œuvre, non pas comme une construction ou une hypothèse socio-philosophique, mais bien plutôt comme une certaine proposition de style de vie, comme une condamnation totale de la culture, comme une apologie du « bon sauvage » et un appel à revenir à « l'ignorance primitive ». Quand, dans sa réponse au *Discours sur l'inégalité,* Voltaire écrivait que Rousseau suggère que l'homme marche à quatre pattes, ou quand Palissot représentait Jean-Jacques précisément dans cette posture, il s'agissait là de méchanceté ou de tournures polémiques pamphlétaires. Par contre, que l'œuvre de Rousseau constituât une négation totale de la société et de la culture, une condamnation de surcroît paradoxale puisque exprimée dans une œuvre littéraire, telle était la conviction répandue à son époque et partagée par la plupart des auteurs exerçant leur plume sur l'auteur des *Confessions.* Ainsi, c'est de l'œuvre de Rousseau que tiraient leur substance les divers mythes et idéologies prônant l'abandon de la culture et de la civilisation, condamnées en tant qu'excroissances morbides, les différentes propositions de rechercher l'authenticité dans les couches profondes de la personnalité humaine.

Et pourtant, presque d'emblée, Rousseau protesta contre une pareille interprétation, croyant d'abord qu'on le comprenait mal, puis, vers la fin de sa vie, à mesure que croissait son délire, de plus en plus convaincu qu'on le déformait délibérément, qu'on le calomniait en vertu du complot monté contre lui. « Je n'aspire pas à nous rétablir dans notre bêtise », écrit-il à Voltaire, ajoutant ironiquement : « Ne tentez donc pas de retomber à quatre pattes. » « J'ai déjà dit ailleurs que je ne proposois point de bouleverser la société actuelle, de brûler les Bibliothèques et tous les livres, de détruire les Collèges et les Académies », rappelle-t-il dans la *Dernière réponse* aux réfutations soulevées par son premier *Discours sur les sciences et les arts.* Dans sa préface à *Narcisse,* il démontre que seuls ses adversaires ramènent sa pensée à des thèses telles que : « La science n'est bonne à rien, et fait jamais que du mal, car elle est mauvaise par sa nature (...). Il n'y a de vices que parmi les savans, ni d'homme vertueux que celui qui ne sait rien. Il y a

donc un moyen pour nous de redevenir honnêtes gens ; c'est de nous
hâter de proscrire la science et les savans, de brûler nos bibliothèques
(...) et de nous replonger dans toute la barbarie des premiers siècles. »
En présentant de la sorte les opinions de Rousseau, ses adversaires
« combattent un fantôme ». « Jamais n'ai-je dit ni pensé un seul mot
de tout cela, et l'on ne sauroit rien imaginer de plus opposé à mon
système que cette absurde doctrine qu'ils ont la bonté de m'attribuer. »
« Quoi donc ? — lisions-nous dans son *Discours sur l'inégalité* où
le « retour à la nature » serait suggéré avec le plus de vigueur —
faut-il détruire les Sociétés, anéantir le tien et le mien, et retourner
vivre dans les forêts avec les Ours ? Conséquence à la manière de mes
adversaires, que j'aime autant prévenir que leur laisser la honte de la
tirer [176]. » Nous pourrions multiplier les citations, ce qui serait par ailleurs
d'autant plus inutile que les chercheurs modernes donnent raison à
Rousseau quand celui-ci affirme qu'il n'a pas fondé de telles interprétations qui sont pour lui autant d'injustices. Le jugement de Barth
attestant qu'il n'avait trouvé nulle part chez Rousseau la devise : « revenons à la nature », au sens d'un retour de l'humanité à « l'état naturel »,
peut être considéré comme une opinion représentative pour de nombreux
chercheurs, si ce n'est pour tous [177].

Il est évident que nous nous solidarisons avec cette tendance. On peut
en effet facilement prouver que, selon la conception de Jean-Jacques,
le retour à « l'état de nature » est autant impossible qu'indésirable. Il
est impossible, parce que l'homme est allé trop loin dans le processus
de socialisation. La société lui est devenue indispensable. « Selon moi
la société est naturelle à l'espèce humaine comme la décrépitude à
l'individu, et qu'il faut des arts, des loix, des Gouvernements aux
Peuples comme il faut des béquilles aux vieillards. » Toute la différence est que la vieillesse résulte directement de la nature de l'homme,
tandis que la société, indirectement, « découle de la nature du genre
humain » ; dans la naissance et l'évolution de la société interviennent
« des circonstances extérieures », dont plusieurs « dépendent de la volonté
des hommes ». L'état de société est donc « un terme extrême » de l'espèce
humaine, mais les hommes « sont les maîtres » d'y « arriver plus
tôt ou plus tard », et « il n'est pas inutile de leur montrer le danger
d'aller si vite, et les misères d'une condition qu'ils prennent pour la
perfection de l'espèce [178] ». La certitude de « l'impossible retour » est
empreinte de pessimisme et de regret de « la jeunesse de l'humanité »
perdue à tout jamais ; elle donne d'autre part lieu au postulat, combien caractéristique de Rousseau, d'enrayer le cours spontané des événements qui doit mener à la tyrannie, à l'inégalité sociale, au « monde
des apparences », etc. Ainsi, la révolte contre l'époque contemporaine et
son image pessimiste s'accompagnent d'une thèse sur la possibilité de
contrôler, d'agir délibérément sur le cours des événements, et ce précisément à l'aide des moyens produits à l'issue du développement social.
En effet, de l'avis de Rousseau, la science et l'art, « les mêmes causes qui
ont corrompu les peuples servent quelquefois à prévenir une plus grande
corruption ». De même, les lois dans la société contemporaine servent

certes aux tyrans, mais même leur « simulacre public », « une certaine
apparence d'ordre » et de conformité des intérêts individuels et sociaux
constituent déjà un facteur moralement positif. Ainsi, si le retour est
impossible, une persecptive se précise, à savoir « de tirer du mal même
le remède qui doit le guérir », de corriger « par de nouvelles associations (...) le défaut de l'association générale », de réparer par « l'art
perfectionné » « les maux que l'art commencé fit à la nature [179] ».

D'autre part, conformément à sa conception de la vocation morale de
l'homme, Rousseau considère que le retour à « l'état de nature » est
également indésirable. Rappelons brièvement l'enchaînement des raisonnements : dans l'état de nature, l'homme était bon au sens négatif,
alors que les facultés de l'homme en tant que personnalité morale se
développent au cours du processus de socialisation. « Ces mots vertus et
vices sont des notions collectives qui ne naissent que de la fréquentation
des hommes. » C'est dans le seul état de société, dans le contexte
de l'opposition entre le bien et le vice, entre l'impératif de la conscience et l'égoïsme, que la vertu est possible en tant que « le bon usage
de la liberté ». « Sans doute l'homme vertueux est plus que les anges »
qui font le bien spontanément, sans mérite [180].

« Par là communication des idées et le progrès de la raison », nous
parvenons « jusqu'aux régions intellectuelles », nous acquérons « les
notions sublimes de l'ordre, de la sagesse et de la bonté morale » ;
nous nourrissons « nos sentiments du fruit de nos connaissances » ;
nous nous élevons « par la grandeur de l'âme au-dessus des faiblesses
de la nature, et « égalons » à certains égards, par l'art du raisonnement,
« les célestes intelligences (...). Ainsi ce commerce continuel d'échanges,
de soins, de secours et d'instructions nous soutient quand nous ne pouvons plus nous soutenir nous-mêmes [181] ».

Aussi Emile n'est-il pas éduqué pour vivre en « sauvage » « au
fond d'un bois ». « Né dans le fond d'un bois, il eût vécu plus heureux et plus libre ; mais n'ayant rien à combattre pour suivre ses
penchants, il eût été bon sans mérite, il n'eût point été vertueux, et
maintenant il sait l'être malgré ses passions. La seule apparence de
l'ordre le porte à le connaître, à l'aimer [182]. » Rappelons enfin que
Rousseau termine son *Discours sur l'inégalité* en comparant la société
existante, « le dernier terme de l'inégalité », au point de départ « à
l'état originel ». « C'est ici que tous les particuliers redeviennent égaux.
parce qu'ils ne sont rien, et que les Sujets n'ayant plus d'autre Loi que
la volonté du Maître, ni le Maître d'autre règle que ses passions, les
notions du bien, et les principes de la justice s'évanouissent derechef.
C'est ici que tout se ramène à la seule Loi du plus fort, et par conséquent à un nouvel Etat de Nature », avec cette différence cependant
que « l'un étoit l'Etat de Nature dans sa pureté, et que ce dernier est
le fruit d'un excès de corruption [183] ».

Pourquoi l'œuvre de Rousseau inspira-t-elle cependant les mythes
du « retour » à la nature, pourquoi fut-elle interprétée comme une idéalisation de « l'homme primitif », du « bon sauvage » et de l'ignorance
originelle ? La réponse à cette question est très compliquée et l'on ne

peut l'obtenir que sur la base d'une reconstruction de la totalité de sa pensée. Nous nous contenterons de signaler ici quelques aspects du problème.

Evidemment, comme dans tous les cas de l'interprétation et de la propagation sociale d'une doctrine, les différents thèmes ont été appréhendés comme des éléments autonomes et la vision globale du monde a été simplifiée. Il est certain que l'exagération et l'emphase avec lesquelles Jean-Jacques énonce ses thèses ont approfondi les malentendus autour d'une construction par elle-même si complexe. La thèse sur les effets destructifs du développement de la science et de l'art pour la moralité et la personnalité pouvait facilement être interprétée comme une opinion selon laquelle l'ignorance garantit la vertu. Mais des interprétations de ce genre ne s'expliquent pas seulement par des malentendus. Ou plutôt, ces malentendus touchaient de près aux antinomies fondamentales et aux éléments indéterminés de la vision du monde elle-même.

Remarquons en tout premier lieu qu'outre les thèses théoriques dans lesquelles Jean-Jacques s'exprimait explicitement contre le « retour aux sauvages », le lecteur trouvait dans le texte cet autre élément, non moins important pour la structure de la doctrine, qu'est le climat de l'œuvre.

En considérant précédemment l'hypothèse de l'état de nature comme une certaine construction méthodologique et historiosophique, nous avions opéré une rationalisation très poussée. Cette opération est certes légitime, conforme aux présuppositions de Rousseau lui-même et révèle l'une des fonctions importantes que l'hypothèse de l'état de nature assume dans sa doctrine. Sous cet aspect, l'état de nature apparaît plutôt comme un état de barbarie et d'amoralité, l'homme de la nature n'est « rien », il est une « bête », et Rousseau est loin de l'idéaliser. Mais l'opération pratiquée n'est légitime que dans certaines limites. Dans l'œuvre même de Rousseau, en effet, l'hypothèse de l'état naturel s'enveloppe d'une certaine aura sentimentale, d'un certain climat qui se plie difficilement à la rationalisation, à l'analyse discursive. Et pourtant le fait que les constructions théoriques soient imprégnées de ce climat, que le discours historiosophique soit associé à un discours sentimental, constitue un facteur extrêmement important pour l'œuvre de l'auteur des *Confessions*. Ce n'est pas en vain qu'on parle parfois de la « structure émotionnelle » de l'œuvre de Rousseau [184].

Essayons de suivre sur quelques exemples ces liaisons parfois insaisissables entre le climat émotionnel et la construction théorique, tout en nous rendant compte par ailleurs que toute tentative de distinguer ces éléments déséquilibre d'emblée leur rapport. Ce climat est en effet distillé dans les prémisses tacites sur lesquelles se fondent les constructions, comme dans la stylistique de l'œuvre, dans sa matière verbale et sa teneur émotionnelle.

Nous avons démontré ci-dessus qu'un glissement, nulle part argumenté, se produisait dans la description par Jean-Jacques de « l'état de nature ». Dans le cadre de la construction théorique, l'homme à « l'état de nature » devrait être caractérisé négativement (il n'est pas mauvais, il n'est pas enchaîné, il n'est pas malheureux, etc.) ; or, les caractéristiques employées sont positives. Nous avons également précisé que Jean-Jacques était conscient que seules des caractéristiques négatives sont légitimes dans le cadre de ses constructions.

Mais « l'état naturel » et la condition de l'homme à « l'état de nature » ne sont pas reconstruits uniquement comme un modèle théorique, ni exclusivement à l'aide de méthodes théoriques. Rousseau fait appel à un certain genre d'expérience : l'image de « l'état de nature » doit être vécue par celui qui la reconstitue. « On traite l'âge d'or de chimère, et c'en sera toujours une pour quiconque a le cœur et le goût gâtés. Il n'est pas même vrai qu'on le regrette. » Pour faire renaître cet âge, il faut l'aimer. Ailleurs, en parlant du rapport de l'homme à la nature, Rousseau s'exclame : « Allons animer toute la nature, elle est morte sans les feux de l'amour », car la nature « n'offre qu'une vaine image » au spectateur qui ne connaît pas l'émotion [185]. Ce rapport émotionnel à la nature porte également sur « l'état de nature » reconstitué. De plus, il est aisé de constater qu'au niveau de la reconstruction théorique, « l'état de nature » est le point de départ de toute la conception historiosophique de la dénaturation. Par contre, au niveau moral — dans la mesure où l'on peut le distinguer — le point de départ est la condamnation des rapports existants, considérés comme des rapports d'oppression et d'injustice, comme le « monde des apparences » ; le point de départ est l'expérience de l'époque vécue comme une crise et le sentiment de l'individu de lui être étranger. La recherche de la nature est donc « une poursuite de soi-même », une quête de ce qui manque pour s'éprouver soi-même comme un « tout », comme une personnalité cohérente et en harmonie avec l'ordre.

« L'état de nature » est recréé par l'imagination. L'œuvre de Rousseau nous offre une excellente illustration de la fonction de l'imagination dont les analyses phénoménologiques disent qu'elle consiste à montrer ce qui est absent, à conférer une quasi-présence magique à un objet qui ne nous est pas donné dans l'expérience immédiate [186]. L'image de la nature est donc négative dans ce sens qu'elle se constitue comme la négation des rapports existants. Mais elle est aussi positive, dans la mesure où elle fonde les aspirations qui ne sont pas réalisées dans la réalité sociale. D'autant plus que l'une des significations attribuées au mot « nature » au cours des siècles, en particulier au siècle des Lumières, consiste à concevoir celle-ci comme un ordre, par conséquent comme une totalité saturée de contenus moraux.

Il est encore un autre cheminement par lequel le climat émotionnel s'infiltre dans la construction théorique et l'imprègne. Nous avons dit ci-dessus que Rousseau, entre autres significations conférées à ces concepts, considérait la nature humaine et « l'état de nature » comme un ensemble de potentialités ; vue rétrospectivement, la « nature » se révélait donc comme un ensemble de potentialités non réalisées. Dans ce contexte, le « retour à la nature » devenait une proposition d'entreprendre à nouveau la réalisation des possibilités manquées, de dépasser

l'état existant. Le climat de pessimisme accompagnant le sentiment de
crise se transforme ici — à travers un contraste spécifique — en un
climat d'espoir, de possible. Il est extrêmement caractéristique que le
thème de « l'origine », du « commencement » devient facilement chez
Rousseau l'objet d'une symbolisation ; les métaphores qui représentent
le commencement sont très variées et poétiques. Ainsi, le Vicaire savoyard
fait sa *Profession de foi* devant « le plus beau tableau dont l'œil humain
puisse être frappé », le soleil se levant sur les Alpes, à un moment où
« on eût dit que la nature étaloit à nos yeux toute sa magnificence pour
en offrir le texte à nos entretiens ». Voici une autre description de
l'aurore : « Il y a là une demi-heure d'enchantement auquel nul homme
ne résiste ; un spectacle si grand, si beau, si délicieux, n'en laisse aucun
de sang-froid. » Ces sensations s'associent à la conscience des possibilités
contenues dans la journée nouvelle qui commence [187]. « J'aperçus le ciel,
quelques étoiles, et un peu de verdure, écrivait Jean-Jacques vers la fin
de sa vie, décrivant les sensations qui l'avaient assailli alors qu'il repre-
nait connaissance après une chute sur la route le menant à Paris. Je
naissois dans cet instant à la vie, et il me sembloit que je remplissois de
ma légère existence tous les objets que j'appercevois [188]. » Le « commencement » est également symbolisé par l'image de l'enfance heureuse, par
l'image du printemps. « Je n'aime que le printemps », confiait Rousseau
à l'un de ses amis, et le printemps est lui aussi ressenti comme un
ensemble de potentialités. « Au spectacle du printemps, l'imagination
joint celui des saisons qui le doivent suivre (...). Elle réunit en un point
des temps qui doivent se succéder, et voit moins les objets comme ils
seront que comme elle les désire, parce qu'il dépend d'elle de les
choisir. » Le symbole du printemps, d'un printemps éternel, est mis en
relation avec la vision des premiers temps heureux de l'humanité [189].

Toute la construction théorique de « l'état de nature » et de la
nature humaine est donc imprégnée d'une aura de pessimisme et d'optimisme : la « nature » se révélait à la fois comme « le paradis perdu »
et comme la possibilité permanente de tout recommencer. Il était possible
de communiquer avec la nature grâce à un rapport affectif, grâce à un
modèle de la nature que l'homme tire « de son propre cœur, comme il
se sent lui-même [190] ». L'image de l'état de nature servait en quelque
sorte à « mettre entre parenthèses » tout ce qui s'est formé dans l'individu sous la pression des habitudes et de l'opinion, à retrouver en soi
l'ensemble des « dispositions primitives » de l'homme, tant individuelles
que génériques.

« En sondant mes inclinations naturelles, j'ose penser qu'elles sont
droites, je crois trouver dans mes désirs l'image de l'homme de bien,
et ne puis mieux vous dire ce qu'il est qu'en vous disant ce que je
voudrais être. Je voudrais donc avoir une âme forte pour faire toujours ce
qui est juste et sensible pour aimer toujours ce qui est beau [191]. »

La démarcation entre l'avenir et le passé devenait floue, disparaissait
dans cette expérience de la nature humaine vécue comme si elle était
à la fois perdue et à jamais donnée, comme le symbole à la fois de
l'innocence perdue et de la reconquête possible du bonheur. La cons-

truction théorique affirmait, certes, nettement que cette « mise entre parenthèses » des rapports sociaux ne signifie pas une rupture des liens avec la société, car cela est impossible, qu'elle est plutôt un point de départ pour la recherche de diverses voies d'intégration de l'individu avec la société. Mais le climat émotionnel de l'œuvre estompait les contours de la construction théorique. L'affirmation par l'individu de sa propre personnalité s'avérait être identique avec la « mise entre parenthèses » de ses conditionnements et liens sociaux, tandis que l'intégration à la nature se manifestait comme un idéal opposé au mal moral produit dans l'histoire et au conflit entre l'individu et la collectivité sociale. Cet idéal de l'intégration à la nature est beaucoup plus compliqué qu'on ne saurait ici en rendre compte. Rappelons du moins que cette intégration de l'homme dans l'ordre de la nature est pour Rousseau non seulement un idéal moral abstrait, mais aussi un ensemble de directives pratiques pour le comportement quotidien. Par la suite, dans un des courants de l'interprétation idéologique de Rousseau, une importance particulière sera conférée au mythe de la nature, associé à la recherche de l'authenticité par la « mise entre parenthèses » des dépendances sociales et culturelles de l'individu ; mais à l'époque même de Jean-Jacques, le premier écho social important que trouvera sa doctrine sera un « retour » à l'allaitement des nourrissons par leur mère et l'abandon de la coutume d'emmailloter étroitement ceux-ci...

Dans d'autres contextes, le « naturel » est identifié avec l'idylle de la vie patriarcale et la simplicité des mœurs du peuple, ou encore avec le triomphe des sentiments sur les préjugés de caste, ou enfin avec les idéaux de vie courants.

Par conséquent, en dehors de l'analyse des idéaux positifs opposés par l'auteur des *Confessions* aux réalités sociales de son époque, il est impossible de préciser les divers contenus que le concept de « nature » véhicule chez Rousseau.

La fonction du climat émotionnel de l'œuvre est donc extrêmement complexe par rapport à l'hypothèse de la « dénaturation ». Soustraite au contexte de ce climat, la construction théorique de Rousseau se transforme facilement en une thèse dans laquelle l'accent se déplace sur l'avenir. Devant nous s'étend ce que Rousseau appelait l'état de nature, écrivait Fichte en rationalisant toute la construction, en invitant à faire abstraction de sa « sentimentalité [192] ». Une interprétation ainsi modifiée révélait nettement la tendance historiosophique que nous avons évoquée : l'analyse de la dénaturation, en situant la genèse du mal moral dans le processus historique, renvoyait à ce même processus pour y trouver les moyens de le dépasser. Le problème de la synthèse ou encore de l'harmonie de l'individu et de la société, de la réalisation de la vocation morale de l'homme, devenait un problème historiosophique et s'associait à une utopie sociale, à la vision d'une société idéale. C'était la vision d'une société dans laquelle l'effort rationnel des hommes réussirait à « retourner le mal contre lui-même » et à corriger « le défaut de l'association générale par de nouvelles associations [193] ». L'utopie sociale intègre les thèmes majeurs contenus dans la critique du progrès, mais sous une forme modifiée. Les « nouvelles associations » ou institutions doivent remédier à l'émergence dans la vie sociale des facteurs qui engendrent les « passions factices », doivent immuniser en quelque sorte la société contre le cours spontané de l'histoire qui fait naître des antagonismes entre les hommes, aliène l'individu de la totalité morale et sociale, projette sa personnalité dans le « monde des apparences ».

Mais pour Rousseau, « l'âge d'or » ne s'étendait pas seulement « derrière nous », ni « devant nous » : il se situait aussi « en nous ». Le sentiment de nostalgie pour l'état révolu était logiquement conciliable avec la thèse de l'impossible retour. On ne revient pas plus à « l'état de nature », qu'à son enfance dont on ne peut apprécier le charme que rétrospectivement, une fois qu'on en est à jamais sorti, dans la seule perspective des expériences et des désillusions de l'âge adulte. Cependant, la cohérence logique n'éliminait pas l'antinomie historique des valeurs et des idéaux paradoxalement assemblés dans la vision du monde : elle servait plutôt à les exprimer. Nous avons souligné que la construction du « retour aux origines » et le climat sentimental qui l'imprègne assument également dans la vision du monde de Rousseau une fonction précise : traduire le sentiment de l'autonomie morale et intellectuelle de l'individu, sentiment exacerbé parfois jusqu'à une démesure pathologique. Eprouver de la nostalgie pour la « nature perdue », c'était manifester la conscience de son autonomie individuelle par rapport aux rôles, divisions, schémas et conformismes imposés par la société. Prendre conscience de cette nostalgie, l'éveiller et l'exacerber, c'était approfondir cette distance, la transformer même en une sphère autonome dans laquelle la personnalité trouvait son affirmation spirituelle, à travers la révolte et l'indignation, l'isolement et l'abandon du « monde des apparences ». Rousseau confère un caractère expressif à toute sa vision du monde, y compris à son historiosophie. Ainsi, sa philosophie diffère entre autres de la « philosophie du siècle » par le fait qu'elle n'est pas une érudition vaine, une sagesse qu'on étale pour obtenir l'approbation des autres. C'est une philosophie dans laquelle chacun peut se reconnaître, dans la mesure où lui-même s'y exprime, où elle est « la sienne », où elle s'édifie à partir de son propre vécu moral et de son effort intellectuel. Mais en même temps, aussi bien dans les thèses historiosophiques que dans le climat émotionnel du « retour aux origines », se traduit le sentiment que la conscience intellectuelle et morale de soi constitue une charge lourde à porter pour l'individu. La valeur de l'autonomie individuelle — telle qu'elle s'est constituée dans la marche de l'histoire — est mise en question du point de vue de l'authenticité de l'individu, de sa cohérence interne et de son sentiment « d'être pleinement soi-même ». Certes, la construction historiosophique fondait la certitude que le mode pré-individualiste et pré-réflexif d'existence est pour l'humanité un état historiquement perdu, mais elle ne contestait pas la valeur d'authenticité et d'intégralité qu'elle attribuait à ce modèle de la personnalité. Qui plus est, en axant la perspective historiosophique sur les antinomies du processus historique de l'individualisation, cette construction accentuait la forme antinomique et paradoxale de la révolte contre le « monde des apparences » et de l'aliénation, de l'inégalité sociale et du déracinement de l'individu. En effet, tout en traduisant et en développant à l'extrême l'autonomie intellectuelle et morale de l'individu, cette révolte mettait en question la valeur du processus d'individualisation dont cette autonomie était pourtant l'effet. D'une part, elle faisait du « retour à soi-même » un impératif pratique majeur qui résultait de la conscience intellectuelle et morale de soi ; d'autre part, elle associait l'expérience la plus intense possible de l'authenticité, celle « d'être pleinement soi-même », à l'état de l'existence irréflexive pour lequel tout élément de conscience est superflu et où sont estompées les limites entre le sentiment de l'individu de son autonomie et sa participation à la nature en tant qu'ordre naturel et moral, en tant que « totalité » qui englobe tout.

Notes de la deuxième partie

1. Holbach, *Système de la nature*, éd. Leroux, Paris, 1921, t. I, préface.
2. *Cf.* Tarle, *Padienije absolutizma...*, *op. cit.*, t. IV, p. 359-372.
3. K. Marx, *Contribution à la critique de l'économie politique*, Paris, Editions Sociales, 1957, p. 149.
4. *Cf.* Z. Barbu, *Problems of Historical Psychology*, Londres, 1950, p. 73. Voir également Koselleck, *Kritik und Krise*, *op. cit.*, p. 18 ; Troeltsch, *Aufsätze zur Geistesgeschichte...*, *op. cit.*, p. 307 *sq.*
5. *Cf.* D. Diderot, article « Origines », in *Œuvres*, éd. J. Assézat, t. XVI, p. 179 ; A. Lovejoy and G. Boas, *Primitivism and Related Ideas*, Baltimore, 1935, p. 103 *sq.*
6. E. Carcassonne, *Montesquieu et le problème de la constitution française au XVIIIᵉ siècle*, Paris, 1927.
7. Carcassonne, *ibid.*, p. 43, 44. Voir également C. A. Vajnstejn, *Istoriografia srednih vekov*, Moscou-Leningrad, 1940, p. 110 *sp.* ; E. A. Kosminski, *Istoriografia srednih vekov*, Moscou, 1963, p. 209 *sq.*
8. *Etat de la France*, par le comte de Boulainvilliers, La Haye, 1727, t. I, p. 41 ; *cf.* Carcassonne, *op. cit.*, p. 18.
9. Cette caractéristique sommaire ne retient qu'un schéma des idées courantes à l'époque. *Cf.* J.-J. Burlamaqui, *Eléments du droit naturel*, Lausanne, 1775, p. 8-11. Voir également les pertinentes analyses de R. Dérathé, *J.-J. Rousseau et la science politique de son temps*, Paris, 1950, p. 66 *sq.*
10. *F. Quesnay et la physiocratie*. Paris, INED, 1958, chapitre « Droit naturel », p. 739, 740. E. Carcassonne résume ainsi la démarche physiocratique : « Faire abstraction du temps et de l'espace, déterminer par la raison pure la fin commune des sociétés, et en déduire les règles de leur organisation, telle fut la méthode des physiocrates. » (*Op. cit.*, p. 313 *sq.*). Voir également G. Weulersee, *Les physiocrates*, Paris, 1931, p. 212 *sq.*, Dupont de Nemours, *De l'origine et des progrès d'une science nouvelle*, Paris, 1768. Comme nous reviendrons plus loin au physiocratisme, nous apporterons alors les quelques retouches qu'appelle le schéma esquissé ici.
11. *Cf. François Quesnay et la physiocratie*, *op. cit.*, t. II, ch. VIII : Le despotisme chinois ». Voir également l'analyse des thèses de Mercier de la Rivière exposées in Carcassonne, *op. cit.*, p. 316 *sq.* A consulter : O. Gierke, *Natural Law and the Theory of Society*, Boston, 1957, p. 99, 100.
12. J. B. René Robinet, *De la nature*, Paris, 1761, t. I, p. 28. Voir également A. Lovejoy, *The great Chain of Being*, New York, 1960, p. 272, 273 ; Dilthey,

Das natürliche System der Geisteswissenschaften im XVII Jahrhundert, in Gesammelte Schriften, Berlin, 1940, Bd. IV, p. 91-93.

13. *Cf.* Voltaire, *Essai sur l'histoire générale*, in *Œuvres*, Paris, 1756, t. VII, p. 150-152 ; voir également R. Pomeau, *La religion de Voltaire*, Paris, 1956, p. 296, 297 ; Lanson, *Voltaire*, Paris, 1960, p. 176.

14. *Cf.* Carcassonne, *op. cit.*, p. 664 *sq.*

15. *Cf.* Montesquieu, *De l'esprit des lois*, livre I, ch. 1 et livre XII, ch. 4, in *Œuvres complètes*, Paris, Bibliothèque de la Pléiade, t. II, p. 233, 407. Nous ne nous sommes référé à Montesquieu qu'à titre d'exemple, sans qu'il soit dans notre intention de réduire sa pensée politique à cette démarche éclectique. Rappelons du moins les tentatives de Montesquieu d'associer une typologie rationaliste à la recherche génétique. En risquant un certain anachronisme, parce qu'il nous paraît éclairant, nous dirions qu'on y trouve une analogie avec le problème du rapport entre le discours sur les structures et le discours sur l'histoire. A ce sujet, voir les observations de L. Althuser, *Montesquieu, la politique et l'histoire*, Paris, PUF, 1959. Pour la méthode de Montesquieu, voir R. Shackelton, *Montesquieu : A Critical Biography*, Oxford, 1961, p. 265 *sq.*, 320 *sq.*

16. Il est évident que le rapprochement n'est valable que dans le contexte qui nous intéresse ici ; il ne met pas en cause les différences, voire les divergences entre les chemins parcourus par l'un et l'autre dans leur évolution respective, ni les critiques que formule Mably à l'encontre du physiocratisme.

17. *Cf.* Carcassonne, *op. cit.*, p. 664-668 ; Moreau, *Exposition et défense de notre constitution monarchique*, 1789, cité d'après Carcassonne, *op. cit.*, p. 670. Il semble que c'est aux environs de 1760-1770 que s'opère dans la littérature une nouvelle synthèse des deux démarches au niveau idéologique, mais aussi sur le plan sémantique, avec le nouveau sens qu'acquiert le concept de la *nation,* associé avec celui de la *patrie*. En effet, la *nation* est définie comme le porteur de la continuité historique, mais aussi comme le souverain qui s'élève au-dessus du droit positif et qui peut à chaque instant se référer aux « principes ». Cette évolution des idées et du langage apparaît nettement dans le lexique des *Considérations sur le gouvernement de Pologne.*

18. Burlamaqui, *op. cit.,* p. XI (Préface de l'éditeur).

19. Dérathé, *J.-J. Rousseau..., op. cit.,* p. 126 ; voir également Vaughan, *Studies in the History of Political Philosophy,* Manchester, 1925, t. I, p. 27 *sq.* ; E. Barker, l'introduction à Gierke, *Natural Law, op. cit.,* p. XLIV *sq.*

20. *Cf.* E. Cassirer, *The Philosophy of the Enlightenment*, Boston, 1955, p. 243, 244.

21. *Cf.* B. Willey, *The Eighteenth Century Background*, Londres, 1962, p. 9, 10, 26, 27.

22. *Cf.* l'article « Fait », de Diderot, dans l'*Encyclopédie*. Voir également R. V. Sampson, *Progress in the Age of Reason*, Londres, 1956, p. 67 et 74.

23. Ainsi, Duclos écrivait que « les principes puisés dans la nature sont toujours subsistants, mais, pour s'assurer de leur vérité, il faut surtout observer les différentes formes qui les déguisent, sans les altérer, et qui, par leur liaison avec les principes, tendent de plus en plus à les confirmer ». Les observations peuvent donc être « aussi utiles à la science des mœurs que les journaux des navigateurs », sans que ceux-ci puissent cependant remplacer les principes de l'astronomie lorsqu'on établit la direction à prendre. Qui plus est, « les principes purement spéculatifs sont rarement sûrs, ont encore plus rarement une application fixe », car « il y a une grande différence entre la connaissance de l'homme et la connaissance des hommes. Pour connaître l'homme, il suffit de s'étudier soi-même ; pour connaître les hommes, il faut les pratiquer » (Ch. Pinot Duclos, *Considérations sur les mœurs de ce siècle,* Paris, An VII ; cité d'après l'édition de 1889, Introduction).

24. Au sujet de l'importance des recherches ethnologiques sur le folklore (au sens le plus large du mot) pour l'évolution des idées du siècle des Lumières et, partant, du rôle des Lumières dans le développement des recherches sur le folklore, voir G. Cochiaria, *Storia del folklore in Europa*, Turin, 1952.

25. Parmi les multiples variations sur le thème du « retour aux origines », il

en est une qu'il nous faut encore mentionner, car elle joua un certain rôle dans la propagation sociale du rousseauisme. Il s'agit de la quête de choses lointaines, de l'exotisme ou d'un « déguisement bucolique », propres à la « lassitude culturelle » du grand monde ». Voir à ce sujet Hauser, *Sozialgeschichte der Kunst...*, *op. cit.*, t. II, p. 16 *sq.*

26. *Cf. Emile, op. cit.*, p. 248-252 ; *Cf. Correspondance générale, op. cit.*, t. XII, p. 338, 339.

27. *Lettres à Malesherbes, op. cit.*, p. 1134.

28. *Œuvres et correspondance inédites, op. cit.*, p. 133-135.

29. *Du contrat social, op. cit.*, p. 353 ; *Emile, op. cit.*, p. 836.

30. *Emile, op. cit.*, p. 836.

31. *Sur l'origine de l'inégalité, op. cit.*, p. 182. *Cf. Du contrat social* (première version), *op. cit.*, p. 297, 305.

32. *Emile, op. cit.*, p. 348.

33. *Cf. Du contrat social* (première version), *in Œuvres complètes, op. cit.*, t. III, p. 286, 287. *Cf.* la remarque du marquis d'Argenson que Rousseau cite en l'approuvant : « Les savantes recherches sur le droit public ne sont souvent que l'histoire des anciens abus, et on s'est entêté mal-à-propos quand on s'est donné la peine de les trop étudier. » (*Du contrat social, op. cit.*, p. 353). « Nous savons tout ce qui s'est fait jusqu'à présent avant qu'on nous ait dit un mot de ce que nous devons faire. » (Préface de *Narcisse, op. cit.*, p. 966).

34. *Sur l'origine de l'inégalité, op. cit.*, p. 124, 235.

35. *Les confessions, op. cit.*, p. 388.

36. *Sur l'origine de l'inégalité, op. cit.*, p. 122.

37. Pour éviter les malentendus, notons qu'on trouve dans le lexique Rousseau le mot « origine » dans d'autres acceptions.

38. *Emile, op. cit.*, p. 732.

39. *Cf.* Pufendorf, *Devoirs de l'homme et du citoyen*, trad. de Barbeyrac, Amsterdam, 1734-1735, livre I, ch. 1, § 6. Voir également E. Vattel, *Le droit des gens ou principes de droit naturel*, Londres, 1758, livre II, ch. I, §§ 2-3 ; Locke, *Second Treatise on Civil Government*, Oxford University Press, 1948, § 4, 14, 15 (The World Classics). A consulter Dérathé, *J.-J. Rousseau et la science...*, *op. cit.*, p. 126, 127.

40. *Les confessions, op. cit.*, p. 388.

41. *Ibid.*, p. 171.

42. *Cf. Sur l'origine de l'inégalité, op. cit.*, p. 213, 214. Voir également la polémique de Rousseau contre Locke (*ibid.*, p. 214-218) sur les rapports entre les deux sexes dans l'état de nature.

43. *Sur l'origine de l'inégalité, op. cit.*, p. 132. L'interprétation de cette phrase a fait couler beaucoup d'encre. Il est incontestable que la formule tient à la prudence dont il fallait faire preuve à l'égard du récit de l'Ecriture, et l'allusion à la *Théorie de la terre* de Buffon, qui suit immédiatement dans le texte, était claire pour le lecteur. Mais, d'autre part, la formule s'associe à l'idée de « l'histoire hypothétique » sur laquelle Rousseau insiste plusieurs fois. *Cf.* note suivante.

44. *Sur l'origine de l'inégalité, op. cit.*, p. 127 ; *cf.* p. 144 ; 162, 163.

45. *Emile, op. cit.*, p. 493.

46. *Sur l'origine de l'inégalité, op. cit.*, p. 122 ; *cf. ibid.*, p. 213. « Malheureusement, ce qui nous est précisément le moins connu est ce qu'il nous importe le plus de connaître, savoir l'homme. » (*Lettres morales, op. cit.*, p. 1092).

47. *Essai sur l'origine des langues, op. cit.*, p. 87, 137 ; *cf. Sur l'origine de l'inégalité, op. cit.*, p. 132, 153, 154, 212.

48. *Sur l'origine de l'inégalité, op. cit.*, p. 123, 124.

49. *Ibid.*, p. 133 ; *cf. Du contrat social* (première version), *op. cit.*, p. 283.

50. *Du contrat social* (première version), *op. cit.*, p. 283.

51. *Sur l'origine de l'inégalité, op. cit.*, p. 122, 123.

52. *Cf. Über die ästhetische Erziehung der Menschheit*, lettre III, *in* Schiller, *Werke*, Leipzig, 1955, t. II, p. 509. Voir également les analyses de G. Lukacs, *Goethe und Seine Zeit*, Berlin, 1955, p. 140 *sq.*

53. *Sur l'origine de l'inégalité, op. cit.*, p. 192.

54. *Cf.* P. Burgelin, *La philosophie de l'existence de J.-J. Rousseau*, Paris, 1952, p. 275.

55. C. Lévi-Strauss, *Tristes tropiques*, Paris, Union Générale d'Editions, 1955, p. 44, 351, 352. Voir, du même auteur, « J.-J. Rousseau fondateur des sciences de l'homme », *in J.-J. Rousseau*, Neuchâtel, 1962, p. 240 *sq.* Ce texte nous paraît capital pour éclairer la complexité et la subtilité méthodologiques de la démarche de Jean-Jacques dans le domaine des sciences de l'homme, mais aussi comme exemple le plus remarquable de « penser les pensées » de Rousseau, problème auquel nous reviendrons.

56. *Réponse à Stanislas*, *op. cit.*, p. 53 ; *Emile, op. cit.*, p. 493, 837 ; *cf. La Nouvelle Héloïse*, *op. cit.*, p. 234.

57. *Rousseau juge...*, *op. cit.*, p. 933 ; *cf.* le commentaire de R. Osmont sur le concept de « principe » chez Rousseau, *ibid.*, p. 1724, 1725.

58. *Sur l'origine de l'inégalité*, *op. cit.*, p. 162, 163 ; *Essai sur l'origine des langues, op. cit.*, p. 89.

59. *Lettre à C. de Beaumont*, *op. cit.*, p. 935-937. Voir les observations de Rang sur le rôle de la méthode génétique chez Rousseau, *Rousseau's Lehre vom Menschen, op. cit.*, p. 95 *sq.*

60. *Lettre à C. de Beaumont*, *op. cit.*, p. 936.

61. « Le charme propre de l'œuvre (..), c'est l'étroite liaison du systématique et de l'existentiel » (Burgelin, *La philosophie de l'existence de J.-J. Rousseau, op. cit.*, p. 32).

62. *Correspondance complète*, *op. cit.*, t. IX, p. 28.

63. *Rousseau juge...*, *op. cit.*, p. 936.

64. *Sur l'origine de l'inégalité*, *op. cit.*, p 133.

65. « Je n'ai jamais adopté la philosophie des heureux du siècle, elle n'est pas faite pour moi ; j'en cherchois une plus appropriée à mon cœur, plus consolante dans l'adversité, plus encourageante pour la vertu. Je la trouvois dans les livres de J.-J. J'y puisois des sentiments si conformes à ceux qui m'étoient naturels (...) que seul parmi tous les auteurs que j'ai lus il étoit pour moi le peintre de la nature et l'historien du cœur humain. Je reconnoissois dans ses écrits l'homme que je retrouvois en moi, et leur méditation m'apprenoit à tirer de moi-même la jouissance et le bonheur que tous les autres vont chercher si loin. » (*Rousseau juge...*, *op. cit.*, p. 727, 728.)

66. *Sur l'origine de l'inégalité*, *op. cit.*, p. 133.

67. *Rousseau juge...*, *op. cit.*, p. 728.

68. Delisle de Sales, *De la philosophie de la nature*, Paris 1804, t. II, p. 12 *sq.*

69. *Cf.* Hans Gerth and C. Wright Mills, *Character and Social Structure*, Londres, 1954, p. XVII.

70. *Emile, op. cit.*, p. 551.

71. *Œuvres et correspondance inédites*, *op. cit.*, p. 135 ; *Sur l'origine de l'inégalité, op. cit.*, p. 192.

72. *Cf. Les confessions*, *op. cit.*, p. 8, 11 et 20 ; ainsi que les notes de Raymond, *op. cit.*, p. 1293 et 1244 ; *La Nouvelle Héloïse ; op. cit.*, p. 441 ; *Préface de Narcisse, op. cit.*, p. 970.

73. *Emile, op. cit.*, p. 483, 484 et 600 ; *cf. Rousseau juge..*, *op. cit.*, p. 668, 669.

74. *Cf.* Starobinski, J.-J. *Rousseau, la transparence et l'obstacle*, *op. cit.*, p. 26 *sq.* ; p. 70. Au sujet de la diversité des acceptions des termes « nature » et « nature humaine » chez Rousseau, des origines de ces acceptions, ainsi que de la cohérence logique de la réflexion de Jean-Jacques sur la « nature », voir R. Tobiassen, *Nature et nature humaine dans l'* « *Emile* », Oslo, 1961.

75. *Lettre à C. de Beaumont*, *op. cit.*, p. 936 ; *Sur l'origine de l'inégalité, op. cit.*, p. 134.

76. L. Kolakowski, *Jednostka i nieskonczoność* (L'individu et l'infini), Varsovie, 1958, p. 520.

77. Faisant preuve une fois de plus de sa perspicacité sociologique, D. Hume écrivait : « As no party in the present age can well support itself without a philosophical or speculative system of principles annexed to its political or practical one, we accordingly find, that each of the factions into which this nation is divided

has reared up a fabric of the former kind, in order to protect and cover that of actions which it pursues. » (*On the Original Contract, in Social Contract : Locke-Hume-Rousseau*, Oxford, Barker, 1956, p. 209.)

78. *Lettre à C. de Beaumont, op. cit.*, p. 935, 936.

79. *Du contrat social* (première version), *op. cit.*, p. 282, 284 ; *Que l'état de guerre..., op. cit.*, p. 601 ; *Du contrat social, op. cit.*, p. 357.

80. *Emile, op. cit.*, p. 334.

81. *Essai sur l'origine des langues, op. cit.*, p. 95 ; *Lettre à C. de Beaumont, op. cit.*, p. 936.

82. « N'ayant jamais rien vû que ce qui étoit autour d'eux, cela même ils ne le connoissoient pas ; ils ne se connoissoient pas eux-mêmes. Ils avoient l'idée d'un Père, d'un fils, d'un frère, et non pas d'un homme (...). Un étranger, une bête un monstre étoient pour eux la même chose : hors d'eux et leur famille, l'univers entier ne leur étoit rien. » (*Essai sur l'origine des langues, op. cit.*, p. 95). Voir également *Sur l'origine de l'inégalité, op. cit.*, p. 160. Notons ici que, dans ses opinions sur la famille, sa genèse et ses fonctions dans l'état de nature, Rousseau semble ou hésiter, ou évoluer. Ainsi, dans le *Discours sur l'inégalité*, il semble exclure l'existence de liens familiaux dans le « pur » état de nature. Comme la date de la rédaction de l'*Essai sur l'origine des langues* est incertaine, il est difficile de dire s'il s'agit d'une évolution ou d'une hésitation entre deux hypothèses. On pourrait facilement donner plus d'ampleur à la description de l'état de nature et multiplier les références. Nous nous bornerons donc à indiquer les principales pages utilisées pour cette reconstruction sommaire : *Sur l'origine de l'inégalité, op. cit.*, p. 141, 142, 144, 151, 163 ; *Emile, op. cit.*, p. 249, 304, 309, 310, 407, 456, 492, 501, 524 ; *Essai sur l'origine des langues, op. cit.*, p. 91-95 ; *Du contrat social, op. cit.*, livre I, ch. II, III, IV (Des premières sociétés, Du droit du plus fort, De l'esclavage, p. 352 à 358) ; *Lettre à C. de Beaumont, op. cit.*, p. 935, 936 ; *Correspondance générale, op. cit.*, t. XIX, p. 48-63 ; *Fragments politiques, in Œuvres complètes, op. cit.*, t. III, ch. II : *De l'état de nature*, p. 476 sq.

83. *Cf.* Starobinski, J.-J. *Rousseau : la transparence et l'obstacle, op. cit.*, p. 25 sq.

84. *Sur l'origine de l'inégalité, op. cit.*, p. 154.

85. *Du contrat social* (première version), *op. cit.*, p. 283. Voir également A. Schinz, *La pensée de J.-J. Rousseau*, Paris, 1929, p. 180.

86. *Sur l'origine de l'inégalité, op. cit.*, p. 151.

87. *Cf.* E. Durkheim, *Montesquieu et Rousseau précurseurs de la sociologie*, Paris, 1953, p. 134.

88. *Sur l'origine de l'inégalité, op. cit.*, p. 164, 165 ; *Emile, op. cit.*, p. 304.

89. Notons pourtant le rôle conféré dans ce processus au hasard qui se manifeste sous la forme de catastrophes : « accidents de la nature », « déluges particuliers », « mers extravasées », « erruptions de volcans », etc. Ces « causes étrangères pouvoient ne jamais naître », et sans leur concours « les vertus sociales et les autres facultés en puissance de l'homme ne se seraient jamais développées » (*Sur l'origine de l'inégalité, op. cit.*, p. 12, 163 ; *Essai sur l'origine des langues, op. cit.*, p. 19, 113). En sortant de l'ordre de la nature, en bouleversant son équilibre, la catastrophe n'a cependant que des causes naturelles. On pourrait dire que la nature elle-même hésite, comme si elle pressentait toutes les contradictions du processus de socialisation. D'autre part, l'homme socialisé est un phénomène isomorphe par rapport à la catastrophe : « animal dépravé », quasi-monstre, il sort de l'ordre de la nature et bouleverse également son équilibre.

90. *Emile, op. cit.*, p. 600.

91. *Emile, op. cit.*, p. 304 et 407 ; *Sur l'origine de l'inégalité, op. cit.*, p. 162. E. Durkheim a insisté sur l'importance de ces « facultés en puissance » pour toute la conception anthropologique de Rousseau. *Cf.* Durkheim, *Rousseau et Montesquieu..., op. cit.*, p. 145-147. Voir également Schinz, *op. cit.*, p. 180 ; R. Derathé, *Le rationalisme de J.-J. Rousseau*, Paris, 1948, p. 13 sq. Au sujet du rôle de ce même concept dans la conception de la personnalité et dans la théorie pédagogique de Rousseau, voir A. Ravier, *L'éducation de l'homme nouveau*, Issoudun, 1941, p. 49, 50.

92. *Cf. Sur l'origine de l'inégalité, op. cit.,* p. 142, 144 ; *Emile, op. cit.,* p. 334, 427, 523, 524, 547 *sq.,* 601 *sq.; La Nouvelle Héloïse, op. cit.,* p. 564, 565 ; *Rousseau juge..., op. cit.,* p. 669 ; *Lettre à C. de Beaumont, op. cit.,* p. 935, 936 ; *Essai sur l'origine des langues, op. cit.,* p. 93.

93. *Cf.* Lovejoy, *The Great Chain of Being, op. cit.,* p. 262, 263 ; L. G. Crocker, *An Age of Crisis,* Baltimore, 1959, p. 133 *sq.* ; Carl C. Becker, *The Heavenly City of the Eighteenth-Century Philosophers,* New Haven, 1960, p. 69, 70.

94. *Emile, op. cit.,* p. 245.

95. *L'art de jouir et autres fragments, in Œuvres complètes, op. cit.,* t. I, p. 1173.

96. *Essai sur l'origine des langues, op. cit.,* p. 147, 167.

97. *Du contrat social* (première version), *op. cit.,* p. 287.

98. *Emile, op. cit.,* p. 253.

99. *Discours sur les sciences et les arts, in Œuvres complètes, op. cit.,* t. III, p. 6.

100. *Sur l'origine de l'inégalité, op. cit.,* p. 142.

101. *Emile, op. cit.,* p. 567.

102. *Du contrat social, op. cit.,* p. 356 ; *cf. Considérations sur le gouvernement de Pologne, in Œuvres complètes, op. cit.,* t. III, p. 974.

103. *Emile, op. cit.,* p. 253.

104. *Cf. Rousseau juge de Jean-Jacques, op. cit.,* p. 669.

105. *Œuvres et correspondance inédites, op. cit.,* p. 139.

106. *Rousseau juge de Jean-Jacques, op. cit.,* p. 813 ; *Emile, op. cit.,* p. 249.

107. *Cf.* Durkheim, *op. cit.,* p. 136 *sq.* ; Groethuysen, *J.-J. Rousseau, op. cit.,* p. 124 *sq.*

108. *Emile, op. cit.,* p. 493.

109. *Réponse à Stanislas, op. cit.,* p. 49, 50, 53 ; Préface de *Narcisse, op. cit.,* p. 964, 965.

110. *Emile, op. cit.,* p. 286.

111. *Emile et Sophie, ou les solitaires, in Œuvres complètes, op. cit.,* t. IV, p. 918.

112. *Emile, op. cit.,* 252 ; *cf. Les solitaires, op. cit.,* p. 911, 914.

113. Kant semble avoir été le premier à donner de Rousseau une interprétation au terme de laquelle le conflit entre la nature et la culture, esquissé dans les deux *Discours,* devrait être dépassé non pas par un simple retour à la nature, mais par un développement de la culture qui aboutirait à sa réconciliation avec la nature, à ce que « l'art parfait redevienne la nature ». *Cf.* E. Kant, *Mutmasslicher Anfang der Menschengeschichte : Kleine philosophische Schriften,* Leipzig, 1949, p. 64-71 ; du même auteur, *Sämtliche Schriften,* t. VII, p. 326, 327. Voir également Starobinski, *J.-J. Rousseau : La transparence...,* op. cit., p. 37, 38 ; G. Vlachos, *La pensée politique de Kant,* Paris, 1962, p. 202 *sq.,* 212, 213.

114. *Emile, op. cit.,* p. 524.

115. *Ibid.,* p. 818.

116. *Emile* (Manuscrit Favre), *op. cit.,* p. 55 à 57 ; *cf.* notes et variantes, *op. cit.,* p. 1268 ; *Lettres morales, op. cit.,* p. 1112.

117. Dans ses *Lettres écrites de la montagne,* Rousseau s'engage dans des analyses plus ou moins détaillées de l'histoire genevoise, mais cette démarche était en quelque sorte imposée par le caractère polémique de l'œuvre. On trouve également un essai d'analyse historique sur Henri IV dans *Jugement sur le projet de paix perpétuelle, op. cit.,* p. 596 *sq. Du contrat social* contient, certes, des développements sur les institutions politiques antiques, mais cette analyse ne ressortit pas non plus à l'historiographie. Ses projets d'écrits sur l'histoire ancienne de Sparte et de Rome tournent court et s'arrêtent aux préliminaires. *Cf. Fragments politiques, op. cit.,* p. 534 *sq.*

118. « Il ne fut pas un historien aussi éminent que Voltaire, il ne fut pas un historien du tout et n'avait que très peu de connaissances historiques exactes. Il ne connaissait bien aucun fragment de l'histoire, il ne connaissait l'esprit d'aucune époque et d'aucune nation. Son admiration pour Athènes, Sparte et Rome était l'admiration d'un ignorant. » (K. Flint, *History of the Philosophy of History,* Londres, 1893, p. 308.) Ce jugement est certes outrancier, mais il contient un grain de vérité.

119. *Emile, op. cit.,* p. 487.

120. Dans le premier quart du siècle, sous l'impact de l'œuvre de Bayle, un débat s'engage sur le « pyrrhonisme » en histoire, ainsi que sur les définitions spécifiques de la vérité en histoire par opposition à celles des mathématiques. Il tourne cependant court, bien que Fréret, dans ses *Réflexions sur l'étude de l'histoire*, eût dégagé des problèmes méthodologiques essentiels pour la démarche historique. *Cf.* les discussions à l'Académie des Inscriptions, dans ses *Mémoires*, de 1724 à 1726.

121. « Croit-on que les rapports qui déterminent les faits historiques soient si faciles à saisir que les idées s'en forment sans peine dans l'esprit des enfants, croit-on que la véritable connoissance des événements soit séparable de celle de leurs effets, et que l'histoire tienne si peu au moral qu'on puisse connoître l'un sans l'autre ? Si vous ne voyez dans les actions des hommes que les mouvements extérieurs et purement physiques, qu'apprenez-vous dans l'histoire ? Absolument rien, et cette étude dénuée de tout intérêt ne vous donne pas plus de plaisir que d'instruction. Si vous voulez apprécier ces actions par leurs rapports moraux, essayez de faire entendre ces rapports à vos élèves et vous verrez alors si l'histoire est de leur âge. » (*Emile, op. cit.,* p. 348.)

122. *Emile, op. cit.,* p. 415.

123. D'autre part, le choix précisément de biographies à la Plutarque et d'une certaine tradition antique en vue de les « imiter » et de « monter à leur ton » les âmes, témoigne de la formation d'un « modèle antique » spécifique qui marque les mentalités et les sensibilités dans la deuxième moitié du siècle. Nous reviendrons à cette question ultérieurement.

124. *Emile, op. cit.,* p. 529, 530.

125. Après la publication de son premier *Discours*, Rousseau écrivait à l'un de ses polémistes : « L'embarras de mes adversaires est visible toutes les fois qu'il faut parler de Sparte (...). C'est une terrible chose qu'au milieu de cette fameuse Grèce qui ne devroit sa vertu qu'à la philosophie, l'État où la vertu a été la plus pure et a duré le plus long-tems ait été précisément celui où il n'y avait point de Philosophes. Les mœurs de Sparte ont toujours été proposées en exemple à toute la Grèce ; toute la Grèce était corrompue, et il y avoit encore de la vertu à Sparte ; toute la Grèce étoit esclave, Sparte seule étoit encore libre. » (*Dernière réponse* [à Bordes], in *Œuvres complètes, op. cit.,* t. III, p. 83.)

126. *Cf. Les confessions, op. cit.,* p. 9.

127. *Emile, op. cit.,* p. 531.

128. *Ibid.,* p. 532, 533.

129. *Les confessions, op. cit.,* p. 256.

130. *Emile, op. cit.,* p. 532.

131. *Ibid.,* p. 588.

132. Des études anciennes, quoique riches en renseignements, telles que celles de J. Delvaille (*Essai sur l'histoire de l'idée de progrès jusqu'à la fin du XVIIIᵉ siècle,* Paris, 1910) et de J. B. Bury (*The idea of Progress,* 1920) ne peuvent plus aujourd'hui nous satisfaire : elles se penchent surtout sur les discours, sur l'histoire, et confluent sur un tableau des Lumières à notre avis par trop simplifié. Dans *Progress in the Age of Reason,* Londres, 1956, R. V. Sampson analyse plutôt la problématique méthodologique de l'idée de progrès. Pour l'évolution des rapports entre la philosophie et l'histoire et les présuppositions philosophiques de l'idée de progrès, voir Ch. Frankel, *The Faith of Reason,* New York, 1948.

133. *Cf.* M. Ginsberg, *The Idea of Progress : Evolution and Progress,* Londres, 1961, p. 2. *Cf.* Frankel, *op. cit.,* p. 2 *sq.*

134. Ces hésitations sont manifestes dans le *Dictionnaire philosophique* et les *Questions sur l'Encyclopédie.* Voir également, à titre d'illustration, *Dialogue entre un Brachman et un Jésuite, sur la nécessité et l'enchaînement des choses,* in *Mélanges,* Paris, Bibliothèque de la Pléiade, p. 311 *sq. Cf.* R. Pomeau, *La religion de Voltaire,* Paris, 1956, p. 296 *sq.* ; J. H. Brumfit, *Voltaire Historian,* Oxford, 1958, p. 122-124.

135. Richer, *Essai sur les grands événements par les petites causes* (1758) ; *cf.* G. Plehanov, *Izbrannye filosofskie proizvedienija,* Moscou, 1956, t. II, p. 56, 57. E. A. Kosminski, « Voltaire kak istorik », in V. P. Volgin (éd), *Voltaire : statji i materialy,* Moscou, 1948, p. 164, 165.

136. Voltaire, *Le Siècle de Louis XIV,* in *Œuvres historiques,* Paris, Bibliothèque

de la Pléiade, 1957, p. 1016, 1017. H. Vyverberg fait remarquer que des opinions de ce genre étaient communes à divers auteurs de l'époque, surtout quand il s'agissait de juger de l'influence du luxe sur les beaux-arts, *Cf.* Vyverberg, *Historical Pessimism...*, *op. cit.*, p. 117 *sq.*

137. *Cf.* Montesquieu, *Œuvres complètes*, Bibliothèque de la Pléiade, t. II, p. 171 *sq.* Chez Montesquieu, cette idée s'articule sur une démarche spécifique qui, dans la *structure* des sociétés, recherche les facteurs constants déterminant leur *dynamique*. *Cf.* Condillac, *Cours d'étude pour l'instruction du prince de Parme*, Londres, 1776, t. VI, p. 2 *sq.*, 60 *sq.* ; Grimm, *Correspondance*, éd. Assézat, t. III, p. 327 *sq.* Voir également Vyverberg, *op. cit.*, p. 152 *sq.* ; F. E. Manuel, *The Eighteenth Century Confronte the Gods*, Harvard, 1959, p. 11 *sq.*

138. La formation de la conscience historique et ses cheminements au siècle des Lumières se manifestent au niveau de la sémantique des « mots clés » tels que, par exemple, « révolution », « civilisation », etc. *Cf.* L. Febvre, « Civilisation : évolution d'un mot et d'un groupe d'idées », *in* L. Febvre, *Pour une histoire à part entière*, Paris, 1962 ; K. Griewank, *Das neuzeitliche Revolutionsbegriff*, Weimar, 1955, p. 195 *sq.*

139. Condillac, *Cours d'étude...*, *op. cit.*, p. 3, 4.

140. *Cf.* Chastellux, *De la félicité publique*, Paris, 1822, t. II, p. 161 ; R. V. Sampson, *Progress in the Age of Reason*, *op. cit.*, p. 177 ; Ch. Frankel, *The Faith of Reason*, *op. cit.*, p. 101 *sq.*

141. Voltaire, *Les Anciens et les Modernes, ou la toillette de Mme de Pompadour*, *in Mélanges*, *op. cit.*, p. 755, 756.

142. Voir l'excellente étude de W. Krauss, *Der Jahrhundertbegriff im Jahrhundert : Studien zur deutschen und franzosischen Aufklärung*, Berlin, 1963, p. 9 *sq.*

143. D'après Krauss, *op. cit.*, p. 11.

144. Voltaire, *Œuvres historiques*, *op. cit.*, p. 44.

145. *Cf.* Fréret, *Œuvres*, 1796, t. I, p. 72 *sq.*, cité par Krauss, *op. cit.*, p. 34. Voir également d'Alembert, *Mélanges*, Amsterdam, 1767, t. V, p. 16 *sq.* ; *Encyclopédie*, l'article « Fait » rédigé par Diderot et l'article « Histoire » rédigé par Voltaire.

146. *Cf.* W. Dilthey, *Das achzehnte Jahrhundert und die historische Welt*, *Gesammelte Schriften*, Leipzig-Berlin, 1929, Bd. III., p. 266.

147. *Cf.* d'Alembert, *Histoire de l'Académie des Sciences*, 1765 ; d'après F. Venturi, *Le origini dell'Enciclopedia*, Roma, 1946, p. 9-11. Les analyses de Venturi éclairent le rôle du « projet » comme lieu où s'élabore l'idée du caractère exceptionnel de ce « siècle éclairé » dans l'histoire.

148. Holbach, *Système de la nature*, éd. Leroux, Paris, 1828, p. 240, 241 et 409, 410.

149. *Cf.* F. E. Manuel, *The Prophets of Paris*, Cambridge, Mass., 1962, p. 48 ; Frankel, *The Faith of Reason*, *op. cit.*, p. 65 *sq.*

150. *Cf.* Mauzi, *L'idée du bonheur*, *op. cit.*, p. 263, 264.

151. *Cf.* M. Ginsberg, *The Idea of Progress*, *op. cit.*, p. 16 *sq.*

152. *Cf.* Voltaire, *Œuvres historiques*, *op. cit.*, p. 616.

153. J. G. Herder, *Une autre philosophie de l'histoire*, éd. Aubier Montaigne, Paris, 1944, p. 267, 299.

154. *Cf.* Montesquieu, *De l'esprit des lois*, *in Œuvres complètes*, Paris, Bibliothèque de la Pléiade, t. II, livre XIX, ch. II, III-V, en particulier p. 558. Voir les analyses de Kosminski, *Istoriografia srednih vekov*, *op. cit.*, p. 184, 185, 194 *sq.*

155. Ainsi, par exemple, pour expliquer la naissance de l'Islam et ses fonctions multiples, voire contradictoires, dans l'histoire, Voltaire invoque la maxime : « Rien n'est que ce qui doit être. » (Voltaire, *Œuvres*, éd. Moland, t. XXVI, pp. 555, 556.) *Cf.* Brumfitt, *op. cit.*, p. 122.

156. *Cf.* Lovejoy, *The Parallel of Deism and Classicism*, *in Essays in the History of Ideas*, *op. cit.*, p. 86 *sq.*

157. La discussion sur la genèse des croyances religieuses fut très importante pour l'évolution du concept de l'histoire et pour la formation de la théorie du progrès. Ainsi, avec la question du rapport du christianisme et des religions « païennes » au déisme et à la « religion naturelle » se posait le problème d'un seul ou de plusieurs modèles de l'évolution historique. *Cf.* Manuel, *The Eighteenth Century*

Confronts the Gods, op. cit.,\p. 10 *sq.* Voir également, *ibid.*, p. 68 sq., l'analyse de la conception de l'existence de deux religions, mais aussi de deux « niveaux » de l'histoire : l'une ésotérique et naturelle, préservée en quelque sorte par l'élite intellectuelle ; l'autre, exotérique, comportant nombre de préjugés, destinée aux masses.

158. K. Marx, Fr. Engels, *La Sainte Famille*, Paris, Editions Sociales, 1970, p. 138.

159. *Les Confessions, op. cit.*, p. 351 ; *Lettres à Malesherbes, op. cit.*, p. 1135.

160. *Jugement sur la polysynodie*, in *Œuvres complètes, op. cit.*, t. III, p. 635-637 ; *cf. Les confessions, op. sit.*, p. 422, 423.

161. *Jugement sur le projet de paix perpétuelle, op. cit.*, p. 599.

162. *Sur l'origine de l'inégalité, op. cit.*, p. 142.

163. *Ibid.*, p. 142, 171.

164. *Ibid.*, p. 164, 190, 132.

165. *Ibid.*, p. 162, 164.

166. *Les confessions, op. cit.*, p. 338 ; *Lettre à Voltaire* (sur la Providence), *op. cit.*, p. 227 ; *Jugement sur la polysynodie, op. cit.*, p. 638.

167. *Essai sur l'origine des langues, op. cit.*, p. 87.

168. *Emile, op. cit.*, p. 467.

169. « M. Rousseau est né avec tous les talens d'un sophiste, écrivait Grimm. De la façon dont M. Rousseau s'y prend, il est sûr qu'il n'y a rien au monde qu'on ne puisse renverser, surtout avec une cognée comme la sienne. Rien n'étant sans inconvéniens, je prouverai facilement que le soleil est l'astre le plus malfaisant et le plus dangereux qui existe dans l'univers ; je n'ai qu'à taire ses influences heureuses pour m'occuper tout entier de quelques maux qu'il produit, à quoi je joindrai la liste des maux qu'il pourrait causer par la suite (...). Jusqu'à présent M. Rousseau n'a soutenu que des paradoxes d'une grande généralité, comme le danger des sciences, celui de la société (...) ; mais s'il se met à particulariser ses paradoxes, quelle que soit la force de son style, il aura de la peine à éviter l'absurde et le ridicule. » (Grimm, *Correspondance*, Paris, 1829-1831, t. II, p. 273-275.) *Cf.* la réfutation de Gautier, *Œuvres*, t. XXV, p. 16, 17, ainsi que celle de Le Cat, *ibid.*, p. 200 *sq.*

170. *Lettre à d'Alembert, op. cit.*, p. 218, 219 ; 129, 130 ; 137-139 ; 215-217 ; 138, 139 ; *cf.* Préface de *Narcisse, op. cit.*, p. 964, 965. Nous faisons ici abstraction du contexte politique et social de la « querelle du théâtre » à Genève, lequel contexte explique la vivacité des passions. En bref et comme on l'a si pertinemment fait remarquer, le théâtre arrivait à Genève dans les fourgons de l'armée française, il symbolisait la pénétration des influences françaises politiques et économiques, mais aussi des mœurs qui s'opposaient à la morale traditionnelle ; il était un signe d'allégeance des gens « du Haut » à leur protecteur, le roi de France, et s'associait avec la dégradation des anciennes institutions politiques de la Cité. *Cf.* M. Raymond, « J.-J. Rousseau et Genève », in *J.-J. Rousseau*, Neuchâtel, 1962.

171. *Lettre à d'Alembert, op. cit.*, p. 218, 219.

172. *Discours sur l'origine de l'inégalité, op. cit.*, p. 143, 144, 162, 171.

173. *Ibid.*, p. 189, 190.

174. *Emile, op. cit.*, p. 676.

175. *Sur l'origine de l'inégalité, op. cit.*, p. 138.

176. *Dernière réponse* (à Bordes), *op. cit.*, p. 95 ; *Réponse à Voltaire du 10 septembre 1755*, in *Œuvres complètes*, op. cit., t. III, p. 226 ; Préface de *Narcisse, op. cit.*, p. 963, 964 ; *Sur l'origine de l'inégalité, op. cit.*, p. 207.

177. *Cf.* K. Barth, *Die protestantische Theologie im XIX Jahrhundert*, Zürich, 1947, p. 160 ; Schinz, *op. cit.*, p. 188, 189 ; Durkheim, *op. cit.*, p. 145 *sq ;* Dérathé, *Le rationalisme de J.-J. Rousseau, op. cit.*, p. 113 ; A. Lovejoy, « The Supposed Primitivism of Rousseau's Discourse on Inequality », *Modern Philology*, 1923 ; B. Groethuysen, *J.-J. Rousseau*, Paris, 1955, p. 120 *sq.* ; Lévi-Strauss, *Tristes tropiques, op. cit. ;* I. Benrubi, *L'idéal moral chez Rousseau, Mme de Staël et Amiel*, Paris, 1940, p. 104, 105 ; I. Wertsman, *J.-J. Rousseau*, Moscou, 1958, p. 45, 46.

178. *Lettre de J.-J. Rousseau à Monsieur Philopolis*, in *Œuvres complètes, op. cit.*, t. III, p. 232.

179. *Du contrat social* (première version), *op. cit.*, p. 288 ; Préface de *Narcisse, op. cit.*, p. 972.

180. Préface de *Narcisse, op. cit.,* p. 971 ; *Emile, op. cit.,* p. 603.

181. *Œuvres et correspondance inédites, op. cit.,* p. 138, 139.

182. *Emile, op. cit.,* p. 858.

183. *Discours sur l'origine de l'inégalité, op. cit.,* p. 191. *La dédicace à la République de Genève,* dans laquelle Rousseau idéalise le système politique de Genève et pose les présupposés d'un modèle social, bien qu'ajoutée après la rédaction du *Discours,* le situe pourtant dans le contexte d'un idéal de la vie sociale, et nullement d'une exhortation au retour à l'état naturel.

184. *Cf.* A. Cobban, *Rousseau and the Modern State,* Londres, 1934, p. 86 *sq.*

185. *La Nouvelle Héloïse, op. cit.,* p. 117 ; *Emile, op. cit.,* p. 859.

186. *Cf.* M. Merleau-Ponty, *Les sciences de l'homme et la phénoménologie,* Paris, 1953, p. 19, 20 ; J.-P. Sartre, *L'imaginaire,* Paris, 1948, p. 25 *sq.*

187. *Emile, op. cit.,* p. 565.

188. *Les rêveries du promeneur solitaire, op. cit.,* p. 1005.

189. *Emile, op. cit.,* p. 418. « Supposez un printemps perpétuel sur la terre ; supposez partout de l'eau, du bétail, des paturages ; supposez les hommes sortant des mains de la nature une fois dispersés parmi tout cela : je n'imagine pas comment ils auroient jamais renoncé à leur liberté primitive et quitté la vie isolée et pastorale. » (*Essai sur l'origine des langues, op. cit.,* p. 107, 109.) Voir également les notes de Raymond et Gagnebin sur *Les confessions, op. cit.,* p. 1268 et 1269.

190. *Rousseau juge de Jean-Jacques, op. cit.,* p. 936.

191. *Œuvres et correspondance inédites, op. cit.,* p. 135.

192. *Cf.* Fichte, *Über den Gelehrten,* Berlin, 1956, p. 90, 91.

193. *Du contrat social* (première version), *op. cit.,* p. 288.

TROISIÈME PARTIE

Les sens de la solitude

Solitude et vision du monde

« Me voici donc seul sur la terre, n'ayant plus de frère, de prochain, d'ami, de société que moi-même. » « Etranger, sans parents, sans appui, seul, abandonné de tous, trahi du plus grand nombre. » « Seul, étranger, isolé, sans appui, sans famille, ne tenant qu'à mes principes et à mes devoirs. » « Etranger infortuné, seul, sans appui, sans défenseur sur la terre, outragé, moqué, diffamé, trahi de toute une génération [1]. » De semblables périodes, modulées selon un rythme spécifique, reviennent inlassablement à travers toute l'œuvre de Jean-Jacques, et leur tonalité émotive s'accroît vers la fin de sa vie, atteignant alors une densité dramatique. L'adjectif « seul » est l'un des mots qui reviennent le plus souvent dans toute son œuvre, qu'il répète parfois plusieurs fois sur une même page et qu'il entoure de termes en quelque sorte auxiliaires qui doivent dégager tout le sens du mot « seul », lui enlever sa banalité sémantique, de manière à ce qu'il puisse rendre compte du caractère exceptionnel de cette solitude.

Aussi est-il naturel qu'on soit tenté d'organiser l'œuvre de Rousseau autour du thème de la solitude, de le reconnaître comme le motif principal qui agence l'ensemble des contenus de sa vision du monde. Cependant, l'œuvre de Rousseau ne se réduit ni à l'expérience, ni à l'expression de la solitude en tant que situation existentielle, pas plus qu'à la réflexion sur la solitude. Le sens de la solitude, ou plutôt ses multiples significations dans cette œuvre ne peuvent être expliqués qu'en comprenant comment cette expérience et cette réflexion sont imbriquées dans d'autres thèmes, qu'en répondant aux questions sur la fonction que l'une et l'autre assument dans la vision du monde dans son ensemble. D'autre part, nous ne visons nullement à diminuer l'importance de ce sujet ; nous sommes même persuadés qu'il nous permettra de saisir des éléments essentiels de la vision du monde de Rousseau. Nous n'avons pas en effet affaire à un simple procédé stylistique : ce thème exprime un aspect fondamental de la vision qu'a Jean-Jacques de son destin personnel, comme de sa vision du monde.

A première vue, la solitude semble se rapporter avant tout à la personne de Jean-Jacques, plutôt qu'à sa vision du monde. On pourrait, en effet, définir toute la biographie de Jean-Jacques comme l'histoire d'un isolement croissant, comme l'histoire d'une solitude. C'est la construction — employons ce mot provisoirement et sans explications plus précises — qu'il nous propose lui-même dans ses *Confessions*. Tantôt il y avoue son goût naturel pour la solitude, lequel ne devait qu'augmenter avec le temps, tantôt il est enclin à considérer sa solitude comme le résultat de circonstances extérieures, comme si elle lui était imposée, et cette ambivalence dans l'explication de la genèse des motivations de la solitude n'est pas sans importance pour la compréhension de ses significations [2]. Laissons cependant de côté cette question à laquelle il nous faudra revenir.

Il est par contre d'emblée incontestable que le point de départ biographique de cette « histoire de la solitude » est le moment où Jean-Jacques, âgé de seize ans, s'enfuit de Genève. Il rompt alors les liens avec le milieu social qui fut le sien, il se place à l'extérieur de ce milieu, lui devient pour la première fois étranger. Quelle que fût la motivation psychologique de cette fuite, celle-ci crée une situation d'exil, d'extériorité, dont le sentiment ne cessera de croître et constituera une composante durable de la solitude. (Je suis « étranger et seul » — ces deux qualificatifs sont associés dans les fragments cités ci-dessus.) Une distance se creuse non seulement entre Jean-Jacques, son milieu social et les hommes qu'il connaissait, mais aussi entre lui et la religion de son enfance : il quitte sa ville natale et il s'engage dans la voie du catéchumène. La motivation religieuse joue dans cette conversion au catholicisme un rôle minime : aucune crise n'éprouvait alors la foi de Jean-Jacques. Mais dans la Genève calviniste, cette « cité de Dieu », la religion ne fonctionne pas comme une sphère autonome de la vie sociale et la foi comme une dimension autonome de l'expérience intérieure de l'individu ; l'une et l'autre se fondent avec l'ensemble des rapports politiques, sociaux et moraux de la ville [3].

Nous ne suggérons évidemment pas que, dès cette époque, Rousseau se rendait compte de tout le contexte de sa décision, pas plus que nous ne visons à réduire les motivations psychologiques de son acte à des motivations sociologiques. S'il est cependant un fait que sa biographie fournit des exemples presque classiques aux analyses psychanalytiques sur le rôle de l'enfance dans la formation de la personnalité et de son psychisme, il sera utile que nous nous arrêtions à l'aspect sociologique de ses expériences psychologiques, de ses tensions, frustrations et complexes. Ainsi, quand Jean-Jacques quitte Genève, il a « l'esprit républicain », mais celui qui s'était formé alors que la société traditionnelle genevoise entrait en crise. L'un de ses complexes caractéristiques, la phobie de l'argent en tant que médiation entre l'homme et les choses, se fixe en lui dès l'enfance, alors que l'argent assume une fonction définie dans la désintégration des rapports moraux, sociaux et économiques de l'ancienne cité. Si Jean-Jacques s'en va « de par le monde » pour y trouver une autre place pour lui, cela signifie que la place occupée jusqu'alors a cessé d'être « la sienne », que le système des valeurs et rôles sociaux qui règne à Genève n'est plus pour lui univoque et évident. Mais en même temps sa fuite est une fuite vers « l'inconnu » : aucun autre système n'est encore pour lui évident, ni ne lui sert de modèle. Evidemment, sa fuite de Genève et la situation qui s'ensuivit sont loin de déterminer la suite de son destin, mais il est utile de voir que tel fut — sommairement esquissé — le cadre initial dans lequel le jeune Rousseau saisira ses futures expériences. Ce qui n'empêchera pas par ailleurs qu'au cours de ces expériences, l'image même de Genève fera l'objet de multiples mythes, tandis que le problème de l'abandon de sa ville, de sa patrie, prendra une grande importance psychologique et idéologique dans la conscience de Rousseau.

La distance qu'il mettait, en rompant ses liens, entre lui et tout ce qui — consciemment ou inconsciemment — constituait des repères d'orientation sociale, morale et intellectuelle, était plus grande que ne pouvait le penser le jeune homme qui avait trouvé les portes de la ville fermées par « un maudit capitaine ». Sur les routes de Savoie et d'Italie, dans l'hospice pour les catéchumènes à Turin, pendant son séjour aux Charmettes et les débuts de sa carrière parisienne, le sentiment d'être « rejeté hors du temps des hommes et de leur monde » passe par différentes phases ; il s'éteint parfois pour renaître encore plus intense et plus riche. Il est difficile de suivre ici à quels moments et en suivant quels cheminements compliqués ce sentiment se mêle chez Rousseau au sentiment de la solitude, et quels sont les divers contenus sociaux et psychologiques que celui-ci commence à véhiculer. La solitude est vécue tantôt comme l'expérience de son propre isolement, tantôt comme l'expérience de sa propre liberté ; tantôt comme un sentiment de menace et d'insécurité, tantôt comme la conscience de son autonomie individuelle ; enfin, comme la manifestation de l'injustice aussi bien de celle dont il a personnellement souffert que de l'injustice sociale en général.

Prise à Paris, après les premiers succès littéraires, la décision d'une « réforme personnelle » semble être un tournant dans cette évolution. Jean-Jacques choisit consciemment la solitude, décide de « rompre avec les maximes de son siècle » et de donner à cette rupture un caractère spectaculaire, de changer son habit, son style de vie, de « marcher seul dans une route nouvelle [4] ». Un sens fondamental, à la fois personnel et philosophique, est ici conféré à la solitude : celle-ci doit exprimer le rapport de Jean-Jacques au monde et à lui-même ; ses écrits doivent dès lors être les œuvres d'un « solitaire ». Ce sens fondamental est mis en relief dans sa querelle avec Diderot. Il importe peu ici d'entrer dans les circonstances concrètes de cette brouille, d'établir dans quelle mesure elle résulta inéluctablement des chemins suivis par Jean-Jacques jusqu'au moment de la rupture et dans quelle mesure elle s'explique par des concours fortuits de circonstances. Quoi qu'il en fût, c'est sur la base de ce conflit que Rousseau confère à sa rupture avec le monde des « philosophes » le sens d'un différend sur la signification de la solitude, d'un différend devant trancher si « il n'y a que le méchant qui soit seul » — comme le prétendait Diderot —, ou si « il n'y a que l'homme seul qui soit bon » —, comme lui répliqua Jean-Jacques. Et une fois de plus, il nous est difficile de préciser quand ce rôle délibéré est vécu par Rousseau comme un rôle imposé, à quel moment la solitude choisie est interprétée comme un effet de la persécution. Il est également difficile de saisir à quel moment et sous quelles diverses formes ce sentiment de solitude se fond avec une vision pathologique dans laquelle il devient impossible de nouer un « contact réel », quel qu'il soit, avec les hommes, où l'ensemble de humanses propres relations avec le monde devient une barrière infranchissable [5].

Nous n'avons pas ici en vue de suivre l'évolution psychologique de Jean-Jacques, mais uniquement de citer quelques exemples pour illustrer la possibilité de saisir schématiquement sa biographie et son œuvre comme l'histoire d'un homme qui « se ferme progressivement au monde » jusqu'à atteindre un état nettement pathologique. Mais toute la complexité du phénomène qui nous intéresse ici se traduit entre autres par le fait qu'en recourant aux mêmes exemples on peut également définir schématiquement la biographie intellectuelle de Jean-Jacques et de son œuvre comme celle d'un homme qui, progressivement, « s'ouvre au monde » avec lequel il engage le dialogue et l'approfondit ; comme celle d'un homme qui s'identifie avec les valeurs universelles, avec l'ordre moral universel fondé en dehors de l'individu. Rompre avec Genève, c'est dans une égale mesure se situer « à l'extérieur », créer sa condition d'étranger, qu'entrer dans un monde nouveau ; c'est dans une égale mesure s'exiler de la communauté, produire sa solitude, que chercher une communauté nouvelle, plus large que celle qu'encerclent les murs de Genève. Sur les chemins de l'exil, Jean-Jacques n'accumule pas seulement les expériences de son isolement et des carrières ratées. Aux Charmettes, naîtra l'idéal d'une communauté harmonieuse dans laquelle l'individu se dissout et avec laquelle il s'identifie. Sur les routes de la Savoie, d'Italie et de France, Jean-Jacques fait l'expérience de l'inégalité sociale. Cette expérience renforce le sentiment d'extériorité par rapport à la société existante, mais — ainsi que l'a souligné J. Starobinski — vivre sa propre extériorité en tant que manifestation de l'inégalité sociale, c'est essentiellement se sentir solidaire avec les autres, c'est identifier son sort individuel avec une communauté définie par une situation sociale particulière [6]. L'expérience de l'inégalité sociale est — par son essence — une expérience de solidarité avec les uns contre les autres.

La « réforme personnelle » est également de ce point de vue extrêmement compliquée. Le seul fait de lui avoir donné un caractère démonstratif, spectaculaire, démontre qu'elle consiste dans une égale mesure à s'adresser aux autres qu'à se replier sur soi. Parmi les contemporains de Rousseau, les uns considéraient cette réforme comme une pose, les autres comme un paradoxe. « Adieu, le Citoyen ! C'est pourtant un Citoyen bien singulier qu'un ermite [7] » — lui écrivait entre autres Diderot dans sa lettre datée du 10 mars 1757 et dont Jean-Jacques devait prendre ombrage, se brouillant avec son ami. En paraphrasant Diderot, nous pourrions dire : singulier est cet ermite qui, dans la solitude de Montmorency, au cours de ses promenades solitaires parmi les champs ou enfermé dans sa tour, écrit le *Contrat Social* et *Emile*. La vision d'un autre type de rapports humains et la réflexion sur le mal moral, sa genèse et les possibilités d'y remédier peuplent cette solitude démonstrative. « Le parti que j'ai pris d'écrire et de me cacher est précisément celui qui me convenoit [8]. » Mais toute écriture est par son essence même une extériorisation, elle est une tentative visant non seulement à nouer un dialogue, mais aussi à établir une communauté avec autrui. D'autant plus une œuvre littéraire qui voulait se consacrer à la vérité, accuser et condamner son « siècle », une écriture qui, dans son intention, était un enseignement moral et une révolte. Le monde imaginaire, né des rêves de l'homme solitaire, maintient un lien avec le monde réel : il est dans une égale mesure affirmation de la solitude et de l'isolement dans le monde existant qu'exigence d'un autre monde moral et instauration d'une communauté idéale, dépassement de la solitude et sa négation. « Aigri par les injustices que j'avois éprouvées, par celles dont j'avois été le témoin, souvent affligé du désordre où l'exemple et la force des choses m'avoient entraîné moi-même, j'ai pris en mépris mon siècle et mes contemporains et sentant que je ne trouverois point au milieu d'eux une situation qui pût contenter mon cœur, je l'ai peu à peu détaché de la société des hommes, et je m'en suis fait une autre dans mon imagination laquelle m'a d'autant plus charmé que je la pouvois cultiver sans peine, sans risque et la trouver toujours sûre et telle qu'il me la falloit [9]. »

La solitude, envisagée comme une rupture avec la société existante, créait en même temps « un vide dans le cœur », vide que Jean-Jacques évoque souvent et qui engendrait en lui le désir d'une solidarité réelle avec le monde et les hommes. La solitude était le moyen d'accéder aux valeurs dans lesquelles pouvaient être fondées cette communauté et cette solidarité. Et c'est du moins dans ce sens que ce monde moral rêvé — « un monde idéal semblable au nôtre, et néanmoins tout différent [10] » — était plus réel que le monde existant qui se manifestait comme une seule apparence. « J'aime trop les hommes pour avoir besoin de choix parmi eux ; je les aime tous, et c'est parce que je les aime que je hais l'injustice ; c'est parce que je les aime que je les fuis (...). Cet intérêt pour l'espèce suffit pour nourrir mon cœur [11]. » Une pareille solitude demande qu'on s'en justifie vis-à-vis des autres, qu'on rende compte de ses raisons qui possèdent une valeur universelle. Rousseau confère à sa solitude le sens d'une mission qui est la « défense de l'humanité contre elle-même » ; ainsi, rendre compte des raisons de sa solitude, c'était dresser en même temps un réquisitoire. Même à l'époque où le sentiment pathologique d'une solitude absolue l'amène à rompre tout contact, semblerait-il, avec le monde des humains, alors qu'il ne rédigeait plus depuis plusieurs années que des œuvres autobiographiques, Rousseau se met à travailler aux *Considérations sur le gouvernement de Pologne*. D'autre part, c'est précisément dans les différents états d'extase engendrés par la solitude que Jean-Jacques aspire le plus intensément à exister comme « la petite partie d'un grand tout », à participer à un ordre moral universel.

Nous n'avons nullement esquissé ces deux schémas de la biographie de Jean-Jacques avec l'intention de choisir l'un d'eux, ni de les opposer l'un à l'autre. Chacun d'eux est sous cette forme unilatéral, et leur comparaison devait uniquement servir à une approche en quelque sorte préalable de toute la complexité des dispositions psychiques, des attitudes sociales ainsi que des contenus philosophiques et moraux contenus dans les descriptions de la solitude. La solitude se révèle déjà à nous dans cette approche comme une situation non seulement ambiguë, mais encore antinomique. Jean-Jacques lui-même explique souvent la genèse de son comportement de solitaire et ses contradictions par ses dispositions psychiques. Il possède à la fois, écrit-il, le goût de la solitude et « une âme expansive » qui ne lui permet pas « de se concentrer tout entier en soi-même », mais l'oblige à « étendre ses sentiments et son existence sur d'autres êtres », à étendre — comme il le dit d'un de ses personnages — « le moi humain sur toute l'humanité [12] ». Il est sujet à ce qu'il appelle ses « âmes hebdomadaires » : par l'une il est « sagement fou », par l'autre « follement sage », et « rien n'est si dissemblable à lui que lui-même ». « C'est pourtant ainsi que je suis ; s'il y a là de la contradiction, elle est du fait de la nature et non pas du mien ; mais il y en a si peu que c'est par là précisément que je suis toujours moi [13]. » Tout le long de sa vie, il témoigna maintes fois de son désir « d'être soi », mais aussi de son aspiration à « devenir quelqu'un d'autre », et ce en se faisant passer pour une autre personne, en empruntant de faux noms et de faux rôles.

Nous ne voudrions en rien diminuer l'importance à attribuer aux dispositions psychiques, en particulier à l'hypersensibilité de Jean-Jacques, quand il s'agit de comprendre la genèse et l'intensité des états affectifs dans ses descriptions de la situation de l'homme solitaire. Une tension interne, un conflit intérieur intensément vécu apparaissent souvent dans les biographies des écrivains ou des philosophes comme le point de départ psychologique d'une rupture avec une familiarité « naturelle » envers le monde. Mais même dans les cas où le vécu psychologique est aussi intense que chez Jean-Jacques, où il s'unit aussi étroitement que chez lui à la réflexion philosophique, la recherche des causes psychologiques ne peut être qu'auxiliaire pour la compréhension des significations de l'œuvre : elle ne peut ni épuiser ces sens ni en rendre compte. Jean-Jacques en effet n'était pas seulement solitaire, mais il procédait en outre à une réflexion sur sa solitude, et, dans cette réflexion, il conférait en quelque sorte à la solitude un statut à la fois philosophique, moral et littéraire ; il créait un modèle de l'homme solitaire. Nous dirions aujourd'hui que cette réflexion constitue une description phénoménologique de diverses solitudes, mais c'est une description qui est également riche en contenus historiques tels que le diagnostic sociologique de sa propre époque, l'interrogation sur son sens et son avenir. Jean-Jacques avait fait l'expérience de la solitude, et, de plus, il défendait le droit à être solitaire, en tant que droit à une existence spirituelle autonome de la personne humaine, en tant que droit — et impératif — de l'individu à vivre et à interpréter le monde dans des catégories et formes différentes de celles que lui impose la société. La solitude, telle qu'il la comprend, suppose une conception définie de la personnalité, de son autonomie et de ses rapports avec la communauté. Dans l'expression « il n'y a que l'homme seul qui soit bon », Jean-Jacques associe son modèle de l'homme solitaire à l'idée maîtresse de toute son œuvre.

Expliquer la genèse et le caractère de la solitude, comprendre que c'est précisément l'homme seul qui est bon, c'est, à son avis, pouvoir pénétrer dans l'opposition entre l'essence de l'homme et son existence sociale, entre la vocation universelle de l'homme fondée dans la nature humaine et l'histoire, la réalité sociale des hommes. Encore ailleurs, Jean-Jacques écrit que « ce n'est qu'autant qu'on aime à vivre seul qu'on est vraiment sociable [14] ». C'est précisément dans la situation où l'on est seul, séparé et isolé des hommes, que se renforce particulièrement le sens de la responsabilité de l'individu pour les autres, pour l'humanité. Toutefois, c'est également dans la solitude que s'opère l'affirmation de soi, l'affirmation de la personnalité de l'homme dans toute son autonomie et son individualité.

Jean-Jacques associe également à son modèle de l'homme solitaire une situation privilégiée pour la connaissance. La solitude permet de se détacher, d'échapper aux « systèmes », au « scepticisme dogmatique » des philosophes, de trouver le « moyen de sortir de son incertitude » par soi-même [15]. La connaissance acquise dans la solitude possède une valeur spécifique : elle est « sienne », non seulement dans la mesure où elle est acquise à l'issue de son propre effort, mais aussi où on l'obtient au terme d'une démarche spécifique qui fait que les résultats acquis « appartiennent » à la personnalité et sont conformes à ses attitudes morales. Dans la solitude, l'homme acquiert la connaissance de soi la plus complète et la plus sûre, mais aussi — ou plutôt grâce à ce fait — la connaissance du monde et de soi en tant que « petite partie d'un grand tout [16] ». La connaissance du monde est en effet donnée alors à l'homme comme un vécu spécifique, et non seulement comme le résultat d'une réflexion impersonnelle.

Nous pourrions prolonger cette énumération, mais notre unique propos était de souligner que, dans l'œuvre de Rousseau, la solitude est une construction complexe qui agence des éléments multiples et divers. La solitude n'est pas seulement — ni principalement — le résultat de concours de circonstances fortuits, individuels : elle traduit plutôt les aspects fondamentaux de la place de l'homme dans le monde, de son rapport à Dieu, à l'histoire et à la nature, ainsi que son attitude envers son époque. C'est pourquoi l'expérience de la solitude et la réflexion attachée à ce vécu sont particulièrement significatives dans la structure de la vision du monde de Rousseau.

De plus, les significations du modèle de la solitude que propose Rousseau, sont conditionnées par un contexte polémique dont nous signalerons ici le seul aspect le plus général, puisque nous devrons y revenir plus en détail. Les différents auteurs, Voltaire comme Diderot, Holbach comme Grimm, se prononcent, à maintes reprises et dans diverses versions, contre la solitude qu'ils jugent comme un état quasi morbide. La solitude est considérée comme la conséquence d'un choix individuel, comme une volonté délibérée de s'isoler de la société. Elle est moralement condamnable : seul un égoïste, un misanthrope, un homme méchant ou dépravé peut s'isoler des autres hommes. Dans la pensée des Lumières, le symbole de la solitude prend figure d'un moine, et il est inutile de s'étendre sur l'ensemble des valeurs négatives attachées à ce personnage. Un homme éclairé ne désire pas la solitude, il s'affirme dans son commerce avec autrui. Aussi faut-il protéger l'homme contre la solitude ; telle est la condition de son bonheur, de l'épanouissement de sa personnalité, de la richesse de sa vie affective et intellectuelle. L'homme éminent, le génie, lui non plus n'évite pas les autres, il les attire au contraire vers lui, comme le fait Voltaire qui, même dans sa retraite de Ferney, concentre autour de lui les esprits les plus brillants d'Europe [17].

Cette manière de poser et de juger la solitude, constitue pour Rousseau un système de références négatif. Evidemment, Jean-Jacques n'accepte ni la solitude du moine ni celle du misanthrope, et il se joint aux Lumières pour les réprouver. Mais, de l'avis de Rousseau, « l'homme de la nature » est également solitaire, il n'a pas besoin d'être constamment en contact avec les autres pour vivre la plénitude de son être et ressentir son authenticité. Le génie, l'homme exceptionnel est lui aussi solitaire. Du fait de sa sensibilité morale, le génie doit s'isoler de la société où le mal moral est maître et, pour ces mêmes raisons, la société l'isole. En conférant à la solitude le caractère d'une situation morale privilégiée, Jean-Jacques s'oppose aux idées courantes de son temps. Mais cette opposition implique que Rousseau doit aborder tout un ensemble de problèmes et les associer au thème de la solitude ; des problèmes tels que, par exemple, la place de l'homme dans l'ordre de la nature, la genèse du mal moral, le rôle de la société dans le développement de la personnalité humaine, etc. Cette opposition oblige en quelque sorte Jean-Jacques à situer la réflexion sur sa propre solitude dans une perspective philosophique globale. Ainsi, quelle que fût l'unicité du destin personnel de Jean-Jacques et du caractère existentiel de sa solitude, le différend sur le sens de la solitude met en cause les problèmes majeurs de la *Weltanschauung* de l'époque. Jean-Jacques ne peut donner un sens à sa propre solitude qu'à condition d'aborder toute cette problématique, de transcender ainsi le caractère individuel et unique de son expérience et de l'opposer à « l'esprit philosophique » de son siècle.

Nous avons à plusieurs reprises employé les mots « construction » et « modèle », alors que nous sommes conscients des associations qui s'y rattachent, des malentendus qu'ils peuvent engendrer et que nous voudrions cependant éviter. Mais nous sommes bel et bien en présence de la construction d'un modèle de la personne humaine quand Rousseau commence ses *Confessions* en annonçant qu'il engage une entreprise unique dans son genre et qui est « de faire faire un pas de plus dans la connaissance des hommes » en fournissant à chacun « une pièce de comparaison », de manière que chaque homme « puisse connaître soi et un autre », et cet autre ce sera lui, Jean-Jacques, qui affirme de surcroît que « nul ne peut écrire la vie d'un homme que lui-même » car « sa manière d'être intérieure, sa véritable vie n'est connue que de lui [18] ». Nous retrouvons une démarche analogue, visant à construire un modèle philosophique et moral de la personne humaine, dans l'idée d'une conscience morale solidaire du rôle exceptionnel et privilégié conféré à la solitude. Les *Confessions* sont donc subordonnées à une construction, ou plutôt elles participent d'un projet de construire un modèle philosophique et moral — mais aussi littéraire — de la personnalité et de son destin. Les prémisses de cette construction sont d'emblée exprimées dans l'idée qu'une biographie authentique consiste non pas dans la description des faits, dates et événements, mais dans « l'histoire de l'âme », dans « la chaîne des sentiments qui ont marqué la succession de mon être » et qu'ont engendrés les événements. « Je puis faire des omissions dans les faits, des transpositions, des erreurs de dates ; mais je ne puis me tromper sur ce que j'ai senti, ni sur ce que mes sentiments m'ont fait faire [19]. »

Quand nous parlons d'une « construction », nous ne mettons pas ici en cause la véracité de ce que Jean-Jacques dit de lui-même et des autres dans ses *Confessions*. (D'ailleurs, du point de vue de l'objectif posé dans cette construction, qui est de rendre compte « d'états d'âme », ce problème perd son sens.) Nous ne voulons pas non plus aborder la question si souvent débattue de la sincérité des *Confessions* [20]. La ligne de démarcation entre la sincérité et la construction est ici fluide. Disons que cette construction était sincère et, ce qui importe peut-être encore davantage, qu'elle intégrait le besoin d'une sincérité totale dans la conception de la personnalité et dans l'idéal des rapports humains. Il s'agissait d'une sincérité capable d'assurer les conditions requises pour « être soi-même » tout en établissant une communication immédiate avec les autres, passant outre les fausses apparences et les rôles sociaux « artificiels ». Par conséquent, la construction n'équivaut pas ici à une idée abstraite à laquelle on subordonne une vision du monde ; elle est la forme spécifique, imprégnée de la vision du monde de Rousseau, d'une prise de conscience et d'une intériorisation de sa situation dans le monde et de ce monde lui-même dans toute sa complexité. Les causes psychologiques en sont certainement la sensibilisation particulière de Jean-Jacques à la solitude et sa manière particulièrement intense de vivre les situations liées à son propre isolement. Mais Jean-Jacques vit sa propre expérience et pense à lui non pas en faisant abstraction des résultats de sa réflexion sur l'homme et la société, mais sur la base de cette réflexion, ou encore dans son cadre. C'est dans ce sens que nous voudrions considérer la solitude, ou les diverses solitudes dont parle Rousseau, comme n'étant pas seulement l'expression de situations individuelles uniques, ni principalement un élément de biographie. Nous voudrions accéder jusqu'aux contenus culturels, sociologiques, philosophiques, etc., impliqués dans les descriptions. C'est toujours dans ce sens que nous parlons de l'existence dans l'œuvre de Jean-Jacques d'un modèle de l'homme solitaire, modèle possédant une structure et implanté dans les réalités non seulement individuelles et psychologiques, mais aussi historiques et sociologiques.

En analysant les significations qu'exprime le modèle de la solitude dans la vision du monde de Jean-Jacques, nous saisissons un nouvel aspect des questions déjà abordées : le diagnostic de son époque en tant que siècle de crise, les phénomènes de l'aliénation, le conflit entre la nature et la culture, etc. Ce n'est pas un hasard si le modèle de l'individu solitaire se profilait en quelque sorte à l'horizon de toutes nos analyses précédentes, comme l'une des possibilités esquissées par Jean-Jacques de dépasser les contradictions existantes dans le monde social, comme l'une des formes de la liberté. Le modèle de l'homme solitaire s'édifie en effet sur la base de ces analyses, il équivaut à une tentative de surmonter les antinomies d'un certain type historique et social de la personnalité humaine. D'une part, ce modèle doit rendre compte de la tension interne caractéristique de la personnalité humaine produite par le monde des apparences ; d'autre part, il veut être l'effort visant à dépasser cette tension et les contradictions internes de l'homme. Il traduit la conscience de ces contradictions et constitue en même temps une tentative de leur négation. Aussi, ce modèle possède-t-il ses propres tensions internes et sa propre dynamique spécifique : il rassemble et imbrique dialectiquement des tendances contraires.

Dans le modèle de la solitude que propose Rousseau, l'individu trouve l'affirmation de sa séparation du monde, de son isolement. Il rentre dans sa vie intérieure, retrouve son propre « moi », parce qu'il est pleinement indépendant et se suffit à lui-même. Mais ce repli dans l'expérience immanente, où la conscience de l'individu se nourrit « de sa propre substance », est à la fois un mouvement de transcendance, de dépassement de son propre isolement. En « rentrant en lui-même », l'individu prend conscience de l'idée de l'humanité, de son appartenance au genre humain et de sa solidarité avec lui : il constate le caractère humain universel des valeurs et des normes morales découvertes « en lui », retrouve un contact immédiat et personnel avec Dieu et la nature en tant qu'ordre universel. Constituer la solitude en un cercle fermé, isolant du « monde des apparences », c'est refuser le monde social existant : la personne humaine s'affirme contre la société qu'elle condamne en proclamant qu'elle se suffit à elle-même moralement et spirituellement. Mais, d'autre part, c'est précisément dans la solitude que l'homme limité à « lui-même » crée dans ses rêves l'image d'un « monde idéal », la frontière entre cette image et la construction de « projets » politiques pour une société meilleure n'étant jamais nettement tracée. (Rappelons les promenades solitaires de Jean-Jacques dans la forêt de Saint-Germain, quand, « l'âme exaltée par des contemplations sublimes », il retrouve « l'image des premiers tems », de l'âge d'or, et médite sur l'origine et le développement de l'inégalité.)

L'utopie de Jean-Jacques a pour point de départ cette même conception de la personnalité humaine et ce même diagnostic — moral et social — de son siècle sur lesquels se fonde son modèle de l'homme solitaire. La solitude et l'utopie sont complémentaires au sens où elles équivalent à des tentatives pour résoudre le même complexe de problèmes, mais ce sont des tentatives différentes, entreprises chacune sur un autre plan. Le rapport entre ces deux dimensions de l'œuvre est particulièrement important pour comprendre la vision du monde de Rousseau, ses fonctions sociales, l'unité et à la fois la diversité de ses inspirations. L'unité de l'œuvre de Jean-Jacques n'est pas seulement une unité psychologique. Chez Rousseau, aussi bien la pensée religieuse que la pensée politique, la réflexion sur la nature et la réflexion sur la société, la métaphysique et l'utopie sont centrées autour d'un tronc commun constitué par les problèmes anthropologiques. Et bien que les interrogations portent tantôt sur la nature humaine, tantôt sur l'essence même du monde social, tantôt enfin sur Dieu ou la nature, elles sont historiques par leur teneur. Elles sont historiques, car c'est la dynamique et les conflits de l'histoire qui fournissent leur substance aux questions sur l'homme, la nature et Dieu. Elles sont historiques également dans ce sens que les questions comme les réponses sont formulées dans les catégories conceptuelles de l'époque. Ainsi, par exemple, la question portant sur le rapport de l'homme à son histoire est formulée comme si elle était solidaire soit du problème de la place de l'homme dans l'ordre de la nature, soit du problème de la genèse du mal moral, etc. Par conséquent, elles sont encore historiques dans la mesure où la compréhension de leurs références historiques permet de saisir l'un des fragments et l'une des dimensions du processus complexe dans et par lequel l'homme prend conscience de son propre destin collectif et de son effort pour le maîtriser.

Nos derniers développements semblent justifier la nécessité d'examiner la conception de l'ordre et certains aspects de la pensée religieuse de Rousseau, afin de pouvoir revenir à l'analyse des différentes significations que la solitude revêt dans sa vision du monde. Cette démarche n'est un détour qu'en apparence. Elle semble confirmer notre idée que l'analyse de la solitude développe certaines questions déjà signalées et qu'elle aborde en même temps des problèmes dont le complément indispensable sont la vision de la communauté humaine et les utopies de Jean-Jacques.

« Tiré je ne sais comment de l'ordre des choses, je me suis vu précipité dans un chaos incompréhensible où je n'aperçois rien du tout, et plus je pense à ma situation présente et moins je puis comprendre où je suis » — tels sont les termes dans lesquels Jean-Jacques décrit sa solitude [21].

Ainsi, pour Rousseau, être seul, c'est être « tiré de l'ordre des choses », et sa tentative de rationaliser cette expérience revêt la forme d'une réflexion sur la conformité ou non de la situation de l'homme solitaire avec l'ordre universel. Etre en désaccord avec l'ordre, c'est perdre la possibilité d'être heureux, c'est être privé du sentiment de sécurité, de toute orientation morale dans la vie.

Se définir soi-même, prendre conscience de sa situation, de son rapport à la société, à Dieu, à autrui, en fonction du rapport avec l'ordre universel ; rationaliser ses propres motivations en les rapportant à cet ordre ; bref, penser dans la catégorie de l'ordre, telle était l'une des structures conceptuelles qui furent données à Jean-Jacques avec son époque.

En effet, l'ordre est une catégorie courante de l'époque ; il implique tout un schéma qui organise en vision du monde l'expérience commune, les données de la science, les valeurs morales, la réflexion et l'observation sociologiques, les sentiments esthétiques, etc. L'ordre est un système de références en fonction duquel on énonce des jugements de valeur sur les institutions politiques et les découvertes de la science, on s'interroge sur le sens des actions des hommes et la signification humaine de la nature, on rationalise les choix moraux et l'on hiérarchise les valeurs. Les débats philosophiques et les différends idéologiques prennent très souvent la forme d'une discussion sur l'ordre et sur la place de l'homme dans l'ordre. A côté de « la nature » et de « la raison », l'ordre est une catégorie centrale de la pensée de l'époque, mais dans la mesure où l'on peut en général tracer une ligne nette de démarcation entre ces catégories. La « nature » est en effet considérée comme « un ordre rationnel », tandis que l'ordonnance des processus et des choses qu'on peut découvrir dans le monde est une manifestation suprême de la rationalité [22]. Dans la confusion sémantique qui règne autour de ces termes, on peut même relever une tendance visant à reconnaître « l'ordre » comme une catégorie supérieure par rapport à la nature. « L'ordre » s'élève au-dessus de l'opposition « nature-culture », il doit traduire l'existence d'une continuité entre le monde de la nature donné à l'homme et l'univers créé par l'homme lui-même.

L'exemple de Voltaire, pour qui la solution du problème de l'existence ou de l'inexistence de l'ordre prend un caractère existentiel, témoigne le mieux de l'importance de cette catégorie dans le mouvement des idées au siècle des Lumières. Ainsi, vers le milieu du siècle et à la suite de tout un concours de circonstances, Voltaire traverse une crise philosophique et morale qui se traduit par la désintégration de sa vision du monde. Or, le dénouement de cette crise dépend de la réponse qu'il peut donner à la question : « Existe-t-il un ordre dans l'univers ? » Certes, le tremblement de terre à Lisbonne avait pu contribuer à renforcer cette crise, mais uniquement parce que Voltaire n'envisage pas cet événement comme un phénomène physique et ne se contente pas de l'explication de ses causes naturelles.

Le désastre de Lisbonne est pour lui un problème philosophique et moral parce qu'il met en question, d'une manière dramatique, l'existence de l'ordre. Et si l'ordre n'existe pas, alors « tout est permis », pour paraphraser Dostoïevski [23]. Le « cas Voltaire » est (avec celui de Rousseau) le plus dramatique, mais, d'une manière plus générale, la catastrophe de Lisbonne suscita des discussions animées, déchaîna des passions, dégagea un ensemble spécifique de problèmes philosophiques, le tout étant extrêmement instructif pour comprendre l'importance du concept de « l'ordre » dans la pensée des Lumières.

Nous pourrions d'ailleurs multiplier les exemples les plus divers. Ainsi, Diderot considère le « goût de l'ordre » comme le sentiment le plus enraciné dans le cœur de l'homme et le plus ancien [24]. Les physiocrates composent des tableaux de « l'ordre physique et moral », dans lesquels on déduit de l'analyse de « l'ordre » les différentes thèses relatives au caractère du pouvoir et à la politique économique, ainsi que les principes de l'éducation, les devoirs de l'homme envers sa famille, etc. Dom Deschamps déduit de l'analyse de « l'ordre » son « grand système » : la vérité sur le « grand tout » et son ordre fonde la solution définitive de « l'énigme métaphysique et morale » — l'utopie d'une société idéale. Evidemment, le caractère de « l'ordre » ne fait pas l'unanimité parmi les penseurs ; certains vont même jusqu'à mettre en question son existence. Néanmoins, chaque « philosophe » doit prendre position sur ce sujet, définir sa pensée en fonction précisément de ce problème. Et il est utile de rappeler que la dynamique interne de la pensée des Lumières, aboutissant à la mise en question des structures de la pensée de l'époque et à leur éclatement, se réalise chez Hume et Kant à travers une réflexion critique sur « l'ordre », sur le rapport de « l'ordre physique » à « l'ordre moral ».

Si nous comparons l'importance des fonctions de cette catégorie dans la pensée de l'époque avec ses contenus, nous sommes alors frappés par la banalité de ceux-ci. Dans la mesure où l'on peut schématiquement reconstituer les contenus communément attribués à ce concept, nous constatons que « l'ordre » est en général associé à l'idée que le monde constitue un tout moral et métaphysique, qu'il forme « une grande chaîne des êtres » dont la continuité et l'agencement permettent de déceler des principes rationnels qui définissent également la place de l'homme dans la structure de l'univers. Dans cette totalité morale et métaphysique, le bien et le mal pour le moins s'équilibrent, cet équilibre se traduisant en particulier par la conformité des aspirations humaines au bonheur avec la structure même de l'Etre. L'idée de « l'ordre » s'assortit souvent d'une autre thèse sur la finalité contenue dans l'Etre, dans la nature. L'une des conceptions finalistes les plus naïves prend naissance au siècle des Lumières : Bernardin de Saint-Pierre s'attendrit sur l'excellent arrangement de ce monde où il existe un rapport de convenance entre les formes des fruits et les besoins de l'homme, de sorte que les prunes et les cerises sont faites à la mesure des lèvres de l'homme, les pommes et les poires à la mesure de ses mains, tandis que les plus grands fruits, tel le melon, peuvent être divisés en tranches de manière à les manger en famille avec les voisins... Il est non moins frappant que l'idée de « l'ordre » soit syncrétique par ses origines. Sans parler des traditions plus anciennes de l'idée de la « grande chaîne des êtres » et en retenant uniquement les traditions intellectuelles plus récentes, on s'inspire librement de Leibniz et de Pope, mais aussi de Spinoza et de la tradition libertine du XVIIe siècle, de Clarke (qui connaît à cette époque la plus grande célébrité et est même comparé à Platon) et de Locke, de Malebranche et de Newton. L'idée de « l'ordre » assume nettement la fonction sociologique d'une « contre-idée ». Elle est dirigée contre la conception traditionnellement chrétienne de la Providence, contre le pouvoir qui lui est attribué d'intervenir librement dans le cours des choses, contre la vision chrétienne et traditionnelle de la structure sociale hiérarchique, contre la conception du rapport entre les fins temporelles et les fins éternelles dans la vie de l'homme, etc. Ce qui n'empêche d'ailleurs pas les apologistes catholiques qui polémiquent avec les « philosophes », de recourir eux aussi volontiers au concept de « l'ordre » pour en démontrer la concordance avec les thèmes chrétiens traditionnels, tandis que les « philosophes » exploitent parfois dans leurs polémiques des thèmes providentialistes courants [25].

Il est facile de déceler le syncrétisme et la banalité de cette idée, et ce n'est pas un cas isolé dans la réflexion philosophique de l'époque. Et pourtant, son importance historique et culturelle n'en est pas moindre, qu'il s'agisse de son impact sur « l'esprit philosophique » du siècle ou sur les idées philosophiques et morales des siècles suivants. En effet, toute philosophie est non seulement une réflexion autonome, elle participe aussi, d'une manière spécifique, à l'effort de rationalisation des expériences collectives de la réalité sociale et historique. Or, dans la pensée des Lumières, l'autonomie de la sphère de la réflexion philosophique par rapport à la fonction de rationalisation de l'expérience sociale est souvent minime. Ce qui donne à l'idée de « l'ordre » son impulsion particulière, c'est l'association d'une catégorie philosophique avec des attitudes, des représentations et des valeurs collectives qui se forment dans des expériences et des activités sociales quotidiennes. Elle devient ainsi l'un des lieux de travail et de formation des systèmes idéologiques qui s'opposent à l'Ancien Régime et annoncent un autre monde social. Les attitudes et représentations collectives acquièrent ainsi un horizon philosophique, tandis que la réflexion philosophique articule tout un ensemble d'expériences et d'activités sociales.

Dans la pensée des Lumières, le concept de « l'ordre » comme les concepts de « nature » et de « raison » s'associent à un ensemble d'attitudes intellectuelles et pratiques qui affirment l'homme lui-même comme la raison d'être ultime de toutes les choses humaines. C'est dans cette perspective qu'on considère que le monde naturel et social est par son essence prédestiné à être conforme aux aspirations et aux tendances que l'homme reconnaît comme siennes, comme « humaines ». « L'humanité » est l'unique mesure que l'homme peut appliquer à lui-même et au monde. L'existence humaine dans le monde se justifie par elle-même ; elle ne révèle et ne dissimule aucun autre enracinement ontologique de l'homme. Et l'homme n'en a pas besoin puisque le monde est à la mesure de l'homme, qu'il est son « propre » monde. L'homme se reconnaît et s'affirme dans ce monde dans lequel rien ne lui est « étranger ». Reconnaissant sa place dans le monde, l'homme s'affirme soi-même et affirme sa vocation ; il ne trouve dans la structure de ce monde aucun élément qui serait contradictoire avec ce mouvement d'auto-affirmation absolue. La philosophie de l'époque perçoit dans ces positions un danger de relativisme ; pour l'éviter, on réduit tout absolu à la mesure humaine, tout en reconnaissant dans l'humain l'unique absolu accessible à l'homme. Ainsi, l'absolu prend en quelque sorte les dimensions du quotidien. Mais cela signifie également que, dans la quotidienneté des actions, on retrouve l'humanité comme le point de référence absolu pour toutes les questions ultimes concernant le destin et la condition de l'homme. L'homme est à sa véritable place dans le monde. Les rapports entre l'homme en tant qu'individu et l'humanité en tant qu'idée de l'humain et communauté universelle des hommes sont par leur essence immuables et inaltérables, transparents et intelligibles grâce aux facultés naturelles de l'homme. En disant que « rien n'est étranger dans le monde », Pope traduit en une phrase la manière dont s'enchevêtrent les valeurs, les jugements et les attitudes pratiques dans la pensée des Lumières. L'harmonie, la cohérence et la stabilité de l'ordre dans le monde rassurent l'homme, lui procurent un sentiment de sécurité, la certitude « d'être à sa place », etc. Elles le confirment dans sa vocation qu'il peut déceler dans ses activités pratiques quotidiennes, autant qu'elles forment des anneaux dans la chaîne de l'ordre universel [26].

Ceci peut paraître paradoxal, mais c'est précisément dans le cadre de cette catégorie métaphysique et finaliste de l'ordre, la plus proche des traditions des grands systèmes du XVIIe siècle, que se forme ce style de réflexion philosophique de l'époque qui oppose l'empirisme et la recherche de l'homme concret à « l'abstraction » et au « caractère spéculatif » de ces systèmes. Justement parce que « rien n'est étranger dans le monde », tous les problèmes philosophiques sont traduisibles dans les problèmes des réalités humaines ; c'est là — et non pas dans le monde des idées spéculatives — qu'ils doivent se situer. Partant, tout problème philosophique non seulement peut être interprété comme un problème relatif aux aspirations et actions quotidiennes des hommes, mais encore il doit être concrétisé dans ces termes. A cette intention de philosopher de cette manière correspond tout un genre littéraire, à savoir le conte et le roman philosophiques tels que *Candide* ou *Jacques le fataliste* [27].

En soulignant l'importance de la catégorie de « l'ordre », d'une catégorie donc nettement métaphysique et finaliste qui implique la primauté de la totalité par rapport à ses parties, il pourrait sembler que nous tombons en contradiction avec les analyses qui caractérisent le style de pensée des Lumières en accentuant ses attitudes les plus symptomatiques : son opposition à la métaphysique, son empirisme, son naturalisme, son style analytique et sa manière d'appréhender le monde comme un ensemble d'objets individuels liés par des rapports de causalité. Or, d'une part, ces caractéristiques seraient certainement unilatérales si elles voulaient réduire la vision du monde des Lumières à ces seuls aspects. D'autre part, nous n'opposons pas ces derniers à la réflexion axée sur le thème de « l'ordre ». La spécificité de la pensée des Lumières, ce que nous avons appelé ailleurs son caractère transitoire, se traduit entre autres par l'imbrication de ces thèmes empiristes, naturalistes et atomistes dans la catégorie de « l'ordre », dans la vision d'un monde envisagé comme une totalité rationnellement ordonnée. En méditant sur « l'ordre » et en faisant de lui un point de référence, les penseurs des Lumières tentent de répondre aux questions portant sur le rapport de l'homme à Dieu et à l'univers, ainsi que sur le rapport de l'individu à l'humanité et aux institutions sociales.

Si l'on analyse l'idée de « l'ordre » précisément dans l'optique de ces questions, si on l'interprète dans ses contenus anthropologiques, c'est dans son effort orienté vers l'humanisation du monde que nous la saisirons sous sa forme particulière à « l'esprit philosophique » des Lumières.

Dans la réflexion sur l'ordre, le problème du rapport de l'homme à Dieu venait en tout premier lieu. Dans les versions déistes de l'idée de « l'ordre » universel, Dieu apparaît, de la manière la plus générale, comme le garant de la pérennité et de la stabilité de l'ordre immuable et inaltérable du monde, mais il est réduit à ces seules fonctions. Dieu est « naturalisé » : sa pensée et son acte sont presque entièrement identifiés avec l'ensemble des lois impersonnelles qui assurent la pérennité de l'univers, la régularité des phénomènes et des processus dans l'agencement desquels l'homme découvre une harmonie et une finalité. Dieu se rationalise : la vérité réside non pas en Dieu, non pas dans l'Ecriture ni la Révélation, mais dans l'œuvre rationnelle de Dieu, ou plutôt, pour être plus précis, dans l'œuvre de Dieu que l'homme lui-même interprète comme étant rationnelle, grâce à l'exercice de ses facultés intellectuelles. Aussi ne peut-il y avoir dans l'œuvre de Dieu rien qui puisse mettre en question sa propre intelligence et, à la fois, l'intelligence de l'homme ; il n'y a place dans cette œuvre ni pour les miracles, ni pour les phénomènes supranaturels. Si quelque chose peut paraître irrationnel dans l'œuvre de Dieu, c'est uniquement parce que l'homme n'a pas encore découvert l'ordre rationnel dissimulé sous ce fragment du monde, qu'il n'a pas encore réussi à le connaître, ou encore (la plus grande concession consentie à l'idée traditionnelle de Dieu) parce qu'il y va de questions qui ne sont pas à la mesure de la connaissance humaine.

Mais, par là même, ces questions deviennent indifférentes à l'homme, se trouvent écartées de sa réflexion. Tout ce qui dans le monde correspond à une interprétation à la portée de l'esprit humain confirme l'existence de Dieu. Et rien d'autre. En effet, l'unique échelle que l'homme puisse appliquer à quoi que ce soit, y compris à Dieu, c'est la mesure de sa propre raison. Ainsi donc, Dieu est non seulement « naturalisé », il est humanisé : il existe une continuité parfaite entre l'homme et Dieu, comme il existe une continuité entre l'homme et le monde. Dieu — en tant qu'objet de raison et réduit dans son essence à la raison — devait créer le monde comme l'aurait fait un homme rationnel idéal, un « philosophe » des Lumières. Dans sa destruction de Dieu, le rationalisme agit en deux temps : avant de l'abolir, il l'humanise [28]. La pensée des Lumières, qui combattait avec tant de ferveur l'anthropomorphisme naïf des religions positives, concevait elle-même Dieu à l'image de l'homme rationnel.

C'est également en deux temps que s'opère la transformation du sentiment religieux : l'homme exige de ce Dieu rationnel qu'il établisse avec lui des rapports rationnels, analogues à la norme idéale des rapports rationnels entre les hommes, sur la base en quelque sorte d'un contrat respectant les droits de l'homme. Ni le bonheur temporel ni la félicité éternelle ne peuvent être un don, une faveur consentie par un être omnipotent dans ses caprices, comme le serait un « tyran », ou un « despote oriental ». Ils doivent être garantis de manière à ce que l'homme, dans son expérience religieuse, trouve non pas la peur, ni le sentiment de sa faiblesse et de son humilité par rapport à Dieu, mais l'assurance pour autrui, y compris pour Dieu, que ses droits sont inviolables et que ses efforts sur terre seront fructueux. Les éléments irrationnels sont éliminés de l'expérience religieuse. La pensée des Lumières affirme l'homme dans son existence quotidienne comme « si Dieu était mort, sans avoir encore constaté que cela signifie la mort de Dieu ». Les philosophes continuent à avoir parfois des scrupules, ils pensent qu'ils admirent encore Dieu et lui rendent hommage, alors qu'ils admirent le monde et l'effort terrestre de l'homme, et qu'ils rendent hommage à la moralité humaine [29]. Et si, outre l'intelligence, on attribue à Dieu, en sa qualité de créateur, d'autres propriétés encore, même ces attributs affirment l'homme. Ainsi, on ajoute qu'il est juste, mais cela signifie uniquement qu'il doit tenir ses engagements issus du fait même de l'existence de l'homme, du fait qu'il est lié à lui par un contrat spécifique. On dit parfois qu'il est bon, mais cela veut dire qu'il a créé un monde bon, et l'existence de l'homme participe à l'ordre de ce monde. Les contenus finalistes mis en rapport avec l'idée de « l'ordre » accentuent la continuité et la concordance entre les fins humaines autonomes et le monde dans lequel l'homme vit, le monde de l'homme et à la mesure de l'homme. Celui-ci est donc protégé par son Dieu et son monde qui lui procurent un sentiment d'assurance dans ses actions, en dépit des échecs qui peuvent survenir.

Nous avons parlé ci-dessus des naïvetés sur lesquelles débouche le finalisme dans son admiration pour l'ordre, doublée d'esthétisme. Mais la certitude de l'homme d'être enraciné dans la nature où « rien ne lui est étranger » et sa confiance par rapport au monde considéré comme le

terrain de son affirmation, ces deux éléments contenus dans l'idée de
« l'ordre » finissent par se dissocier du finalisme lié au déisme. Le seul
fait de l'existence de l'homme suffit pour expliquer le caractère de sa
participation au monde. L'existence de l'homme, ses liens avec la nature
éliminent le besoin de penser à un autre univers et confirment en même
temps que ce monde est « bon », car son trait spécifique est que l'homme
y existe et qu'il découvre dans la nature des lois immuables et rationnelles. « S'étonner à la vue d'un ordre dans la nature — écrivait Holbach —, c'est être étonné qu'il puisse exister quelque chose ; c'est être
surpris de sa propre existence. » « Ce que nous appelons ordre dans la
nature — précisait-il ailleurs — est une façon d'être, ou une disposition
de ses parties rigoureusement nécessaire. » « Le point important — constate le neveu de Rameau — est que vous et moi, nous soyons, et que
nous soyons vous et moi. Que tout aille d'ailleurs comme il pourra. Le
meilleur ordre des choses, à mon avis, est celui où j'en devais être, et
foin du plus parfait des mondes, si je n'en suis pas. J'aime mieux être, et
même être impertinent raisonneur, que de n'être pas. Il n'y a personne
qui ne pense comme vous — acquiesce Diderot — et qui ne fasse le pro-
cès à l'ordre qui est, sans s'apercevoir qu'il renonce à sa propre existence [30]. » Comment l'homme aurait-il peur ou s'étonnerait-il de sa propre
existence, alors qu'elle lui est donnée avec le monde, ou encore le monde
lui est donné avec son existence. Le monde est un tout qu'il faut considérer non pas du point de vue de sa genèse et de sa finalité, mais du
point de vue des mouvements et des rapports entre les éléments qui
composent cette totalité dans laquelle l'ordre s'instaure spontanément,
sans qu'aucune finalité n'intervienne, de même que s'organisent les parties
d'une plante au cours de sa croissance. L'élément constitutif et nécessaire
de cette totalité est l'homme, avec ses aspirations, ses fins et sa raison,
avec sa nature. Une modification aussi radicale de l'idée de « l'ordre »
faite dans un esprit scientiste et naturaliste, équivalait à éliminer le finalisme et le Dieu déiste, aboutissait à un déterminisme rigoureux et à
l'athéisme. Par contre, elle n'éliminait pas le concept même de « l'ordre » : accepter sa propre existence, c'était encore accepter sa participation au monde considéré comme une totalité ordonnée.

En effet, dans la version déiste de l'idée de « l'ordre » l'accent est
mis non pas sur le rapport du monde, ensemble des êtres créés, à Dieu
le créateur, mais sur le rapport du monde, en tant que totalité rationnelle, aux différents éléments qui la constituent. Cette question est importante, en particulier pour élucider toute une série de malentendus qui
surgissent dans l'interprétation du nominalisme et de l'empirisme des
Lumières. Il est en effet courant de voir deux perspectives gnoséologiques
fonctionner simultanément dans la pensée des Lumières. Dans l'une, c'est
l'idée de totalité qui domine : les phénomènes et faits particuliers sont
considérés en fonction de leur participation à la totalité, à l'ordre naturel ;
quant à la connaissance, elle a pour tâche importante, si ce n'est principale, d'expliquer le rapport d'un phénomène à l'ordre, sa « place »
définie par les principes qui le fondent. Dans l'autre perspective, c'est la
tendance nominaliste qui prend le dessus : on interprète le monde comme

un ensemble d'êtres individuels liés entre eux par des rapports de causalité ; on tend à réduire toute totalité aux éléments qui la composent ;
enfin, on attribue à la connaissance le rôle, particulièrement important
dans ce contexte, d'accumuler et d'explorer les faits empiriques individuels
dans toute leur diversité et spécificité.

On souligne parfois que la première de ces tendances est en réalité un
résidu de la pensée métaphysique des grands systèmes du XVIIᵉ siècle, voire
de la métaphysique chrétienne. La seconde tendance serait particulière
aux Lumières, parce que fondée sur le sensualisme et l'empirisme présa-
geant la pensée scientiste. Or, il semble plutôt que ces deux perspectives
ne sont pas aussi distinctes dans la pensée philosophique de l'époque et
que, loin de s'exclure, elles se complètent. Pour mieux mettre en relief
notre point de vue, nous serions même enclins à pousser notre thèse à
l'extrême : la démarche « totalisante », qui est dominée par la catégorie
de « l'ordre », est une prémisse des attitudes empiristes et nominalistes.
La présence conjointe de ces deux perspectives enchevêtrées et imbriquées est précisément un fait symptomatique de la spécificité du style de
pensée des Lumières, comme du caractère transitoire déjà mentionné de
cette pensée. Dans la vision du monde de l'époque, les deux optiques
convergent. D'une part, on reconnaît que chaque être existe pour lui-
même et qu'il est ontologiquement autonome, de l'autre, la caractéristique
de tout être est définie par l'ensemble de ses rapports. Rien n'est
« étranger dans le monde », chaque chose existe pour les autres, en raison de la cohérence visible et de l'harmonie des « parties » dans l'univers.
Par cette existence « pour les autres », on entend que chaque être sert à
la conservation des autres et qu'il est, dans ce sens, utile. Tout sert à tout :
chaque être « est utile » à la « nature », au sens de la totalité des êtres ;
chaque être n'est qu'un élément de la nature, de la totalité ordonnée. Dans
ce sens, tout être possède dans la nature sa « place » définie par l'ensemble des lois rationnelles, et son essence n'est rien d'autre que son
existence définie par les relations dans le cadre du « grand tout ». Mais
— comme le fait remarquer Hegel, qui a le mieux saisi la spécificité de
cette structure de pensée — si chaque être individuel est « utile » à la
« nature », alors la « nature », l'ensemble des choses, est également
« utile » à chaque être. Ainsi chaque être individuel, en raison du caractère nécessaire de sa place dans le tout, est une fin absolue. Son existence
est indispensable pour l'existence et le mouvement du tout, la nature tout
entière étant par contre un moyen par rapport à l'existence de ses éléments. Pour chaque être, réaliser ses fonctions définies par la place occupée dans le cadre de la totalité, c'est contribuer à sa propre conservation
et au maintien de la totalité. L'analyse de tout être individuel doit donc
rendre compte aussi de l'économie, de l'arrangement de la totalité [31].

Ainsi, on peut procéder, comme dit Pope, « du tout aux parties »,
des principes rationnels existant dans la nature et se manifestant dans son
« organisation » déduire la « place » de l'être donné et son rapport aux
autres, tout en exprimant son admiration pour l'ordre qui « est la première loi du ciel », pour « le grand système qui joint le Ciel et la Terre,
le mortel et le divin [32] ». Quant à Diderot, s'il refuse la vision déiste du

monde, il garde l'idée de la nature comme du « grand tout ». La nature est une totalité et son existence est ontologiquement la réalité ultime ; elle est dynamique dans son unité matérielle et contient le principe de sa propre organisation. « Il n'y a qu'un seul grand individu, c'est le tout. Dans ce tout, comme dans une machine, dans un animal quelconque, il y a une partie que vous appellerez telle ou telle ; mais quand vous donnerez le nom d'individu à cette partie du tout, c'est par un concept aussi faux que si, dans un oiseau, vous donniez le nom d'individu à l'aile, à une plume de l'aile [33]. »

Mais l'idée que le monde est une totalité rationnelle implique que la rationalité de ce « grand tout » doit se manifester dans les êtres individuels, tels qu'ils existent dans toute leur diversité. L'harmonie et l'ordre sont impliqués dans le fait même de l'existence des êtres dont la diversité, empiriquement observable, est considérée comme une valeur autonome. Le caractère rationnel de la totalité et « l'économie » des êtres les uns par rapport aux autres doivent se manifester dans leurs rapports. Il ne faut donc pas créer de « systèmes » abstraits qui ignoreraient cette diversité. Par contre, il y a lieu d'observer « systématiquement », de rassembler une multiplicité de faits empiriques qu'on peut et doit comparer entre eux, rapporter les uns aux autres, précisément parce qu'ils « appartiennent » à l'ordre, au « grand tout ».

La philosophie des Lumières ne cherche pas à saisir l'essence métaphysique de l'Etre, le principe qui fonderait l'unité et la cohérence de l'univers et son intelligibilité. Dans la pensée des Lumières, l'unité et la cohérence du monde sont si indissociables du fait même de l'existence de l'homme dans ce monde que le principal problème de la connaissance consiste à examiner toute la diversité des rapports dans lesquels cette unité se manifeste. La formule de l'empirisme de l'époque traduit les caractères spécifiques de ces positions ontologiques. La pensée des Lumières est fascinée par les faits qu'elle accumule et observe ; l'esprit scientifique du siècle est encyclopédique et non synthétique. Cette fascination ne débouche pourtant pas sur l'image d'un monde chaotique : le monde est ordonné, car l'appartenance à l'ordre est inhérente au fait même de l'existence de tout être [34].

La schématisation à laquelle nous venons ici de procéder deviendra peut-être moins abstraite si nous l'associons à une question capitale pour la pensée des Lumières : la place de l'homme dans le monde. D'une part, l'homme est considéré comme un anneau dans la chaîne infinie des causes et des effets, il est envisagé uniquement comme un élément de la nature ; d'autre part, c'est précisément l'homme, la place particulière qu'il occupe, ses rapports avec les autres être naturels qui sont révélateurs de l'ordre et du sens de l'univers. En nous plaçant sur un plan abstrait, la distinction de ces deux perspectives pourrait amener à leur affrontement, à l'idée pascalienne de l'antinomie de la situation de l'homme perdu dans l'infinité de l'univers et qui en même temps ramène cet univers à lui, en raison de la situation privilégiée qu'il y occupe. Mais, même quand dans la littérature des Lumières s'inscrivent des thèses qui énoncent que l'homme est une seule particule dans l'immensité de la nature, ces énoncés ne traduisent jamais le sentiment que l'individu est égaré dans le monde ; ils expriment toujours une attitude d'auto-affirmation. Si l'homme ne réussit pas à saisir toute l'infinité de la nature, cela ne témoigne pas de son impuissance et de sa faiblesse, cela signifie tout au plus qu'il est dans l'ordre de la nature de réduire les horizons de la connaissance aux questions concernant l'homme, au fragment de l'ordre relatif à l'homme, à ses besoins et ses aspirations. L'homme possède sa place dans la nature, mais cela signifie qu'on peut considérer la nature dans sa totalité comme étant accordée — pour employer l'expression de Volney — « en usage à l'homme ». Les lois qui régissent l'univers « ne sont point écrites au loin dans les astres ou cachées dans des codes mystérieux ; inhérentes à la nature des êtres terrestres, identifiées à leur existence en tout temps, en tout lieu elles sont présentes à l'homme, elles agissent sur ses sens, elles avertissent son intelligence, et portent à chaque action sa peine et sa récompense. Que l'homme connaisse ces lois ! Qu'il comprenne la nature des êtres qui l'environnent, et sa propre nature, et il connaîtra les moteurs de sa destinée [35] ». L'homme ne possède pas la connaissance de l'essence des choses et il n'en a pas besoin. Ses connaissances sont relatives ; les choses lui sont données dans la seule mesure où elles agissent sur lui. L'homme découvre sa place dans le monde non pas au terme d'une reconstruction intellectuelle de celui-ci en tant que totalité rationnelle, mais bien grâce au fait, donné avec l'existence, que chaque chose, en tant qu'élément du tout, influe sur ses sens, peut être l'objet de ses besoins, provoque un sentiment de plaisir ou de douleur [36].

Pour la pensée des Lumières, l'homme ne dispose que d'un seul accès à la réalité : celui qui est déterminé par sa condition humaine, par sa nature. Quant à la réalité, elle n'est pas donnée à l'homme comme l'objet d'un acte purement intellectuel mais dans les sensations à prédominance affective. Le sujet connaissant et agissant, ce n'est pas le *cogito*, mais l'homme qui est dans le monde par son existence charnelle, par ses souffrances et jouissances qui le poussent à agir et à se définir au monde en fonction précisément de ce rapport spécifiquement humain. Connaître l'homme, c'est connaître ses rapports avec le monde. Mais, par là même, la connaissance de l'homme est une dérivée de ses rapports avec le monde. Hume en tirera des conclusions radicales. « Evidemment toutes les sciences ont une relation, plus ou moins grande, à la nature humaine (...). Les mathématiques, la philosophie naturelle, la religion naturelle elles-mêmes dépendent en quelque mesure de la science de l'homme (...). Il n'y a pas de question importante dont la solution ne soit comprise dans la science de l'homme ; et il n'y en a aucune qui puisse se résoudre avec quelque certitude, tant que nous ne connaissons pas cette science. » La science de l'homme fondée sur l'expérience nous apprend que le « sentiment » (la « passion ») dans l'homme est une « qualité originelle » ou encore un « modèle primitif d'existence ». L'homme est en effet par sa nature un être sensible que le monde des choses réelles affecte et auquel il est lié par ses sensations et impressions. Aussi, la « la raison est, et elle ne peut qu'être, l'esclave des passions ; elle ne peut prétendre à d'autre rôle qu'à les servir et à leur obéir [37] ».

Les sensations et affections sont donc à l'origine de la connaissance à la fois du monde et de la nature humaine. Le sensualisme des Lumières n'entre guère souvent dans les subtilités épistémologiques. Qu'est-ce qui est donné dans la connaissance, les sensations ou la réalité même ? Cette question est au fond, pour lui, d'une importance secondaire. En effet, on retrouve et on saisit toujours ses rapports avec le monde : ils se manifestent dans les données de la conscience et, par conséquent, on y retrouve et saisit la nature humaine affectée, ainsi que les lois immuables qui règnent dans la nature et qui déterminent ces affections et sensations. L'adéquation fondamentale entre l'image humaine du monde et le monde lui-même n'est pas problématique et ne demande pas nécessairement une réflexion gnoséologique ; tout au plus faut-il décrire les mécanismes psychologiques et physiologiques qui peuvent être à l'origine des déformations de l'image de la réalité. D'où, d'une manière apparemment paradoxale, les thèses sensualistes affirmant que seules les idées et les représentations constituent l'objet de la connaissance ne débouchent pas sur l'opinion que la conscience est isolée du monde, enfermée dans le cercle de ses propres expériences. Elles aboutissent bel et bien à la conclusion que l'homme est l'ensemble de ses rapports avec le monde. L'unité de la personnalité ne dépend pas des caractéristiques substantielles de l'homme, ni de sa destinée transcendante. Ce qui assure cette unité, c'est la constance des rapports de l'homme avec les choses et la mémoire de ses sensations et de leur permanence. Grâce à l'introspection, l'homme constate que les choses, en l'affectant, le poussent à développer son action dans le monde, qu'il possède des besoins et qu'il lui est possible d'agir pour les satisfaire. Si les besoins comme les possibilités d'action appartiennent à la nature humaine, alors leur conformité doit avoir des équivalences dans le monde extérieur. L'homme, en tant que partie du monde, considère l'ensemble des choses en fonction de leur « adaptation » par rapport à lui, à ses besoins et possibilités, en fonction de leur utilité et de la manière dont elles lui « servent ». L'idée de « l'ordre » contribue à fonder l'opinion qu'agir au nom de sa conservation et conformément à son propre intérêt, donc en accord avec les exigences de la nature humaine, c'est en même temps agir en faveur de la conservation du « grand tout » et confirmer l'existence de l'ordre dont cette action est une manifestation et un élément constitutif. Aussi, quelque forte que fût à l'époque la tendance naturaliste ou encore anthropocentrique, le monde extérieur est considéré comme le chantier de l'homme, comme l'objet de ses activités pratiques et intellectuelles visant à réaliser les fins inhérentes à la nature humaine. En vertu de la permanence de son ordre, le monde est destiné à ce que l'homme le transforme, de manière qu'il devienne le monde de l'homme. La découverte par la science de la structure rationnelle du monde, le développement de la technique et la réduction des distances (au sens sociologique) entre les pays et les continents confirmaient l'homme des Lumières dans cette idée. En saisissant le monde comme une totalité, l'homme établit avec

lui des rapports de plus en plus nombreux et divers ; il met à contribution un nombre croissant de lieux géographiques plus ou moins éloignés
pour satisfaire ses besoins quotidiens. Il est partout « chez lui », dans
ce monde considéré comme un « grand tout », ce sentiment étant particulièrement intense dans la pensée de l'époque. Si l'homme ne dépasse
pas la « mesure », les limites désignées par son humanité même, par
sa « nature », alors, dans ses rapports avec le monde, il s'affirme lui-
même, affirme sa vocation, ses buts et aspirations. Autrement dit, en
réalisant ses buts et aspirations, en considérant le monde comme un ensemble de choses qui servent à cette réalisation, l'homme est conforme
tant à sa propre nature qu'à l'ordre. La perfection à laquelle l'homme
peut viser, est à sa seule mesure humaine. Prendre conscience de ce que
l'homme est en raison de sa nature, c'est répondre à la question de
savoir ce qu'il devrait être. Seule l'ignorance peut dissocier en l'homme
l'être et le devoir-être, la nature et les valeurs. Elle altère les rapports
naturels entre l'homme et les choses, entre soi et autrui. C'est de la
nature humaine que découlent tous les devoirs qui engagent les hommes
en priorité par rapport à leur propre humanité, ensemble de valeurs que
chacun peut découvrir en lui-même.

Enfin, « l'ordre » était un concept non seulement métaphysique et
moral, mais aussi politique, il servait à la réflexion sur le rapport de
l'homme à l'homme et sur la communauté humaine. Ce concept était politique dans la mesure où il impliquait l'impératif de la participation consciente de l'individu — et surtout de l'homme éclairé — à la formation
de la réalité sociale ; où il légitimait l'examen de cette réalité en tant
qu'elle est créée par les hommes eux-mêmes. « L'ordre » était un
concept politiquement engagé, puisque c'est dans les solutions métaphysiques, dans la structure ontologique même de la réalité, qu'il fondait
les valeurs qui tombaient en contradiction avec les rapports sociaux existants et se retournaient contre eux. Il est aisé de remarquer que les
aspects de l'idée de « l'ordre » analysés ci-dessus — le rapport de
l'homme à Dieu et à la nature — possédaient déjà des accents sociaux.
Ils fournissaient en particulier des arguments pour le jugement critique
des institutions religieuses existantes ; ils posaient les principes de l'utilité
et de l'efficacité comme des critères d'évaluation des rôles, divisions
et hiérarchies existant dans la société. Mais la catégorie de « l'ordre »
était également engagée d'une manière plus directe dans les questions
sociales et politiques. Ainsi, l'une des thèses fondamentales impliquées
par l'idée de « l'ordre » est qu'il existe une continuité entre le monde
de la nature et le monde de l'histoire : le monde de la nature comme
le monde de l'histoire participent du même ordre, en eux doivent se
manifester les mêmes principes qui s'expriment dans la constitution originelle de l'homme, dans sa « nature ». En traduisant l'appartenance de
l'homme à l'ordre, la catégorie de la « nature humaine » permet d'envisager l'ensemble des rapports sociaux du point de vue du « retour aux
origines », de leur conformité avec les principes rationnels et les droits
indissociables de cette nature.

L'organisation morale et métaphysique du monde implique la solidarité des hommes, leur utilité réciproque. En « accordant à l'homme l'usage » de l'ordre qui règne en elle, la nature a fait de lui — pour employer une autre expression de Volney — « l'arbitre de son sort [38] ». En effet, connaître l'ordre rationnel qui existe dans le monde de la nature, c'est pouvoir confronter la vie sociale avec les principes de cet ordre, manifestés dans la nature humaine, c'est fonder l'interrogation sur la rationalité des rapports sociaux [39].

De même que les choses dans l'univers, les hommes sont liés entre eux et ces liens sont tels que même les faiblesses et les vices humains, s'ils n'outrepassent pas les « limites » de leur nature, contribuent à les renforcer. L'homme ne peut donc atteindre le bonheur qu'avec les autres, alors que la solitude le voue à l'échec. Car, en s'isolant, l'homme se prive de son lien naturel avec les autres, cesse d'être utile à lui-même et à autrui. Il devient solitaire et étranger dans un monde « où rien n'est étranger ». La conscience de soi rationnelle, c'est la conscience de l'universalité de la nature humaine, de la solidarité subséquente des hommes au nom de leur conservation et de la réalisation de leur aspiration au bonheur. L'isolement déprave l'homme, écrit Voltaire. « Un solitaire n'est ni bienfaisant, ni malfaisant ; il n'est rien pour nous [40]. »

Dans cette revue sommaire des contenus de l'idée de « l'ordre » et des fonctions qu'elle assume dans la vision du monde et de l'homme au siècle des Lumières, nous avons certainement ramené à un schéma unique des opinions éparses, exprimées parfois en marge d'autres analyses. Et surtout, nous n'avons pas tenu compte de toute la diversité des accents, de toute la gamme des nuances, des points de vue et des interprétations. Nous avons ainsi obtenu un tableau par trop homogène et cohérent, mais notre propos était précisément de démontrer comment la catégorie de « l'ordre » sert à opérer la synthèse de thèmes et de points de vue qui ne concordent pas toujours entre eux. Or, cette fonction synthétisante est d'une importance considérable. Qu'il suffise d'indiquer que la vision du monde proposée par les Lumières se désintégrera, entre autres, parce que les insuffisances de la synthèse opérée seront démontrées au moyen, surtout, de la critique de l'idée de « l'ordre » et des attitudes associées à cette catégorie, dont on dénoncera les contradictions internes.

Il nous semblait cependant qu'une pareille reconstruction, même avec le risque encouru d'une schématisation, permet de mieux saisir l'importance capitale du problème du mal physique et moral dans le mouvement des idées et dans les discussions philosophiques de l'époque. Dans un monde identifié avec l'ordre métaphysique et moral, l'existence du mal était un scandale qui requérait une prompte explication. Pour la philosophie des Lumières, c'était dans l'existence du mal, sévissant dans un monde reconnu comme rationnel et ordonné, que se manifestait l'inadéquation entre l'expérience et une vision du monde qui voulait en être la rationalisation. Si le monde est une totalité rationnelle dont les parties concordent et sont cohérentes, si la conservation de chaque partie est indispensable au maintien du tout, comment expliquer l'existence du mal physique, c'est-à-dire des souffrances d'êtres vivants et sensibles qui, en vertu même de leur constitution naturelle, aspirent au seul bonheur ?

Comment expliquer l'existence du mal moral, c'est-à-dire des vices et des crimes humains, d'un comportement contraire à la solidarité du genre humain, fondée dans la nature même ? Ce type de questions est très caractéristique de la pensée axée sur le thème de « l'ordre ». Dans l'ordre, en tant qu'harmonie stable se renouvelant perpétuellement en vertu du rapport supposé des parties au tout, dans le monde ainsi conçu, accordé en usage à l'homme, il ne pouvait y avoir de place pour des contradictions à l'intérieur de la nature humaine ; il ne pouvait non plus être question d'accepter des moments et des facteurs irrationnels dans les rapports de l'homme avec le monde. Or le mal se révélait irrationnel. Aussi fallait-il expliquer le mal en tant qu'élément de la totalité rationnelle, démontrer sa genèse rationnelle (ou encore son principe) ainsi que sa fonction dans le contexte du maintien et de la pérennité de l'ordre. L'irrationalité du mal moral menaçait de faire s'écrouler toute la vision du monde, de priver l'homme d'une orientation dans l'univers, de frapper de caducité toute l'échelle de valeurs servant à fonder les actions quotidiennes ; elle menaçait de transformer le monde en un gigantesque non-sens.

La pensée des Lumières avait évidemment hérité de cette problématique des thèmes religieux traditionnels de la théodicée, c'est-à-dire de la tradition consistant à justifier Dieu du reproche d'être également responsable du mal existant dans le monde, puisqu'il pouvait, dans sa bonté et son omnipotence, ne pas permettre que ce mal fût. Cependant, ces conditionnements par le problème traditionnel et religieux de la Providence sont principalement négatifs. Au fond, ils l'étaient déjà dans la discussion entre Leibniz et Bayle qui avaient esquissé le cadre philosophique le plus général dans lequel la pensée des Lumières devait saisir le problème du mal.

Rapporter le problème du mal à l'ordre rationnel du monde, cette démarche contribuait à rationaliser la pensée religieuse, à rationaliser la conception de l'homme en rejetant le mythe du péché originel et du Salut, donné comme explication de la genèse et du sens des souffrances humaines. Cette démarche servait également à rationaliser l'idée de Dieu : l'origine du mal ne pouvait pas être expliquée en recourant à un acte irrationnel de la volonté divine, mais elle devait être rapportée aux principes rationnels à la base de toute action, y compris de l'action de Dieu. Le Dieu de Leibniz n'est pas l'auteur de sa propre raison. Il est limité par les lois universelles de la raison, contraignantes par rapport à l'homme comme à Dieu. Mais avec la rationalisation de l'idée de Dieu, les anciennes difficultés auxquelles se heurtait le problème du mal, resurgissaient plus insurmontables que jamais : si Dieu veut éviter le mal mais ne le peut pas, il n'est pas omnipotent ; s'il peut le faire mais ne le veut pas, il est méchant ; s'il veut et peut à la fois le faire — alors l'existence du mal est inexplicable. La solution leibnizienne amenait à des conséquences qui ne pouvaient satisfaire ni les « philosophes », ni les apologistes chrétiens : le mal est un élément nécessaire de ce « meilleur des mondes possible » ; la puissance, la bonté et la sagesse de Dieu ne seraient pas

infinies s'il avait créé un monde dans lequel le mal n'existerait pas [41].
La plupart des « philosophes » ne pouvaient pas non plus accepter la
conception que Bayle semblait vouloir proposer et selon laquelle le mal
est un élément du monde qui ne se prête pas à une rationalisation plus
poussée ; son existence prouve que le monde de la nature et de l'homme,
envisagé comme un tout, ne peut pas être l'objet d'une interprétation
rationnelle. Cette totalité ne révèle en effet à la raison humaine aucun
principe métaphysique de ses parties : l'homme existe uniquement comme
un fait parmi d'autres faits [42]. Or, dans maintes versions de la pensée
des Lumières, l'idée de l'homme requérait une structure rationnelle du
monde à titre de garantie de l'efficacité des actions humaines. Comme
le formule si judicieusement Karl Barth : cette idée subordonnait la
théodicée à l'anthropodicée. La théodicée était nécessaire dans la
seule mesure où elle procurait une argumentation théorique à l'idée
de l'affinité du monde avec les aspirations et les fins morales de l'homme.
En agissant conformément aux exigences de sa nature découvertes par la
raison, l'homme implante le bien dans le monde. Ce sont les valeurs
humaines qui confèrent au monde la signification recherchée par la
théodicée.

L'existence de la Providence dans le monde, le rapport de Dieu à
l'univers, les attributs de l'Etre suprême, ces questions constituent des
formules traditionnelles que la pensée des Lumières remplit de contenus
non théologiques. L'homme n'a pas besoin de la vérité sur Dieu pour
se connaître lui-même, pour connaître sa vocation et les possibilités
de son accomplissement. Le Dieu personnel est remplacé par l'idée
abstraite de l'ordre, laquelle permet à la raison de s'affirmer dans la
réflexion sur l'action humaine et son efficacité. En posant l'unité du
monde métaphysique et moral, on tentait d'enraciner dans la structure
même de ce monde l'efficacité d'un double effort : celui qui visait à
humaniser le monde de la nature, mais aussi celui qui cherchait à
rationaliser le monde humain dans la mesure où il ne s'accorde pas avec
la « nature de l'homme ». Dans cette perspective, l'effort d'humanisation
se situait au centre de la réflexion philosophique. Le processus d'auto-
création de l'homme devenait l'unique point de référence pour l'ensemble
de la problématique morale et métaphysique. D'où cette particularité de
la philosophie des Lumières : la problématique métaphysique y occupe
une place prépondérante, et pourtant cette philosophie n'est pas vraiment animée par la passion métaphysique, se contentant souvent de
banalités du genre de « tout ce qui est, est bien [43] ».

La version de la théodicée, telle que la proposaient les Lumières,
avait un caractère transitoire : elle était le terrain sur lequel s'effec-
tuait le passage d'une réflexion qui envisageait les problèmes de l'affirmation de l'homme sur le plan de son appartenance à une totalité ontologique close et achevée, à une réflexion qui considérait ces mêmes problèmes sur le plan de l'histoire et de l'action humaine [44].

Cette dernière tendance doit principalement son évolution à une démarche que Lovejoy a appelée en anglais la « temporalisation » de l'ordre
et qui consistait à conférer une temporalité à l'ordre. Celui-ci est de

moins en moins considéré comme un agencement statique qu'on peut reconstituer sur la base de l'analyse du rapport des parties à la totalité close et achevée ; on commence peu à peu à l'envisager comme s'il devenait et se réalisait dans le temps. On reconnaît que la durée dans le temps n'est pas extérieure à l'ordre, qu'elle y introduit au contraire des éléments nouveaux, l'existence de l'ordre équivalant à son enrichissement dans le cours du temps. Ainsi, des éléments dynamiques, évolutionnistes, sont introduits dans l'ordre physique et moral antérieurement statique [45].

Il nous est difficile de délimiter de plus près les facteurs qui contribuèrent le plus à cette nouvelle conception dynamique de l'ordre. Il est certain en tout cas qu'il faut attribuer un rôle important aux sciences de la nature, en particulier à la biologie. Comme on le sait, la pensée de l'époque se passionne pour la problématique biologique, pour l'accumulation de faits qui témoignent de toute la diversité des phénomènes biologiques. Nombre de faits révèlent l'évolution des espèces biologiques ; d'autres montrent les changements dans le temps de la structure géologique de la terre. Aussi, la pensée des Lumières abonde-t-elle en idées évolutionnistes et transformistes — plus ou moins spéculatives — portant sur l'interprétation du monde organique, y compris des idées qui expliquent ses origines par la sensibilité de la matière [46]. D'autre part, cette nouvelle conception de l'ordre s'inspirait de la réflexion ethnologique, car la découverte de cultures multiples et diverses devait infailliblement amener à confronter la conception de la nature humaine immuable avec toute la diversité du concret culturel. Par ailleurs, nous avons démontré comment les études sur la genèse des religions et des croyances religieuses contribuèrent à introduire un facteur dynamique dans le concept de la culture. L'idée de la temporalité de l'ordre de la nature et la réflexion sur le progrès s'enchaînent. De réflexion sur l'ordre métaphysique statique, la théodicée devient une historiosophie : la vocation de l'homme ne se réalise pleinement que dans le cours de l'histoire, à travers l'instauration d'un ordre rationnel dans les rapports humains. L'ordre n'est pas encore achevé et le mal peut posséder un sens tout au plus en raison de la réalisation de ce processus qui se déroule dans l'histoire. La souffrance est inhérente à l'existence des besoins humains qui, quant à eux, sont indispensables à l'activité des hommes et au perfectionnement de l'esprit humain [47]. Et c'est précisément sur le perfectionnement de l'esprit humain que l'accent est mis. Si la place de l'homme dans l'ordre naturel est stable et définie, ses possibilités de bonheur sont également définies par la nature ; mais la pérennité des lois de la nature et l'inaltérabilité de la place de l'homme en son sein constituent l'objet du savoir humain qui, lui, peut se perfectionner. Le progrès du savoir humain sur la nature et sur l'homme lui-même est donc un élément de l'ordre, de l'entière réalisation des valeurs contenues dans les principes immuables de l'ordre. Ce savoir implique l'impératif d'atteindre le maximum de perfection spécifiquement humaine [48]. L'accumulation du savoir et sa propagation doivent aboutir à la suppression du préjugé, « n'appartenant pas à l'ordre », qui multiplie et accroît les souffrances humaines. Ainsi,

les misères humaines, du moins dans leur majorité, sont l'effet des préjugés et des divergences existant entre la nature humaine et l'existence
réelle des hommes. Les principes qui fondent la nature (ou encore la
finalité qui s'exprime en elle) se réalisent pleinement dans le monde
créé par les hommes, grâce à leurs activités historiques. Ainsi, la « nature », l'ordre naturel, se prolongent dans un devenir humain et gagnent
en dynamisme, tandis que de nouvelles significations s'ajoutent aux
maintes significations déjà existantes de ces mots clefs. On en vient parfois à considérer le perfectionnement par les hommes de leur propre
monde comme un prolongement spécifique de la « nature ». « L'art n'est
que la nature agissante à l'aide des instruments qu'elle a faits » — écrivait Holbach. Dans le concept « nature-ordre », l'accent est mis sur
l'idée de la nature considérée comme un ensemble de faits empiriques,
dans lequel un rôle particulier serait à attribuer aux faits humains dans
lesquels se manifeste la raison humaine, avec la faculté de se perfectionner
qui lui appartient en propre. « L'ordre » étendu au monde de l'histoire
acquiert la signification d'un développement qui comprend un avenir
humain. Quant à la forme de cet avenir, c'est l'action des hommes
éclairés qui la constituera [49]. D'ailleurs, les actions humaines elles-mêmes
s'expliquent dans un contexte déterministe et naturaliste. Dans l'action
constante des lois de la nature sur l'homme, on cherche en quelque sorte
à découvrir des instructions qui, en déclenchant l'activité de l'esprit
humain, amèneraient à un tel aménagement des rapports humains qu'il
serait conforme avec la finalité de la nature elle-même, contenue dans
la vocation de l'homme [50]. Un facteur dynamique est également introduit
dans l'idée de la nature humaine, comme nous l'avons signalé à propos
de l'idée de progrès, à laquelle on attribue la faculté de se perfectionner.
L'idée de l'unité de l'être et des valeurs, contenue dans la conception
métaphysique et statique de l'ordre, se transforme en l'idée de progrès,
en l'idée d'un devenir au cours duquel les hommes, et eux seuls, réalisent
progressivement les valeurs, grâce à l'effort de rationalisation de leur
vie. A l'idée de l'ordre métaphysique s'ajoute complémentairement l'utopie,
c'est-à-dire la vision d'une société humaine dans laquelle les valeurs
actuellement en conflit avec la réalité sociale seraient pleinement réalisées.
La vocation de l'homme est définie par sa place dans l'ordre ; mais,
d'autre part, elle est solidaire des progrès à accomplir par l'humanité
dans son histoire. Et, bien que le cordon ombilical entre l'idée de
l'ordre métaphysique et l'idée de progrès ne soit pas définitivement coupé,
la conscience de faire partie de l'ordre devient la conscience de participer
au progrès.

   Nous avons procédé à cette reconstruction provisoire des thèmes que
la pensée des Lumières met en relation avec l'idée de « l'ordre » et
les questions de la théodicée, dans l'espoir qu'elle nous sera utile, dans
la mesure où elle schématise le cadre complexe dans lequel s'est formée
la réflexion de Jean-Jacques sur le problème de l'ordre et du mal. Si
Jean-Jacques peut conférer une si grande importance philosophique,
morale et idéologique à sa propre solitude, à sa condition d'homme
« tiré de l'ordre des choses », c'est entre autres parce qu'il la rapporte

précisément à l'idée de l'ordre, aux questions capitales qui portent sur la place de l'homme dans le monde et que la pensée courante de l'époque a connectées avec le concept même de « l'ordre ». Si, en effet, aucun penseur des Lumières n'a créé un « système »qui embrasserait la totalité de la réalité, si la pensée de l'époque s'était même posée comme objectif de lutter contre les « systèmes », il n'empêche que « tous les penseurs du XVIIIe siècle pris ensemble créèrent un système philosophique [51] ». Et ce « système » n'équivalait pas seulement à un essai d'interprétation totalisante de l'ensemble de la réalité : l'idée de « l'ordre » traduit pleinement le fait que la pensée des Lumières débouchait sur un schéma achevé et qui tendait à se pétrifier. La réflexion de Jean-Jacques sur le mal moral introduisit le ferment de la négation, du doute et de la contradiction dans ce qui devenait déjà un « système » dans la pensée du siècle. En effet, de la manière la plus générale, Rousseau dissocie radicalement le problème du mal de tout contexte métaphysique, tant en ce qui concerne sa genèse qu'en ce qui concerne son sens. Il pose et envisage le problème du mal et de la théodicée sur le plan historique, social et politique, et non plus en rapport avec la structure de l'être [52].

Cependant, cela ne signifie pas que Rousseau élimine l'idée de l'ordre ou qu'il renonce à poser des questions sur la place de l'homme dans l'ordre. Au contraire, nulle part dans toute la pensée des Lumières le problème de l'ordre ne joue probablement un rôle aussi important que dans l'œuvre de Jean-Jacques. Mais, l'idée même de « l'ordre » y est transformée, parce qu'elle est rapportée à un modèle spécifique de la personnalité humaine et de ses rapports à l'histoire et à la société.

Quand Jean-Jacques pratique une réflexion systématique sur l'ordre régnant dans la nature, il ne s'éloigne pas vraiment des thèmes courants [53]. L'univers, la nature constitue un système métaphysique et moral, un système de « fins et de moyens » dans lequel règnent « l'harmonie et l'accord du tout ». Le monde est « un grand tout », et l'harmonie qui y règne se manifeste dans le caractère constant des lois et dans « la correspondance intime » de chaque partie avec les autres et avec le tout. L'analogie avec les rouages d'une montre nous renvoie à l'inventeur, à « l'ouvrier » dont on admire l'œuvre « dans le détail ». Cette « correspondance intime » se traduit par le fait « qu'il n'y a pas un être dans l'univers qu'on ne puisse, à quelque égard, regarder comme le centre commun de tous les autres, autour duquel ils sont tous ordonnés, en sorte qu'ils sont tous réciproquement fins et moyens les uns relativement aux autres ». L'ordre se manifeste par la place qui échoit à chaque partie dans le « grand tout ». La nature humaine détermine l'appartenance des hommes à l'ordre. L'homme est « à sa place » dans ce monde et il peut légitimement considérer « que tout est fait pour lui », d'autant plus qu'il est le seul à posséder la faculté particulière « de tout rapporter à lui ».

« Il n'y a rien d'étranger à l'univers », affirme Jean-Jacques, reprenant les mots de Pope. Tout possède ses causes et une finalité se manifeste dans la liaison causale universelle. Ce qui ne veut pas dire que le

mal n'existe pas dans la nature. Il convient cependant de distinguer le
mal particulier du mal général. Jean-Jacques explique l'existence du
mal particulier dans l'esprit de la tradition leibnizienne : tout bien est
nécessairement lié à un mal, mais « de toutes les économies possibles »,
Dieu — en accord avec sa bonté et son intelligence — « a choisi
celle qui réunissoit le moins de mal et le plus de bon ». Le mal particulier relève des rapports des parties au tout. La conservation du
tout, dans toute la diversité des êtres possibles (en allant jusqu'à
admettre l'éventualité de la vie sur d'autres planètes), exige ce qui relativement peut paraître un mal. Le mal particulier, relatif, contribue cependant au bien général, au bien du tout. On ne peut donc pas affirmer que
« tout est bien », il est par contre légitime de dire que « le tout est
bien ». De même, l'homme ne peut pas être parfaitement heureux, car
le fait d'être sensible implique qu'il doit souffrir. Mais ces souffrances
ne portent pas atteinte au bien le plus capital, à l'existence même de
l'homme. « Il est mieux pour nous d'être que de n'être pas. » En polémiquant contre Voltaire, au sujet du *Poème sur le désastre de Lisbonne,*
Rousseau confère à cette dernière thèse un accent social manifeste :
seul un riche « rassasié de faux plaisirs » ou un « homme de lettre »
raffiné est disposé à répéter après Erasme qu'il ne voudrait pas recommencer sa vie si on le lui proposait. Par contre, un « honnête bourgeois »,
un « bon artisan », même un paysan « de tout pays libre » accepte-
raient volontiers « au lieu même du paradis le marché de renaître sans
cesse », bien que leur « existence » soit monotone « presque automate »,
qu'elle se déroule sans grandes joies et émotions. Dieu pourvoit à
« conserver les genres et les espèces ». La Providence se manifeste dans
les lois auxquelles l'univers est assujetti, ainsi que dans « les mesures
qu'elle a prises » pour que chaque espèce, y compris le genre humain,
possède une nature qui lui assure sa conservation. La Providence n'élimine pas les maux individuels, mais le mal ne lui est pas imputable. La
nature soit protège l'homme du mal, soit lui apprend à s'en protéger
ou à y remédier, en lui donnant la « constitution » requise, en développant progressivement ses capacités et ses besoins. Le sentiment de son
existence dans le monde, la possibilité d'observer sa propre nature et
les rapports qui l'unissent aux autres êtres donnent à l'homme la certitude de l'accord de sa nature avec l'ordre, bien qu'il ne puisse pas
pénétrer l'ensemble des projets de la Providence, bien qu'il ne sache
pas — et qu'il n'ait pas besoin de savoir — pourquoi il existe. Par
sa nature, par son essence, l'homme est bon. « Je ne vois rien de meilleur que mon espèce ; et si j'avois à choisir ma place dans l'ordre des
êtres, que pourrois-je choisir de plus que d'être homme [54] ? »
  L'image ainsi obtenue d'un monde conçu comme un ordre n'épuise
nullement le problème du mal moral. Ce problème d'ailleurs ne se réduit
pas à une reconstruction intellectuelle du monde. La construction intellectuelle prouvant que « le tout est bien » sert toujours à Jean-Jacques
à mettre en relief la situation réelle de l'homme, à condamner le mal
régnant dans les rapports entre les hommes, à opposer l'harmonie de
la nature en tant que « grand tout » au chaos qui règne dans la société.

Cette opposition, Rousseau l'accentue par les effets contrastants qu'il obtient dans le passage concerné de la *Profession de foi du vicaire savoyard*. Ainsi, le Vicaie reconstitue l'harmonie et l'accord régnant dans l'univers, puis il parvient à la conclusion que le « rang que (l'homme) occupe dans l'ordre des choses » est le premier et le plus honorable, et que d'être « ainsi distingué » en tant que « Roy de la terre » fait naître « dans le cœur un sentiment de reconnoissance et de bénédiction pour l'Auteur de l'espèce ». Mais si la réflexion sur le rang de l'espèce humaine dans l'univers donne naissance à l'idée de « l'ordre » et de la Providence, toute tentative de définir la « place individuelle dans l'espèce » anéantit les premiers mouvements du cœur et de l'esprit. Et le cours paisible de la narration, dominée jusqu'ici par une réflexion systématique, est interrompu à son point culminant, au moment où il aurait pu sembler que toute la question de l'ordre et du mal moral avait été expliquée. Les phrases changent de rythme, elles deviennent brèves, hachées, elles sont toutes des exclamations : « Quel spectacle ! Où est l'ordre que j'avois observé ? Le tableau de la nature ne m'offroit qu'harmonie et proportions, celui du genre humain ne m'offre que confusion, désordre ! Le concert règne entre les éléments, et les hommes sont dans les cahos ! Les animaux sont heureux, leur Roi seul est misérable ! O sagesse, où sont tes lois ? O providence ! Est-ce ainsi que tu régis le monde ? Etre bienfaisant, qu'est devenu ton pouvoir ? Je vois le mal sur la terre [55]. » Une grande part de rhétorique entre dans cet emploi du contraste ; les questions les plus rhétoriques étant celles que Rousseau formule à l'intention de Dieu. Or, ce n'est pas avec Dieu que Jean-Jacques veut discuter et ce n'est pas lui qu'il accuse. On ne peut pas expliquer le mal qui règne parmi les hommes, pas plus son sens que sa genèse. en invoquant la place de l'homme dans l'ordre et l'intention du créateur. En tant qu' « être matériel », l'homme est « disposé le mieux qu'il soit possible par rapport au tout » ; en tant qu' « être intelligent et sensible le mieux qu'il soit possible par rapport à lui-même ». Le mal qu'il fait ne nuit pas à la conservation de l'espèce ; il n'est donc pas imputable à la Providence. L'homme étant naturellement bon, le mal ne provient pas du péché originel et son sens ne peut pas être expliqué dans l'esprit de la version chrétienne traditionnelle [56]. Quant à la construction rationaliste et abstraite de l'ordre dans l'esprit de Leibniz et de Pope, elle n'explique pas le mal dans les rapports entre les hommes, car, premièrement, « nier que le mal existe est un moyen fort commode d'excuser l'auteur du mal », deuxièmement, « on ne doit pas appliquer à la nature des choses une idée de bien ou de mal qu'on ne tire que de leurs rapports ». Ce qui, dans le cadre du tout, concourt au bien général, peut être un mal particulier. Il convient de se libérer du mal particulier, si la nature des choses le permet, car si le mal peut être utile au bien général, le bien le peut d'autant plus. Par ailleurs, le principe que « tout est bien comme il est » est par trop général. De ce point de vue, il faudrait admettre comme un bien tout fait existant, aussi bien le mal que l'effort visant à s'en délivrer. Et si, entre autres, « il est bien ou mal qu'il réussisse, c'est ce qu'on peut apprendre de

l'événement seul et non de la raison ». Le mal, même particulier par
rapport au tout, demeure un mal réel pour celui qui le souffre. Celui-ci
a donc le droit de vouloir y remédier, et ce droit est légitimé par la
nature humaine qui relève également de l'ordre [57]. L'homme, envisagé
dans sa « nature », en tant qu'élément d'une totalité métaphysique
rationnelle, appartient à l'ordre. Sur le plan « des événements », par
contre, il est le point de départ du désordre. Il ne vit pas dans un monde
humain ordonné, mais dans un monde bel et bien chaotique, dominé
par le mal.

Envisagée du point de vue de la réflexion rationaliste sur l'ordre, la
domination du mal dans les rapports entre les hommes équivaut donc
à un scandale logique. Mais il ne s'agit pas ici uniquement de la validité
du raisonnement. L'idée de la nature en tant qu'ordre ne suffit pas à
rendre compte des « événements » dont le cours a engendré le mal.
« L'optimisme bien entendu ne fait rien ni pour ni contre moi [58]. » Pour
expliquer la genèse du mal, il faut se référer non pas à l'unité métaphysique et morale du monde, mais à l'univers social tel qu'il se constitue
dans l'histoire, c'est-à-dire en tant que réalité spécifique par rapport à
l'harmonie statique des parties et du tout dans la nature. Qui plus est,
l'idée leibnizienne de « l'ordre » ne rend pas compte du fait que la
réflexion sur l'ordre, que l'idée même de « l'ordre », sous sa forme
abstraite, ne se constitue qu'au moment où l'homme, dans son devenir
historique, existe déjà en dehors de l'ordre, où il a perdu sa participation spontanée au tout harmonieux. L'harmonie de l'ordre se réalise
entre les hommes dans l'état hypothétique de nature, alors que l'homme
ne procède à aucune réflexion sur ses actions. L'individu agit alors
conformément à sa nature générique, son existence est identique à sa
nature. L'homme de la nature ne différencie d'ailleurs pas l'état passif
de l'état actif ; dans un certain sens, il est toujours passif, puisque toute
action de sa part est subordonnée à ses sensations, puisqu'il est identique
à ses sensations. Dans l'état naturel, l'unité avec la nature, avec l'ordre
qui y règne, est donnée à l'homme d'une manière préréflexive. L'homme
de la nature ne possède pas l'idée de « l'ordre », ni la conscience d'y
participer, mais il en fait partie et demeure en lui. L'harmonie entre
l'homme et la nature se forme spontanément à la suite d'actions instinctives, de même que subsiste spontanément l'harmonie entre l'individu et sa nature générique [59].

Rousseau, nous l'avons vu, confère une grande valeur à cette participation préréflexive à l'ordre, à l'état antérieur au processus social
d'individualisation. Dans l'expérience vécue de cette existence, l'homme
est le plus pleinement heureux, il se fond en un tout avec la nature, il
éprouve la plénitude de son existence. Et si, à l'issue de sa socialisation,
l'homme acquiert l'idée de « l'ordre », il perd par contre sa participation
préréflexive, spontanée, à l'ordre de la nature et sa solidarité avec lui,
sans obtenir en échange la possibilité de participer à une quelconque
totalité « artificielle », à une communauté sociale qui serait conforme
aux principes de l'ordre. Le concours des individus pourvus d'une conscience morale ne mène pas à l'harmonie, mais au libre jeu des intérêts

égoïstes, à la formation des mécanismes du « monde des apparences »
qui sépare l'individu de sa propre nature. Dans « l'ordre de la nature, »,
rien n'est étranger, toutes les parties sont solidaires entre elles dans le
cadre du tout. Dans la société par contre, tout devient étranger à
l'homme : les autres individus, la nature en tant que totalité et la
« nature humaine ». Comme dans nos précédentes analyses, nous retrouvons le sentiment d'aliénation et d'extériorité qui synthétise plusieurs thèmes : frustrations personnelles ; diagnostic de la crise sociale et morale du
« siècle » ; attitude de l'individu qui — exclu d'une communauté close
et cohérente, avec ses liens personnels entre les hommes — est confronté
avec les rapports sociaux anonymes, noués dans les villes ; révolte plébéienne contre l'inégalité des conditions et des fortunes. Cette situation
d'extériorité et d'aliénation pèse à la personnalité humaine : l'homme
l'éprouve dans tout ce qu'elle a de contradictoire aussi bien avec l'idée
intellectuelle de « l'ordre » qu'avec l'aspiration intime, préréflexive, à
la paix intérieure et à l'harmonie. Cette extériorité se traduit par le
sentiment de solitude de l'individu : l'homme du « monde des apparences » est seul parmi les hommes et au sein de la nature. Telle est l'une
des significations que Rousseau confère au sentiment de solitude et
qu'il fait découvrir par exemple à Saint-Preux à son arrivée à Paris, ou
encore qu'il dégage lui-même en décrivant ses propres états d'âme dans
les *Confessions* et les *Rêveries du promeneur solitaire.*

Au terme donc du processus de socialisation et d'individualisation,
l'homme a acquis la conscience rationnelle d'appartenir à l'ordre de la
nature, mais, en fait, il est expulsé de cet ordre, de même qu'il se forme
la conscience rationnelle de la liberté après avoir perdu la liberté même.
En effet, l'idée de « l'ordre » appliquée à la réalité humaine sert en
fait à justifier le chaos et l'anarchie sociale. La société a créé un ordre
apparent qui dissimule le désordre réel, le conflit des intérêts égoïstes.
L'idée de « l'ordre » sert à sanctionner l'inégalité sociale. L'ordre est
identifié avec le règne de la loi, mais la loi est favorable aux puissants,
elle sanctionne l'inégalité des conditions et des fortunes. Car l'idée de
« l'ordre » ne suffit pas pour définir sans ambiguïtés le rapport de
l'individu au tout social. Depuis que des passions égoïstes brûlent dans
le fond des cœurs, depuis que « l'amour de soi » a été chassé par
« l'amour propre », l'ambition et la convoitise, l'idée de « l'ordre »
rationnel est chez l'homme fonction de ses passions factices, de son
intérêt personnel, etc. « Le vice est (aussi) l'amour de l'ordre, pris dans
un sens différent. Il y a quelque ordre moral partout où il y a sentiment
et intelligence. La différence est que le bon s'ordonne par rapport au
tout, et que le méchant ordonne le tout par rapport à lui. » « En
Europe, le gouvernement, les loix, les coutumes, l'intérêt, tout met les
particuliers dans la nécessité de se tromper mutuellement et sans cesse ;
tout leur fait un devoir du vice ; il faut qu'ils soient méchants pour
être sages, car il n'y a point de plus grande folie que de faire le bonheur des fripons aux dépens du sien [60]. »

Tant que l'ordre n'est qu'un concept abstrait, il représente pour l'individu des rapports extérieurs et spéculatifs, et « l'amour de l'ordre »

est lui-même subordonné aux intérêts particuliers qui sont contraires au bien général. Car la raison n'est pas une force autonome qui l'emporterait dans le comportement des hommes. « Les vices des hommes sont en grande partie l'ouvrage de leur situation : l'injustice marche avec le pouvoir. Nous, qui sommes victimes et persécutés, si nous étions à la place de ceux qui nous poursuivent, nous serions peut-être tyrans et persécuteurs comme eux [61]. »

« En matière de morale », la vérité demeure nécessairement une abstraction, un discours vain, si elle ne conduit pas à l'unité de la parole et de l'action. Pour accéder à cette unité, l'homme doit changer non seulement son esprit, mais aussi et, surtout, sa condition ; il doit surmonter le conflit qu'il porte en lui, vaincre ses résistances [62]. L'homme se trouve en présence d'un conflit moral qui démontre que la raison et la construction intellectuelle de l'ordre sont loin de suffire pour définir les attitudes et conduites morales.

Il résulte de ces analyses qu'il faut recourir à la réalité sociale, au conflit social, aux antinomies des actions humaines dans l'histoire, afin d'expliquer la genèse du mal moral et le règne du vice dans l'univers humain. Jean-Jacques revient à cette pensée avec insistance, lui donnant diverses formulations dont les plus générales attestent que « tout est bien sortant des mains de l'Auteur des choses, tout dégénère entre les mains de l'homme ». « Homme, ne cherche plus l'auteur du mal : cet auteur, c'est toi-même. Il n'existe point d'autre mal que celui que tu fais ou que tu souffres, et l'un et l'autre te vient de toi [63]. » Rousseau concrétise cette pensée par l'analyse des origines sociales et historiques du mal moral et du vice. « La première source du mal est l'inégalité ; de l'inégalité sont venues les richesses ; car ces mots de pauvre et de riche sont relatifs, et par tout où les hommes seront égaux, il n'y aura ni riches ni pauvres. Des richesses sont nés le luxe et l'oisiveté ; du luxe sont venus les beaux Arts, et de l'oisiveté les Sciences [64]. » « L'amour de soi-même » qui est naturel, dégénère à l'issue de l'inégalité et devient « amour propre » ; « la personne de chaque homme est devenue la moindre partie de lui-même », elle s'identifie avec les biens possédés, elle existe « hors d'elle-même ». « L'homme est bon naturellement et c'est par ses institutions seules que les hommes deviennent méchants. » Le mal ne définit pas seulement la personne humaine de l'extérieur, mais aussi dans son intériorité qu'il déprave. L'inégalité détruit les sentiments naturels, corrompt aussi bien le maître que l'esclave. Les mots affreux « de tien et de mien » créent « cette espèce d'hommes cruels et brutaux qu'on appelle maîtres, et cette autre espèce d'hommes fripons et menteurs qu'on appelle esclaves ». Les hommes sont devenus « assez abominables pour oser avoir du superflu pendant que d'autres hommes meurent de faim ». La dépendance mutuelle a forcé tous les hommes « à devenir fourbes, jaloux et traîtres [65] ».

Par ces quelques citations, nous voulions brièvement rappeler les mécanismes et les antinomies du processus de dénaturation que nous avons déjà examinés plus en détail. Nous ne voudrions pas non plus nous étendre sur la critique du progrès, telle que Rousseau l'infère de ces développements.

Rappelons uniquement quelques thèses, en accentuant surtout les conclusions qui sont importantes pour la philosophie de l'histoire de Rousseau et que nous ne pouvions pas jusqu'ici, faute du contexte du problème du mal, expliciter avec toute la netteté requise.

Démontrer que les sources de tout mal sont dans l'histoire, par laquelle on entend le schéma du processus de dénaturation, c'est-à-dire à la fois de l'individualisation et de la socialisation de l'homme, associer cette démonstration avec la critique du progrès, voilà qui suffit — semble-t-il — à fonder un jugement moral négatif sur l'histoire. Mais nous savons que la question n'est pas aussi simple. Non seulement parce qu'il est désormais impossible « de ramener les hommes à cette première égalité, conservatrice de l'innocence », de « détruire les sources du mal [66] ». Mais aussi parce que les effets moraux du processus de socialisation ne sont pas univoquement et exclusivement négatifs. En premier lieu, le processus même de socialisation équivaut à la réalisation de la faculté propre à la nature humaine, qui est la perfectibilité. De par sa vocation qui est sociale, l'homme est sociable. Deuxièmement, l'opposition entre la nature et la culture qui semble être absolue à l'échelle de l'histoire et de la société, ne l'est pas à l'échelle individuelle. Le mal moral n'a donc pas uniquement des conséquences négatives. L'homme « innocent » dans l'état de nature est moralement plus pauvre que l'individu socialisé. Avec la « déchéance » de l'homme et la naissance du mal, un impératif moral s'impose : combattre le mal. Et c'est là qu'intervient une distinction capitale pour toute la doctrine morale de Rousseau et à laquelle nous devrons maintes fois revenir : « l'homme de la nature » ne pouvait qu'être bon, l'homme social peut et doit être vertueux. « Ce mot de vertu signifie force. Il n'y a point de vertu sans combat ; il n'y en a pas sans victoire. La vertu ne consiste pas seulement à être juste, mais à l'être en triomphant de ses passions, en régnant sur son propre cœur [67]. » La vertu enrichit également le sentiment naturel du bonheur : la « gloire de la vertu » et « le bon témoignage de soi » sont « le degré le plus sublime du bonheur ». L'homme vertueux est plus qu'un ange, car ce dernier est conforme aux principes de l'ordre, sans le moindre mérite puisqu'il n'a rien à combattre. Il est aussi plus que « l'homme de la nature ». Le concept de vertu sert également à Rousseau à justifier Dieu du reproche d'avoir fait de l'homme un être contradictoire, accablé par la dualité de l'âme et du corps au terme de laquelle « la conservation du corps excite l'âme à rapporter tout à lui, et lui donne un intérêt contraire à l'ordre général, qu'elle est pourtant capable de voir et d'aimer ». Or, c'est précisément grâce à cette dualité que l'homme acquiert la possibilité d'être vertueux, à l'issue de son propre effort moral [68]. Et cette possibilité, si « l'homme de l'homme » y accède, c'est parce qu'il a perdu son « innocence » et son unité originelles, qu'il n'est plus « un homme sauvage et sans culture qui n'a fait encore aucun usage de sa raison ; qui, gouverné seulement par ses appétits, n'a pas besoin d'autre guide, et qui, ne suivant que l'instinct de la nature, marche par des mouvements toujours droits [69] ». En considérant les problèmes dans cette perspective, Rousseau confère au mal moral un sens qui n'est pas simplement négatif : quoique le mal en soi ne soit pas positif, son existence donne à l'individu la possibilité et une chance de s'enrichir moralement et d'intensifier son sentiment de bonheur. Le conflit entre la nature et la culture peut donc être dépassé grâce à l'effort moral de l'individu, dans le cadre du modèle de la personnalité que nous connaissons déjà et qui s'inscrit dans le rapport triadique de la double négation appliqué à « l'homme de la nature » et à l'homme socialisé contemporain.

Ne pourrait-on pas étendre également cette perspective au processus historique ? Le mal moral n'acquiert-il pas aussi un sens quand on le rapporte au processus historique au terme duquel l'individu accède à la possibilité « d'être vertueux » ? Outre la genèse du mal, l'histoire n'explique-t-elle pas également son sens, n'est-elle donc pas — dans toutes ses contradictions internes — le moyen de réaliser l'ordre, ne contient-elle pas une théodicée ?

La réponse de Jean-Jacques est décidément négative, et les prémisses de cette réponse jettent une nouvelle lumière sur le problème déjà analysé du rapport de la personnalité et de l'histoire. L'histoire ne confère pas son sens au mal moral, étant donné que la chance de la vertu qui surgit dans le cours de l'histoire, n'est donnée qu'à un petit nombre. Certes, ce petit nombre fait la gloire du genre humain, il sert d'exemple et fortifie les âmes accablées par les proportions du mal et de l'injustice. Mais, pour l'écrasante majorité des hommes, le progrès s'accompagne de l'accroissement des inégalités, des vices, des injustices ; il crée les conditions dans lesquelles, parce « qu'il faut de la poudre à nos perruques (...) tant de pauvres n'ont point de pain [70] ». Il est vrai que l'histoire a connu des nations vertueuses telles que Sparte ou la République romaine, dans lesquelles Jean-Jacques voit l'incarnation de l'idéal d'une communauté où la vertu serait le besoin profond de chaque citoyen. Mais ces cas sont rares, et leur existence n'exprime aucune loi qui se manifesterait dans le cours de l'histoire. Car il est faux de croire qu'on puisse identifier le règne de la vertu avec la barbarie et l'ignorance, ainsi que les détracteurs de Jean-Jacques s'empressaient d'interpréter sa critique du progrès. « L'ignorance n'est pas un obstacle ni au bien ni au mal ; elle est seulement l'état naturel de l'homme. » Ainsi, sur cent peuples barbares et ignorants, au moins un fut vertueux, Sparte par exemple, « au milieu de cette fameuse Grèce ». Mais, d'autre part, « quand on commença à ouvrir des écoles publiques de philosophie » en Grèce, c'est que ce pays « avait déjà renoncé à sa vertu et vendu sa liberté », c'est que l'inégalité sociale et la dépravation des mœurs y avaient déjà produit leurs effets. « Toutes les nations savantes avec leurs belles idées de gloire et de vertu, en ont toujours perdu l'amour et la pratique [71]. » De nos temps, seules quelques rares nations, dont la Corse et la Pologne, possèdent encore les conditions de préserver l'amour de la vertu. Les autres sont déjà trop engagées sur le chemin de l'inégalité, du raffinement intellectuel et de la corruption des mœurs ; elles peuvent, tout au plus, essayer d'atténuer le mal qu'on ne peut plus extirper.

Nous avons déjà dit que Jean-Jacques n'écrit pas « l'histoire » avec un H majuscule. L'enchaînement et la succession des événements n'attribuent aucune signification morale aux actions et aux faits qui se produisent dans l'histoire. Son cours réel ne « résulte » pas de l'ordre, pas plus qu'il n'en constitue un fragment. Il ne se fonde sur aucune raison, qu'elle fût métaphysique ou morale, et il n'est évidemment pas question pour Rousseau de faire intervenir la Providence dans l'histoire. C'est précisément parce qu'il rapporte la genèse du mal à l'histoire et qu'il accentue fortement les contradictions entre la nature et l'histoire, qu'il peut considérer celle-ci comme une sphère autonome par rapport à Dieu et à l'ordre naturel, comme le domaine dans lequel les hommes « font usage » de leur liberté. L'ordre, la « nature » présupposent uniquement la nécessité abstraite d'une histoire, mais ne définissent pas son déroulement concret, effectif. Cette nécessité est présupposée dans la mesure où l'homme, de par sa nature, est fait pour vivre en société et capable de se perfectionner. Par contre, le cours concret de l'histoire, autrement dit le devenir réel, ne résulte pas de l'ordre, il n'est pas la réalisation des principes de l'ordre. La socialisation de l'homme est inévitable — l'ordre l'implique, mais elle ne peut s'engager qu'à condition que soit mise en mouvement une chaîne d'événements, spécifique et distincte par rapport à l'ordre. Le déroulement du processus de socialisation, l'histoire effective, « découle de la nature du genre humain, non pas immédiatement », mais indirectement, « à l'aide de certaines circonstances extérieures qui pouvoient être ou n'être pas, ou du moins arriver plus tôt ou plus tard, et par conséquent accélérer ou ralentir le progrès. Plusieurs même de ces circonstances dépendent de la volonté des hommes ». « La société est naturelle à l'espèce humaine, comme la décrépitude à l'individu, et il faut des arts, des Loix, des Gouvernements aux Peuples comme il faut des béquilles aux vieillards. » Cependant, l'analogie entre le développement de la société et de l'individu s'arrête là, car on ne peut pas supposer « dans l'individu le pouvoir d'accélérer sa vieillesse comme l'espèce a celui de retarder la sienne [72] ».

Ainsi, le cours de l'histoire concrète, de notre histoire, est l'expression d'une nécessité découlant uniquement « des faits et de leur agencement », de « la force des tems et des choses », et non pas de raisons métaphysiques. Les raisons métaphysiques et morales ne sanctionnent pas l'état réel des choses produit par l'histoire. Autrement dit, accepter la vocation sociale de l'homme et, par suite, la nécessité de l'existence d'une histoire n'équivaut pas à accepter le cours effectif de l'histoire. L'existence du mal dans l'histoire n'oblige pas l'homme à choisir entre « l'état de nature » et l'histoire, mais elle le met dans l'alternative : ou bien cette histoire, ou bien une autre [73]. Ainsi l'histoire, avec le mal qu'elle contient, se situe sur un autre plan que l'ordre métaphysique et moral. Le « hasard » lui a donné tel et tel cours, telle et telle accélération, a créé la civilisation telle qu'elle existe, a orienté les possibilités contenues dans la nature humaine dans une certaine direction.

7

La « force des tems et des choses » a été mise en mouvement, conduisant à des résultats contradictoires avec la nature de l'homme, réalisant
une des histoires possibles. Or, cette nécessité ne relève que de l'enchaînement des événements, et non pas des principes mêmes de la nature
de l'homme. C'est pourquoi l'histoire comporte également, à chacun de
ses moments, des tensions internes, des contradictions entre l'ordre des
faits humains et les exigences de la nature de l'homme. Dans ce sens,
l'histoire n'est pas « naturelle » et les lois de l'ordre ne se manifestent
pas en elle ; elle est du domaine de l'action des hommes, du domaine de
la liberté humaine. L'histoire dans laquelle nous vivons, le mal qu'elle a
produit et qui est notre mal, ne découlent ni de l'ordre, ni du destin,
ni de la volonté divine, ni du péché originel de l'homme. Elle est le
résultat de l'action de forces qui sont devenues anonymes et dont le
caractère équivaut, pour l'homme, à celui d'une nécessité extérieure.
Elle n'a pas de raisons métaphysiques et morales ; elle est l'effet des
seules actions humaines, dictées par les passions, les intérêts et les opinions
des hommes. Par conséquent, la nécessité qui se manifeste dans le cours
des événements historiques, n'enlève à l'individu ni sa liberté, ni sa responsabilité morale. Au contraire, elle le pose face au problème du mal
moral et renforce le sentiment de responsabilité pour soi-même et le
genre humain. Dans cette perspective, l'histoire révèle toutes ses ambiguïtés : elle est à la fois « propre » à l'homme et « étrangère », nécessaire et contingente, féconde en tensions internes et en conflits, dont le
conflit entre l'idéal, la vocation de l'homme et la réalité humaine. Dans
ses différents fragments, dans les différentes sociétés, elle comporte
diverses possibilités pour la réalisation de l'idéal moral.

Certes, la vision historiosophique de Jean-Jacques traduit dans son
ensemble un pessimisme non sans rapport avec l'expérience vécue de son
siècle et le jugement porté sur lui. Tôt ou tard, le processus de socialisation mène à la déchéance et à la dépravation des sociétés, même les
plus vertueuses. Quand la dépravation est allée trop loin, il est difficile
à la nation de se libérer des mœurs et des institutions installées. Néanmoins, même l'époque contemporaine offre diverses possibilités. Ainsi,
dans le *Contrat social*, Jean-Jacques envisage la possibilité d'une mutation
sociale et, à l'époque de la Révolution, ses paroles seront tenues pour
des prophéties. (Nous remarquerons l'analogie, si caractéristique de Rousseau, entre les états de tension et de crise dans la vie des individus et
dans l'histoire des nations.) « Comme quelques maladies bouleversent
la tête des hommes et leur ôtent le souvenir du passé, il se trouve quelquefois dans la durée des Etats des époques violentes où les révolutions
font sur les peuples ce que certaines crises font sur les individus, où
l'horreur du passé tient lieu d'oubli et où l'Etat, embrassé par les guerres
civiles, renaît pour ainsi dire de sa cendre et reprend la vigueur de la
jeunesse en sortant des bras de la mort [74]. » Mais, même quand Jean-
Jacques constate que « quelque grande révolution » pourrait servir de
« remède » à certains peuples, il est loin de la prôner, car une révolution est « presque aussi à craindre que le mal qu'elle pourroit guérir ».
Il envisage plutôt de « retourner le mal contre lui-même », de « faire

une diversion sage » et de « donner le change » aux passions. Dans cette perspective, « les lumières du méchant » peuvent en partie remédier au mal moral, elles « le rendent au moins plus circonspect sur le mal qu'il pourroit faire, par la connoissance de celui qu'il en recevroit lui-même ». Quant aux « sages législateurs », c'est à eux qu'il incombe « d'approprier aux Peuples (...) la plus excellente police, de leur donner du moins (...) la meilleure qu'ils puissent comporter » ; d'imiter le médecin qui, « quand le mal est incurable », « applique des palliatifs, et proportionne les remèdes, moins aux besoins qu'au tempérament du malade [75] ».

En parlant des positions de Rousseau envers l'idée de progrès, nous avions souligné le caractère abstrait et moralisateur de sa perspective historiosophique. Dans le contexte du problème du mal moral, ce caractère est encore plus marqué. Son idée de l'histoire est centrée sur le problème du mal, tel qu'il avait été posé par la pensée de l'époque, c'est-à-dire en rapport avec l'idée — et l'idéal — de l'ordre métaphysique et moral. Ainsi, le problème du mal ne serait qu'un cas particulier de l'économie rationnelle de l'ordre, des rapports intelligibles du « grand tout » à ses parties.

Mais la réflexion de Jean-Jacques sur l'histoire traduit en même temps la conscience que ce cadre intellectuel et philosophique est insuffisant pour expliquer la complexité de la réalité humaine. L'unité métaphysique et morale de l'ordre n'explique pas le cours de l'histoire : quant à « l'état de nature », en supposant même qu'il ne fût pas purement hypothétique, il est tout au plus le point zéro de l'histoire. Celle-ci ne s'explique pas par la simple application des principes de l'ordre ou de l'état de nature ; elle n'est pas un fragment, simplement plus compliqué et étendu dans le temps des principes qui fondaient les rapports intelligibles des parties au tout. Elle possède sa propre dynamique et son intensité dramatique, abonde en contradictions et tensions internes, offre de multiples chances ; elle est le terrain sur lequel l'homme crée, se réalise lui-même, mais aussi est déchu de sa propre humanité. Si, en concevant le progrès comme une nécessité quasi naturelle, comme la réalisation des lois de l'ordre et de la nature dans l'histoire humaine, les penseurs des Lumières — à travers Turgot et Condorcet — annoncent l'historiosophie positiviste ; Rousseau, par contre, ébauche quelques prémisses et éléments de ce que les historiens romantiques appréhenderont dans l'histoire. Ainsi, c'est dans l'histoire qu'émerge un conflit spécifique des valeurs, lequel n'apparaît ni dans l'ordre moral, ni dans les dispositions originelles, naturelles, de l'homme. Ce conflit, l'individu le retrouve également en lui. Et dans ce sens, il peut « déchiffrer » l'histoire, il peut non seulement décrire son cours, mais aussi « revivre » les conflits qui s'y sont produits. Il peut également la juger et la mettre en question en vertu de ses propres valeurs et impératifs moraux.

Nous retrouvons pourtant chez Rousseau le schéma selon lequel tout fragment de l'histoire doit être rapporté à la nature et à son échelle absolue des valeurs. Sa réflexion historique s'inscrit dans la perspective du moraliste qui examine la genèse du mal, mais aussi dans celle du réformateur social, de l'auteur de « projets » qui se proposent de « corriger » l'histoire au nom de principes immuables. Le plus souvent, Jean-Jacques dégage dans l'histoire des conflits et des tensions qui ne relèvent pas uniquement d'elle-même, mais qui sont plutôt des lieux de confrontation entre la civilisation, produit donc spécifiquement historique, et la nature, fonds inaltérable des dispositions et des valeurs humaines, situé en dehors du devenir historique. Cependant, la principale fonction de ce schéma consiste à mettre en rapport les conflits moraux de l'individu et les antinomies décelées dans l'histoire, la conscience morale individuelle et le temps du devenir historique. En effet, le mal et les conflits moraux constituent pour l'individu son problème le plus personnel, un problème qui lui est immédiatement donné ; mais, par leur genèse et leurs contenus, ils sont aussi sociaux et historiques. Pour parler métaphoriquement : l'homme retrouve les problèmes de l'histoire dans sa propre « nature » et dans ses problèmes moraux. L'histoire devient un élément essentiel de la conscience de soi individuelle, de la réflexion sur le mal et sur les conflits éprouvés dans son for intérieur. De même, le temps intime, le sentiment de sa propre durée individuelle s'avèrent être étroitement liés avec le sentiment d'exister et de durer dans un temps historique, celui du processus de socialisation.

Evidemment, il ne s'agit que d'une histoire extrêmement abstraite ; elle est présente par le seul truchement des effets moraux du processus abstrait de socialisation. Méfions-nous des anachronismes quant à la problématique et à la manière de la concevoir. Pour Rousseau, la substance de la conscience morale et des conflits moraux ne relève nullement de l'histoire, pas plus que la subjectivité ne se réduit à une manifestation de la conscience historique. Les choses se présentent plutôt à l'inverse et la correspondance se fonde sur un autre principe. Si l'individu peut reconnaître dans l'histoire les origines de ses drames internes, de ses souffrances, mais aussi de ses efforts moraux, de son conflit avec Dieu et avec lui-même, c'est parce que l'histoire constitue une sphère où les actions humaines se succèdent d'une manière tellement spécifique que leur enchaînement se sépare de l'ordre métaphysique et de la Providence. Autrement dit, l'histoire est un fragment de la réalité exclu de l'ordre. Or, l'homme dans l'histoire «, l'homme de l'homme », est également exclu de l'ordre. L'ordre naturel est achevé, clos, il se trouve hors du temps, et aucun événement survenant dans l'univers humain ne trouble son mécanisme. En effet, pour le mécanisme de l'ordre, pour son fonctionnement, il suffit que l'espèce humaine existe ; or l'histoire ne peut rien contre cette existence, même quand les crimes et la dépravation atteignent en elle un point culminant [76]. L'ordre existe donc indépendamment de l'histoire et le mal moral produit dans le cours de l'histoire ne le détruit pas : l'homme tout simplement n'y participe plus.

Nous abordons ici une question capitale de l'idée de l'ordre chez Jean-Jacques, une question où par ailleurs convergent des thèmes et des problèmes qui étaient déjà apparus dans divers contextes au cours de nos analyses. Lors de notre reconstruction de l'idée de l'ordre chez Rousseau, nous avions précisé qu'elle était provisoire. Elle comportait une prémisse implicite que seule la lumière des raisonnements précédents nous permet désormais d'expliciter, avec toutes les conséquences qu'elle entraîne. En reconstituant jusqu'ici les opinions de Rousseau, nous avons parlé presque exclusivement du mécanisme du fonctionnement de l'ordre, le seul aspect que puisse saisir et décrire la réflexion intellectuelle. En effet, cette réflexion ne va pas au-delà de la description extérieure du rapport réciproque des parties et du tout. Or, ce genre de description n'épuise pas le rapport de l'homme à l'ordre, car on ne découvre pas l'ordre dans la seule réflexion : l'homme participe à l'ordre comme à une totalité morale qui ne se réduit pas à ses parties. Si, pour connaître le fonctionnement de l'ordre, les mécanismes de son action, il faut recourir à la réflexion, la participation à l'ordre est, par contre, donnée dans l'expérience immédiate, à la seule condition que l'individu ne se soit pas égaré dans « le monde des apparences ». On ne peut donc pas décrire le rapport de l'homme au monde comme on décrit le rapport et l'économie des parties dans une montre. Seules les lois de l'ordre, les mécanismes de son fonctionnement, sont accessibles à la réflexion intellectuelle qui, de l'extérieur, découvre dans l'univers les rapports de causalité et la finalité qui se manifeste dans ces rapports. Mais l'ordre se « présente » également à l'homme au fond de lui-même, spontanément et irréflexivement. Si chaque être matériel est « disposé le mieux qu'il soit possible par rapport au tout », par contre « chaque être intelligent et sensible le mieux qu'il soit possible par rapport à lui-même ». C'est dans et par le sentiment pur de son existence que se révèle à l'homme la présence de l'ordre en lui et que se manifeste sa participation à l'ordre [77]. Aussi la connaissance des mécanismes du fonctionnement du monde et des rapports entre les êtres ne se recouvre pas avec la totalité du savoir de l'homme sur lui-même et sur le rapport de l'homme au monde. Le monde, parce qu'il est un ordre, une totalité morale, n'est pas uniquement un objet extérieur se prêtant exclusivement à la réflexion et à l'action. La raison, vouée à elle seule, « se confond et se perd dans cette infinité de rapports », « le mécanisme du monde peut n'être pas intelligible à l'esprit humain [78] ». La connaissance réflexive des rapports et des lois demande à être parachevée avec les vérités sur la participation de l'homme à l'ordre. Certains aspects essentiels de l'ordre moral ne se manifestent que dans le phénomène de cette participation. Ainsi, le fait que l'homme fasse partie de l'ordre se traduit par ses attitudes innées, naturelles, solidaires de l'existence même de l'homme. Ces attitudes, ou encore ces dispositions naturelles, sont données à l'homme d'une manière pré-réflexive, en tant que sentiments et instincts ; elles lui sont données dans la conscience de soi, dans la conscience de son existence. Dès que la réflexion porte sur ces aspects de l'ordre moral présents dans la « nature humaine », il n'est plus question pour l'homme de connaître, d'accumuler des connaissances nouvelles, mais de se connaître soi-même. Et encore, le terme « connaître » rationalise par trop ce qui, chez Jean-Jacques, vise non pas une opération intellectuelle et ses produits, mais le mouvement même de la manifestation à la conscience de sentiments et d'instincts naturels.

Remarquons quelques particularités de ce mode de participation qui se passe de toute idée de l'ordre et est donné à l'homme dans ses sentiments. Ces particularités méritent d'autant plus d'être retenues qu'on peut constater une isomorphie entre ce mode de participation à l'ordre moral et les rapports qui caractérisent la participation à une communauté sociale fondée sur le lien personnel et auxquels nous reviendrons plus d'une fois lors de l'analyse de l'utopie de Jean-Jacques. Ainsi, cette participation à l'ordre n'est pas intellectuelle mais affective ; pour l'individu, l'expérience de son existence s'identifie avec l'appartenance au tout, avec le sentiment « de sa place » dans l'ordre. Dans cette expérience, « l'ordre » est saisi et vécu comme un ensemble de valeurs et non comme un mécanisme de la nature. L'individu reconnaît dans ses propres tendances et aspirations des manifestations de ces valeurs, il les trouve donc bonnes, justes, etc. Son rapport aux éléments de l'ordre en tant que totalité morale est affectif et instinctif, concret et intime. L'homme communique avec la nature ; en réalisant ses propres objectifs et aspirations, il s'y associe, il est solidaire d'elle. C'est pourquoi même son activité ne réduit pas les parties de ce « grand tout » au statut d'objets simplement interchangeables ; il communique avec les choses dans toute la richesse de leur concret. Aussi éprouve-t-il le besoin de les appeler « par leur nom ». Rien d'étonnant donc à la passion avec laquelle Jean-Jacques, à la fin de ses jours, se mit à constituer un herbier, à composer un *Dictionnaire des termes d'usage en botanique,* attachant une grande importance, d'ordre philosophique et moral, à ce que les noms traduisent non pas un rapport utilitaire à la nature, mais les propriétés individuelles des plantes.

Analysée par la raison, la nature est infinie — mais seule la raison peut concevoir l'idée de l'infinité. Car, en général, l'existence de l'homme et ses besoins circonscrivent dans le monde une certaine sphère, un « tout fermé » avec lequel l'homme communique sans besoin de médiations. A travers ce contact et dans le cadre de cette sphère, chaque chose est signifiante pour l'homme. Aussi le savoir sur le monde dont l'homme a véritablement besoin se borne-t-il à cette seule sphère. « L'étude convenable à l'homme est celle de ses rapports » ; l'homme « doit s'étudier par ses rapports avec les choses » et « par ses rapports avec les hommes ». Et quand l'homme élargit le réseau de ses rapports du fait du développement excessif de ses besoins, la totalité à laquelle il participe cesse d'être « circonscrite » ; un savoir superflu fait son apparition avec ses « idées générales et abstraites (qui) sont la source des plus grandes erreurs des hommes [79] ». Ainsi donc, l'homme ne crée pas la vérité morale, mais il la lit et la découvre en lui, comme le contenu de ses dispositions naturelles, de ses émotions, de son besoin naturel de bonheur, etc. « Il me reste à chercher (...) quelles règles je dois me prescrire pour remplir ma destination sur la terre, selon l'intention de celui qui m'y a placé (...). Je les trouve au fond de mon cœur écrites par la nature en caractères ineffaçables (...). Tout ce que je sens être bien est bien, tout ce que je sens être mal est mal. » Quand l'homme demeure dans « ce beau système » qu'est l'ordre, il éprouve un profond sentiment de sécurité, il s'affirme et se reconnaît dans les résultats de chacune de ses actions qu'aucune ambiguïté ne marque, ce sentiment étant par contre refusé à « l'homme de l'homme » exclu de l'ordre. Ainsi, la participation à l'ordre de la nature est vécue par l'individu comme une profonde et intime solidarité avec une totalité morale. On aimerait caractériser ces rapports en recourant à une formule sociologique. En effet, la ressemblance s'impose avec ce type de liens sociaux, que les individus intériorisent comme le sentiment de dissoudre leur « moi » dans le « nous », dans un être collectif avec lequel ils s'identifient dans un élan de solidarité affective et morale, comme avec une communauté de valeurs. Cette analogie demande cependant que nous retenions notre attention sur un aspect essentiel de la pensée de Rousseau. « Se fondre pour ainsi dire dans le système des êtres, s'identifier avec la nature entière » ne signifie pas que l'individu perd le sentiment de sa particularité et de son autonomie. Au contraire, plus cette expérience est intense et plus est également intense le sentiment de son existence, le sentiment « de se suffir à soi-même », de s'éprouver en tant que « personne morale » la mieux disposée « par rapport à elle-même [80] ». Autrement dit, même si on retrouve une analogie entre la participation à l'ordre de la nature et la participation à une communauté sociale, il ne s'agit jamais d'une simple projection du modèle et des valeurs de la communauté traditionnelle. En participant à l'ordre de la nature, l'individu garde toujours le sentiment de son autonomie et de sa particularité individuelle. Pour lui, participer à l'ordre, c'est en même temps affirmer sa propre nature, son propre « moi », la liberté de ses actions, et ce conformément avec les dispositions et les instincts qu'il découvre comme lui étant « particuliers », « siens ».

Dans un tel rapport de l'homme à l'ordre, le sentiment, les relations et les attitudes affectives jouent un rôle particulier. De même qu'est particulier le rôle que Jean-Jacques attribue dans la structure de la personnalité à la sphère de l'expérience affective. Il n'y va plus seulement de la priorité accordée, dans l'ensemble des relations de l'homme avec le monde, aux sensations représentatives ou affectives, comme le préconisait le schéma sensualiste courant des Lumières. Jean-Jacques est également un sensualiste. Cependant, lorsqu'il affirme : « exister pour nous, c'est sentir », « notre sensibilité est incontestablement antérieure à notre intelligence », ces thèses possèdent leurs contenus spécifiques [81]. Ainsi, parmi les sentiments naturels que Jean-Jacques attribue à l'homme, l'un des plus importants est la pitié, la faculté de s'identifier avec un autre être souffrant. Le cœur possède une « force expansive », il est capable de « s'étendre sur les autres êtres », de « transporter l'homme hors de lui » pour qu'il s'identifie avec l'être souffrant, de lui « faire quitter, pour ainsi dire, son être pour prendre le sien [82] ». D'autre part, dans cette sphère de la sensibilité, de l'expérience sensitive et affective, sur ce plan le plus profond et le plus fondamental de l'existence humaine, Jean-Jacques distingue le sentiment du moi, dans lequel est donnée à l'homme l'expérience de sa particularité, mais aussi de son harmonie avec la réalité.

Dans les états où ce sentiment devient particulièrement intense, la différenciation entre le « moi » et le monde s'efface. Quand l'homme est affecté exclusivement par le sentiment de son existence, il se suffit pleinement et s'identifie avec la nature. C'est un état psychologiquement en suspens entre le rêve et la réalité, dans lequel la durée ne s'articule pas en une succession d'instants. Ce qui remplit alors la conscience, c'est un éternel « présent », l'instant immédiat, une durée indifférenciée intérieurement et qui est identique avec un bonheur absolu que le besoin d'un objet quelconque ne relativise pas.

« L'ordre », tel que le conçoit Rousseau, est à la fois une construction intellectuelle et une exigence du cœur. Nous avons déjà eu affaire à cette dualité lors de l'analyse de « l'état de nature » et de « l'homme naturel ». Car il y a des correspondances entre les modèles de « l'homme dans l'état de nature » et de la personnalité qui est le sujet des expériences ici reconstituées de la participation à l'ordre. L'homme naturel « se livre au seul sentiment de son existence actuelle ». Le temps vécu est une succession de moments identiques, un présent indifférencié ; il n'a « aucune idée de l'avenir, quelque prochain qu'il puisse être ». Il ne pense pas l'ordre de la nature, il n'en fait pas un objet de réflexion. Il ne possède pas l'idée de l'ordre, pourtant le « spectacle de la nature » lui est « familier » puisqu'il voit « toujours le même ordre (...), toujours les mêmes révolutions [83] ». Rappelons que Jean-Jacques affirmait que, pour « reconstituer » cet « état de nature » et « l'homme naturel », il n'était pas nécessaire d'étudier les faits de l'histoire. Jean-Jacques retrouve cet état et cet homme dans « son propre cœur », alors qu'il médite et rêve dans la forêt de Saint-Germain. Car dans la vision du monde de Rousseau, l'état de nature n'est pas seulement, ni principalement, le point de départ de l'histoire ; il est plutôt une situation en dehors du temps historique, une construction nécessaire pour interpréter l'homme de l'histoire, « l'homme de l'homme ». Ce modèle rationalise le désir de parvenir à une cohérence interne, de surmonter le conflit existant dans la société entre l'individu et son monde. Il prolonge le sentiment d'être « exclu de l'ordre », de ne participer à aucune totalité morale, ce sentiment étant pour l'individu une manière de vivre sa situation sociale. Il est caractéristique de Rousseau d'associer ce modèle avec un état d'âme situé entre le souvenir et le rêve. Le souvenir, parce qu'il se rapporte à quelque chose qui n'est pas et que l'individu sent avoir perdu ; le rêve, parce qu'il concerne quelque chose qui est désiré et comblerait les aspirations immuables que l'individu découvre en lui-même.

Si l'on applique donc ce modèle à la réalité créée dans l'histoire, il ne s'agit pas ici — insistons bien sur ce point — d'un « retour à la nature » au sens d'un retour de l'humanité à l'état sauvage. L'histoire a exclu l'homme de la participation directe à l'ordre, et cette exclusion est irréversible : le seul fait de devoir réfléchir sur l'histoire et sur l'ordre préjuge de la possibilité du « retour ». La naissance de la réflexion prouve en effet que l'homme a perdu sa participation immédiate, irréflexive, à l'ordre en tant que tout. « L'état de réflexion est un état contre

Nature » ; la raison est devenue indispensable à l'homme pour s'orienter
dans le monde diversifié et compliqué, créé dans et par l'histoire. Mais
c'est uniquement en s'appuyant sur la réflexion, sur la connaissance du
monde historique comme de l'ordre naturel que l'homme peut essayer
de reconstituer dans le monde social sa participation à une totalité
morale. L'ordre de la nature ne peut plus constituer à lui seul cette
« totalité ». Celle-ci doit avoir un autre caractère — un caractère social ;
elle doit être construite, provenir de l'exercice de la volonté et de la
raison humaines, puisque, spontanément, seuls les conflits et le mal
moral surgissent dans le cours de l'histoire, et non pas la négation du
mal. La sociabilité et le besoin de vivre en société se sont formés
au cours de l'histoire : la totalité morale analogue à l'ordre naturel ne
pourrait donc être qu'une communauté sociale, tandis que le sentiment
d'appartenir à l'ordre devrait être associé à la participation à la vie
collective de cette communauté. Une telle communauté pourrait donner
à l'homme « une existence relative », « transporter le moi dans l'unité
collective, en sorte que chaque particulier ne se croie plus un, mais
partie de l'unité, et ne soit plus sensible que dans le tout [84] ».

Dans la société actuelle, il serait toutefois vain de chercher une
communauté de ce genre. Aussi, quand l'individu vit sa situation sociale
comme un conflit avec les institutions sociales et politiques existantes,
quand il se sent étranger et isolé dans une société atomisée, ce sentiment a-t-il pour corrélatif le désir de participer à une totalité supra-
individuelle et de se réintégrer dans l'ordre moral. Plus ce sentiment s'intensifie, et plus ce désir croît ; la « totalité » désirée devenant indispensable pour entrer en contact et communiquer avec autrui. Quand l'individu ne comble pas ce désir, il sent en lui un vide et un conflit entre
sa nature et son existence. Plus il prend conscience de sa particularité
individuelle et de son aliénation par rapport à la réalité sociale, de son
isolement et de sa solitude, et plus s'exacerbe son désir de participation à un tout. Toute sa personnalité se concentre dans ce désir, tandis
que l'expérience de ce désir et de son insatisfaction intensifie le sentiment du moi. Mais renforcer le sentiment de son individualité, c'est en
même temps intensifier le désir de dépasser la sphère du « moi »,
c'est éprouver le besoin d'une transcendance. Ou, autrement dit, c'est
désirer vivre son « moi » de manière à ce que s'exprime en lui la
communication avec la « totalité » à laquelle on participe affectivement et qui réalise les espoirs et les aspirations de la personnalité. Ainsi,
la politique devient une composante, une dimension de ce désir ; « l'étude
historique de la morale » amène à la conclusion que « tout tenait radicalement à la politique [85] ». Et pourtant, plus le sentiment d'impuissance
grandit face à la réalité sociale actuelle, plus se renforce la conviction
qu'on ne peut pas trouver sur cette terre une communauté sociale réelle,
et plus cette « totalité » recherchée doit se détacher des réalités sociales
et politiques. Le besoin d'affirmer sa propre personnalité, son autonomie,
le sentiment du moi, à travers la participation à une totalité, doit s'objectiver et s'exprimer autrement que dans la pensée et l'action politiques.
« L'inégalité qui est la source de tout mal », passe à un plan parfois

très lointain, par rapport au sentiment de vide que l'individu éprouve en son for intérieur, au sentiment de déception qu'engendre en lui l'affrontement avec la réalité et le mal moral qui y règne.

L'idée de « l'ordre » chez Rousseau est donc saturée de contenus qui dérivent du sentiment, maintes fois déjà décrit dans toute sa complexité, du conflit existant entre la personnalité et la réalité sociale. Elle sert à la rationalisation de ce conflit et assume dans la vision du monde une double fonction. D'une part, c'est en elle que culminent en quelque sorte la révolte et le désenchantement social ; mais d'autre part, elle intériorise et sublime ce conflit, elle le situe sur le plan moral et métaphysique. Ces deux aspects sont intimement liés dans l'expérience vécue de Jean-Jacques : passer du « contrat social », de l'idéal d'une communauté politique, aux rêves sur l'amitié et l'amour en communion avec la nature — ces transitions sont pour lui psychologiquement évidentes. Par contre, le fonctionnement social de ces divers aspects de l'idée de « l'ordre » n'était pas du tout univoque. Cette idée pouvait servir à concentrer les aspirations et les frustrations politiques et sociales, à condenser le climat d'attente de la crise salutaire qu'évoque le *Contrat social*. Mais elle pouvait également contribuer à intensifier la vie spirituelle, solitaire ; elle encourageait à s'absorber dans la méditation, la sensibilité et le rêve, à chercher dans la subjectivité le lieu où pouvait s'affirmer l'individu qui — pour diverses raisons — refusait tel ou tel fragment du monde social.

Dans la vision du monde de Jean-Jacques, l'idée de l'ordre contribuait à dissocier la problématique du mal moral des problèmes métaphysiques et créait les prémisses permettant de saisir l'ensemble des problèmes de la morale et de la personnalité humaine dans la perspective du processus de socialisation, dans une perspective historiosophique et sociologique. La réflexion sur l'ordre débouchait sur la condamnation morale de l'histoire dans son cours réel. Mais cette position morale même se fonde sur une explication de l'état actuel de la société et de l'existence du mal dont les origines sont situées dans une histoire, dans les processus d'individualisation et d'atomisation sociale. Le problème du mal est ainsi enraciné dans l'histoire et ses antinomies. Enfin, l'idée de la réintégration de l'homme dans l'ordre, même si elle n'explicitait pas la revendication morale d'une autre histoire, d'une orientation différente de la marche de l'histoire, débouchait du moins sur le rêve d'une communauté sociale idéale, se rattachait à l'utopie. D'autre part, cette réflexion permettait de traduire le conflit historique par le désir de l'individu de sentir pleinement sa propre existence, de participer à une totalité donnée dans une expérience mi-lyrique, mi-métaphysique. Ainsi, dans la réflexion sur l'ordre et le mal, s'effaçaient les limites entre la rêverie et les « projets » politiques, entre la réflexion métaphysique et l'expérience lyrique de la nature, entre la philosophie de l'histoire et le besoin d'exprimer son individualité dans l'amour et l'amitié. Les aspirations politiques et sociales pouvaient être exprimées comme des exigences du « sentiment du moi » ; le besoin politique de prendre part à la vie collective, comme le désir d'une transcendance ; les conflits engendrés par la rupture entre l'indivi-

dualité autonome et les institutions traditionnelles, comme l'éclatement
et le drame de la personnalité humaine ; la prédominance des liens impersonnels dans la vie sociale, comme la perte de l'existence authentique.
C'est ainsi que s'opérait l'intériorisation du conflit découvert dans la
réflexion sur l'histoire : les contradictions et les conflits de valeurs existant dans la vie sociale réelle et engendrés par l'histoire, l'individu les
vit comme ses conflits moraux internes qu'il peut et doit résorber en se
définissant lui-même, en procédant à des choix moraux, en acquérant le
sentiment d'une unité interne, en identifiant sa propre vie morale avec
l'ordre des valeurs transcendant par rapport à l'histoire.

Ainsi, au terme d'une confrontation des contradictions et des antinomies sociales avec l'aspiration de la personnalité humaine à l'unité et à
l'identité internes, donc au terme d'une confrontation avec une aspiration
considérée comme donnée dans l'expérience immédiate, une perspective
dialectique de saisir l'homme dans ses rapports avec sa propre réalité
historique s'esquisse dans la vision du monde de Jean-Jacques. Mais cette
perspective participe d'un « sentiment du moi » exacerbé au maximum.
En absorbant le conflit de l'individu avec la réalité sociale, conflit qui
résume pour lui les contradictions surgies dans l'histoire et laissées par elle
sans solutions, la vie intérieure atteint le seuil d'une intensité hypertro-
phiée. Les conflits ainsi intériorisés sont vécus comme des antinomies
propres à la personne humaine même et soumises à ses choix moraux.
Telle est la toile de fond sur laquelle se détachera le modèle personnel
— mais aussi littéraire — de la « belle âme » qui, se sentant « tirée de
l'ordre des choses », vit douloureusement et dramatiquement sa situation
intériorisée comme un « mal du siècle ». La « belle âme » n'accepte pas
la réalité de son temps qui reste pourtant la sienne. Solitaire parmi les
hommes et repliée sur elle-même, se concentrant tout entière dans l'expérience intense de ses propres conflits, elle cherche pourtant sans répit la
communication avec autrui, rêve d'une communauté morale authentique à laquelle elle pourrait prendre part. La conscience « d'être tiré de
l'ordre » traduisait ainsi le sentiment de l'individu d'être déraciné et aliéné
par rapport à la société, mais aussi un mouvement de refus et de
révolte. Cette révolte était surtout dirigée contre le mal moral, mais le
mal est lui-même rapporté à l'histoire et aux antagonismes sociaux qu'elle
avait engendrés, en particulier à « l'inégalité ». Ainsi, d'une manière
apparemment paradoxale, prendre conscience de son déracinement, de sa
« solitude parmi les hommes », c'était, sous une forme spécifique et bien
contradictoire, acquérir une certaine conscience historique, se rendre
compte qu'on participe à une histoire qu'on n'accepte pas. Autrement
dit, l'individu doit prendre conscience de « sa solitude parmi les hommes » afin de la dépasser, d'arriver à la communication authentique avec
autrui, afin de « retrouver sa place dans l'ordre ». La solitude est donc à
la fois une contrainte imposée à la liberté de l'individu et la manifestation de cette liberté. Elle est l'effet des rapports sociaux réels et du mal
qui règne dans le monde. Elle doit faire constamment l'objet d'une prise
de conscience, afin que l'individu puisse garder son autonomie morale et
affirmer son individualité par rapport au « monde des apparences » qui

la menace. Mais, d'autre part, il faut que dans le même mouvement cette solitude soit dépassée : en affirmant son autonomie, l'individu aspire à participer à une totalité morale authentique. En effet, l'existence même dans la société, dans le monde des apparences, de l'aliénation et du mal moral, ne suffit pas pour que l'individu prenne conscience de sa solitude. Une société ainsi faite « porte l'homme loin de lui même », engendre des passions factices, éveille « l'amour-propre », crée des apparences d'ordre sous forme de lois, etc. Et l'homme se laisse emporter par ce tourbillon de passions et d'apparences, afin de « se fuir lui-même », de se protéger contre la solitude. Aussi, pour prendre conscience de sa solitude « parmi les hommes », il faut s'engager dans un constant effort moral, pouvoir regarder le monde dans lequel on vit « de l'extérieur », prendre du recul par rapport à lui. Grâce à cet effort, l'homme du « monde des apparences » peut « revenir à lui-même », « se retrouver », se redécouvrir.

De tout ce que nous avons dit jusqu'ici, il résulte explicitement que la solitude est pour Jean-Jacques une situation privilégiée pour accéder au savoir. Elle est privilégiée du point de vue cognitif, car privilégiée du point de vue moral. Evidemment, le savoir dont il s'agit ici concerne la vérité morale : connaître est solidaire de se connaître soi-même, de la conscience de soi. Mais la vérité touchant à la nature et la vocation de l'homme est précisément la plus importante : elle désigne la finalité et l'extension de tout savoir.

« Jetté dès mon enfance dans le tourbillon du monde, j'appris de bonne heure par l'expérience que je n'étois pas fait pour y vivre, et que je n'y parviendrois jamais à l'état dont mon cœur sentoit le besoin. Cessant donc de chercher parmi les hommes le bonheur que je sentois n'y pouvoir trouver, mon ardente imagination sautoit déjà par-dessus l'espace de ma vie, à peine commencée, comme sur un terrain qui m'étoit étranger, pour se reposer sur une assiette tranquille où je pusse me fixer. Ce sentiment, nourri par l'éducation dès mon enfance et renforcé durant toute ma vie par ce long tissu de misères et d'infortunes qui l'a remplie, m'a fait chercher dans les tems à connoître la nature et la destination de mon être avec plus d'intérêt et de soin que je n'en ai trouvé dans aucun autre homme. J'en ai beaucoup vu qui philosophoient bien plus doctement que moi, mais leur philosophie leur étoit pour ainsi dire étrangère. Voulant être plus savants que d'autres, ils étudioient la nature humaine pour en pouvoir parler savamment, mais non pas pour se connoître ; ils travailloient pour instruire les autres, mais non pas pour s'éclairer en dedans (...). Pour moi quand j'ai désiré d'apprendre c'étoit pour savoir moi-même et non pas pour enseigner ; j'ai toujours cru qu'avant d'instruire les autres il fallait commencer par savoir assez pour soi, et de toutes les études que j'ai tâché de faire en ma vie au milieu des hommes il n'y en a guère que je n'eusse fait également seul dans une île déserte où j'aurais été confiné pour le reste de mes jours [86]. »

L'homme qui s'identifie avec le « monde des apparences », ne peut pas distinguer l'apparence de la réalité, et s'il étudie et philosophe, il le fait « pour les autres » et non « pour lui ». Il saisit la réalité autrement que ne le fait le solitaire. Celui-ci possède en effet l'autonomie intellectuelle, sa raison n'étant pas subjuguée par les préjugés. Il possède également l'autonomie morale puisqu'il porte des jugements sur lui-même, les autres et les choses en fonction de leur valeur « réelle », et non pas en

fonction de la valeur qui leur est attribuée. Dans le « monde des apparences », toutes les valeurs sont relatives ; dans la solitude, on saisit les
valeurs absolues qui ne dépendent pas du jeu des passions humaines,
mais sont enracinées dans l'ordre immuable. Dans un monde où règnent
le mensonge, le préjugé et l'hypocrisie, la solitude est la seule voie d'accès
à la vérité : en se repliant sur son intériorité et en s'isolant du monde,
l'individu accède aux vérités définitives, absolues et — à la fois — personnelles. Le savoir ainsi acquis est immédiat et évident, la vérité n'est
pas produite par des opérations intellectuelles, mais se manifeste spontanément. Ainsi, le savoir dérive de la situation morale de l'individu, de
l'intensité de sa vie intérieure. La vérité morale et ses principes sont
universels : mais ces principes doivent être vécus, chargés de contenus affectifs, pour devenir la « vérité personnelle » de l'homme. Il n'est
nullement nécessaire de faire la démonstration de ce genre de vérités et
de les enseigner ; elles sont accessibles à chacun et se révèlent dans l'expérience immédiate. L'intensité de cette expérience, l'intensité affective est
solidaire de la connaissance authentique de la réalité. L'homme doit
éprouver le besoin de se connaître soi-même, de « connaître la nature et
la destination de son être », pour ne pas étudier l'univers comme on
étudie « quelque machine » et « par pure curiosité ». Plus la connaissance est intime, immédiate, plus elle concerne le sujet lui-même, et plus
elle est en même temps universelle. Car c'est alors que se manifeste en
elle la vérité sur la personnalité et la nature humaine, sur la place de
l'homme dans l'ordre et la signification des choses par rapport à
l'homme [87].

Il faut donc devenir solitaire, avoir le courage de choisir la solitude,
pour communiquer avec les vérités morales fondamentales sur l'homme,
le monde et Dieu et, par là même, retrouver la voie qui mène au bonheur.
Le sentiment d'être heureux, la conscience affective du bonheur seraient
alors la confirmation la plus certaine et à la fois la plus immédiate de la
vérité ainsi acquise.

Il n'est pas facile cependant d'accéder à cette connaissance de soi, de
réaliser le principe de Socrate « connais-toi toi-même ». Ces objectifs
sont difficiles à atteindre justement parce qu'ils dépendent de la situation
globale de l'homme, qu'on n'y parvient pas sans un effort moral et sans
un changement radical de l'ensemble des attitudes de l'individu à l'égard
d'autrui et du monde. Ainsi le savoir dépend d'une transformation morale
dont le point de départ est nécessairement la solitude.

D'après l'une des significations que Jean-Jacques confère à la « solitude », chaque homme est solitaire dans le « monde des apparences »,
si l'on entend par solitude l'absence de participation à une totalité authentique et l'absence de solidarité entre les hommes. Chacun se crée alors
un ordre « à son propre usage », rapporte toutes les valeurs à son intérêt
égoïste, réduit les autres à être des instruments, des moyens. Mais, dans
le « monde des apparences », l'homme n'est pas conscient de sa solitude.
« Il vit dans le regard des autres » ; il est absorbé par le jeu instable des
ambitions et des intérêts ; il se fuit lui-même pour oublier sa solitude ;
« il ne se laisse pas le temps de rentrer en lui, crainte de ne plus s'y

retrouver » ; « il s'étourdit pour s'amuser » et « ne se plaît qu'où il n'est pas ». « Il met un jargon de sentiment et de morale à la place de la réalité[88]. » « Il prend l'habitude d'exister dans tout ce qui l'entoure (...) sans réserver presque rien dans son propre cœur[89]. » Aussi la véritable solitude, au sens d'un retour à soi même, exige-t-elle de l'individu qu'il rompe avec le monde, qu'il soustraie son individualité au cours ordinaire des choses. Autrement dit, pour « savoir être seul au milieu du monde[90] », l'individu doit d'abord arriver au sentiment intense de n'être pas identique avec le monde, avec les rôles sociaux qui lui sont imposés. Le préalable de la solitude et du « retour à soi-même » est donc la désillusion à l'égard du monde.

Qu'il s'agisse d'*Emile*, de la *Nouvelle Héloïse* ou, surtout, des *Confessions*, tous ces écrits sont des histoires d'espoirs déçus. Les conflits avec d'autres individus ou avec un destin anonyme ne sont que des manifestations d'une opposition fondamentale entre un homme de plus en plus solitaire et l'ensemble de la réalité sociale, au fur et à mesure que le premier perd ses illusions, qu'il découvre combien cette réalité sordide lui est étrangère et hostile[91]. De désillusion en désillusion, l'individu découvre sa supériorité morale sur la réalité sociale, et il cherche refuge dans le monde des illusions et du rêve qui est plus « vrai ». Mais cette évasion témoigne à la fois du triomphe de l'individu et de son échec. Le modèle du solitaire a toujours la désillusion comme composante. Ses causes peuvent être des plus diverses, depuis les plus dramatiques jusqu'aux plus futiles, se manifester avec plus ou moins de puissance et traduire des attitudes et des conflits très différents. Dans les *Confessions*, c'est une longue suite de déceptions dues à l'expérience du monde, à la découverte « du jeu malin des intérêts cachés qui m'a traversé toute ma vie et qui m'a donné une aversion bien naturelle pour l'ordre apparent qui les produit[92] ». Quant au Vicaire savoyard, il a particulièrement souffert de l'hypocrisie, puisque ce qui le perdit, ce fut la sincérité avec laquelle il avoua sa faute. Il devint « bien plus victime de ses scrupules que de son incontinence » : « J'eus lieu de comprendre, aux reproches dont ma disgrâce fut accompagnée, qu'il ne faut souvent qu'aggraver la faute pour échapper au châtiment[93]. »

Dans *La Nouvelle Héloïse*, Julie et Saint-Preux connaîtront un amour malheureux et tragique à cause des différences sociales qui les séparent. Les déceptions et leurs causes sont multiples, mais elles consistent toujours dans l'insatisfaction du « besoin du cœur », dans l'inassouvissement d'un désir de bonheur[94]. A travers les déceptions et dans la solitude, l'individu découvre le divorce qui existe entre son aspiration naturelle au bonheur et le monde dans lequel il vit, entre lui et son existence sociale.

Dans les *Lettres morales* destinées à Mme d'Houdetot et dont les principales idées passeront dans la *Profession de foi du vicaire savoyard*, Rousseau élabore tout un art visant à apprendre « la solitude » qui est ici conçue comme une démarche didactique, comme un élément de cet art de jouir auquel Jean-Jacques avait l'intention de consacrer un ouvrage[95]. Il y propose une « étude » qui « remplit l'âme de tout ce qui fait le bonheur de l'homme », cet « objet de la vie humaine » dont personne ne sait comment y parvenir [96]. Ces lettres sont écrites pour une femme du monde que Jean-Jacques n'a pas l'intention de « reléguer dans un cloître et (lui) imposer une vie d'Anachorète » [97] ». Elle doit cependant apprendre l'art de la solitude afin d'accéder à la sagesse suprême et à la fois la plus simple — à l'art d'être heureux. « Je pense que celui qui sait le mieux en quoi consiste le moi humain est le plus près de la sagesse et que comme le premier trait d'un dessin se forme des lignes qui le terminent la première idée de l'homme est de le séparer de tout ce qui n'est pas lui [98]. » Mais par quoi doit-elle commencer son « apprentissage de la solitude » cette grande dame comblée par la naissance et la fortune ? Par « l'exercice de courtes retraites » entreprises à des moments de découragement, de déception, d'ennui à la ville, car « la vie la plus occupée de soins ou d'amusements ne laisse encore que trop de pareils vides ». Or, « la solitude est toujours triste à la ville. Comme tout ce qui nous environne montre la main des hommes et quelque objet de société, quand on n'a pas de société, l'on se sent hors de sa place, et une chambre où l'on est seul ressemble fort à une prison [99]. »

C'est alors qu'il faut aller à la campagne et n'y rien faire, si ce n'est « maintenir l'âme dans un état de langueur et de calme qui la laisse replier sur elle-même, et n'y ramène rien d'étranger », afin que naisse « cette inquiétude naturelle qui dans la solitude ne tarde pas d'occuper chacun de lui-même [100] ».

Dans ces « règles de morale » destinées à « une femme de qualité », combien la déception motivant la retraite est futile, combien est idyllique la solitude conseillée ! En outre, tout y est imprégné d'une sensualité sublimée qui, insatisfaite à la ville, cherche à se réaliser dans la communion avec la nature. Jean-Jacques appartient bien à son époque quand il reconnaît comme l'une des principales motivations le désir de fuir l'ennui, de combler chaque instant de sensations et d'impressions capables de faire naître un sentiment de bonheur ! Et comme la solitude à la campagne peut également amener l'ennui, Jean-Jacques développe tout un art pour la meubler, grâce à l'évocation de souvenirs agréables, à une vie intérieure plus intense, à la rêverie, à la contemplation de la nature, etc. Mais cet « ennui » de la solitude est en même temps imprégné de mélancolie, de regret, de désenchantement. Il constitue un état psychologiquement mixte et ambivalent, riche en nuances et demi tons. Il est fait d'une douce tristesse, d'un amour pour les hommes dont on voudrait se rapprocher et devant qui on aimerait « épancher son cœur », mais aussi du désir de se plonger dans son propre moi humain. Cette expérience de l'ennui diffère donc considérablement des « sophismes de l'ennui » que Rousseau dénonce, l'opposition à un Helvétius mettant en relief le renouvellement de la sensibilité qui est ainsi visé [101].

Pourtant, « l'enseignement de la solitude », prodigué dans les *Lettres morales,* est adapté aux besoins en quelque sorte de la vie mondaine. Il ne traduit pas un conflit réel entre l'individu et la société, mais la seule apparence d'une tension morale. Un sentiment plus ou moins éphémère de frustration affective et de lassitude, surgi à un point quelconque de contact d'un individu avec la réalité, sert ici à Rousseau en tant que substitut d'une crise réelle. L'apprenti solitaire ne connaît que cette solitude douce, peinte en tons pastel, qui trahit le subterfuge [102].

La situation de la solitude acquiert sa dimension dramatique quand c'est la vie qui se charge de prodiguer « cet enseignement », quand se produit une crise réelle de la personnalité humaine à la suite d'un conflit avec le monde, cette crise englobant tous les plans de l'existence sociale de l'individu. A un conflit total et pluridimensionnel correspond une crise globale : l'homme ne reconnaît plus aucun ordre moral dans son monde social ; il se trouve devant un vide. Ses valeurs et principes moraux, sa foi dans les hommes et en lui-même, même sa foi en Dieu, sont ébranlés. Si le conflit engage la personnalité tout entière, s'il ébranle les raisons morales de l'existence de l'homme, la solitude devient totale ; l'individu ne communique plus avec le monde qui l'entoure, il se renferme dans son intériorité, seul et voué à lui-même. L'intensité et la profondeur de la crise morale désignent alors la voie à suivre dans la recherche de la vérité. Quand la crise et la désillusion font suite à l'expérience du mal moral qui domine le monde social, la solitude engage à la fois les questions les plus générales et les plus personnelles. L'inquiétude et les tensions issues du conflit moral et social entraînent une inquiétude métaphysique et religieuse : toute signification que l'individu peut donner à sa vie est mise en jeu. C'est alors seulement que l'homme découvre — comme son conflit le plus personnel — l'antinomie dont Jean-Jacques avait fait le point de départ de sa réflexion historiosophique et métaphysique : l'homme naît naturellement bon, les hommes eux-mêmes dans leur vie sociale l'ont rendu méchant.

La fonction de la crise morale dans l'accession à la vérité est la plus manifeste dans la *Profession du foi du vicaire savoyard,* texte auquel Jean-Jacques lui-même conférait une valeur particulière [103].

Cette valeur, la *Profession de foi* la doit non seulement à son exposé positif, mais aussi à son contexte philosophique polémique. Et ce contexte est d'importance, puisque c'est celui dans lequel s'inscrit la polémique contre Descartes ou, pour être plus précis, contre le *cogito* cartésien [104]. Dans la *Profession de foi,* Rousseau reprend à sa manière la démarche cartésienne ; pour comprendre l'univers et la place qui y est la sienne, l'homme doit mettre en doute tout ce qui l'entoure, prendre sa conscience pour l'unique point d'appui qui lui soit directement donné en vue de se connaître lui-même et de connaître le monde. Si Rousseau renoue ici avec le *cogito* cartésien, il le réfute et le modifie en même temps lorsqu'il retrace la voie qui donne accès à la vérité et définit le caractère et la signification même de cette vérité. Certes, dans l'exposé systématique de la philosophie du Vicaire, plus d'une idée n'est qu'effleurée et l'on y retrouve facilement plus d'un lieu commun de la pensée de l'époque. Et pourtant, avec le contexte même, les lieux communs changeaient de signification et s'opposaient à « l'esprit philosophique », au point qu'il serait difficile de surestimer l'impact de cette redéfinition sur l'évolution des Lumières. En effet, il ne s'agissait plus d'un discours sur la vérité, mais d'une expression des sentiments, d'une confession faite de personne à personne. Le problème de la connaissance étant associé à la crise morale de l'individu et les possibilités de la dépasser, le rationnel devient l'expression de ce que la rationalité ne peut pas atteindre. Car, grâce précisément au chemin parcouru par l'individu, toutes les vérités acquises, tous les raisonnements, même les plus spéculatifs, se voient transformés en évidences du cœur. Et c'est ainsi que Jean-Jacques confère à la philosophie le caractère de l'expression émotionnelle de la personne humaine, qu'il imbrique la métaphysique et la religion dans le vécu des contradictions de la réalité sociale, ainsi que dans toutes les antinomies et les tensions du moi humain [105].

Quand on analyse la *Profession de foi*, on a en général présent à l'esprit le contexte poétique du discours : le lever du soleil sur les Alpes, cet instant poétique où « on eût dit que la nature étalait à nos yeux toute sa magnificence pour en offrir le texte à nos entretiens [106] ». Par contre, on oublie souvent que l'exposé philosophique est encadré par le récit des destinées du Vicaire, et que celui-ci ne constitue pas seulement l'arrière-plan de la *Profession*, mais qu'il appartient à sa structure, qu'il est corrélé avec le « retour aux origines », aux sources, à la nature. Le fruit des réflexions du Vicaire a mûri dans la solitude, il est le produit d'une crise morale. La *Profession de foi* est une réflexion gnoséologique, métaphysique et religieuse sur la société, la nature et Dieu, tels qu'ils se révèlent à un homme solitaire en proie à une crise.

Evidemment, cette crise est moins gnoséologique que morale et religieuse : elle affecte le fondement même de tout savoir — la personne humaine. Quand nous disions que la *Profession* reprend le procédé du doute cartésien, nous n'avons pas précisé qu'elle tient lieu d'une démarche intellectuelle et méthodique au seul usage d'Emile. Pendant son éducation, afin de lui épargner une crise morale et religieuse réelle, son gouverneur lui raconte l'histoire du Vicaire ; il lui enseigne comme une donnée acquise une vérité que le Vicaire a découverte par lui-même et qui est le produit de sa solitude. Mais, d'autre part, la *Profession de foi* est une partie autonome dans la structure d'*Emile* : qu'il s'agisse du Vicaire ou de son jeune interlocuteur, le doute n'est pas le résultat d'opérations intellectuelles et didactiques, mais l'effet d'un effondrement progressif de toutes les valeurs, de toutes les vérités morales. Telle était bien la situation du « jeune fugitif » qui, dans sa détresse, vint trouver le Vicaire et dont la brève histoire reconstitue, dans des termes plus concis et plus dramatiques, les expériences de jeunesse de Jean-Jacques (qui, d'ailleurs, précise : « ce malheureux fugitif c'est moi-même »). Cette histoire rend compte d'une profonde et violente crise morale et religieuse. Le jeune homme, obligé de changer « de religion pour avoir du pain », se heurte à « la violence et l'injustice (qui) irrite un jeune cœur sans expérience ». « On lui donna des doutes qu'il n'avait pas, et on lui apprit le mal qu'il ignorait. » Nous retrouvons sans peine dans ce récit le schéma de l'homme « naturellement bon » qui dégénère au contact du mal régnant dans une société corrompue. Nous y remarquons également l'accent plébéien caractéristique de Jean-Jacques : « La voix intérieure ne sait point se faire entendre à celui qui ne songe qu'à se nourrir. » Le jeune élève du Vicaire faisait preuve « d'une orgueilleuse misanthropie, d'une certaine aigreur contre les riches et les heureux du monde, comme s'ils l'eussent été à ses dépens, et que leur prétendu bonheur eût été usurpé sur le sien ». Au moment où le jeune homme était venu chercher un refuge auprès du Vicaire, il avait atteint le « degré d'abrutissement qui ôte la vie à l'âme », il était près de la « mort morale », il avait perdu « tout vrai sentiment du bien et du mal », il n'éprouvait plus pour les hommes que haine et mépris. En perdant sa foi dans les hommes, dans les valeurs humaines universelles, il avait cessé de croire en lui-même, il avait perdu sa propre dignité morale. Le mal était, certes, venu de l'extérieur, mais il sapait son individualité. Aussi le premier procédé thérapeutique qu'applique le Vicaire ne consiste pas à faire des sermons sur le monde et les hommes, mais à « réveiller en lui l'amour-propre et l'estime de soi-même » à « lui faire reprendre une bonne opinion de lui-même ». Dans l'état de crise morale, même l'amour-propre — sentiment pourtant néfaste — peut être secourable. Le mal est retourné contre le mal ; retrouver le sentiment de son individualité, même sous une forme dénaturée, est la condition de toute renaissance morale.

Cependant, le jeune fugitif n'est pas le seul à avoir éprouvé une profonde crise morale : son interlocuteur, le Vicaire, a lui aussi déjà vécu une expérience analogue. C'est pourquoi les deux hommes pourront se reconnaître et établir un dialogue. Mais ce dialogue est très particulier : c'est plutôt un *credo* solitaire, un monologue intérieur, mais un monologue qui demande un auditeur. La signification ne relève pas seulement de l'enchaînement des mots et des phrases ; le discours puise la richesse de son sens dans la communauté affective constituée de l'expérience commune des deux hommes, mais aussi de cette nature avec laquelle tous les deux communient au lever du soleil. C'est ainsi que se nouent la communauté des « belles âmes », la communication des cœurs qui confère à chaque phrase prononcée le caractère d'une évidence. Le Vicaire n'instruit pas — il rend compte de l'état de son âme. Il ne tient pas à convaincre son auditeur d'une manière discursive, par des « discours savants et de profonds raisonnements ». Ce qu'il veut surtout, c'est toucher son âme, lui faire partager une expérience morale. L'expérience du Vicaire n'est pas moins amère que celle du jeune homme, et sa désillusion par rapport au monde non moins totale. Il est en conflit avec le monde pour des causes différentes que celles du prosélyte, mais ce ne sont que diverses variantes du même conflit fondamental. Cédant à des passions naturelles [107], le futur vicaire avait manqué aux lois des hommes, en particulier à la règle du célibat, et il lui fallut d'autant plus expier, être « arrêté, interdit, chassé », qu'un autre « penchant naturel » l'avait poussé à avouer sa faute. Cette expérience renversa les idées qu'il avait du « juste, de l'honnête et de tous les devoirs de l'homme ». La crise devint totale et l'amena à douter de tout. « Je n'ai jamais mené une vie aussi constamment désagréable que dans ces tems de trouble et d'anxiétés où, sans cesse errant de toute en doute, je ne rapportois de mes longues méditations qu'incertitude, obscurité, contradictions sur la cause de mon être et sur la règle de mes devoirs. »

Ainsi, les deux hommes s'étaient trouvés « dans ces dispositions d'incertitude et de doute que Descartes exige pour la recherche de la vérité ». Mais combien cette *pars destruens* est différente des démarches intellectuelles du scepticisme méthodique du *Discours sur la méthode*. En fait, le problème central pour Rousseau n'est pas celui de l'erreur, mais celui du mal moral et de l'injustice sociale. Et ces « dispositions de doute » dans lesquelles se trouvent les deux protagonistes de la *Profession de foi*, n'équivalent pas à l'état du doute méthodologique — de l'incertitude cognitive — mais à l'ébranlement des valeurs et principes moraux.

Ce ne sont pas les possibilités de l'existence du monde des choses qui sont concernées par le scepticisme, mais le fond de la personne humaine, et le caractère universel des valeurs humaines. « Je perdois chaque jour quelqu'une des opinions que j'avois reçues ; celles qui me restoient ne suffisant plus pour faire ensemble un corps qui pût se soutenir par lui-même, je sentis peu à peu s'obscurcir dans mon esprit l'évidence des principes. » Dans la *Profession de foi*, le rapport de l'homme au monde est principalement un rapport moral, et non pas cognitif. L'évidence morale est la première certitude que l'individu doit retrouver ; la principale vérité qui lui manque, c'est la connaissance de soi, la connaissance du « sort de l'homme et des valeurs de la vie ». Or, ce sont précisément ces données qui sont mises en doute à l'issue de la crise, seul ce scepticisme n'étant « ni dogmatique, ni prétendu », au contraire de celui qu'affichent les « philosophes ». En effet, le philosophe ne possède la vérité que « pour les autres » et, même quand il met radicalement tout en doute, il ne rompt pas les liens qui le rattachent au « monde des apparences ». Il continue à s'identifier avec les valeurs que ce monde reconnaît, son mobile d'action est l'amour-propre, le désir de se distinguer, de briller dans le monde. Il ne conteste pas la valeur morale du monde social, il est toujours prisonnier des apparences, des opinions et des jugements que le monde lui impose. Il n'est donc pas revenu à « lui-même » et, partant, il ne peut pas accéder aux vérités universelles, absolues, indépendantes des préjugés, des intérêts humains, des ambitions et des hiérarchies. Il n'a pas acquis l'autonomie morale ; or, sans elle, il n'y a pas d'autonomie intellectuelle. Comme chez Descartes, seul le fond même du doute radical peut faire dépasser le scepticisme et faire sortir de l'incertitude. Comme lui, il faut partir de « ce principe unique et incontestable : je pense, donc j'existe [108] ».

Dans son doute radical et sa solitude exaspérée, l'individu est voué à lui-même, il est réduit à la sphère de ses expériences immanentes, et c'est dans cette seule sphère, dans les actes de sa propre conscience, qu'il peut trouver le point de départ qui le fera sortir de son propre « moi », l'amènera à reconstruire le monde en conférant la valeur de l'universalité aux vérités qu'il découvre dans son for intérieur.

Mais le *cogito* ne pouvait pas devenir pour Rousseau le début d'une réflexion visant le dépassement de la crise cognitive. Le type de conflit que Jean-Jacques situait au centre même de la personne humaine oriente autrement sa pensée : la vérité que celle-ci recherche doit être morale, sociale et politique, elle doit expliquer le conflit existant entre la nature de l'homme et les rapports moraux et politiques régnant dans le monde

humaln. Tous les problèmes cognitifs, métaphysiques et religieux dérivent
de ce conflit et sont nécessairement subordonnés à l'explication de ses
raisons.

Dans sa polémique contre la démarche cartésienne, Jean-Jacques met
à profit tous les arguments que lui procure son siècle. Ainsi, il rappelle
que les définitions cartésiennes de « la substance étendue et de la substance qui pense » « furent détruites en moins d'une génération ».
« Newton fit voir que l'essence de la matière ne consiste point dans
l'étendue, Locke fit voir que l'essence de l'âme ne consiste point dans la
pensée [109]. » Il recourt à l'argumentation antimétaphysique des Lumières :
il faut se borner dans les recherches philosophiques à ce qui nous concerne
directement, et « s'inquiéter jusqu'au doute des choses qu'il importe de
savoir [110] ». Rousseau invoque également contre Descartes les arguments
sensualistes dont « la statue de l'Abbé de Condillac » qui a démontré « quels degrés de connaissance appartiendroient à chaque sens s'ils
nous étoient donnés séparément et les raisonnements bizarres que feroient
sur la nature des choses des êtres doués de moins d'organes que nous
n'en avons [111] ». Notre connaissance est bornée par nos sens, et ceux-ci
ne nous disent rien sur les vérités métaphysiques : « Que pouvons nous
dire de l'âme dont nous ne connaissons rien que ce qui agit par les
sens ? (...) L'entendement humain contraint et renfermé dans son enveloppe ne peut pour ainsi dire pénétrer le corps qui le comprime et n'agit
qu'à travers les sensations. » Jean-Jacques retourne ainsi contre la métaphysique l'imprécision notoire des concepts qu'elle emploie, ou les expériences les plus récentes à son époque sur les « prodiges de l'électricité,
qui apparaît être le principe le plus actif de la nature [112] ».

Parallèlement à cette argumentation qui reprend les lieux communs de
l'époque, Rousseau développe ses positions spécifiques ou, plutôt, à travers les arguments courants, il fraie la voie à son propre point de vue.
Celui-ci se manifeste d'emblée dans l'alliance de la polémique contre les
prétentions excessives de l'esprit humain avec la critique de la manie de
« philosopher pour les autres », considérée comme un élément du « monde
des apparences », comme un facteur de destruction morale[113]. Ainsi,
Rousseau doit dépasser le schéma sensualiste courant afin d'exprimer
dans la réflexion philosophique le type de conflit moral et social qu'il
pose à la base de tout le processus de la connaissance, conférant ainsi à
la philosophie même une autre signification. Au « je pense, donc je suis »
de Descartes, à la conscience de soi considérée comme la conscience de
l'activité intellectuelle, Jean-Jacques n'oppose pas la démarche des sensualistes qui réduit l'existence à l'acte, ou à la série d'actes de la perception sensible. La conscience de soi est le point de départ de toute
réflexion philosophique, mais ce qui est initialement donné, c'est le sentiment du *moi,* et non pas les actes de la pensée ou de la perception
sensible.

Dans le « je pense » cartésien, Rousseau déplace l'accent sur le *je,*
comme étant antérieur à la pensée et irréductible à la réflexion intellectuelle sur les actes de la conscience. L'existence, *mon* existence est antérieure à tout acte de ma pensée. Autrement dit, ce qui est immédiate-

ment et intuitivement donné à la personne humaine avec l'existence, c'est
la conscience de quelque chose d'autre que la pensée, et cette conscience,
immédiate et évidente, est elle-même un acte affectif et non pas intellectuel, celui de *sentir son existence, son moi.*

Les paroles de Rousseau sur ce sujet sont devenues des maximes
rabâchées, et ce n'est pas parce qu'elles font partie des textes choisis à
l'usage des écoles qu'elles sont moins ambiguës. « Exister pour nous,
c'est sentir ; notre sensibilité est incontestablement antérieure à notre
intelligence, et nous avons eu des sentiments avant des idées. » « Le
premier sentiment de l'homme fut celui de son existence. » L'homme de
la nature qu'aucune inquiétude « n'agite, se livre au seul sentiment de
son existence [114] ». On ne peut pas vaincre le doute radical, le « scepticisme en tant que système », par la reconnaissance de l'identité de l'acte
du doute avec la conscience d'un acte intellectuel. Car, pour Rousseau, le
doute n'est pas ce qu'il est chez Descartes : une opération intellectuelle
identique avec la pensée hors laquelle « il n'y a rien qui soit véritablement ou qui existe » ; il est de même faux « que nous soyons par cela
seul que nous pensons [115] ». Le doute est un état, une situation, une
forme d'existence ; il est une tension et une inquiétude. « Le doute sur
les choses qu'il nous importe de connoître est un état trop violent pour
l'esprit humain : il n'y résiste pas longtemps ; il se décide malgré lui de
manière ou d'autre, et il aime mieux se tromper que ne rien croire [116]. »
Et c'est sur le plan de l'existence, et non seulement sur celui des idées,
que cet état exaspéré — manifestation extrême de la crise morale —
est inacceptable. Ce refus venant du for intérieur révèle, dans le même
mouvement, l'aspiration la plus profonde de l'individu à retrouver sa paix
intérieure, son unité et son identité. Ces exigences de cohésion interne sont
données immédiatement, non pas comme des « raisons de la raison »,
mais comme des « raisons du cœur ». Toute vérité issue de l'état de doute
et de la crise morale doit être en accord avec cette aspiration originaire [117].

Quand Jean-Jacques essaie de conceptualiser ce que sont ce « sentiment de l'existence », cette « voix du cœur », etc., il se heurte à des
obstacles presque insurmontables, dont le premier tient à l'utilisation du
schéma sensualiste et utilitariste des origines des connaissances et des
rapports de l'homme et de son milieu. Rousseau emprunte ce schéma du
fonds commun des idées de l'époque, il s'en sert pour formuler et fonder
sa propre conception de l'individu dont les rapports à autrui et aux
choses doivent être concrets et signifiants. Cependant, il se débat avec
ce même schéma puisque, dans ses conséquences, celui-ci contrarie sa
recherche. Ainsi, on retrouve dans la *Profession de foi* maintes idées et le
langage du sensualisme courant, mais d'autre part, Rousseau s'attaque à
la réduction utilitariste et sensualiste de l'individu à l'ensemble de ses
conditions extérieures qui sont la source de ses sensations. Rousseau
rédigea la *Profession de foi* comme un écrit polémique contre *De l'esprit* [118], œuvre dans laquelle Helvétius donnait sa formulation la plus
extrême à la tendance qui considérait l'intérêt comme la motivation prin
cipale, si ce n'est exclusive, des actions humaines et l'utilité comme le critère des jugements moraux. La doctrine éthique de Helvétius se basait sur

๛ sensualisme nominaliste radical : dans l'homme, tout se réduit à sentir et les individualités ne se distinguent que par les sensations éprouvées et accumulées dans leurs expériences respectives. Jean-Jacques répugne à ce sensualisme outré et il cherche à faire des distinctions, à formuler un langage différent. Ainsi, « sentir », c'est éprouver des sensations mais c'est aussi éprouver des sentiments ; or, le sentiment est une forme spécifique de l'expérience de soi et du monde. « Il me semble — écrit-il dans ses notes sur *De l'esprit* — qu'il faudrait distinguer les impressions purement organiques et locales des impressions universelles qui affectent tout l'individu. Les premières ne sont que de simples sensations, les autres sont des sentiments [119]. »

Dans la *Profession de foi,* le problème est repris dans d'autres termes : « A certains égards les idées sont des sentiments et les sentiments sont des idées. Les deux noms conviennent à toute perception qui nous occupe, et de son objet et de nous-mêmes qui en sommes affectés : il n'y a que l'ordre de cette affection qui détermine le nom qui lui convient. Lorsque premièrement occupés de l'objet nous ne pensons à nous que par réflexion, c'est une idée ; au contraire, quand l'impression reçue excite notre première attention, et que nous ne pensons que par réflexion à l'objet qui la cause, c'est un sentiment [120]. » Nous n'avons pas l'intention de surestimer la valeur et la précision de ces différenciations, d'autant moins que Rousseau ne les respecte pas rigoureusement. Ce qui apparaît plus important que la précision sémantique, c'est la tendance qui s'y fait jour. Dans les formules sensualistes classiques et les plus répandues dans la littérature des Lumières, la vie psychique ne faisait qu'un avec les sensation et leur arrangement. A partir donc des sensations, de leur succession et de leur association, on pouvait reconstruire l'ensemble de la conscience discursive et de la vie affective de l'individu. Comme dans la statue de Condillac, la personnalité se réduisait à la succession des sensations, à leur comparaison et à leur fixation dans la mémoire ; tandis que la tonalité affective des sensations fournissait des directives infaillibles pour déterminer la tendance fondamentale du moi, l'aspiration au bonheur. Comme on l'a constaté, Jean-Jacques garde beaucoup d'éléments de ce schéma, mais il s'oppose à ce que l'homme soit réduit à l'ensemble de ses sensations. L'homme n'est pas « simplement un être sensitif et passif », il est « un être actif et intelligent », donc libre, et cette liberté se manifeste dans la possibilité d'actions spontanées.

Le sentiment du « moi » est différent des sensations qui ne sont que des médiations entre l'objet et le « moi » [121]. Rousseau n'attache guère d'importance aux problèmes pourtant caractéristiques du sensualisme, de ses difficultés épistémologiques et métaphysiques, à savoir aux fondements de la différence entre les sensations, les idées et leurs objets, entre le « perçu » et l'idée du perçu. Ce qui importe principalement pour lui, c'est la distinction du « moi » par rapport à tout objet de conscience, à « ce qui n'est point moi ». « Ainsi non seulement j'existe, mais il existe d'autres êtres, savoir les objets de mes sensations ; et quand ces objets ne seraient que des idées, toujours est-il vrai que ces idées ne sont pas moi (...). Ainsi toutes les disputes des idéalistes et des matérialistes ne signifient rien pour moi. Leurs distinctions sur l'apparence et la réalité des corps sont des chimères [122]. » Rousseau pose donc le problème dans d'autres termes que les sensualistes : la personnalité et la conscience de soi ne sont pas des sensations transformées, le « moi » n'est pas réductible à une somme de sensations. La sensation est plutôt la cause occasionnelle de la manifestation du sentiment du « moi » qui est autre chose que les sensations et n'est pas réductible à elles, même s'il ne s'actualise pas sans elles. Les sensations ne se distinguent pas seulement entre elles par leur succession dans le temps et par l'intensité du plaisir ou de la douleur qu'elles comportent. Ce qui les distingue en plus, c'est la mesure dans laquelle elles contribuent à intensifier le sentiment de l'existence, et constituent des moments privilégiés où le sentiment du « moi » se manifeste [123]. Le sentiment du « moi » est donc donné préréflexivement, dans l'expérience affective. Le sentiment possède en propre une évidence qui n'échoit à aucun acte intellectuel, celui-ci étant secondaire et se fondant uniquement sur « la comparaison des rapports ». Seul le sentiment possède la valeur de l'immédiateté. Ce qui distingue du sentiment la raison, avec ses actes de comparer et de juger, c'est qu'elle procède à ses opérations sur un objet, et que la conscience intellectuelle n'est pas celle de l'identité du sujet et de l'objet. « Quand les deux sensations à comparer sont aperçues, leur impression est faite, chaque objet est senti, les deux sont sentis, mais leur rapport n'est pas senti pour cela. Si le jugement de ce rapport n'était qu'une sensation, et me venait uniquement de l'objet, mes jugements ne me tromperaient jamais, puisqu'il n'est jamais faux que je sente ce que je sens [124]. » Seul le sentiment immédiat du « moi » peut procurer les « preuves directes » à partir desquelles l'individu est capable de surmonter ses doutes, de reconstruire le monde en s'appuyant sur les contenus qui se manifestent dans la conscience de sa propre existence. Les vérités ainsi acquises sont des « évidences du cœur », des sentiments, des dispositions morales, indépendantes de la raison. Les découvrir, c'est accéder à une vérité morale dont les valeurs sont l'évidence et l'immédiateté, et qui est « le témoignage intérieur qui dépose pour lui-même ».

Ce témoignage, qui « vient du fond de nos cœurs » et est directement donné, tranche les questions morales : « tout ce que je sens être bien est bien, tout ce que je sens être mal est mal [125] ».

Il est particulièrement difficile d'expliciter discursivement les contenus conférés au concept ou plutôt au « sentiment de l'existence ». Jean-Jacques lui-même tenta de le faire dans les termes plus précis, mais dans un texte fragmentaire qu'on ne peut pas dater avec précision, donc non plus situer par rapport aux œuvres publiées.

« Les êtres immortels et sensibles ont une manière d'exister dont nous n'avons nulle idée et dont par conséquent nous ne saurions raisonner. Car quant à nous c'est au désir de notre conservation que notre sensibilité se rapporte. L'Etat naturel d'un être passible et mortel tel que l'homme est de se complaire dans le sentiment de son existence, de sentir avec plaisir ce qui tend à le conserver et avec douleur ce qui tend à le détruire, c'est dans cet état naturel et simple qu'il faut chercher la source de nos passions.

« On s'imagine que la première est le désir d'être heureux, on se trompe. L'idée du bonheur est très composée, le bonheur est un état permanent dont l'appétit dépend de la mesure de nos connaissances, au lieu que nos passions naissent d'un sentiment actuel indépendant de nos lumières. Le développement s'est fait à l'aide de la raison mais le principe existoit avant elle. Quel est donc ce principe ; je l'ai déjà dit ; le désir d'exister. Tout ce qui semble étendre ou affermir notre existence nous flatte, tout ce qui semble la détruire ou la resserrer nous afflige. Telle est la source primitive de toutes nos passions.

« Cette mesure de l'existence ou pour mieux dire de la vie n'est pas toujours la même, elle a pour nous une certaine latitude, elle est susceptible d'accroissement ou de diminution. Elle est dans le sentiment qui l'apprécie ; mais ce sentiment lui-même est passif, il dépend de beaucoup de choses, les sens, l'imagination, la mémoire, l'entendement, l'habitude même l'affecte et le modifie mais rien ne l'affecte que par son rapport avec notre existence ou par le jugement que cette affection nous en fait porter [126]. »

Ce texte explicite certaines questions que nous connaissions déjà : l'antériorité du « sentiment de l'existence » par rapport à toute réflexion, et donc par rapport à l'idée du bonheur considérée comme une « idée composée » entre autres par la réflexion ; le caractère fondamental de ce sentiment dans la totalité de la vie spirituelle de l'individu et dans son rapport au monde. Mais Rousseau n'y élucide pas les questions déjà posées auparavant et concernant le caractère de l'expérience du « moi » et de « l'existence ». Il ne les clarifie qu'en apparence en rapportant « le sentiment de l'existence » au désir de conservation ou en identifiant carrément ce sentiment avec le « sentiment de la vie ». Ce dernier thème est couramment développé par la pensée des Lumières, en particulier lors de l'interprétation de la tonalité affective des sensations. Le sentiment de plaisir ou de douleur qui accompagne les sensations, fait de la conservation la tendance majeure de l'individu et permet d'envisager le rapport de l'homme aux choses dans les catégories de l'utilité, celle-ci étant une mesure de valeur imposée par la nature même de l'homme. Mais chez Jean-Jacques, ce « sentiment de la vie » ou de « l'existence » n'a pas un caractère biologique ; il n'est pas solidaire de l'expérience de l'intensité et de la tension des forces vitales de l'individu. Au contraire, il équivaut à un état optimal de paix et de passivité ; il n'a pas besoin de s'exprimer dans l'action, mais il se renferme en quelque sorte en lui-même. « L'extension de son existence » n'équivaut pas à une expansion extérieure des forces vitales de l'individu : elle consiste plutôt à « exister dans les autres », à éprouver une solidarité spécifique avec autrui sur qui « on a étendu son existence », tout en gardant le sentiment antérieur à la réflexion de son unité interne, de son identité, de l'affirmation de soi. Cette expansion du « moi » à l'extérieur relève de l'affectivité ; elle est — comme le dit Jean-Jacques — l'expression de « la force expansive de l'âme ».

C'est dans l'analyse de la pitié, considérée comme le fondement de la solidarité humaine, qu'on saisit le mieux ce que Rousseau entendait par

« l'extension de son existence ». La solidarité du « moi » avec autrui est fondée dans « l'amour de soi » qui constitue la motivation majeure de toutes les actions humaines. Mais, nous l'avons déjà dit, « l'amour de soi » devient « l'amour propre » dans l'état de société. L'individu vit alors « dans le regard des autres », son existence est élargie à des relations qui ne dépendent pas de lui et qu'il ne peut pas contrôler ; l'égoïsme devient l'unique motif de ses actes. La totalité des rapports humains est alors basée sur l'intérêt égoïste, la société s'atomise, les hommes et les choses ne sont plus considérés qu'à titre d'objets interchangeables pour la satisfaction de besoins égoïstes et factices. Il en va autrement quand « l'extension de notre existence » se traduit par la pitié. « Quand la force d'une âme expansive m'identifie avec mon semblable, et que je me sens pour ainsi dire en lui, c'est pour ne pas souffrir que je ne veux pas qu'il souffre. Je m'intéresse à lui pour l'amour de moi (...), la nature elle-même m'inspire le désir de mon bien-être en quelque lieu que je me sente exister. » Une telle « extension de son existence » n'est possible que si l'on dispose d'une « sensibilité surabondante qu'on puisse accorder aux peines d'autrui », car « tandis qu'on souffre, on ne plaint que soi », « nul n'accorde aux autres que la sensibilité dont il n'a pas actuellement besoin pour lui-même ». La pitié associe donc d'une manière particulière l'extension de l'existence au-delà du moi avec le sentiment de l'individualité et de l'affirmation du moi. Emile « partage les peines de ses semblables ; mais ce partage est volontaire et doux. Il jouit à la fois de la pitié qu'il a pour leurs maux, et du bonheur qui l'en exempte ; il se sent dans cet état de force qui nous étend au delà de nous, et nous fait porter ailleurs l'activité superflue à notre bien-être (...). La commisération doit être un sentiment très doux, puisqu'elle dépose en notre faveur ». Le sentiment de solidarité impliqué par la pitié se porte sur tous les êtres semblables, sur tous ceux qui souffrent et sont donc dignes de compassion ; il contribue à faire prendre conscience de l'identité de la nature humaine. Ainsi, la pitié sous-tend le sentiment d'une solidarité humaine universelle, auquel s'ajoutent des contenus manifestement plébéiens quand Rousseau identifie l'humanité avec le peuple et associe la pitié avec la solidarité des pauvres et des opprimés. « C'est le peuple qui compose le genre humain ; ce qui n'est pas peuple est si peu de chose que ce n'est pas la peine de le compter. L'homme est le même dans tous les états ; si cela est, les états les plus nombreux méritent le plus de respect. Devant celui qui pense, toutes les dimensions civiles disparaissent : il voit les mêmes passions, les mêmes sentiments dans le goujat et dans l'homme illustre (...). Il y a, disent encore nos sages, même dose de bonheur et de peine dans tous les états : maxime aussi funeste qu'insoutenable ; car, si tous sont également heureux, qu'ai-je besoin de m'incommoder pour personne ? Que chacun reste comme il est (...). Les peines du riche ne lui viennent point de son état, mais de lui seul, qui en abuse (...). Mais la peine du misérable lui vient des choses, de la rigueur du sort qui s'appesantit sur lui. Il n'y a point d'habitude qui lui puisse ôter le sentiment physique de la fatigue, de l'épuisement, de la faim : le bon esprit ni la sagesse ne servent de rien pour l'exempter des maux de son état (...). Respectez donc votre espèce ; songez qu'elle est composée essenciellement de la collection des peuples ; que, quand tous les Rois et tous les philosophes ne seroient ôtés, il n'y paroitroit guère, et que les choses n'en iroient pas plus mal [127]. »

Nous introduirons encore un texte pour mieux expliciter le faisceau de questions philosophiques morales et sociales que Rousseau essaie d'articuler en recourant au « sentiment de l'existence ». Il s'agit de la célèbre description du séjour de Jean-Jacques sur l'île Saint-Pierre, contenue dans la cinquième promenade des *Rêveries du promeneur solitaire*. Dans ce texte, rien n'est discursif, tout est expérience sensuelle et affective, tout est dit au moyen non seulement de vocables, mais aussi des évocations qu'ils font naître, et des silences qui en prolongent la résonance. Le discours semble ici dépasser un seuil infranchissable, exprimer ce qui ne se soumet pas à la verbalisation et est incommunicable. Appliquer à un tel texte des procédés analytiques et schématiques, chercher en lui les équivalents de concepts et de structures de pensée, voilà qui semble non seulement illégitime, mais encore indélicat. Mais ce texte a été écrit, le vécu le plus intime a été raconté et, par là même, le voile de l'intimité absolue a été levé. Cette intimité est devenue une intimité pour autrui, donc pour nous. Par sa description, l'isolement total dans lequel Jean-Jacques vivait sur l'île Saint-Pierre, est devenu une solitude pour nous, une forme d'expression du « moi » à l'usage d'autrui. Ce qui encore nous encourage à tenter une schématisation, c'est que le concept de « l'existence » est construit chez Rousseau de manière précisément à ne pas être une abstraction, à s'implanter dans la réalité du vécu, laquelle doit être à la fois articulée et de par son essence ne jamais devenir discursive. A l'île Saint-Pierre, dans ses rêveries solitaires, ponctuées par le rythme régulier de l'eau, Jean-Jacques éprouvait souvent un état qui lui remplissait « l'âme tout entière » et lui procurait un « bonheur suffisant, parfait et plein », « sans aucun autre sentiment de privation ni de jouissance (...) de désir ni de crainte ». Cet état, si différent du bonheur vif mais fugitif « qui nous laisse encore le cœur vide et inquiet », « seul le sentiment de notre existence » peut nous le faire connaître (l'emploi de la première personne du pluriel sert à Rousseau à conférer à ses descriptions un caractère intersubjectif, à transformer une expérience concrète unique en une expérience communicable et accessible à tous). Dans cet état « de contentement et de paix », en suspens entre la réalité et le rêve, toutes les frontières disparaissent entre le « moi » et le monde qui s'identifient entièrement, mais cette identité est spécifique puisque l'un et l'autre gardent leur particularité. « De quoi jouit-on dans une pareille situation ? De rien d'extérieur à soi, de rien sinon de soi-même et de sa propre existence, tant que cet état dure on se suffit à soi-même comme Dieu. » Mais, d'autre part, c'est un état dans lequel l'existence « s'étend » et englobe tous les objets perçus, où « le temps n'est rien », « le présent dure toujours sans néanmoins marquer sa durée et sans aucune trace de succession » ; un état dans lequel on perd la notion distincte de son individu, tandis que s'arrête sur l'instant présent « le flux continuel » dans lequel « rien ne garde une forme constante et arrêtée ». La réalité, la nature, les choses cessent d'être extérieures par rapport à l'individu qui communique avec elles sans médiation. Intégrées à l'espace sur lequel le « moi » se répand, elles deviennent transparentes à l'homme, elles perdent leur épaisseur, se subliment dans cette expérience. La personne humaine et les choses appartiennent à un « tout », à un ordre qui est donné non pas comme un objet de réflexion extérieur à la conscience, mais dans l'expérience affective irréflexive, à la fois du moi et du monde. Ce sentiment de « l'existence pure », Jean-Jacques le décrit ailleurs dans les termes que voici : « La nuit s'avançoit. J'aperçus le ciel, quelques étoiles et un peu de verdure. Cette première sensation fut un moment délicieux. Je ne me sentois encore que par là. Je naissois dans cet instant à la vie, et il me sembloit que je remplissois de ma légère existence tous les objets que j'apercevois. Tout entier au moment présent je ne me souvenois de rien ; je n'avois nulle notion distincte de mon individu, pas la moindre idée de ce qui venoit de m'arriver ; je ne savois ni qui j'étois ni où j'étois ; je ne sentois ni mal, ni crainte, ni inquiétude. » (...) « Je sentois dans tout mon être un calme ravissant auquel chaque fois que je me le rappelle je ne trouve rien de comparable dans toute l'activité des plaisirs connus. » Citons enfin un autre texte où Jean-Jacques dit de lui même : « Je voudrois étendre mon existence sur tout l'univers », plutôt que de la « réserver », de la « comprimer [128] ».

Il nous semble impossible de mieux expliciter cet irrationalisme sentimental dont est empreinte la conception de la personnalité humaine chez Rousseau. D'ailleurs, Jean-Jacques n'était pas le seul à souligner le rôle du sentiment dans l'ensemble de la vie spirituelle : au siècle des Lumières, l'éloge de la raison et de sa victoire sur le préjugé s'assortit en effet souvent d'une réhabilitation des « simples » sentiments et émotions ; les larmes coulaient à flots dans la littérature de l'époque comme dans la vie réelle. Cette réhabilitation s'associait souvent à l'affirmation de la simplicité et de la sérénité de la vie du peuple, de la sensibilité commune à tous les hommes et qu'on opposait aux barrières sociales, ainsi qu'aux conventions rigides imposées par la Cour. Ces aspects sentimentaux dominent également dans les premières parties de la *Nouvelle Héloïse,* où Rousseau exalte avant tout un amour qui se heurte au puissant obstacle des différences de conditions, des préjugés de caste, etc. Mais l'histoire même de ce roman qui subit plusieurs transformations successives et auquel l'auteur finit par donner une vaste dimension philosophique et religieuse posant déjà les problèmes développés ensuite dans la *Profession de foi* [129], cette histoire démontre que Jean-Jacques confère au « sentiment » une importance philosophique qu'il était loin de posséder dans le sentimentalisme banal de l'époque. Et par là même, il rejoint toute une tendance de la pensée esthétique et morale de l'époque : en effet, les problèmes du goût en tant que sentiment esthétique ainsi que du sentiment moral, de leur particularité par rapport à la connaissance intellectuelle, sont alors parmi les questions les plus débattues [130].

Nous ne voudrions cependant pas examiner les liens plus ou moins évidents du sentimentalisme de Rousseau avec les tendances plus générales de son siècle ; d'autant que le problème de la genèse et des influences subies est ici particulièrement confus [131].

Dans le contexte qui nous intéresse, il importe uniquement de souligner que les thèmes irrationnels et sentimentaux que Rousseau développe souvent dans son œuvre gagnent en intensité chaque fois qu'il entreprend de fonder sa conception de la personne humaine dans une réflexion plus ou moins systématique sur des questions gnoséologiques et ontologiques. Le sentiment acquiert une valeur cognitive plus ou moins privilégiée. Ainsi, Rousseau va même jusqu'à admettre que le sentiment, « la voix du cœur », suffit pour saisir les vérités vraiment primordiales (il s'agit, évidemment, de « vérités morales »). Dans d'autres cas, Rousseau est plus modéré et pose qu'une certaine attitude affective à l'égard du monde est une condition nécessaire pour connaître les vérités fondamentales sur l'homme et sa place dans l'univers, et que seul le sentiment assure l'assentiment intérieur qui caractérise la vérité. Dans sa *Profession de foi*, le Vicaire précise qu'il ne désire pas instruire, il ne fait qu'exposer ses sentiments pour que son interlocuteur se les approprie et les revive en lui-même. « Je vous ai déjà dit, rappelle-t-il à son prosélyte, que je ne voulois pas philosopher avec vous, mais vous aider à consulter votre cœur. Quand tous les philosophes prouveroient que j'ai tort, si vous sentez que j'ai raison, je n'en veux pas davantage. » Les vérités ainsi obtenues sont imprégnées d'une intuition irrationnelle qu'on peut certes également éveiller par des moyens intellectuels. Mais toute vérité demeure « extérieure » à l'homme si elle est privée de cette tonalité affective qui ne surgit qu'au terme d'une expérience personnelle unique. « A mesure qu'il me parloit selon sa conscience, la mienne sembloit me confirmer ce qu'il m'avoit dit » — constate le prosélyte qui, pour s'assimiler les opinions du Vicaire, « emporte » les discours de son maître « dans son cœur », consulte « son sentiment intérieur [132] », car l'examen intellectuel ne suffit pas. Enfin, toujours grâce au sentiment, l'individu peut accéder à la dimension la plus profonde et irréductible de sa personne, à son « existence ».

Tout en dégageant ce fond irrationnel et sentimental de la conception de la personne humaine et de sa conscience morale, formulons d'emblée les réserves et restrictions qui s'imposent : un rôle — et non des moindres — est attribué à la raison dans la vie spirituelle de l'individu et dans la détermination de ses attitudes envers le monde.

Ainsi, en premier lieu, Jean-Jacques fait une distinction entre la « raison intellectuelle », « discursive », et la « raison sensitive ». La raison discursive, c'est la faculté active de comparer des sensations et de former sur cette base des jugements ; faculté grâce à laquelle se développent et se forment les autres facultés intellectuelles, en particulier la mémoire [133]. De l'avis de Jean-Jacques, c'est la raison ainsi définie, avec son activité et les abstractions qu'elle produit, qui est la source principale de nos erreurs. « Toutes nos erreurs viennent de nos jugements (...). C'est que je suis actif quand je juge (...), et que mon entendement qui juge les rapports mêle ses erreurs à la vérité des sensations qui ne montrent que les objets [134]. »

La raison sensitive est par contre passive et nous vient des sensations simples. « Il y a des jugements dans les simples sensations aussi bien que dans les sensations complexes que j'appelle idées simples. Dans la sensation, le jugement est purement passif, il affirme qu'on sent ce qu'on sent. Dans la perception ou idée, le jugement est actif ; il rapproche, il compare, il détermine des rapports que le sens ne détermine pas. Voilà toute la différence, mais elle est grande. Jamais la nature ne nous trompe ; c'est toujours nous qui nous trompons (...). Il n'est jamais faux que je sente ce que je sens (...). Nos sensations sont purement passives, alors que toutes nos perceptions ou idées naissent d'un principe actif qui juge [135]. » La « raison sensitive » « est la première raison de l'homme (...), nos premiers maîtres de philosophie sont nos pieds, nos mains, nos yeux ». Aussi la connaissance qu'elle permet d'atteindre, est-elle immédiate et évidente. Elle est immédiate, parce que le sujet connaissant « éprouve dans chaque objet qu'il aperçoit toutes les qualités sensibles que les choses ont avec nous », ct que « la leçon vient dc la chose même ». Cette connaissance équivaut d'autre part pour l'individu à l'expérience immédiate de ses propres sensations : « Je sens ce que je sens. » Le sujet l'assimile en vertu de son expérience individuelle, unique, et non pas d'après les opinions d'autrui. Enfin, la connaissance que la raison sensitive permet d'atteindre est délimitée par l'appartenance même de l'homme à la nature, plus précisément par l'ensemble des rapports qui résultent des « besoins naturels » de l'homme ; elle est donc également une « connaissance naturelle ». La « raison sensitive » associe la raison avec la conscience immédaite des choses, avec l'intuition propre à l'expérience affective. Elle équivaut donc à l'intuition intellectuelle spécifique contenue dans l'expérience affective. Cette connaissance non discursive ne s'exerce que par rapport aux choses directement utiles à l'individu : « Hors les rapports immédiats en très petit nombre et très sensibles que les choses ont avec nous, nous n'avons naturellement qu'une profonde indifférence pour tout le reste [136]. »

Aussi la « raison sensitive » suffit elle à l'enfant avant « l'âge de raison » et à l'homme qui demeure dans le cadre de la « nature » et ne possède pas de besoins factices, à l'individu qui ne s'imbrique pas dans des rapports sociaux complexes et ambigus. Le désaccord entre le sentiment et la raison n'est donc pas inhérent à la « nature humaine » ; il est le résultat de la dénaturation de l'homme, de l'ébranlement de son unité avec l'ordre.

La « raison sensitive », unité indifférenciée d'une certaine raison et du sentiment, ne suffit pas par contre à « l'homme de l'homme » pour s'orienter dans l'univers social compliqué et opaque. Pour que l'individu se définisse par rapport à cet univers, il lui faut une conscience morale et intellectuelle de soi qui ne peut être pleinement développée que par le concours et l'harmonie de la raison (réflexion intellectuelle) et du sentiment (instinct moral sous la forme de la voix de la conscience). Seule l'alliance de ces deux facteurs permet à l'individu de procéder en toute souveraineté au choix des valeurs, de se distinguer par rapport au « monde des apparences », de maîtriser les passions factices qu'engendre la vie sociale. L'autonomie morale et l'autonomie intellectuelle de l'individu se conditionnent l'une l'autre, « la voix de la raison » et « la voix du cœur », telles qu'elles sont ici envisagées, se complètent réciproquement.

Selon Jean-Jacques, la conscience, l'instinct moral, est en principe indépendante de la réflexion intellectuelle. La conscience est le « principe inné de justice et de vertu sur lequel, malgré nos propres maximes, nous jugeons nos actions et celles d'autrui comme bonnes ou mauvaises [137] ». La conscience ne se manifeste pas en nous sous forme de remords, en tant que « mauvaise conscience » ; elle consiste en une impulsion morale qui oriente l'homme vers le bien, elle traduit le fait que « l'homme est naturellement bon ». Néanmoins, ainsi que Jean-Jacques le souligne, « l'homme de l'homme » doit acquérir la conscience intellectuelle de soi afin de pouvoir suivre la voix de son instinct moral dans la vie sociale. « Les actes de la conscience ne sont pas des jugemens, mais des sentimens ; quoique toutes nos idées nous viennent du dehors, les sentimens qui les apprécient sont au dedans de nous, et c'est par eux seuls que nous connoissons la convenance ou disconvenance qui existe entre nous et les choses que nous devons chercher ou fuir (...). Connoître le bien, ce n'est pas l'aimer, l'homme n'en a pas la connoissance innée ; mais sitôt que sa raison le lui fait connoître, sa conscience porte à l'aimer : c'est ce sentiment qui est inné [138]. » Certes la conscience ne dépend pas de la raison, mais elle ne peut se développer qu'en se fondant sur la connaissance du bien et du mal. « La raison seule nous apprend à connoître le bien et le mal. La conscience qui nous fait aimer l'un et haïr l'autre, quoiqu'indépendante de la raison, ne peut donc se développer sans elle. Avant l'âge de la raison nous faisons le bien et le mal sans le connoître ; et il n'y a point de moralité dans nos actions. » Cette union de la raison et de la conscience ne confère cependant pas un caractère intellectuel à l'amour du bien qui est une impulsion spontanée, un instinct moral. Les passions et les préjugés sont les ennemis aussi bien de la raison que de la conscience : dans l'homme dominé par les passions, la voix de la conscience se tait, tandis que la raison se transforme en « fausse sagesse » attelée à leur service [139].

En soulignant ainsi l'indépendance de la conscience — instinct moral de la raison —, Jean-Jacques s'oppose au rationalisme éthique quand celui-ci se résume en une formule selon laquelle la connaissance du bien est identique à l'amour du bien et seule l'ignorance explique l'existence du mal. Mais il défend par contre une autre thèse de ce rationalisme et lui confère l'une des formulations les plus radicales dans toute la pensée des Lumières : l'individu est moralement et intellectuellement autonome et souverain par rapport à toutes les autorités, à la Révélation, aux codes moraux et aux hiérarchies de valeurs fondées dans la tradition, les différences de fortunes ou de conditions. Les facultés intellectuelles naturelles de l'individu sont souveraines dans la recherche de la connaissance du bien et du mal. L'impulsion qui le pousse à faire le bien et se manifeste dans la voix de la conscience, est également indépendante de toute sanction surnaturelle et des codes moraux contenus dans la Révélation ; l'homme n'est pas entaché par le péché originel et l'amour du bien est inhérent à la nature humaine même. Le rôle ainsi attribué à la conscience

dans les jugements et les actes moraux renforce l'autonomie intellectuelle
de l'individu face aux règles et contraintes qui tirent leur consécration
des religions positives et des autorités auxquelles elles se réfèrent, ainsi
que des divisions sociales traditionnelles. « Cherchons-nous donc sincèrement la vérité ? Ne donnons rien au droit de la naissance et à l'autorité
des pères et des pasteurs, mais rappelons à l'examen de la conscience et
de la raison tout ce qu'ils nous ont appris dès notre enfance. Ils ont beau
me crier : Soumets ta raison. Autant m'en peut dire celui qui me trompe,
il me faut des raisons pour soumettre ma raison (...). Nul homme n'étant
d'une autre espèce que moi, tout ce qu'un homme connoît naturellement, je puis aussi le connoitre [140]. »

D'autre part, c'est « le sentiment intérieur qui me porte à juger des
causes selon mes lumières naturelles », atteste Rousseau, qui ajoute que
l'homme prétend « à l'honneur de penser » sans avoir recours à aucune
autre autorité que sa propre raison. Même la règle « de se livrer au sentiment plus qu'à la raison est confirmée par la raison même », affirme
Jean-Jacques dans son fameux paradoxe de la *Profession de foi* [141]. Aussi,
chaque fois que les personnages de Rousseau subissent une crise morale
ou se trouvent affrontés à un grave conflit, ils ne réagissent pas sous
l'effet de l'impulsion d'un sentiment spontané, mais ils raisonnent, s'engagent dans une réflexion sur les sujets les plus abstraits, et même quand
Jean-Jacques s'élève contre les ratiocinations de la raison, il le fait en de
longs raisonnements. Cet amalgame du rationnel et du sentimental explique l'impression d'affectation que ne peut s'empêcher d'éprouver le lecteur
d'aujourd'hui à la lecture de certains passages de l'œuvre de Jean-
Jacques [142].

Les difficultés sont insurmontables dès qu'on veut définir dans des
termes univoques la solution par Rousseau du rapport du « sentiment »
à la « raison », dès qu'on essaie de qualifier cette solution de « rationaliste » ou d' « irrationaliste ». Les discussions sur ce sujet durent dans la
littérature rousseauiste depuis des décennies. Ce qu'elles semblent avoir
prouvé jusqu'ici, c'est que l'ensemble des textes de l'auteur de la *Profession de foi* supporte uniquement l'application de formules de compromis du genre de « rationalisme relatif, limité [143] ». La valeur de ces formules consiste avant tout en ce qu'elles prennent le contre-pied des interprétations qui, en mettant en relief ses tendances antirationalistes, son
opposition à « l'esprit raisonneur du siècle » (interprétation de P.M. Masson par exemple), opposent en général abusivement l'œuvre de Jean-
Jacques à la pensée des Lumières. Ce qui, de surcroît, complique le problème, c'est que Jean-Jacques, tantôt opposant la raison et le sentiment,
tantôt considérant ces deux concepts comme complémentaires, se réfère
à des polémiques de son siècle. Or, ces concepts — notoirement ambigus
— sont historiquement définis par les contextes des débats dans lesquels
ils intervenaient. On y avait recours pour éclairer les questions épistémologiques, mais aussi les problèmes moraux, les rapports entre l'individu
et les institutions sociales, entre le savoir et la foi, etc. Le chevauchement
de ces deux concepts sur un autre couple — « nature/culture » — rend
encore plus difficile la délimitation des champs sémantiques respectifs.

Ainsi, dans l'œuvre de Rousseau, le rapport « raison/sentiment » s'édifie à de différents niveaux. Bien qu'essayant de donner constamment à ses développements le caractère concis d'un « triste système », il passe sans cesse d'un plan à l'autre, renvoie à chaque fois à d'autres valeurs. De plus, l'ambiguïté de la terminologie employée complique les raisonnements, et Jean-Jacques en était le premier conscient quand, dans *Emile,* il écrivait : « Tantôt je dis que les enfants sont incapables de raisonnements, et tantôt je les fais raisonner avec assez de finesse ; je ne crois pas en cela me contredire dans mes idées, mais je ne puis disconvenir que je ne me contredise souvent dans mes expressions. » Il s'en remet alors au contexte pour expliquer le sens dans lequel un mot est employé : « Je suis persuadé qu'on peut être clair (...) en faisant en sorte, autant de fois qu'on emploie chaque mot, que l'acception qu'on lui donne soit suffisamment déterminée par les idées qui s'y rapportent, et que chaque période où ce mot se trouve lui serve, pour ainsi dire, de définition [144]. » Si au moins ces « périodes » étaient absolument claires et n'engendraient pas de malentendus !

L'ambivalence des réponses résulte cependant non seulement, ni même principalement, de l'ambiguïté de la terminologie. Pour Rousseau, les réflexions épistémologiques autonomes représentent une valeur minime : elles n'ont un sens que dans la mesure où elles possèdent une signification morale. Le rapport de la « raison » et du « sentiment » dans la connaissance n'est pas une question gnoséologique ; il pose plutôt la question des rapports entre les différents aspects de la vie de l'individu et la recherche de l'authenticité. C'est dans le « monde des apparences » qu'on dissocie la réflexion de l'existence, la réflexion sur la vérité de la conformité à la vérité, la « vérité extérieure » de la « vérité intérieure ». Cette autonomie de la réflexion intellectuelle traduit la dissonance que le monde de l'aliénation et de l'inégalité introduit dans la personne humaine, entre « l'être » et le « paraître ». L'unique problème cognitif qui existe vraiment, c'est de savoir quelle est la vocation de l'homme et où est le bien qu'il cherche. Tout savoir qui n'a pas de rapport avec ce problème, et dont l'individu ne peut pas se servir pour parvenir à la cohérence et à l'identité de son moi, ne représente aucune valeur ni aucun intérêt pour l'homme. Qui plus est, le fait même qu'un tel savoir existe constitue un symptôme morbide ; il signifie que les hommes ont perdu l'essentiel, qu'ils se sont éloignés d' « eux-mêmes » et de la « vérité ». Il est facile de voir que c'est par la même démarche que le sentiment acquiert un rôle particulièrement important dans toute recherche de la vérité.

Ainsi, les problèmes et les discours s'enchaînent. Toute analyse épistémologique ne peut être que critique : elle révèle les problèmes anthropologiques dissimulés. Et le problème dont il s'agit ici en tout premier lieu est capital pour toute l'œuvre de Jean-Jacques, à savoir : quelle est la valeur pour le moi, pour la personne humaine, de la prise de conscience intellectuelle et morale et de cette conscience même ? Or, avec cette question, nous retrouvons des ambiguïtés et des antinomies

identiques ou semblables à celles que nous avons constatées lors de l'étude
des problèmes de l'histoire, de l'évolution historique de l'homme.

Remarquons d'abord l'ambiguïté de la valeur suprême que l'individu
doit réaliser au terme de son effort moral et intellectuel. Rousseau, solidaire ici de la philosophie des Lumières, se réfère à l'aspiration au bonheur
naturelle et fondamentale pour l'homme. Ainsi, la conscience de soi doit
permettre à l'individu de distinguer le bonheur « vrai » du bonheur
« apparent ». Et l'on retrouve encore l'esprit de l'époque chez Jean-
Jacques quand celui-ci essaie même d'élaborer une technique pour l'acquisition de ce bien. Ainsi, dans ses *Lettres morales,* il en propose quelques
règles à Mme de Houdetot ; dans la *Nouvelle Héloïse,* c'est le baron de
Wolmar qui met à l'œuvre une technique rationnelle — et rationaliste —
du bonheur. Rousseau avait également l'intention de consacrer à cette
technique un ouvrage spécial dont le titre aurait été *La morale sensitive*
ou *Le matérialisme du sage* ; il pensait aussi à un autre écrit, avec ce
titre particulièrement significatif : *De l'art de jouir* [145]. Dans ses réflexions,
on retrouve deux lieux communs de la philosophie du bonheur : le
bonheur n'est jamais parfait sans la conscience d'être heureux ; les hommes vraiment heureux ne pensent pas à leur bonheur. Or, Jean-Jacques
prend en quelque sorte au sérieux ces deux lieux communs à la fois.
Ainsi, le concept du « bonheur », de cette valeur suprême recherchée
par l'homme, recouvre divers idéaux de vie qui se réfèrent à divers modèles de la personne humaine. D'où l'ambivalence de cette valeur ; d'où
également la tournure paradoxale que prend l'effort rationnel visant à
atteindre le bonheur : l'application d'une technique rationalisée à l'extrême
et conçue sous la forme de règles presque rigoureuses doit avoir pour
effet de dispenser l'homme de penser le bonheur.

Le bonheur peut être l'apanage aussi bien de l'homme vertueux que de
l'homme bon. La vie sociale pose l'individu face à l'impératif de la vertu
qui demande l'économie des passions. La « raison » ne combat ni ne
réprouve les passions, elle contrôle plutôt la vie affective et sensuelle en
mettant habilement à profit les passions les unes contre les autres. Grâce
à la primauté de la raison, l'égoïsme et le particularisme des passions sont
subordonnés aux valeurs universelles, au bien général. La vertu assure le
sentiment du bonheur et l'homme vertueux jouit pleinement de son
« existence ». En effet, par ses actes de vertu, l'individu affirme son
autonomie et son indépendance : en agissant conformément à sa propre
décision morale, il s'émancipe spirituellement du « monde des apparences », de ses conflits et de la relativité des valeurs qui lui est spécifique. Il
élargit son existence, car en orientant son intérêt particulier vers le bien
universel, il possède le sentiment de son accord avec l'ordre moral et avec
ses valeurs. Cependant, l'injustice et les souffrances, qui sont le
sort de « l'homme vertueux » dans le monde de l'inégalité et des apparences, mettent en question le bonheur acquis. Et c'est là qu'intervient la « technique du bonheur » qui enseigne à l'individu comment se
libérer optimalement du « monde des apparences », comment se défendre contre les passions factices, assurer à la personnalité un sentiment
d'unité interne et de paix intérieure. (Jean-Jacques développe à cette occa-

sion une perspective eschatologique spécifique à laquelle il nous faudra revenir : l'homme vertueux s'assure également la félicité dans l'au-delà.)

L'homme bon peut également être heureux, mais il y va alors d'un autre « bonheur » et d'un autre modèle de personnalité. En effet, pour l' « homme vertueux », l'authenticité s'appuie sur la conscience de son autonomie par rapport aux codes moraux socialement consacrés, sur une conscience morale et intellectuelle de soi particulièrement aiguë, sur la connaissance des choix possibles face aux diverses alternatives que posent les conditions extérieures, ainsi que sur l'impératif moral de choisir le bien. L'« homme vertueux » peut certes connaître le doute moral, mais il le surmonte en soumettant ses choix à une décision rationnelle, tandis que la conscience de son effort moral lui procure une nouvelle expérience de bonheur. Dans le modèle et l'idéal de l' « homme bon » par contre, l'authenticité repose sur le sentiment d'une parfaite harmonie de l'individu avec l'ordre moral qui s'offre à lui spontanément et avec lequel il communique irréflexiblement, sur l'élimination quasi totale de toute nécessité de choisir, sur la perpétuation d'une existence telle qu'elle ne comporte ni conflits, ni alternatives. Il est facile de constater les correspondances entre ces deux idéaux moraux et modèles de personnalité d'une part, et la réflexion philosophique de Rousseau sur l'histoire, son analyse du processus d'individualisation d'autre part. La « vertu » est une valeur qui ne peut exister qu'avec et en fonction des processus d'individualisation, de l'extension et de la complication des rapports sociaux, bien qu'elle soit en même temps en opposition radicale à l'inégalité et l'aliénation inhérentes à ces processus. Au contraire de la vertu, la « bonté » est associée à l'image ou encore au rêve de rapports humains dans lesquels ces processus ne se sont pas produits. « L'homme de la nature » était bon, bien que ne sachant pas ce qu'est la vertu. Il n'était pas vertueux, car il ne possédait pas de conscience morale et les conditions dans lesquelles il vivait ne lui demandaient aucun choix, il ne faisait pas le mal, car son existence était une partie de l'ordre de la nature dans lequel le mal n'existe pas, elle était réduite aux actions instinctives et aux rapports avec les seules choses. En vivant en société, l'homme ne peut plus retourner à « l'état de nature », il peut par contre être un « homme bon ». Le peuple est « bon », c'est-à dire les gens simples qui vivent dans la simplicité des mœurs, ne connaissant pas la ville et ses passions démesurées. Le peuple possède la plénitude du bonheur, étant « bon sans effort et juste sans vertu » (lors de notre analyse de l'utopie de Rousseau, nous reviendrons à cette idée du peuple et à l'idéal social qu'elle évoque). Ainsi le peuple est « bon » spontanément, sans réflexion. Mais l'idéal de « l'homme bon » possède encore un autre sens, à savoir celui que Jean-Jacques lui confère en le considérant comme le résultat d'un choix individuel conscient. Un individu peut en effet choisir cet idéal quand, tout en se sentant étranger par rapport au « monde des apparences », tout en le condamnant moralement et étant conscient que tout bonheur dans ce monde ne peut être qu'apparent, il n'est cependant pas capable de persister dans l'effort qui le rendrait vertueux. Car « la vertu est un état de guerre, et (...) pour y vivre on a toujours quelque combat à rendre contre soi [146] ». Le modèle de « l'homme vertueux » est moralement supérieur à celui de « l'homme bon ». Aussi ce dernier aime t-il la vertu et lui rend hommage, mais il est trop faible pour s'engager dans la voie héroïque de la vertu. C'est donc un sentiment de résignation et d'amertume qui imprègne ce modèle de « l'homme bon », dont on peut dire qu'il devient, dans ce contexte, le modèle d'un « homme vertueux » qui a subi un échec dans sa lutte contre le « monde des apparences » et contre lui-même, qui réprouve le mal moral dont il sait cependant qu'il triomphe dans le monde.

La nécessité de faire des choix, de s'engager dans un effort moral constant, est pour cet homme un fardeau trop pesant. A la limite, il en va de même de toute réflexion, et ce n'est que dans une existence irréflexive qu'il peut se libérer de la conscience de sa propre défaite et de la domination du mal dans le monde. Jean-Jacques confère à cette existence irréflexive le sens d'un retour à la nature, mais aussi d'un retour à « l'ordre ». Et c'est précisément avec ce modèle personnel qu'il s'identifie lui même, après toute les défaites et désillusions que lui valurent les vérités qu'il défendait. Il « adore la vertu sans la pratiquer », il « se retire tout à fait de la société (...) et en vit séparé ». Il est bon dans la solitude, car il ne fait de mal à personne, « sans avoir besoin d'y songer [147] ».

Ainsi, la personne humaine s'enrichit en accédant à la conscience intellectuelle et morale de soi. C'est ainsi que l'individu peut consciemment choisir entre le bien et le mal, être vertueux et dominer ses passions ; sa vie intérieure s'intensifie, acquiert de nouveaux contenus tant intellectuels qu'affectifs. En prenant appui sur la raison et le sentiment intérieur, l'homme s'assure son autonomie et son authenticité face au « monde des apparences » qui ne cesse de le menacer. Mais, en même temps, au terme de l'effort intellectuel et moral qui fonde son autonomie et renforce également son sentiment d'extériorité par rapport « au monde des apparences », l'individu découvre en quelque sorte les chances que lui offre une vie irréflexive dans laquelle il ne lui faudrait ni choisir ni fournir d'effort moral, et qui serait réduite au sentiment « de la pure existence ».

Bien plus qu'une chance, la perspective d'une pareille existence est une tentation et un rêve. L'effort intellectuel et moral peut fonder l'unité harmonieuse et la cohérence interne de la personne, surmonter le désaccord entre le « sentiment » et la « raison », donner à la « voix du sentiment » un caractère discursif et rendre affectives les vérités intellectuelles. Néanmoins, cette synthèse harmonieuse qui s'appuie sur la conscience intellectuelle et morale est toujours temporaire, inachevée. La « vertu » est constamment menacée par le « monde des apparences », car l'individu peut à chaque instant s'imbriquer dans les rapports de ce monde, laisser se développer en lui des passions que sa raison serait incapable de subjuguer. La conscience intellectuelle et morale de soi est — pour ainsi dire — stigmatisée par ses origines, par la situation qui a engendré son besoin, c'est-à-dire par la crise morale, par l'état violent et pénible qu'est le doute, par les affrontements de l'individu avec le mal moral et le « monde des apparences ». La conscience intellectuelle amène l'individu à découvrir ou à se rendre compte que le fond même de sa personnalité est l'affectivité qui peut se déployer dans les rapports immédiats aux

choses et aux valeurs, à la nature et à la société. Il faut tout un effort
intellectuel pour arriver, grâce à la réflexion, à l'idée de « l'ordre » et
d'une existence conforme avec lui. Et pourtant, cette idée, ou encore
l'idéal de « l'ordre », implique que l'individu se trouve dans une situation
où aucun dilemne ne se poserait, ce qui le dispenserait de tout choix
et du besoin de la réflexion. Dans sa version la plus extrême, l'idéal d'une
existence conforme à l'ordre comporte l'aspiration de l'individu à s'identifier pleinement avec le « grand tout », avec la nature en tant qu'ordre
moral et physique, de manière que s'estompent le sentiment distinct de
l'existence et, avec lui, les limites mêmes entre la personne et les choses,
de manière que le « moi » s'étende à la totalité de la réalité. L'homme
qui ne pense pas l'ordre mais y participe affectivement retrouve ses rapports concrets et signifiants avec les choses opposés aux attitudes caractéristiques du « monde des apparences », qui réduisent la nature à une masse
d'objets à manier. Finalement, les réponses à la question sur la valeur de
la conscience morale et intellectuelle de soi deviennent elles-mêmes l'expression de la situation antinomique de la personne humaine qui est à la
fois l'objet et le sujet de cette mise en question D'où le caractère paradoxal
de ces réponses. L'aliénation, ce danger qui vient des rapports produits par
les hommes, menace la condition humaine de l'individu en le réduisant à
l'état de chose, d'un pur objet. Or, le refuge, l'ultime salut de l'individu
ne consiste-t-il pas à se fondre dans le monde qui est celui des choses et
des objets naturels, et à l'imprégner, par le même mouvement, de l'existence humaine ? La recherche d'une signification humaine des choses
devient la réponse à la réification de l'homme et de ses rapports.

Tout l'effort intellectuel et moral, intense et douloureux, dans lequel
l'individu est poussé à s'engager, s'enchaîne donc avec la tendance à
reconnaître comme authentique une situation dans laquelle toute conscience réflexive de soi et tout effort moral seraient superflus à l'individu.
Ce n'est que quand sa situation, son rapport univoque au monde éliminent le besoin même de tout choix individuel et l'exercice de la liberté
qu'il devient pleinement libre.

La conscience intellectuelle et morale de soi obtient donc dans la vision
du monde de Rousseau un sens paradoxal et antinomique. D'une part,
cette conscience singularise l'individualité, constitue l'autonomie radicale
du moi. C'est à elle seule, au terme de sa sanction subjective et de
son assentiment, qu'il incombe de reconnaître et d'accepter toutes les
vérités, valeurs et normes, en faisant de chacune d'elles une expression
de l'individualité. Cet assentiment subjectif est à la fois la condition et la
manifestation du caractère universel des valeurs humaines. L'individu possède en lui-même, dans « sa voix intérieure », les critères légitimes qui
lui permettent de procéder à des choix moraux, de juger le monde social
et de se juger lui même. Le sens de l'autonomie du moi, fondé sur le
sentiment de son extériorité par rapport au « monde des apparences »,
sur le diagnostic de la crise morale et sociale de l'époque, exacerbé dans
cette opposition, s'hypertrophie dans un subjectivisme et un individualisme extrêmes. D'autre part, l'individu récuse cette « extériorité » ; il
éprouve du ressentiment du fait d'avoir été « tiré de l'ordre », séparé de

sa « nature humaine ». La conscience intellectuelle et morale d'être soi-
même implique également l'aspiration à s'identifier et à être solidaire
avec une communauté morale universelle, avec un ordre de valeurs transcendant à l'individu. Ces valeurs mêmes sont considérées comme étant
objectives, fondées dans la « nature humaine » en tant que fragment de
l'ordre de la nature ; l'individu ne les crée pas mais les découvre en lui-
même. Dans cette perspective, l'authenticité du moi, le sentiment d'être
soi-même doivent relever d'une participation à la nature, d'une communion avec elle. Les relations qui unissent le moi au monde de la nature
sont ainsi affectives et morales, concrètes et signifiantes. L'homme peut
alors s'affranchir du besoin de les penser : toutes ses médiations intellectuelles et, à la limite, toute réflexion sur soi-même et sur le monde
deviennent superflues. Mais, de ce fait, le moi ne s'affirme qu'en suppri-
mant ce qui le distingue ; dans l'élan visant à « étendre son existence »,
la personne humaine se dissout elle-même dans le monde impersonnel
des choses.

Dans l'œuvre de Jean-Jacques, la grande complexité ainsi que l'énorme
richesse de l'idée du moi, de l'individualité, viennent du fait que cette
idée est constituée à la fois par un mouvement oscillatoire de la pensée
entre les termes concernés et par l'effort fourni en vue de synthétiser les
contraires. La même démarche se traduit par des formules diverses. Ainsi,
la révolte contre le « monde des apparences » et son refus culminent avec
l'affirmation de l'autonomie et de la souveraineté de l'individu en une
apothéose de la subjectivité du moi. Et cependant, au moment même où
il atteint son apogée, cet élan s'associe avec son contraire — l'aspiration
à une communion affective et lyrique avec la nature où le moi puisse se
perdre. Les sentiments d'être étranger, inutile et constamment menacé
dans le monde de l'inégalité sociale et de l'aliénation, s'associent avec le
rêve d'une communauté sociale dans laquelle la participation à l'existence
et aux valeurs collectives serait identique à l'expression du moi. En inten-
sifiant sa vie intérieure et en s'enfermant dans la sphère de ses expériences personnelles, en fondant toutes les valeurs dans son intériorité, l'individu cherche à s'ouvrir à l'ordre transcendant des valeurs éternelles et
absolues, à fonder son propre « moi » dans un absolu qui, par là même,
ne serait que le fond intime de la personne humaine, de ses aspirations et
de ses rêves. L'homme intériorise entièrement les antinomies de son
existence sociale, mais, en se repliant sur lui-même et en s'enfermant, il
trouve dans la « voix intérieure » une sanction morale qui confère à sa
révolte sociale et morale un sens humain universel. La sensibilisation
à chaque mouvement de l'âme se traduit chez Rousseau par une obsession
de l'examen douloureux de soi même, mais aussi par une recherche des
contradictions et des antinomies sous l'effet desquelles l'individualité se
désintègre. C'est avec le même acharnement que Jean-Jacques quête le
dépassement possible de ces antinomies, l'aspiration de l'homme à une
cohérence interne et des rapports univoques au monde. Dans les antinomies de l'individualité et dans l'effort fait pour les dépasser, ce sont une
fois de plus les principaux thèmes de la vision du monde de Jean-Jacques
qui s'enchaînent et révèlent leur complémentarité spécifique : le diagnostic

de la « crise du siècle » et la recherche métaphysique, la révolte sociale
et la pensée religieuse, l'utopie politique et sociale et la philosophie de
l'histoire.

Dans les tableaux et les analyses de la situation de l'individu solitaire,
toutes ces antinomies deviennent particulièrement intenses. Pour Jean-
Jacques, en effet, transcender ces antinomies constitue un problème des
plus intimes : il ne cesse de s'affronter avec la solitude qu'il a lui même
choisie, avec la difficulté de lui donner un sens univoque. La solitude est
pour lui une situation privilégiée du point de vue moral et cognitif, mais
elle est aussi une condition qui, bien que choisie, devient intolérable.
C'est grâce à la solitude et à la conscience morale qu'elle permet d'atteindre que l'individu peut gagner son autonomie, parvenir à des relations
univoques avec le monde, surmonter son conflit avec la société. Mais en
même temps, la conscience de sa propre solitude renforce ce conflit,
intensifie le sentiment d'être radicalement autre par rapport aux hommes
qui vivent dans « le monde des apparences ». La conscience de soi mûrie
dans la solitude s'associe avec un élitarisme moral spécifique ; or, c'est
dans cette même conscience que sont impliqués l'impératif d'une solidarité
universelle des hommes et l'idéal égalitaire. La solitude doit protéger
l'individu contre le monde de l'inégalité et du mal moral, contre lequel
elle dresse ainsi un réquisitoire ; mais par là même, elle intensifie le
sentiment d'être menacé par ce monde et imbrique l'individu dans de
nouveaux conflits avec lui. La situation du solitaire comporte l'aspiration
à transcender l'isolement et la réduction à la subjectivité ; or, cette aspiration, faute de pouvoir s'objectiver dans la vie sociale réelle, se sublime
dans le rêve, la création littéraire et l'utopie sociale. L'espoir de se délivrer
de la nécessité d'une réflexion constante grâce au choix de la solitude se
traduit finalement chez le solitaire par le besoin de renouveler continuellement sa réflexion sur le sens de sa propre solitude.

Inutile d'ajouter que les antinomies ici citées à titre d'exemples ne sont
pas toujours explicitées. Elles ne se révèlent et ne s'articulent qu'à travers
toute la gamme des nuances psychologiques que leur confère le récit du
vécu de Jean-Jacques, qui parle de lui même, de sa situation sociale et de
son destin personnel. Mais il est facile de constater d'autre part que cette
exigence de présenter la vision du monde comme un discours sur l'expérience vécue et intime, est en quelque sorte un élément de la structure
même de cette vision. Or, cette structure peut devenir autonome par
rapport au sort unique et individuel qui fut l'objet du récit. Elle se transforme alors en paradigme d'un certain discours philosophique ; celui-ci
doit véhiculer des expériences personnelles, une confession à demi lyrique
portant sur les questions humaines universelles, car ces questions elles-
mêmes, ainsi que toute vérité ultime, ne peuvent être saisies que comme
l'expression de l'individualité, du moi.

Nous voudrions analyser plus en détail les antinomies jusqu'ici esquissées sommairement ainsi que les significations différentes et à la fois
complémentaires que Jean-Jacques confère à l'homme solitaire et à sa
situation. Nous mènerons cette analyse sur trois plans : l'expérience religieuse, l'expérience morale et finalement l'expérience de la nature.

Le « message » de la pensée religieuse de Rousseau, « nous le retrouvons paradoxalement partagé entre tous les courants de l'âge suivant, écrit P. Burgelin dans l'une des meilleures analyses de la pensée religieuse de l'auteur de la *Profession de foi*. Au temps de la Révolution française, le *Contrat social* proposera l'idée d'un renouvellement de l'humanité et la religion civile ne sera pas absente des tentatives de reconstruction. L'idéalisme allemand ne cessera de réfléchir sur la *Profession de foi du vicaire savoyar*d et les rapports de la religion avec la conscience morale. Le romantisme méditera sur la loi du cœur et retrouvera parfois, après les orages de la Révolution et de l'Empire, le christianisme traditionnel. L'Evangile de Michelet, la religion de l'humanité d'Auguste Comte, l'anarchisme tolstoïen sont nourris de Rousseau [148]. »

Cette diversité de « messages » explique pourquoi la pensée religieuse de Rousseau suscite tant de controverses et donne lieu à des interprétations souvent diamétralement opposées. Ainsi, certains organisent l'ensemble de la vision du monde de Rousseau autour de la problématique religieuse et considèrent que le rapport à la religion est à l'origine des controverses de Jean-Jacques avec les « philosophes » ; d'autres voient en Rousseau un penseur en principe profane, solidaire dans l'essentiel de ses thèses avec le mouvement général d'émancipation propre aux Lumières [149]. Et comme la problématique religieuse n'est pas autonome dans l'œuvre de Jean-Jacques, chaque essai d'interprétation s'engage implicitement dans de multiples controverses portant sur le rationalisme ou l'irrationalisme de Rousseau, son individualisme ou son anti-individualisme, le caractère préromantique ou même romantique de sa pensée, etc. Nous n'avons aucunement l'intention d'aborder ici cette problématique dans toute son extension : elle nous intéresse dans le seul contexte désigné par l'objectif que nous avons formulé antérieurement. Nous cherchons donc à examiner si et dans quelle mesure les préoccupations religieuses de Jean-Jacques — c'est-à-dire les attitudes qu'il manifeste dans son œuvre envers les formes institutionnalisées de l'existence historique et sociale de la religion, ainsi qu'à l'égard de Dieu, du sacré et des autres valeurs véhiculées par l'expérience religieuse — éclairent sa conception de la personne humaine. Autrement dit, il s'agit de savoir si les tendances à humaniser Dieu et à diviniser la personne humaine qui se manifestent dans la pensée religieuse de Jean-Jacques et ne s'excluent qu'en apparence, si ces tendances donc permettent de mieux saisir les antinomies dont la situation de la solitude est le révélateur, et les sens conférés à cette situation. Il se peut que cela nous permette également de mieux comprendre certaines raisons de cette diversité des orientations religieuses que la pensée de Rousseau a animées. L'étude de l'ensemble de ces orientations dépasse le cadre de notre ouvrage. Et pourtant, à notre avis, seule une telle étude contribuerait d'une manière essentielle à saisir l'unité de la pensée et de l'œuvre de Rousseau. En effet, dans ce cas comme dans plusieurs autres, cette unité consiste en ce que l'œuvre structure des tensions et des antinomies à plusieurs niveaux et de telle manière qu'elle peut devenir l'amorce d'idéologies historiques différentes, bien qu'elle-même ne se réduise à aucune d'elles ni à leur ensemble. Précisons encore que nous nous intéresserons ici fort peu au problème délicat pour de multiples interprétations de Rousseau entreprises à partir des positions confessionnelles, à savoir si la pensée et les attitudes religieuses de cet homme converti à deux reprises sont conformes ou non à tel ou tel canon de la foi [150]. Il est inutile d'ajouter que nous ne mettons pas cependant en question l'authenticité de l'expérience religieuse de Jean-Jacques ; au contraire, ce qui nous intéresse précisément, ce sont les attitudes et les valeurs qui constituent conjointement une forme de cette authenticité, à l'exclusion de toute autre. Signalons enfin que nous n'examinerons pas les sources historiques de la pensée religieuse de Rousseau, ni ne procéderons à des analyses comparatives de cette pensée avec d'autres courants contemporains. Nous invoquerons pour finir la complexité de la problématique ici abordée ; cette complexité justifiant les nombreuses restrictions dont force nous était d'entourer des développements qui ne feront que passer sommairement en revue, et à partir d'un point de vue spécifique, la problématique religieuse exposée par l'auteur de la *Profession de foi*.

En raison des problèmes qui nous intéressent, il nous semble important de dégager les aspects de la pensée religieuse de Rousseau qui s'éclairent par l'association de deux démarches : d'une part, la problématique religieuse est intériorisée et l'expérience vécue de l'individu contient la quasi-totalité des phénomènes religieux, ce qui se traduit par un subjectivisme et un individualisme religieux poussés à l'extrême ; d'autre part, toute la réflexion religieuse, en particulier celle qui concerne Dieu, s'organise autour de l'idée de « l'ordre ». Ainsi, dans les rapports de l'homme à Dieu, sont impliqués les termes et les valeurs antinomiques de la conception du moi, ainsi que l'effort de réussir leur synthèse.

La personnalité s'affirme dans son autonomie, dans l'originalité de sa vie intérieure, mais d'autre part elle aspire à s'identifier totalement avec un ordre moral universel, transcendant toute individualité.

L'intériorisation de la problématique religieuse est particulièrement manifeste dans les positions que Jean-Jacques adopte par rapport à toute forme institutionnalisée de l'existence historique et sociale de la religion. Or, comme on le sait, ces positions ne se traduisaient pas uniquement par des réflexions théoriques. Depuis la rédaction de la *Nouvelle Héloïse* et, surtout, depuis *Emile,* le sort de Jean-Jacques est marqué par un conflit constant tant avec le catholicisme qu'avec le protestantisme. Rousseau, qui se considère comme « le défenseur de la cause de Dieu et de l'humanité » et proclame inlassablement qu'il est chrétien, et ce « après les recherches les plus ardentes et les plus sincères qui jamais peut-être aient été faites par aucun mortel », est désormais en constant désaccord avec toutes les communautés confessionnelles ; il se retrouve de fait en dehors de toute église, seul en présence de son Dieu [151]. Dans sa manière de penser et de vivre sa solitude, dans la recherche de la signification de son isolement, le fait de n'appartenir finalement à aucune communauté religieuse joue un rôle de plus en plus grand, tandis que les persécutions dont le poursuivent à la fois le clergé et Voltaire le confirment dans sa conviction que lui, Jean-Jacques, est l'objet d'un complot universel et en même temps le véritable et peut-être l'unique défenseur de la foi en ce siècle d'hypocrisie, de scepticisme philosophique et d'impiété. Cependant, quel que fût le concours de circonstances qui confère au conflit de Rousseau avec les églises un caractère particulièrement dramatique, sa conception même de la foi accentuait avec force la tendance à libérer l'individu de tout lien imposé par les communautés confessionnelles ; elle prônait l'entière autonomie de l'individu — en tant que sujet intellectuel et moral — par rapport à toute autorité religieuse. A cet égard, comme le démontre à juste titre Groethuysen, Jean-Jacques exprime pleinement les tendances émancipatrices des Lumières, il est « un penseur laïque (qui) participe largement à cette émancipation des esprits qui s'est faite au XVIIIᵉ siècle [152] ».

Rappelons à titre d'exemple quelques thèses de Jean-Jacques dans lesquelles s'expriment ces tendances qui finissent pour aboutir à une intériorisation totale de la problématique religieuse. Ainsi, toute la conception de l'éducation religieuse, telle qu'elle est exposée dans *Emile,* pose le principe du choix rationnel et individuel d'une religion, ou, pour être plus précis, le principe que la foi individuelle ne s'identifie à aucune communauté confessionnelle. Tant qu'il est enfant, Emile n'a aucune idée de Dieu et ne reçoit aucune instruction religieuse. Ce n'est qu'à « l'âge de raison et des passions », quand l'esprit d'Emile et sa conscience morale sont suffisamment développés pour entreprendre une réflexion autonome sur l'ordre régnant dans l'univers et sur les devoirs de l'homme, que le jeune homme se trouve face au problème de se définir lui-même par rapport aux vérités et valeurs religieuses. La règle maîtresse de l'éducation d'Emile, qui est de faire de chaque vérité une vérité personnelle, acquise au terme d'un effort individuel par lequel se forment sa raison et sa conscience, est dans le cas de la religion rigoureusement respectée. Jean-Jacques s'oppose violemment à ce que l'enfant soit « élevé dans la religion de son père », à ce qu'une religion soit acceptée en vertu « du droit de la naissance, de l'autorité des pères et des pasteurs ». Emile doit être soustrait au joug de l'opinion, or, « c'est surtout en matière de Religion que l'opinion triomphe ». « Nous qui ne voulons rien enseigner à notre Emile, qu'il ne pût apprendre de lui-même par tout pays, dans quelle religion l'élèverons-nous ? à quelle secte agrégerons-nous l'homme de la nature ? La réponse est fort simple, ce me semble ; nous ne l'agrégerons ni à celle-ci ni à celle-là, mais nous le mettrons en état de choisir celle où le meilleur usage de sa raison doit le conduire [153]. »

Rousseau implique ici et postule l'autonomie de l'individu par rapport à toute communauté confessionnelle, d'autant plus que le choix définitif d'adhérer à une « secte », quelle qu'elle soit, est déterminé presque exclusivement par des raisons sociales et même politiques. Nous y reviendrons plus loin. Retenons pour l'instant que l'existence même des formes institutionnalisées de la religion ne résulte pas des contenus donnés dans l'expérience religieuse, dans la foi, mais elle est fonction des besoins sociaux. Par conséquent, dans la foi acquise au terme d'une réflexion intellectuelle et d'une expérience morale personnelle, s'affirment l'autonomie de l'individu, son indépendance par rapport à toutes les autorités et institutions. Ce point de vue dicte à Jean-Jacques des positions définies dans les questions concernant tant les principes que les contenus de la religion. Toute la théologie doit être limitée à ce « que je puis acquérir de moi-même par l'inspection de l'univers, et par le bon usage de mes facultés ». « Quand je serois né dans une isle déserte, quand je n'aurois point vu d'autre homme que moi, quand je n'aurois jamais appris ce qui s'est fait anciennement dans un coin du monde, si j'exerce ma raison, si je la cultive, si j'use bien des facultés immédiates que Dieu me donne, j'apprendroi de moi même à le connoître, à l'aimer, à aimer ses œuvres, à vouloir le bien qu'il veut, et à remplir pour lui plaire tous mes devoirs sur la terre [154]. »

Par conséquent, rien d'étonnant à ce que Rousseau rejette tous les dogmes fondés sur une autorité quelle qu'elle soit, ou plutôt sur les témoignages humains consacrés par l'autorité qu'il rejette, en particulier les miracles, les prophéties, etc. Cette position, développée à l'extrême, amène Rousseau à nier toute révélation par rapport à laquelle « il reste dans un doute respectueux » ; et s'il ne la refute pas théoriquement et d'une manière définitive, il la prive de toute signification pour la détermination des attitudes pratiques [155].

Ces opinions n'empêchent pas Rousseau de vivre une authentique expérience religieuse lors de la lecture de l'Ecriture sainte, en particulier de l'Evangile qu'il admire. « Nul homme au monde ne respecte plus que moi l'évangile. C'est à mon gré le plus sublime de tous les livres (...). Mais enfin, c'est un livre ; un livre ignoré des trois quarts du genre humain (...). Non, mon digne ami, ce n'est point en quelques feuilles éparses qu'il faut aller chercher la loi de Dieu, mais dans le cœur de l'homme, où sa main daigna l'écrire. O homme, qui que tu sois, rentre en toi-même, apprends à consulter ta conscience et tes facultés naturelles, tu seras juste, bon, vertueux, tu t'inclineras devant ton maître, et tu participeras dans son ciel à un bonheur éternel [156]. »

Rousseau considère donc l'Evangile non pas comme un texte révélé, mais comme un texte saint ; l'unique témoignage de cette sainteté étant l'écho que ce texte trouve « dans le cœur et l'esprit », « l'émoi de l'âme » que suscite l'enseignement moral qu'il contient, en particulier la parole et la mort de Jésus. En revanche, Jean-Jacques se tait sur les questions du salut (qu'il admet d'ailleurs comme superflu, puisqu'il nie explicitement l'existence du péché originel — l'homme étant naturellement bon) et de la résurrection des âmes [157]. Par rapport à tout ce qui

dans l'Ecriture sainte n'est pas un enseignement moral, Rousseau pose
les postulats de criticisme rationaliste, de la vérification des faits et des
témoignages. C'est par là qu'il participe certainement le plus de l'esprit
des Lumières, au point que Voltaire lui-même approuva les fragments
respectifs de la *Profession de foi*, incluant ironiquement le Vicaire
savoyard dans la paroisse du Curé Meslier. En envisageant ainsi l'Ecriture sainte, il est impossible de formuler une quelconque orthodoxie, et
c'est dans cet esprit que Jean-Jacques considère le principe du protestantisme comme inséparable du droit illimité de l'individu à étudier et interpréter les Ecritures. « Chacun est juge compétent de la doctrine, et peut
interpréter la Bible, qui en est la règle, selon son esprit particulier ».
« Votre religion — écrivait Rousseau au Chevalier d'Eon — est fondée
sur la soumission, et vous vous soumettez. La mienne est fondée sur la
discussion, et je raisonne [158]. » La religion, conçue dans ces termes, tire
donc ses formes comme ses contenus de sources autres qu'une théologie
fondée sur les dogmes et la tradition ; elle est limitée à un minimum
d'articles de foi : les seuls qu'elle admette en réalité sont ceux de l'existence d'un Dieu unique et personnel (avec une mise en question du dogme
de la Trinité) et de l'immortalité de l'âme, ces articles de foi ne pouvant
être également acceptés qu'au terme d'un effort intellectuel individuel et
d'une évidence subjective. Quant au principe de la tolérance religieuse,
Rousseau le formule dans l'esprit le plus radical de son siècle. De plus,
cette réduction de la substance de la foi se fait entièrement en fonction
des vérités morales auxquelles la religion doit apporter sa sanction [159].

La structuration de la problématique religieuse autour des valeurs morales ne fait que traduire une fois de plus, sous une autre forme, la
reconnaissance de l'homme, de ses fins morales, comme le problème
central de la vision du monde de l'auteur d'*Emile*. La religion de Jean-
Jacques est anthropocentrique, elle est l'affirmation de l'homme, de sa
nature et de sa vocation qui sont bonnes en tant qu'elles possèdent la
sanction de Dieu. Autrement dit, en employant les mots de Maritain
ouvertement hostile à l'égard de l'orientation religieuse de Rousseau :
Jean Jacques « s'accepte, et ses pires contradictions, comme le fidèle
accepte la volonté de Dieu ». « Dieu veut — écrit Rousseau — que
nous soyons tels qu'il nous a faits... La religion considérée comme une
relation entre Dieu et l'homme, ne peut aller à la gloire de Dieu que par
le bien-être de l'homme, puisque l'autre terme de la relation qui est Dieu,
est par sa nature au-dessus de tout ce que peut l'homme pour ou contre
lui [160]. »

Dans une religion ainsi conçue, toute institutionalisation est inutile ;
son unique sujet est l'individu, qui est autonome envers toutes les communautés confessionnelles et dont le rapport à Dieu est immédiat, intime.
C'est une religion qui n'a besoin d'aucun culte, hormis le « culte du
cœur », intérieur, subjectif et individuel : « un cœur juste est le vrai temple
de la Divinité [161] ». Qui plus est, l'autonomie de la personne humaine
contient en elle les germes d'un conflit inéluctable avec toutes les communautés confessionnelles, avec les formes institutionalisées inhérentes aux
religions positives. En effet, si, d'une part, chaque religion positive est

réductible dans ses contenus essentiels à la religion naturelle qui peut et doit être acceptée par la raison et la conscience individuelles ; d'autre part, toutes les religions positives se réfèrent à l'autorité des hommes, s'allient avec un « fanatisme aveugle » et une « superstition cruelle » afin « de mener le peuple », elles servent « d'instrument à la tyrannie des gens d'Eglise », elles sont « l'arme des Tyrans et l'instrument des persé-cuteurs », elles sanctionnent l'hypocrisie et le mensonge, etc. [162]. La religion naturelle par contre exige la suppression de toute médiation dans la rela-tion entre Dieu et l'homme ; elle est donc professée par des hommes qui ont « de hautes idées de la divinité » et prennent « en dégoût les institu-tions des hommes et les religions factices [163] ». Pratiquée dans la solitude, intime, tendant à se passer de toute médiation entre Dieu et l'homme, cette religion n'a guère besoin de mots. « J'ai lu qu'un sage Evêque dans la visite de son Diocèse trouva une vieille femme qui pour toute prière ne savoit dire que O ; il lui dit : bonne mère, continuez de prier toujours ainsi ; votre prière vaut mieux que les nôtres. Dans cette meil-leure prière est aussi la mienne. » Aussi Jean-Jacques déclare-t-il qu'il a connu les plus hautes extases de l'âme, les plus sublimes élévations du cœur, aux heures où, « dans l'agitation de ses transports », il ne pouvait que s'écrier : « O grand être ! O grand être ! sans pouvoir dire ni pen-ser rien de plus [164]. » Dans le « monde des apparences » dans lequel les religions positives sont imbriquées, c'est donc une religion et une foi élitaires, accessibles aux seuls individus capables d'obtenir le recul intel-lectuel et moral nécessaire pour s'émanciper de ce monde. Mais c'est aussi la religion des êtres simples qui n'ont pas perdu la naïveté de la foi et, partant, n'ont aucun besoin de ce recul.

Cette fusion de l'élitarisme et de l'égalitarisme s'impose une fois de plus à notre attention. Nous remarquons également que le grand effort intellectuel et moral que l'individu doit fournir pour obtenir son autono-mie envers les religions positives, amène finalement à une situation dans laquelle toute réflexion devient superflue, à l'admiration extatique propre à l'homme simple. L'élitarisme et l'égalitarisme se fondent l'un l'autre, traduisent la même tendance essentielle, à savoir éliminer toute médiation entre l'individu et Dieu, tendance qui trouve son expression la plus intense dans la célèbre invocation du Vicaire savoyard : « Que d'hommes entre moi et Dieu ! » Jean-Jacques radicalise ainsi les positions, maintes fois exprimées au XVIIe siècle et au XVIIIe, qui visaient à l'intériorisation de la religion et, par conséquent à sa réduction aux expériences morales. « La tendance à intérioriser totalement la religion, à contenir toutes les valeurs de la vie religieuse dans l'âme individuelle, dans la personnalité spirituelle du croyant — constate L. Kołakowski — amène inévitablement à con-cevoir la religion comme un phénomène purement moral, confiné à l'in-térieur de chaque âme humaine prise séparément ; la religion en tant qu'institution organisée devient alors superflue [165]. »

Pourtant, Rousseau pose comme maxime que l'individu doit accepter la religion positive et ses institutions reconnues dans le pays dont il est le citoyen. Il considère également la religion comme lien devant cimenter toute communauté sociale réelle. Or, malgré les apparences, ces deux thèses ne sont que complémentaires par rapport à l'individualisme et au subjectivisme religieux. En effet, ce ne sont pas des raisons religieuses, mais explicitement politiques et sociologiques que Jean-Jacques invoque pour prouver la nécessité d'accepter le culte reconnu dans un pays donné. Dans chaque pays, la religion naturelle revêt les formes de culte public qui se sont instaurées sous l'influence de divers facteurs historiques profanes [166]. Les formes du culte public constituent donc un élément de l'ordre public et, en raison de cet ordre et de l'obéissance à la loi, elles doivent être respectées. Par là même, l'individu se plie à l'une des règles morales fondamentales : le respect pour la loi, pour les valeurs morales qui s'y manifestent. Aussi l'idéal serait-il pour Jean Jacques « une profession de foi purement civile dont il appartien(drait) au Souverain de fixer les articles, non pas précisément comme dogmes de la Religion, mais comme sentiments de sociabilité, sans lesquels il est impossible d'être bon Citoyen ni sujet fidelle ». Cette idée maîtresse de la « religion civile », dont l'ébauche se dessine déjà dans la *Lettre à Voltaire sur la Providence*, Rousseau la développe dans le *Contrat social* [167]. Et c'est pour ces raisons que le Vicaire savoyard, tout en reconnaissant que le protestantisme est la religion « dont la morale est la plus pure et dont la raison se contente le mieux », restera un ecclésiastique catholique ; quant au baron de Wolmar, l'« athée vertueux » de la *Nouvelle Héloïse*, il fréquente loyalement le temple « et fait sur le culte réglé par les lois tout ce que l'Etat peut exiger d'un Citoyen [168] ». Pour ces mêmes raisons, Jean-Jacques, en tant que citoyen de Genève, considère comme son devoir de se reconvertir au protestantisme, d'autant plus que la religion réformée est, à son avis, celle qui s'apparente le plus à la religion naturelle. Le subjectivisme religieux va donc de pair avec l'indifférentisme en matière d'appartenance confessionnelle. Néanmoins, l'attitude de l'individu à l'égard de la communauté confessionnelle est conflictuelle, antinomique et ambiguë. A l'intérieur de la communauté des fidèles d'une religion positive quelle qu'elle soit, l'individu profondément croyant et pratiquant le « culte du cœur » se sent plus ou moins aliéné, maintient une distance intérieure entre lui et cette communauté dont il omet la médiation dans son contact avec Dieu. Cependant, lorsqu'il se trouve à l'extérieur de toute communauté et surtout quand il en est exclu, la situation est intolérable. Dans le cas d'une église protestante, le conflit devient particulièrement intense — et il le fut pour Jean-Jacques lui-même après sa condamnation par les autorités genevoises et les pasteurs de Neufchâtel. L'individualisme religieux est la vérité de cette église, les réformés n'admettant pas une Eglise infaillible et ayant droit de législation en matière de foi ; par conséquent, le fait d'en avoir été exclu équivalait à la négation du principe même que Jean-Jacques considérait comme le fondement de cette communauté confessionnelle. Exiger donc d'être reconnu comme membre de la communauté, c'était accomplir une mission — morale, religieuse et civile. Ainsi, dans les deux situations, à l'intérieur comme à l'extérieur d'une église, l'individu a du recul par rapport à sa communauté confessionnelle, tombe dans un conflit plus ou moins manifeste avec elle et, par conséquent, se trouve isolé. Si, à l'intérieur de la communauté, ce recul conduit l'individu à choisir l'isolement, à l'extérieur il l'amène à ressentir cette solitude comme imposée.

Il résulte de ce que nous avons déjà dit que chaque communauté sociale doit posséder sa forme particulière de culte religieux. Passons outre les aspects sociaux et politiques, c'est-à dire les fonctions que, d'après Jean-Jacques, la religion doit assumer pour assurer la cohérence interne de la communauté. C'est un autre aspect du problème qui nous intéresse en ce moment. Toute communauté sociale est solidaire d'un ordre qui est l'œuvre des hommes. Or, partout où l'effort humain constitue un ordre où se réalisent les valeurs essentielles impliquées dans l'ordre universel, dans l'ordre du Créateur, une sainteté se manifeste. C'est pourquoi Jean-Jacques parle de la « sainteté du contract et des loix [169] » qui sont les fondements de l'ordre social, bien que dans la formulation du contrat il n'y ait aucune référence à Dieu, bien que le pacte soit conclu par des hommes à des fins strictement terrestres, bien que seul le peuple souverain, donc des hommes, soit dans le droit d'établir « la profession de foi civile » qui proclame cette sainteté. La voix du peuple souverain instituant l'ordre social et moral est la voix de Dieu sur terre. Nous voici au centre même de l'enchaînement d'idées dont s'inspirera la doctrine jacobine du culte de l'Etre Suprême. La participation à l'ordre moral, la communion avec cet ordre, tel est le sacré contenu dans l'expérience religieuse individuelle ; si donc la société est réellement un fragment de cet ordre, alors l'expérience de l'individu de participer à la société, à la communauté sociale devient la forme d'une expérience quasi religieuse. Dans l'amour de la patrie et dans les vertus civiques se réalisent les aspirations de la personne humaine à se transcender. Rappelons en outre que l'organisation de l'Etat n'a en elle aucun élément de théo-cratie ; par son essence, l'Etat est une institution profane, instaurée à des fins temporelles, et non pas eschatologiques. Ainsi, chaque expérience authentique d'appartenir à la communauté contient quelque chose du sacré, comporte pour le moins des accents d'élévation religieuse du cœur, est un « amour sacré ». Jean-Jacques procède donc à une laïcisation des sentiments traditionnellement religieux — pour reprendre la formule de Groethuysen — mais aussi à une sacralisation des aspirations et des sentiments sociaux et politiques de l'homme. De même que l'idée de l'ordre naturel s'ouvre toujours chez Rousseau sur une perspective sociale, de même les aspirations à l'idéal social acquièrent une valeur et une dimension métaphysiques et religieuses [170]. Il est caractéristique de Rousseau de projeter cet éclat singulier de sainteté non seulement sur des collectivités sociales et politiques globales telles que l'Etat et la patrie, mais encore sur toute communauté réelle des hommes, et le rêve de la communauté idéale de Clarens est à cet égard révélateur. En effet, la communauté de Clarens possède également sa « quasi-religion » spécifique et non formalisée, son quasi-culte particulier, à savoir le culte de Julie qui est solidaire de l'ordre social et moral régnant dans son domaine. Julie fait l'objet d'un amour à la limite de l'adoration, et ces sentiments sont le mieux mis en évidence à la fin de la *Nouvelle Héloïse*, quand après la mort de Julie, le bruit de sa résurrection se répand parmi le peuple. Julie n'était évidemment pas ressuscitée, pas plus que le Christ ; seuls les hommes superstitieux croient en la résurrection. Mais si les habitants de Clarens avaient cru à la nouvelle, c'est parce qu'ils étaient sensibles à la sainteté qui émanait de Julie. Cette sainteté ne devait rien à l'ascèse, ni au martyre, mais consistait dans l'exemple moral qu'elle donnait et dans les valeurs morales qu'elle incarnait, celles-là mêmes qui imprégnaient l'ordre social régnant à Clarens. Par contre, l'homme qui se trouve hors d'une communauté authentique et est ainsi condamné à la solitude, n'a qu'un seul ordre moral auquel il puisse participer : celui qui est l'œuvre de Dieu, l'ordre de la nature.

Ainsi, sur le fond de l'individualisme et du subjectivisme religieux se profile l'union intime entre l'idée de Dieu et l'idée de l'ordre, « le thème de la réflexion sur Dieu est celui de l'ordre [171] ». Le Dieu de Jean-Jacques est le créateur de l'ordre, et c'est pour le maintien et l'amour de l'ordre que s'exercent ses attributs traditionnels — la bonté, la justice, la toute-puissance. Aussi ne peut-on connaître Dieu qu'à travers ses œuvres : tout ce que l'homme sait de lui est le résultat d'une réflexion sur l'ordre physique et moral qui règne dans l'univers, ainsi que sur la place que l'homme y occupe. Hors cette idée de l'ordre, les attributs divins ne sont qu'autant de mystères pour l'homme, à qui il est impossible de connaître ou de contempler Dieu dans son essence. Jean-Jacques insiste sur cette thèse, soucieux de se dissocier de toute préoccupation mystique, car il est manifestement conscient que l'élan religieux affectif, visant une relation immédiate de l'individu avec Dieu, peut facilement dégénérer en attitudes mystiques. Dans les réflexions religieuses et morales qui abondent dans les derniers livres de la *Nouvelle Héloïse,* ce problème occupe une place considérable, d'autant plus importante que l'âme féminine est, de l'avis de Jean-Jacques, particulièrement ouverte à l'exaltation et à l'extase. Or, à cet égard, Julie est particulièrement lucide dans ses transports religieux [172].

Le Dieu de l'ordre, tel que le conçoit Jean-Jacques, s'apparente sous de nombreux aspects au Dieu déiste ; il est le grand artisan, le créateur rationnel d'une œuvre rationnelle. Cette concordance avec le déisme est particulièrement manifeste dans les positions de Rousseau par rapport aux miracles. Admettre l'existence des miracles, ce serait non seulement reconnaître les témoignages humains et les autorités ecclésiastiques en matière de foi, mais encore admettre que Dieu peut intervenir dans l'ordre rationnel qu'il a instauré une fois pour toutes, déroger aux lois éternelles et immuables de la nature qu'il a établies [173]. D'où l'interprétation particulière que Jean-Jacques donne à la prière : elle est un acte d'adoration et d'élévation de l'âme vers Dieu et non pas une supplique destinée à obtenir la grâce de Dieu, son intervention dans le cours de la nature.

Et pourtant, le Dieu de Jean-Jacques n'est pas une divinité déiste ; il est l'objet d'une expérience religieuse autre que celle du déisme rationaliste répandu à l'époque. L'œuvre de Rousseau se réfère à une expérience religieuse d'une intensité qui n'existe pas dans les textes déistes. Cette intensité s'articule sur les valeurs et les sentiments qui marquent les rapports de l'individu à l'ordre physique et moral dont Dieu est le créateur. En effet, ces rapports ne se traduisent pas seulement par une réflexion intellectuelle sur l'ordre ; ils sont aussi saisis dans l'expérience affective et morale de participer à cet ordre. L'ordre moral éternel est ici opposé au mal qui règne dans les rapports sociaux qui, eux non plus, ne sont pas uniquement un objet d'analyse et de réflexion. En admirant Dieu, en s'élevant vers lui, l'individu se détache du « monde des apparences » et se réintègre lui même dans l'ordre moral éternel. Ainsi, l'expérience religieuse acquiert une double signification : en elle et par elle, l'individu affirme son existence autonome et, en même temps, il se transcende en s'élevant aux valeurs et principes transcendants. Dans cette expérience religieuse, Dieu ne se révèle pas à l'individu tout simplement comme le grand horloger dont l'art et la raison sont attestés par son œuvre. Il est le grand solitaire, l'Etre Suprême, heureux dans sa solitude absolue. « Un être vraiment heureux est un être solitaire ; Dieu seul jouit d'un bonheur absolu ; mais qui de nous en a l'idée [174] ? » Dieu — le grand solitaire — est à la fois indissociable de l'ordre universel et de l'ordre moral ; il est l'être dans lequel chaque individu peut se reconnaître, car il exprime les aspirations les plus profondes de l'homme à être « lui-même » et solidaire de l'ordre moral. Et c'est peut-être parce que Dieu réalise précisément cet idéal qu'il est pour l'individu incompréhensible et inaccessible. Si la conception déiste de Dieu désacralisait le monde et contribuait à émanciper les comportements individuels des valeurs religieuses et des contraintes confessionnelles, l'idée de Dieu chez Rousseau permettait d'exprimer dans l'expérience religieuse les antinomies sociales et morales d'un monde dans lequel Dieu était en train de mourir, d'un monde livré à des individualités autonomes et profanes.

La réflexion déiste sur ce qu'est Dieu (ou plutôt, pour être plus précis, sur ce que Dieu n'est pas, en opposition avec les attributs que lui confère la théologie) est reléguée au second plan dans la pensée religieuse de Rousseau. Au premier plan, Jean-Jacques pose le problème de la place de la foi dans l'existence humaine, de la nécessité de la foi pour la définition du sens de la vie individuelle. L'homme ne croit pas parce que sa raison, au terme d'une longue recherche, l'a instruit que Dieu existe ; c'est le besoin de croire qui est à l'origine de la réflexion sur Dieu. Certes, il fait appel à la raison pour se défendre contre les doutes et désespoirs qui risquent de supprimer ce besoin lui-même. Mais la foi qui satisfait et en même temps renforce ce besoin est autonome par rapport aux vérités plus ou moins abstraites que la raison peut apporter. Cette foi relève des aspirations les plus profondes de l'individu ; elle est un lieu où l'homme s'affirme en tant qu'être moral et libre, et contre les antinomies et les ambiguïtés dans lesquelles l'entraîne son existence sociale.

Le contexte social et moral de la pensée religieuse de Rousseau est particulièrement manifeste dans son approche des problèmes eschatologiques. Ainsi, l'immortalité de l'âme est un impératif moral : dans ce monde où règne le mal, l'homme vertueux est humilié, persécuté et misérable, ce qui est en désaccord avec les principes de justice et de bien. La conscience que la vie ne s'achève pas avec l'existence terrestre est donc une consolation pour ceux qui souffrent sur terre. A cette fonction traditionnelle de la foi en tant que consolation et espérance des affligés, Jean-Jacques donne un accent spécifique. C'est le peuple qui est le plus accablé de souffrances, et c'est de l'inégalité que résulte le mal moral. Seule la conscience de l'existence de Dieu, d'une justice et d'un ordre éternels peut freiner les puissants, contenir le mal ; Dieu est l'éternel témoin des vertus et des vices, des efforts moraux des uns et du mal commis par d'autres. Aussi, l'athéisme est-il un système « naturellement désolant ; s'il trouve des partisans chez les Grands et les riches qu'il favorise, il est par tout en horreur au peuple opprimé et misérable, qui voyant délivrer ses tyrans du seul frein propre à les contenir, se voit encore enlever dans l'espoir d'une autre vie la seule consolation qu'on lui laisse en celle-ci [175] ». Grâce à sa foi en la survie de l'âme individuelle, l'homme qui cherche toujours son bien le voit dans les choix des valeurs universelles qui sont les principes mêmes de l'ordre moral. Grâce à cette foi, l'individu est plus libre dans ses choix moraux : il dépasse les alternatives que semble lui imposer le triomphe du mal moral sur terre. L'idée de l'immortalité de l'âme correspond ainsi aux principes de l'ordre, à l'expression et à l'affirmation de la liberté morale de l'individu (il est aisé de constater l'idée de l'impératif kantien qui se profile dans cette démarche [176]). L'espoir de participer à un monde idéal dans lequel l'homme, libéré des passions terrestres, pourrait jouir sans entraves de soi-même et de l'ordre moral, aide l'individu à s'élever au-dessus des petites passions humaines, à « être plus maître de lui-même, plus fort, plus heureux et plus sage [177] ».

La foi en la survie de l'âme permet d'être moral dans la solitude, malgré et contre la morale dominante ; elle porte vers une communauté morale idéale dont la négation est le monde atomisé de l'inégalité sociale, du vice et du mal moral. Mais en même temps, cette foi triomphe du sentiment de la solitude ; l'homme bon et juste qui fuit les autres et leur regard, est néanmoins toujours « vu » par « le regard actif » et éternellement présent, bien qu'invisible, de Dieu. L'éducation morale et religieuse d'Emile vise à ce « qu'il trouve son véritable interest à être bon, à faire le bien loin des regards des hommes et sans y être forcé par les loix, à être juste entre Dieu et lui, à remplir son devoir, même aux dépends de sa vie, et à porter dans son cœur la vertu, non seulement pour l'amour de l'ordre auquel chacun préfère toujours l'amour de soi ; mais pour l'amour de l'auteur de son être, amour qui se confond avec ce même amour de soi ; pour jouir enfin du bonheur durable que le repos d'une bonne conscience et la contemplation de cet Etre suprême lui promettent dans l'autre vie, après avoir bien usé de celle-ci. Sortez de là, je ne vois plus qu'injustice, hypocrisie et mensonge parmi les hommes ; l'intérêt particulier qui, dans la concurrence, l'emporte nécessairement sur toutes choses, apprend à chacun d'eux à parer le vice du masque de la vertu (...). Tous les devoirs de la loi naturelle presque effacés de mon cœur par l'injustice des hommes s'y retracent au nom de l'éternelle justice qui me les impose et qui me les voit remplir. Je ne sens plus en moi que l'ouvrage et l'instrument du grand Etre qui veut le bien, qui le fait, qui fera le mien par le concours de mes volontés aux siennes, et par le bon usage de ma liberté ; j'acquiesce à l'ordre qu'il établit, sûr de jouir moi-même un jour de cet ordre, et d'y trouver ma félicité [178]. »

En soulignant son acquiescement à l'ordre divin, le rôle de sa volonté et de sa liberté dans la réalisation de la volonté de Dieu, Rousseau manifeste le même « orgueil » que dans son invocation : « Que d'hommes entre Dieu et moi ! » ; cet orgueil et « cette fière indépendance » qu'on lui reprochait [179]. Dans le manuscrit de la *Profession de foi,* dont les termes furent modérés avant qu'il fût confié à l'éditeur, Rousseau affirme l'autonomie absolue de l'individu avec un « orgueil » encore plus grand : « Que ta volonté soit faite : En y joignant la mienne, je fais ce que tu fais, je gouverne avec toi l'univers et je partage ta félicité suprême qui en est le prix [180]. »

Cet « orgueil » permet de mieux comprendre l'importance que prend dans la vision du monde de Rousseau le problème de la fin dernière de l'homme, ce problème donnant lieu à une radicalisation des deux termes antinomiques de sa conception de la personnalité. Des deux termes, car l'eschatologie fonde d'une part la nécessité pour l'individu d'atteindre à la plénitude de son être par l'intégration à l'ordre absolu et transcendant, dont les principes sont à la base de toute communauté morale ; mais elle consacre d'autre part l'autonomie radicale du moi, fondée dans son effort moral, dans sa souveraineté absolue dans le domaine des valeurs.

Ce dernier aspect mérite qu'on s'y arrête. Il faut en effet souligner que Rousseau sépare rigoureusement la foi en la survie de l'âme, qu'il n'identifie pas d'ailleurs avec son éternité [181], de tous les dogmes sur le salut, le jugement dernier, l'existence de l'enfer, etc. L'indifférentisme confessionnel et la tolérance religieuse s'appliquent bien sûr à la vie future, car la maxime « hors l'Eglise, point de salut » est le fondement de l'intolérance qui règne sur terre. Jean-Jacques s'oppose avec violence à la conversion sur le lit de mort, qu'il considère comme un acte de barbarie, de même que la menace de tourments éternels en enfer est pour lui une atteinte à la liberté humaine et à la justice divine. La vie future est le sort de tous, elle sera un bonheur durable pour tous les hommes vertueux, qu'ils soient croyants ou non. L'incroyance est un obstacle à la plénitude du bonheur dans la vie temporelle, et non pas dans l'autre vie ; le baron de Wolmar, « l'athée vertueux », n'est pas pleinement heureux, car il ne peut jouir des sentiments que la grande harmonie des êtres inspire à Julie, la croyante, il ne partage pas les douces espérances que procure la perspective d'une vie future. Pourtant, dans l'au-delà, il sera aussi heureux que les chrétiens vertueux, car il vivait aussi vertueusement qu'eux. La vie future, c'est en effet la durée du moi qui se prolonge dans tout le concret de ses sentiments et expériences. La représentation de la vie dans l'au-delà est une « vision terrestre immanente » comme le définit M. Rang, une vision qui était contradictoire avec l'enseignement de l'Eglise sur la *visio beatifica,* et Jean-Jacques en était conscient [182]. « Je me dis — médite Julie sur son lit de mort — qu'une partie de mon bonheur consistera dans le témoignage d'une bonne conscience. Je me souviendrai donc de ce que j'aurai fait sur la terre ; je me souviendrai donc aussi des gens qui m'y ont été chers : ils me le seront donc encore : ne les voir plus

serait une peine, et le séjour des bienheureux n'en admet point. » Julie
espère également qu'elle pourra garder après sa mort des contacts mi-
spirituels et mi-sensuels avec les êtres chers laissés sur terre, qu'elle
continuera à participer à leur vie et à leur bonheur. Ainsi, dans sa vie
future, Julie continuera à être une mère heureuse et l'amour de Saint-
Preux, la maîtresse de Clarens et l'épouse de Wolmar ; elle sera uniquement désincarnée et délivrée des passions. Son au-delà consistera en la
mémoire de la vie terrestre, de sa sainteté sur terre ; son individualité
concrète s'intensifiera et s'enrichira grâce à la contemplation de Dieu et
de l'ordre. Jean Jacques répète avec insistance ces thèmes de la conservation de l'identité individuelle, de la continuité psychologique du « moi »,
fondées dans la mémoire de ses sensations et sentiments ; et s'il reprend
les thèmes stoïciens, il les associe à un personnalisme sensualiste. « Pour
être les mêmes dans l'autre vie, il faut nécessairement que nous nous sou-
venions de ce que nous avons été dans celle-ci. Car on ne conçoit point à
quoi ce mot de même peut s'appliquer dans un être essentiellement pensant, si ce n'est à la conscience de l'identité et, par conséquent, à la mémoire. S'il ne se souvient plus d'être le même il ne l'est plus. On voit par
là que ceux qui disent qu'à la mort d'un homme son âme se résout dans
la grande âme du monde ne disent rien qui ait du sens [183]. » Aussi, l'unique
châtiment qui puisse attendre les hommes dans l'au-delà, c'est la mémoire
de leurs vices et de leurs crimes sur terre, c'est le souvenir d'eux-mêmes,
auquel nul ne peut échapper, c'est l'identité et la continuité de leur propre
individualité à laquelle Dieu lui-même ne peut toucher et dont il ne peut
libérer personne. « Si la suprême justice se venge, elle se venge dès cette
vie. Vous et vos erreurs, ô nations, êtes ses ministres (...). Qu'est-il
besoin d'aller chercher l'enfer dans l'autre ? il est dès celle-ci dans le
cœur des méchants [184]. »

Ainsi, pour les hommes bons, pour les « belles âmes », il n'y a pas
de frontières précises entre le monde temporel et le monde futur, entre
l'expérience morale, subjective et immanente, et l'ordre transcendant.
Une « belle âme » n'a pas peur de la mort. Ainsi, Julie meurt comme
une athée, sans crainte ni terreur, sans penser à s'humilier devant le
grand Etre, sans remords ni repentir. Elle accepte la mort ainsi que
l'accepte l'homme de la nature : comme un retour à l'ordre, aux origines,
comme un fait relevant de l'ordre de la nature, comme l'affirmation à
la fois d'elle-même et de cet ordre éternel. L'entière souveraineté de
l'individu, de ses décisions morales, s'étend également au monde futur :
Dieu doit accepter l'homme tel qu'il est, tel qu'il s'est formé à travers ses
expériences les plus subjectives et ses intentions morales ; il doit l'accepter
même avec ses erreurs. C'est « l'orgueil » qui se dissimule derrière l'humilité de Julie quand, sur le lit de mort, elle refuse au pasteur « d'acquiescer
en tout à la commune profession de foi ». « J'ai pu me tromper dans ma
recherche ; je n'ai pas l'orgueil de penser avoir eu toujours raison ; j'ai
peut-être toujours eu tort ; mais mon intention a toujours été pure, et j'ai
toujours cru ce que je disois croire. C'étoit sur ce point tout ce qui dépen-
doit de moi. Si Dieu n'a pas éclairé ma raison au-delà, il est clément et
juste ; pourroit-il me demander compte d'un don qu'il ne m'a pas fait [185] ? »

L'intériorisation du rapport aux valeurs religieuses atteint ici son point culminant et révèle ses conséquences. Le rapport au sacré est en effet entièrement ramené à l'effort d'auto-détermination morale dans lequel s'engage l'individu et qu'il poursuit en fonction des valeurs du monde humain. La souveraineté morale de l'individu forme une barrière que Dieu non plus ne peut pas franchir : ses décisions morales personnelles présument de son sort tant dans sa vie temporelle que dans sa vie future. Qui plus est, cette souveraineté absolue permet à l'homme non seulement de participer à l'ordre créé par Dieu, mais encore de contribuer à créer cet ordre. Contribuer à la création d'un ordre moral rationnel, c'est réaliser le maximum de son humanité, c'est identifier son moi avec la vocation de l'homme en tant qu'être libre rationnel et moral. En réalisant ainsi le maximum de son humanité, en contribuant à la constitution de l'ordre, l'homme non seulement s'élève vers Dieu, mais encore participe à la divinité ; autrement dit : la divinité se manifeste en l'homme lui-même. Rousseau façonne ainsi l'idée de Dieu à la mesure de l'aspiration de l'homme à réaliser le maximum de son humanité. Aussi, Julie n'hésite-t-elle pas à dire que si même Dieu n'existait pas, il serait bon de s'élever à ce modèle divin au nom de la réalisation optimale des valeurs morales humaines [186]. La frontière entre Dieu, le créateur de l'ordre qu'il aime et qu'il maintient, et l'homme s'estompe quand l'homme crée lui-même un ordre fondé sur des valeurs universelles et absolues, quand il développe sa personnalité dans toute sa plénitude, se libérant en même temps de toute détermination individuelle et se transcendant. Dans la pensée morale et religieuse de Rousseau, cette aspiration à la divinité se manifeste sous diverses formes : elle confère un caractère particulier à l'esprit religieux de Jean-Jacques et révèle les significations que revêt le modèle de la personnalité solitaire, rapporté aux valeurs religieuses.

Retenons en premier lieu le rôle particulier qui, dans ce contexte, échoit à la conscience morale, nommée par Jean-Jacques « instinct divin ». La conscience « élève l'homme au-dessus des bêtes », car elle lui permet d'accomplir des actions morales et de procéder à des choix moraux, de se définir soi-même et de juger les autres. Grâce à la conscience, l'homme ne contribue pas seulement à l'ordre créé par Dieu ; à travers son choix moral, l'acte le plus personnel accompli dans son for intérieur, dans « le silence des passions » et dans la solitude, il présume aussi de sa vie temporelle et de sa vie future. En choisissant le bien, il rétablit l'ordre que le mal moral régnant sur terre a détruit ; par un acte subjectif, il donne sa réponse aux conflits produits dans l'histoire humaine. Les actes solitaires de sa conscience le séparent et le libèrent de la morale du monde de l'oppression et de l'inégalité. Mais en même temps, grâce à ces actes, l'homme triomphe de la solitude à laquelle les autres l'ont condamné : il est en effet toujours conscient d'être « vu » par ce témoin invisible qu'est Dieu. Jean-Jacques trahit une fois de plus son obsession du regard qui a le pouvoir de prendre à l'homme sa personnalité et de le réduire au « paraître ». Dieu voit l'homme tel qu'il est « vraiment », dans les intentions de sa conscience, et « l'œil vivant de Dieu » le protège contre une existence dans les « regards » des autres. En suivant la voix de la conscience, le moi parvient à la paix intérieure, se suffit pleinement à lui-même et devient entièrement libre, tout en agissant en accord avec son sentiment intérieur le plus intime et en réalisant les impératifs qui découlent des valeurs universelles et absolues. Par ses actes libres, l'individu contribue à la constitution de l'ordre de l'univers. La conscience, cet instinct moral auquel Rousseau confère un pouvoir qu'on dirait ontologique, permet à l'homme de s'élever jusqu'aux attributs divins : en la prenant pour guide, l'homme bon apporte « le concours de ses volontés » et le bon « usage de sa liberté » au bien. En acquiesçant librement à être intégré à l'ordre, il contribue à la création d'une communauté morale fondée sur des valeurs absolues et non pas relatives, ce en dépit du chaos régnant sur la terre. Dans son union avec Dieu, il affirme son humanité, sa « nature » originellement bonne ; dans ses choix, il affirme qu'il se distingue du monde social, qu'il s'élève au-dessus de l'existence ordinaire à laquelle sont condamnés ceux en qui les passions ont étouffé la voix de la conscience. En même temps, dans cette expérience la plus immanente et dans ce choix le plus subjectif, l'homme retrouve sa solidarité avec autrui et la nature, il retrouve sa bonté naturelle et originelle, la plénitude de l'humanité [187].

« La grandeur de l'âme » permet à l'individu « d'égaler à certains égards (...) les célestes intelligences ; enfin, de pouvoir, à force de combattre et de vaincre nos passions, dominer l'homme et imiter la Divinité même (...). Voilà les vrais dédommagements qui consolent un honnête homme, au sein du malheur (...). Si l'on donne des entraves à sa liberté son cœur acquiert un nouvel empire ; il obéit à la voix du plus fort, mais il commande à ses passions, et tandis qu'on l'opprime ici-bas, son âme pure s'élance dans le séjour céleste et jouit d'avance du prix de sa vertu. C'est Hercule qui se sent à la fois brûler sur son bûcher et devenir Dieu [188]. »

A l'opposé du déisme des Lumières, le rapport de l'homme à Dieu possède chez Rousseau une tension dramatique dont la grandeur est en quelque sorte fonction de l'intensité avec laquelle la personne humaine éprouve son propre isolement et ses situations conflictuelles dans la vie sociale. Plus l'homme fait l'expérience de la solitude, de l'aliénation et de l'injustice sociale, plus se renforce cet élan spirituel dans lequel il s'engage pour se dépasser lui-même. Cet effort et cette intensification de la vie morale doivent élever l'individu au-dessus de la réalité opprimante, le libérer d'elle. Mais ils la rendent en même temps plus pénible et plus injuste, plus contradictoire avec l'idéal : ainsi s'approfondit le sentiment de solitude et de situation conflictuelle avec la société.

Ce modèle héroïque de la « belle âme » comporte une autre antinomie. L'héroïsme moral, en effet, n'y est pas une valeur autonome : il débouche sur l'idéal d'une personnalité qui n'aurait pas à choisir, dont le bonheur consisterait à vivre dans une situation qui ne poserait pas de problèmes et éliminerait le besoin de tout effort moral. Un homme qui « a pris congé de son Siècle et de ses contemporains », un « infortuné qu'on a retranché de la vie humaine et qui ne peut plus rien faire ici-bas d'utile et de bon pour autrui ni pour soi », peut trouver dans une existence partagée entre le rêve et l'extase « des dédommagements que la fortune et les hommes ne lui sauroient ôter ». Si dans cet état, le sentiment d'une solitude totale, d'une absence de toute communication avec autrui et de toute participation à une communauté s'exacerbe au maximum, il s'assortit une fois de plus d'une affirmation de son « moi » à laquelle se joint la vision de Dieu — le « grand solitaire ». La personnalité de l'homme peut alors se passer de toute activité et sa conscience de tout contenu intellectuel, de toute pensée sur le passé et l'avenir. Rappelons un texte que nous avons déjà cité : « De quoi jouit-on dans une pareille situation ? De rien d'extérieur à soi, de rien sinon de soi-même et de sa propre existence, tant que cet état dure on se suffit à soi-même, comme Dieu. » « Tout est fini pour moi sur la terre — lisons-nous à un autre endroit. — On ne peut plus m'y faire ni bien ni mal. Il ne me reste plus rien à espérer ni à craindre en ce monde, et m'y voilà tranquille au fond de l'abyme, pauvre mortel infortuné, mais impassible comme Dieu lui-même [189]. » Nous avons déjà parlé de l'antinomie qui imprègne cet état d'extase solitaire, l'affirmation de l'autonomie du moi se réalise dans une « conscience vide », dans laquelle s'estompe toute différence entre la particularité du moi et les choses [190]. Le sentiment « de se suffire à soi même comme Dieu » est une extension illimitée du moi et en même temps sa concentration. Tout besoin de transcendance est alors éliminé de la conscience, réduite à la pure expérience de sa propre existence, c'est-à-dire vidée des contenus qui font de l'individu un sujet moral. Totalement isolé par rapport au monde des autres et de la culture, l'homme s'affranchit de sa conscience religieuse en même temps que de sa conscience morale. Circonscrit entièrement à soi-même, concentré tout entier dans le seul sentiment de son existence, on n'est pas solitaire sans Dieu, ni en présence de Dieu, mais on est solitaire comme Dieu. « L'homme de la nature » ne connaissait ni Dieu, ni la morale, il était lui-même et se suffisait à lui-même « comme Dieu », sans pourtant avoir conscience de l'existence de Dieu et connaître aucun besoin de Dieu.

Tel est l'un des termes de cette dialectique qui humanise Dieu et divinise l'homme : la solitude de l'individu que le conflit avec le monde du mal moral et social a amené à rompre toute communication avec autrui ; la solitude d'un être qui, réduit au seul sentiment de son existence, se suffit à lui-même à l'image de Dieu. Mais cette solitude s'inscrit dans le contexte sous-jacent d'une révolte contre l'absence de toute communauté humaine authentique à laquelle l'homme pourrait participer ; révolte qui témoigne de l'insatisfaction de ses aspirations profondes. C'est à ce contexte que s'associe l'autre terme de la dialectique des rapports de l'homme à Dieu. Quand l'homme réussit à créer une communauté authentique, à intégrer ses prochains à l'ordre moral qu'il institue, il se rapproche des attributs divins, il imite Dieu sur terre. Pourtant, il ne s'agit pas d'instituer une église ni une secte. La religion du Vicaire savoyard implique des valeurs morales qui sont l'objet de la mission de l'éducateur et du législateur. C'est une mission qui incombe aux êtres exceptionnels, une mission des plus humaines et qui en même temps élève son sujet au-dessus de l'humanité. Nulle part ailleurs sans doute l'horizon

idéologique commun à toute la pensée de Jean-Jacques ne s'esquisse aussi
nettement que dans cette complémentarité de la religion et de la politique,
de l'idée de la solitude et de l'utopie sociale, de l'humanisation de Dieu et
de la sacralisation de la politique et de l'éducation. Et, peut-être, nulle
part non plus les contenus idéologiques ne se greffent plus directement sur
les mythes, sur les frustrations et les complexes de Jean-Jacques lui-
même. Nous avons vu ci-dessus qu'à chaque fois que l'homme contribuait
à constituer l'ordre, la divinité se manifestait en lui. De ce point de vue,
il est difficile de séparer distinctement les fonctions de l'éducateur et du
législateur. Le gouverneur d'Emile crée un homme nouveau et exceptionnel, il façonne sa morale ; or, créer l'homme, c'est contribuer à créer
l'ordre moral. L'effet escompté de l'éducation d'Emile est également la
communauté nouvelle qui se forme autour d'Emile et de Sophie, une
« petite sphère » distincte du reste du monde et dans laquelle renaît
« l'âge d'or ». D'autre part, un « grand législateur », en créant une société
nouvelle, éduque les hommes, transforme leurs mœurs, etc. Jean-Jacques
lui-même, dans sa vie et dans ses écrits, veut assumer la mission tant du
législateur que de l'éducateur. Par ses œuvres, il remplit envers les hommes un apostolat qui, bien qu'axé sur des valeurs entièrement temporelles et assumé par un homme au nom de l'humain, porte néanmoins la
marque de la sainteté. Le législateur génial comme l'éducateur génial
accomplissent pour les hommes des tâches surhumaines : il y a un souffle
divin dans leurs actions et le souffle d'un nouvel Evangile dans leurs
discours sur la politique et l'éducation [191].

Aussi, quand Rousseau décrit l'éducateur ou le législateur, recourt-il
souvent à des comparaisons avec Dieu et apparente leur œuvre avec l'imitation de l'action divine. « Pour découvrir les meilleurs règles de société
qui conviennent aux nations — lisons-nous dans le *Contrat* — il faudroit une intelligence supérieure, qui vît toutes les passions des hommes
et qui n'en éprouvât aucune, qui n'eût aucun rapport avec notre nature et
qui la connût à fond, dont le bonheur fût indépendant de nous et qui
pourtant voulût bien s'occuper du nôtre ; enfin qui, dans le progrès des
tems se ménageant une gloire éloignée, pût travailler dans un siècle et jouir
dans un autre. » « Il n'y a que Dieu qui puisse gouverner le monde, et
il faudroit des facultés plus qu'humaines pour gouverner de vastes
nations. » Seule « une inspiration céleste apprit à l'homme à imiter ici-
bas les décrets immuables de la divinité » et à rendre les hommes libres
en les assujettissant à la loi. « Un gouverneur !, s'exclame Jean-Jacques
dans *Emile*. O quelle âme sublime (...). En vérité, pour faire un homme,
il faut être ou père ou plus qu'homme soi-même (...). Ce rare mortel est-
il introuvable ? Je l'ignore. En ces tems d'avilissement qui sait à quel
point de vertu peut atteindre encore une âme humaine [192]. »

Aussi, est-ce de l'extase religieuse que tiennent les sentiments qui
s'emparèrent de Jean-Jacques sur la route de Vincennes, quand, sous
l'effet de « la grande question » sur les sciences et les arts, il vit dans une
illumination « toutes les contradictions du système social », mais aussi
« un autre univers », et devint « un autre homme » ; ou encore dans la
forêt de Saint-Germain où il était venu méditer sur « le grand sujet » de

l'inégalité parmi les hommes, alors qu'il suivait « le progrès des tems et des choses » et que son « âme exaltée par (des) contemplations sublimes s'élevoit auprès de la divinité [193] ». Il ne s'agit pas ici uniquement de métaphores : il y a correspondance entre le discours et l'expérience vécue. Car Rousseau s'affronte avec les sentiments de la vie sociale jusque dans son expérience religieuse, et l'effort fourni pour les surmonter prend le sens d'une élévation de l'homme vers Dieu.

La vision du Christ qui se profile dans cette perspective permet le mieux de comprendre le caractère et la spécificité de la religion de Jean-Jacques. Comme nous l'avons dit, il n'accepte ni ses miracles, ni sa mission de Rédempteur. C'est l'humanité même du Christ et la vérité humaine qu'il apporte, qui l'élèvent au-dessus des hommes. « Il y a une vertu plus qu'humaine dans sa conduite, et une sagesse plus qu'humaine dans ses leçons. » Jésus-Christ est un grand solitaire, un moraliste, un éducateur et un réformateur politique. Sa première intention était de relever spirituellement son peuple, mais il échoua, incompris, raillé par ceux mêmes qu'il voulait servir de tout son cœur. Il se donna comme mission la rénovation morale de tout le genre humain et mourut en son nom, abandonné de tous, injurié, torturé et priant pourtant pour ses bourreaux. Par sa vie et sa mort, il apporte les leçons et l'exemple de la morale la plus élevée, de la plus grande sagesse, de la simplicité des plus héroïques vertus. Et même si « l'Evangile est plein de choses incroyables, de choses qui répugnent à la raison et qu'il est impossible à tout homme sensé de concevoir ni d'admettre », « la vie et la mort de Jésus sont d'un Dieu [194] ». Le récit de cette vie et de cette mort fait de l'Evangile un livre sublime dont la sainteté parle aux cœurs. Combien cette vision du Christ — le moraliste et le réformateur — est marquée par l'esprit des Lumières, et combien elle préfigure déjà le Christ des romantiques ! Tout l'humain est incarné dans le destin de cet être unique, exceptionnel et conscient de la mission qu'il a à accomplir pour l'humanité tout entière. Le tragique s'appesantit sur son destin à mesure que les autres refusent les valeurs universelles qu'il personnifie. Et c'est au nom de ces valeurs, en vue de rendre ces autres humains libres et égaux, que cet homme dépasse les limites de l'humain, s'élève à la sainteté, à cette « vie et cette mort qui sont celles d'un Dieu ». C'est à partir de cet ensemble d'attitudes et de valeurs, lié avec le sentiment d'accomplir une mission humaine universelle, que Rousseau cherche également le sens à donner à sa propre solitude et à son œuvre [195]. Engagée dans la sphère de l'expérience et des valeurs religieuses, sa recherche antinomique du sens de la solitude culmine dans la vision de Dieu en tant que grand solitaire qui se suffit à lui-même, et dans la vision du Christ dont la divinité est identique avec l'apostolat moral à accomplir en solitaire parmi les hommes.

Nous voudrions arrêter ici notre analyse sommaire de la problématique religieuse chez Rousseau. En l'entreprenant, nous avions signalé ses limites. En effet, la structure de la vision du monde de Rousseau détermine le champ de l'expérience du sacré et de la pensée religieuse de telle sorte que l'homme ne peut y trouver la véritable solution des antinomies engendrées par sa condition sociale. Aussi, rien d'étonnant à ce que Jean-Jacques, dans la sphère des valeurs religieuses, ne construise pas un modèle unique de la solitude, ni ne réussisse à conférer à celle-ci une signification unique : il concilie les extrêmes. La solution des antinomies et des conflits humains ne ressort pas de la contemplation de Dieu, ni des actes d'humilité envers lui, ni de l'émancipation de l'individu des églises existantes. Mais on chercherait en vain chez Rousseau une allusion à une église ou une communauté confessionnelle nouvelle qui aurait le don d'apporter une réponse à ces conflits. On peut même dire que la situation ambiguë et conflictuelle de la personne humaine dans l'univers social est d'autant plus pesante qu'elle englobe l'expérience et les valeurs religieuses, la recherche de Dieu. En effet, l'individu solitaire est toujours « vu » par Dieu, mais la conscience de la présence de ce témoin éternel ne satisfait pas le besoin du « regard » des autres, du « regard » des hommes. Dans l'œuvre de Jean-Jacques, le « regard » de Dieu acquiert un sens particulier : il n'est qu'une médiation entre l'individu solitaire et autrui, une médiation spécifique, qui ne sépare pas les hommes, mais leur assure une transparence absolue dans leurs rapports, le pouvoir de se comprendre, de communiquer entre eux non seulement à l'aide de la parole, mais aussi grâce à l'intuition des intentions et des sentiments, même inexprimés [196].

Nous avons déjà dit quels étaient les contenus sociologiques, philosophiques et moraux qui s'expriment dans la métaphore du « regard » sur laquelle pèsent toutes les obsessions de Jean-Jacques. Or, le « regard » de Dieu ne suffit pas à l'homme pour avoir le sentiment, ne fût-ce qu'illusoire, de s'être libéré du pouvoir aliénant des rapports sociaux ; il ne remplace pas cette affirmation de soi que seuls les « regards » des autres peuvent donner dans une communauté authentique, où ce sont les rapports mêmes entre les hommes qui sont « transparents », et non seulement le rapport de l'individu à Dieu, où il est possible de concilier la conscience de la particularité individuelle et le sentiment de solidarité avec la collectivité sociale. Aussi, retrouvons-nous dans la réflexion religieuse de Jean-Jacques le même effort qui imprègne sa réflexion sur l'histoire et ses analyses sociologiques. Effort constamment renouvelé, ne menant jamais à un résultat définitif, il vise à obtenir un rapport univoque à un monde qui demeure lui-même ambigu.

La problématique religieuse est l'un des aspects de ce rapport global entre la personnalité humaine et son monde social ; elle est indissolublement liée avec la problématique morale, la critique et la révolte sociales, la recherche de la liberté humaine, l'utopie sociale, etc. Il ne suffit pas à l'individu de s'élever aux valeurs religieuses pour atteindre « le sentiment d'être soi-même », pour satisfaire son besoin d'authenticité. L'expérience religieuse traduit aussi à sa manière, en les sublimant et en les exacerbant, les aspirations de l'individu à participer à une communauté moralement et socialement authentique ; ses aspirations à réaliser sur le plan temporel la communication et la solidarité avec autrui. Ces mêmes aspirations s'expriment dans l'association de la solitude avec l'accomplissement d'une mission à l'égard des autres, et cette association est particulièrement évidente dans la vision du Christ. Mais le sentiment

d'une mission à accomplir est l'une des composantes de toutes les significations que Jean-Jacques confère à la solitude dans sa vision du monde.
Certes, ce n'est qu'en lui-même que l'individu trouve l'assentiment à
cette mission ; mais il y va toujours d'une mission qui vise le bien des
autres et leur vie temporelle ; une mission qui véhicule des valeurs universelles. On peut accomplir cette mission en faisant œuvre de législateur
et d'éducateur, mais on peut aussi l'assumer en faisant de sa propre
vie une manifestation de la vérité morale découverte en soi-même et au
terme de son propre effort, et qui possède cependant une valeur universelle et absolue. Le solitaire — constate Jean-Jacques — est « l'ami de
la vérité et de la nature ». Ainsi, pour Rousseau lui-même, il s'agit bel
et bien d'assumer une mission quand il écrit *Emile* et le *Contrat social*,
mais aussi quand il rédige ses *Confessions* et même les *Rêveries du
promeneur solitaire*.

En conférant à la solitude le sens d'un apostolat, Rousseau approfondit l'antinomie de cette situation, ou encore révèle sous un autre
aspect les antinomies qui la caractérisent. En effet, la solitude ainsi
conçue élève une barrière entre l'individu et la société, isole celui-ci de
celle-là, mais elle devient en même temps une solitude dont le sens doit
être manifesté à autrui. Elle a besoin de la présence des autres pour que
ceux-ci reconnaissent son sens moral. Elle est la manifestation de l'autonomie radicale de l'individu par rapport à toutes les communautés
existantes, mais elle est aussi l'affirmation des valeurs universelles qui
ne sont réalisables que dans des communautés authentiques. Elle est
donc une fuite devant la société et les hommes, mais aussi un réquisitoire
contre la société et un appel lancé aux hommes.

Evidemment, Jean-Jacques ne traduit pas en concepts les ambivalences
et les antinomies de la solitude ; souvent il n'en est même pas entièrement conscient. Mais elles font intégralement partie d'une situation réellement vécue et s'expriment aussi bien dans son œuvre que dans ses
comportements. Comme nous l'avons déjà dit, Jean-Jacques considère son destin personnel comme la conséquence de son aspiration
à une solitude librement voulue ; mais aussi comme une longue suite
d'efforts entrepris sans succès pour nouer et maintenir un contact avec
le monde ; il y voit le résultat de son désir inassouvi de participer à une
communauté sociale et morale authentique. Aussi confère-t-il à la solitude des valeurs diamétralement opposées : la solitude est tantôt jugée
comme la condition du bonheur, tantôt comme le fond du désespoir,
tantôt comme une marque de grandeur, tantôt comme le signe de la
chute. Ou plutôt, elle est toujours et l'un et l'autre, ou encore l'un
dans l'autre. Elle est un destin et un choix, une contrainte imposée par
« le monde des apparences » et une manifestation de la liberté. En
parlant de sa solitude, Jean-Jacques hésite à la définir et il écrit qu'elle
est « la manière de vivre à laquelle il s'est réduit, ou, pour mieux dire,
à laquelle on l'a réduit [197] », il vit sa propre solitude comme une situation
intérieurement contradictoire, et quand il réfléchit sur son sens sa
réflexion oscille entre les extrêmes : tantôt elle est une tentative de
dépasser les antinomies de la personne humaine dans une dialectique

intérieure de l'âme, tantôt, elle culmine dans l'image d'un moi figé dans ses antinomies. Nous voudrions terminer cette partie de notre analyse en suivant ces oscillations entre la solitude en tant que choix et la solitude en tant que contrainte. Cependant, plutôt que de relever toutes les nuances de l'expérience intérieure de la solitude, nous nous attacherons à la complexité et à l'ambiguïté des attitudes et fonctions idéologiques par lesquelles, dans ce contexte, se traduisent les antinomies de la conception de la personne humaine dans la vision du monde de Jean-Jacques.

Choisir la solitude, c'est s'exiler du monde social ; tel est le sens que Jean-Jacques conférait à sa « grande réforme », à sa rupture avec le monde qu'il accomplit d'une manière ostentatoire, allant jusqu'à changer son habit, son mode de vie, etc. Or, souligner ostentatoirement son altérité, c'est défendre le droit de l'individu à définir ses attitudes envers la société, ses traditions, ses divisions, mœurs, institutions, etc., et ce, sur la base d'un idéal de l'humanité fondé sur ses propres convictions et découvert dans son expérience individuelle. En tant que valeur l'humanité est non seulement opposée à telles ou telles hiérarchies morales et sociales, mais encore, c'est l'individu lui-même qui la consacre comme valeur suprême au terme de son propre effort, et l'unique mesure que l'individu reconnaît est la conformité avec cet idéal instauré indépendamment des rapports sociaux existants et à leur encontre. On refuse donc ainsi le droit d'appliquer à l'individu l'échelle des valeurs en rapport avec sa position et son rôle dans la société, le droit de réduire l'individu, serait-ce dans les jugements, à l'un des rôles et comportements établis par la société existante [198]. La valeur de l'individu est uniquement définie par sa conformité avec l'idée de l'humanité. Etant parvenu à cette idée grâce à son propre effort intellectuel et moral, l'individu devient moralement souverain dans les jugements qu'il porte sur la société et dans ses attitudes à son égard.

Cet individualisme radical se colore de révolte plébéienne : les rapports sociaux existants réduisent les pauvres et les opprimés aux fonctions et aux rôles déterminés par l'inégalité sociale ; ils condamnent les uns à être paysans ou bourgeois pour que d'autres puissent être des seigneurs, des monarques. Empêcher que l'individu soit réduit aux rôles sociaux, c'est affirmer les idéaux d'égalité et de justice sociale. Le choix de la solitude est donc une révolte morale, et par là même, sociale. Prendre du recul par rapport aux formes existantes de socialisation, telle est la condition indispensable aussi bien à l'affirmation de l'autonomie individuelle qu'à la conformité de l'individu avec l'idéal universel, à son élévation à « l'humanité ». La solitude fait donc œuvre d'exemple : elle montre à « son siècle » la possibilité d'un autre mode de vie, fondé sur un autre système des valeurs. L'idée de l'humanité et les valeurs qu'elle comporte impliquent le postulat d'une transformation de la société existante, ainsi que l'aspiration de l'individu à participer à une véritable communauté qui réaliserait ces valeurs. Ainsi, le choix de la solitude est un acte de révolte contre la réalité sociale ; une révolte qui se manifeste dans une rupture entre l'individu et la société, dans la défense de son autonomie. Choisir la solitude, c'est aussi se défendre contre la réduction de sa personnalité à des rôles sociaux ; c'est défendre le droit de l'individu à opposer son idéal moral et social aux rapports existants. Dans la vie en solitaire se prolonge le choix fondamental qui était à son origine. En quelque sorte, on vit seul contre les uns et pour les autres. Aussi la vie à l'écart du monde doit-elle avoir une valeur exemplaire, et c'est dans la solitude qu'on doit s'adresser aux autres, leur montrer la voie de la vérité. Que ce soit un discours social et utopique ou un récit autobiographique, les écrits de Jean-Jacques sont marqués par l'esprit de l'apostolat. La solitude définit le lieu d'où l'on parle et celui qui parle. Car c'est bien accomplir une mission que d'expliquer, dans le *Contrat social*, pourquoi les hommes sont dans les fers alors qu'ils naissent libres, que d'établir les principes d'un nouvel ordre social conforme à l'idéal de l'humanité. Mais c'est aussi s'imposer un but élevé et un devoir pénible que de rédiger ses *Confessions*, d'y montrer comment l'individu se libère de tout asservissement à une condition sociale, d'y affirmer en tant que valeurs autonomes sa quête individuelle de « règles morales » et son expérience individuelle du monde. Qu'il s'agisse donc du *Contrat social* ou des *Confessions*, Jean-Jacques conçoit ses écrits comme « un genre de service à rendre aux hommes », comme l'œuvre d'un solitaire qui, décidé « à marcher seul dans une route nouvelle », a pris sur lui la triste mission de « faire entendre la voix de la vérité » aux hommes et de leur « donner l'exemple de la vie qu'ils devroient tous mener ». Chacun à sa manière, l'un et l'autre livre se proposent de présenter aux hommes une image de la personne humaine et un idéal social dans lesquels il pourraient se reconnaître [199].

Dans sa version la plus extrême, choisir la solitude, c'était défendre le droit de l'individu à refuser radicalement la société, le droit à l'indépendance individuelle allant jusqu'à la rupture de tout contact avec la société, et c'est incontestablement à ce droit que Jean-Jacques étend le concept de liberté. Outre l'assentiment intérieur de sa conscience, l'individu n'a besoin d'aucune autre sanction morale pour juger ses propres actions et celles des autres. « Quoi que vous fassiez — prévient Diderot — vous aurez pour vous le témoignage de votre conscience ; mais ce témoignage suffit-il seul ? et est-il permis de négliger jusqu'à certain point celui des autres hommes [200] ? »

Or, les tensions internes et les antinomies morales de la solitude ainsi comprise consistent dans le fait que celle-ci doit en même temps soustendre et véhiculer une morale humaine universelle, dirigée contre le relativisme et le subjectivisme, affirmer précisément un idéal humain universel. Au terme de son effort moral et intellectuel, l'individu découvre lui-même dans son for intérieur des valeurs qui n'ont rien d'exceptionnel et sont à la mesure de tous, donc égalitaires. Or l'idéal égalitaire se forme précisément dans la solitude, à l'issue d'une entreprise dans laquelle peu d'hommes sont capables de s'engager. Il faut pour cela un enthousiasme moral dont Jean-Jacques est le premier à dire qu'il se soutient dans son cœur « à un aussi haut degré peut-être qu'il ait jamais été

dans le cœur d'aucun autre homme [201] ». L'homme capable de se retirer
dans la solitude et qui prend sur lui l'accomplissement d'une mission
pour le bienfait des autres doit donc être exceptionnel, et il prend
conscience d'être hors du commun en même temps qu'il prend du recul
par rapport aux autres. Il se distingue du commun et le dépasse. Seul
peut le comprendre celui qui a entendu son appel moral et s'est élevé
avec lui au-dessus du « monde des apparences ». Seules les « âmes
tendres », dotées d'une exceptionnelle sensibilité morale, sont capables
de vivre dans la solitude et de comprendre les solitaires. L'idéal égalitaire
de l'humanité est certes commun à tous et il est des plus simples. Il ne
fait donc l'objet d'aucune réflexion et s'identifie à l'existence pour
les gens simples qui vivent dans des conditions où cet idéal n'a pas été
détruit. Mais aussi, ce n'est pas aux gens simples de le propager : ils
n'en éprouvent pas le besoin qui, s'il naissait, serait la preuve qu'ils ont
déjà perdu cette identité préréflexive.

Redécouvrir cet idéal, amener les hommes perdus dans le « monde
des apparences » à en prendre conscience, ce but exige la conscience
d'une mission à accomplir, il est à la mesure d'hommes exceptionnels.
D'hommes exceptionnels, parce qu'il leur faut ce génie particulier, ce
pouvoir d'agir sur la sensibilité d'autrui, cette acuité extraordinaire de
perception et ce don d'expression qui caractérisent le poète, l'artiste.
Dans la pensée courante des Lumières, l'opposition génie/société n'a pas
cours : l'être génial ne s'isole pas des autres ; il les éclaire et leur
donne l'exemple ; il n'a rien de mystérieux et tout en lui est intelligible. C'est tout au plus la faute des préjugés et des passions si les
hommes sont séparés du génie qui les devance. Or, chez Jean-Jacques,
le véritable génie est indissociable de la solitude et de l'isolement ;
en même temps, le génie attire à lui les hommes d'une haute sensibilité
morale, dispersés et égarés dans la société. Il est la personnification du
conflit moral qui ronge l'humanité, mais il en est aussi le dépassement.
On ne peut ni comprendre, ni définir le génie, il faut le sentir, en faire
l'expérience. Pour le décrire, Jean-Jacques recourt à la comparaison
dont il s'était servi en caractérisant le rapport de l'humanité à Dieu.
Le génie est comme Dieu : un buisson ardent qui ne se consume
jamais [202]. « Ne cherche point, jeune artiste, ce que c'est que le génie.
En as-tu, tu le sens en toi-même. N'en as-tu pas, tu ne le connaîtras
jamais (...). Les passions qu'il exprime, il les excite au fond du cœur :
la volupté, par lui, prend de nouveaux charmes ; la douleur qu'il fait
gémir arrache des cris ; il brûle sans cesse, et ne se consume jamais [203]. »

Seul celui qui n'a pas perdu sa sensibilité morale est capable de
comprendre l'artiste génial. Or, tant le goût que la sensibilité morale
exceptionnelle sont des produits de la culture ; l'un et l'autre sont superflus aux « gens simples » et — comme nous l'avons déjà vu — c'est
à Paris, dans cette ville la plus corrompue, que le bon goût se développe, c'est également là que la *Nouvelle Héloïse,* roman consacré aux
« belles âmes », trouve la plus grande audience. Le vrai, le bien
et le beau retrouvent leur union intime dans l'œuvre du réformateur
moral, du législateur et de l'artiste. Leur mission consiste entre autres

à exprimer, dans la solitude et dans des actes de création, les vérités et les valeurs irréflexivement et spontanément acceptées par les « gens simples ».

Les idées et les valeurs plébéiennes et égalitaires n'excluent donc pas l'élitarisme moral ; ces deux aspects de l'œuvre de Rousseau sont au contraire liés, complémentaires, et c'est précisément dans leur enchevêtrement que certaines versions du romantisme trouveront une source d'inspiration. Remarquons cependant qu'il s'agit d'un élitarisme qui, sociologiquement, se réfère avant tout à la condition sociale de l'intellectuel, telle qu'elle se forme à l'issue de la désintégration des systèmes traditionnels, alors que les intellectuels avaient acquis une autonomie relative par rapport aux autres couches sociales, mais payaient la rançon de cette indépendance en demeurant en marge de la société, alors que le règne de l'argent, le système du pouvoir et des privilèges faisaient obstacle à la réalisation de leurs aspirations sociales. Ce n'était évidemment pas le cas de Voltaire ; mais telle était bel et bien la situation de ces écrivains dont Voltaire lui-même disait qu'ils remplissaient à Paris « les greniers de la littérature » et à qui Mercier rendait hommage dans *Le tableau de Paris* [204].

La référence à ce cadre sociologique n'est pas en contradiction avec la condamnation systématique par Jean-Jacques des intellectuels, avec son anti-intellectualisme et son esprit plébéien dont il fait ostentatoirement étalage. Elle semble plutôt éclairer l'une des raisons sociales de ces attitudes et mettre en relief l'une de leurs composantes idéologiques. Jean-Jacques est l'un des premiers à introduire dans la littérature une certaine fierté plébéienne, mais il est probablement le premier à allier cette fierté avec les frustrations, les aspirations et les antinomies caractéristiques précisément de l'intellectuel et de son statut social. Celles-ci se traduisent par le sentiment d'être d'une certaine manière étranger à l'égard des « simples gens », et en même temps solidaire avec eux, dans le sentiment d'avoir une mission à accomplir en leur nom, mais aussi d'être coupable envers eux, dans le sentiment d'être soi-même exceptionnel et indépendant, mais aussi inutile et socialement déraciné.

Dans cette structure de conscience, le sentiment héroïque d'une mission à accomplir s'associe à cet autre sentiment complexe et ambigu : celui de se trouver en marge de la société. Ainsi, l'individu n'accepte d'assumer sa mission que parce qu'il est convaincu que le monde du « mal moral » répugne à l'idéal. La conscience de l'autonomie radicale de l'individu et de son élitarisme moral porte la marque de ses tiraillements, de sa certitude d'un échec personnel inéluctable, mais aussi d'une défaite non moins inéluctable de l'idéal moral même. La réflexion sur la « solitude héroïque », sur la solitude voulue, ne peut qu'approfondir la conscience du conflit radical entre l'idéal et la réalité, ainsi que le sentiment d'être isolé et incompris. Pour employer la terminologie hégélienne, la conscience solitaire est une « conscience malheureuse ». Le conflit avec le monde et le sentiment d'aliénation ont atteint le point où la réflexion de l'individu ne peut plus échapper à la pensée sur sa propre solitude, à une pensée qui devient une obsession tyrannique. L'effort de

réflexion lui-même devient un supplice. Et l'idéal de « l'homme vertueux », tendu jusqu'à l'héroïsme, se transforme dans un mouvement
dialectique en son contraire : en l'idéal résigné de l'existence irréflexive
de « l'homme bon ».

Il n'est pas difficile de remarquer que la « solitude héroïque », la
solitude voulue, a pour contexte sous-jacent la conscience qu'elle est
imposée. Plutôt que de la choisir, l'individu y a été condamné du fait
du triomphe du mal moral sur terre, et s'il se trouve en marge de la
société, c'est parce que ce mal l'y a relégué. La solitude est, certes, le
résultat d'un choix, mais ce choix même est précédé d'une longue suite
d'expériences au cours desquelles l'individu a subi les effets du mal moral
et de l'inégalité sociale, est entré en conflit avec le système des rapports
sociaux existants. La solitude condamne le monde corrompu par le
mal moral, mais elle exprime également l'impuissance de l'individu. Etre
conscient de toutes ces dimensions de la solitude, c'est se rendre d'autant mieux compte des injustices morales comme sociales, donc se sentir
solidaire de ceux qui souffrent et que la société opprime, méprise ou
carrément bannit de ses rangs. Ce sentiment de solidarité se caractérise
également par un enchevêtrement d'égalitarisme plébéien et d'élitarisme
moral. D'une part, le sentiment d'injustice naît d'une expérience qui est
collective par son essence, à savoir de l'expérience de l'inégalité sociale :
le mal moral ne peut triompher que grâce à l'inégalité sociale dont les
victimes sont les « simples gens ». Mais d'autre part, les iniquités s'abat-
tent dans ce monde social sur quiconque n'accepte pas sa morale
et essaie d'y mener une vie conforme à l'idéal de l'homme, découvert au
terme d'un effort moral personnel, sur quiconque distingue le bonheur
vrai de l'apparence. L'injustice est le sort réservé dans la société à la
« belle âme », à toute personne moralement sensible et refusant le mal
moral, condamnée en quelque sorte par sa propre sensibilité à être bannie
par la société. On pourrait même inverser les prémisses : celui qui s'est
trouvé en marge de la société, parce que malheureux en son sein, persécuté et rejeté par elle, possède en lui quelque chose de sublime, de
généreux et de moralement exceptionnel [205].

Pendant la Révolution, on procédera à des lectures et interprétations
idéologiques de ces sentiments. On y verra un témoignage flagrant de
l'injustice et de l'iniquité qui, sous l'Ancien Régime, frappaient ceux
qui aspiraient à la justice et au bien, ceux qui se solidarisaient avec le
peuple. (Ajoutons cependant qu'à la même époque les émigrés se reconnaissaient eux aussi dans le modèle de l'homme solitaire et persécuté,
emprunté à Jean-Jacques, et l'interprétaient à leur manière en se référant
à leurs expériences de l'exil et des persécutions.) Certes, déjà du temps
de Rousseau, des lecteurs se reconnurent dans ses descriptions d'une
solitude imposée et injuste, dans ses frustrations sociales, et l'effet immédiat de son œuvre fut donc une articulation de sentiments plus ou moins
imprécis et une condensation d'un mécontentement plus ou moins orienté
socialement [206]. Mais ces cas furent rares et isolés, et ce n'est qu'avec la
Révolution française et par un effet rétroactif que la réhabilitation de
la marginalité sociale et des marginaux s'éclaire comme révélatrice

d'une contestation sociale globale et s'imprègne du pathétique révolutionnaire. L'œuvre de Rousseau exprimait un sentiment de compassion pour les marginaux ; qui plus est, elle reconnaissait la supériorité morale de ceux précisément que la société rejetait, elle refusait toute raison morale aux rapports sociaux existants. Mais d'autre part, dans l'apologie de la marginalité, elle traduisait des sentiments d'impuissance face au mal qui domine l'ensemble de la vie. Ainsi, la révolte contre le mal débouchait sur l'affirmation de l'existence marginale, sur l'affirmation de l'autonomie et de la supériorité de l'individu solitaire. Et cette apologie de la solitude et de la marginalité construisait un modèle littéraire de la belle âme, modèle dans lequel pouvait se reconnaître quiconque s'était trouvé en marge de la société plus ou moins longtemps et pour des raisons les plus diverses, soit à la suite d'un échec personnel, soit à l'issue d'un conflit avec les normes morales et les institutions sociales, sans que ce conflit soit nécessairement trop drastique et sans qu'il possède des déterminations sociales évidentes, etc. [207].

Ce modèle était non seulement littéraire, mais aussi existentiel : il permettait de conceptualiser le sentiment de l'inutilité de l'individu qu'il mettait en rapport avec un ensemble déterminé de valeurs, donnant en quelque sorte à ce sentiment un cadre philosophique, moral et idéologique. Hegel reste celui qui, dans sa *Phénoménologie de l'esprit,* sut démontrer avec le plus de perspicacité l'importance du modèle de la « belle âme » solitaire pour l'évolution des visions du monde à la fin du XVIIIe siècle et au début du XIXe, en procédant à une structuration de ce modèle dans l'œuvre de Jean-Jacques comme de tout ce qu'il avait inspiré dans la littérature et la philosophie « préromantiques [208] ». Nous ne pouvons pas entrer dans toutes les analyses de Hegel, car il nous faudrait alors évoquer l'interprétation hégélienne de l'ensemble de l'œuvre de Rousseau [209]. Nous nous bornerons donc à quelques aspects concernant la « belle âme ». Ainsi, pour Hegel, la « belle âme » est une « conscience malheureuse » déchirée entre un idéal humain universel et l'amour de l'humanité, fondés sur une certitude subjective, sur « la loi du cœur » et le désir du bonheur, d'une part, et, d'autre part, la réalité qui est une force hostile à la « belle âme », car elle ne satisfait pas ses aspirations. Hegel souligne l'enchevêtrement spécifique de subjectivisme et d'utopie morale, symptomatique de la « belle âme ». C'est l'insatisfaction de l'aspiration personnelle au bonheur qui est à la base du conflit entre l'individu et le monde, se traduisant par une fuite et l'isolement ; chaque frustration est vécue comme une manifestation de l'action de la société qui dans son ensemble est hostile à la personnalité humaine. La fuite devant la société actuelle s'accompagne d'un sentiment de nostalgie d'une autre communauté, alimente des rêves dont naît une utopie morale et esthétique. « Ce qu'on désire est beau. Il n'y a de beau que ce qu'on a pas (...). Le pays des chimères est le seul digne d'être habité [210]. » Ce qui manque cependant à la « belle âme » — ainsi que le définit Hegel —, c'est « la force pour s'aliéner, la force de se faire soi-même une chose et de supporter de l'être ». Pour « préserver la pureté de son cœur, elle fuit le contact de l'effec-

9

tivité et persiste dans l'impuissance entêtée ». Son opposition et sa révolte contre le monde se consomment dans ses rêves, dans ses « aspirations nostalgiques [211] ».

Rien au monde n'est digne des « objets imaginaires », et la misanthropie apparente « vient en effet d'un cœur trop affectueux, trop aimant, trop tendre, qui, faute d'en trouver d'existants qui lui ressemblent est forcé de s'alimenter de fictions [212] ». La rêverie est un mouvement de repli sur soi-même, mais aussi la quête incessante d'autrui, une tentative perpétuelle d'établir « les affinités électives » des âmes, de circonscrire dans le monde des petites « sphères closes » dans lesquelles se réaliserait la communauté des « belles âmes » qui — isolées du reste du monde — se contempleraient et s'affirmeraient les unes les autres. Cette communauté rêvée des « cœurs tendres » est de nature affective ; ce qui en tisse les liens, c'est un amour sublimé qui conduit l'individu à se dépasser, à s'élever jusqu'à un univers de transparence absolue, d'ordre et de vertu. Mais c'est un amour toujours malheureux, menacé de l'intérieur par des passions et de l'extérieur par un monde hostile. Cet amour qui veut jeter un pont entre le rêve et la réalité s'apparente au pouvoir divin : il élève l'homme au-dessus de sa condition et crée un monde nouveau. Mais ce monde ne peut être qu'un rêve et relève de l'imaginaire romanesque de la *Nouvelle Héloïse* et d'*Emile*. L'union entre les « belles âmes » ne se noue que dans la rêverie commune, dans l'élévation spirituelle et sentimentale partagée en commun, dans un sentiment commun de nostalgie pour le « pays des chimères ». Comme le dit Hegel, l'unique domaine d'objectivation des « belles âmes » est le langage, dans lequel elles expriment leur « pureté universelle », elles s'assurent mutuellement de leur « délicatesse de conscience et de leurs bonnes intentions », elles se confirment dans leur sincérité absolue, mais aussi « se délectent dans la sublimité du savoir et de l'expression, dans les soins portés à l'entretien d'une telle excellence ». Les mots ne doivent véhiculer que les sentiments, mais ils les menacent en même temps : le langage introduit un élément médiateur dans des relations qui ne supportent ni la médiation, ni la conceptualisation, et qui devraient garder le caractère d'une immédiateté absolue, celui de « l'immédiateté des cœurs » atteinte dans le silence et la contemplation.

Le rêve des « belles âmes » est un état affectivement et moralement ambigu. Il ne supprime pas le sentiment d'être inutile dans le monde : la « belle âme » non seulement rêve, elle est consciente de ne faire que rêver, de ce que le monde imaginaire, meilleur pourtant que le monde réel, n'est qu'une illusion. Rêver, c'est s'absorber dans l'expérience intérieure de sa rupture avec le monde, elle-même ambiguë moralement et affectivement. Par cette rupture, l'individu affirme sa propre valeur, ses propres raisons morales, il choisit la solitude qu'il doit constamment manifester ; mais cette rupture est à la fois un exil et une injustice, une solitude imposée. Alors qu'elle devait assurer la paix intérieure et le bonheur, la solitude amène le solitaire à s'affronter soi-même : le conflit intériorisé ne peut pas être entièrement dépassé. L'individu se fige dans sa solitude, pris entre son réquisitoire contre un monde qu'il condamne et sa condamnation par ce monde contre lequel il doit constamment se défendre. Cependant, cette situation authentiquement dramatique se prête facilement à être transformée en pose affectée : l'esprit de révolte et la conviction d'une mission morale à accomplir s'absorbent dans l'exhibition réitérée de sa valeur exceptionnelle, de sa solitude, de son infortune, de sa condition d'un être abandonné et injustement persécuté.

Ces attitudes affectées, il est facile, trop facile même de les déceler chez Jean-Jacques. Méfions-nous cependant des confusions. Certes, l'étude des résonances d'une œuvre peut contribuer à mieux définir le lieu historique et social où la parole a jailli ; mais ces mêmes résonances peuvent aussi dissimuler cette parole et la faire confondre avec les multiples échecs qui la répercutent en clichés. Certes, il nous semble important de nous interroger sur les correspondances entre l'œuvre de Jean-Jacques et les structures de la sensibilité collective de son époque et, pour ce faire, certaines démarches schématisantes et structurantes peuvent être de quelque utilité. Mais ces schématisations ne doivent pas nous faire perdre de vue que les modèles qu'on dégage dans cette œuvre ne proviennent pas d'ailleurs, mais qu'ils font corps avec elle, comme cette œuvre, par sa structure même, fait corps avec un destin personnel. Ainsi, le modèle de personnalité et d'existence que constitue la « belle âme », est dans l'œuvre de Jean-Jacques indissociable de sa propre individualité, avec tout ce que celle-ci avait d'unique, avec sa sensibilité à un pas de la folie. Et force nous est de le répéter, c'est aller au-devant d'un échec que de vouloir tracer une ligne de démarcation entre les éléments de cette œuvre qui se prêtent à une structuration, et tout ce qui participe de l'unicité de son auteur. Nous devons une fois de plus nous borner à repérer les points d'interpénétration de l'un dans l'autre. Ainsi, quand Hegel inclut la folie dans les attitudes qui traduisent le conflit de la « belle âme » avec son monde, sa réalité sociale, les passages respectifs de la *Phénoménologie de l'esprit* équivalent presque à une analyse psychologique et phénoménologique de Rousseau [213]. Mais, évidemment, Hegel n'a pas seulement en vue Rousseau, ni principalement son cas individuel. Il s'agit pour lui d'un phénomène caractéristique de la philosophie et de la littérature préromantiques, à savoir de l'affirmation de la folie considérée comme une manifestation extrême de l'opposition de la « belle âme » au monde. Pour Hegel, ce phénomène témoigne de l'imbrication de la « belle âme » dans ses propres sentiments dont la seule issue est la folie, en tant que manière et discours littéraire.

Chez Jean-Jacques, cependant, la pathologie qui imprègne les thèmes intellectuels et littéraires n'est pas une pose affectée : elle fait intégralement partie de son être. Ses perpétuelles oscillations entre la « solitude voulue » et la « solitude imposée », qui est une condamnation et un exil, s'associent finalement dans le vécu de Jean-Jacques à l'obsession d'un complot dirigé contre lui, l'ami de « la vérité et de la nature », et dans lequel se sont alliés tous les hommes autour de lui. Certaines descriptions et analyses de sa propre solitude témoignent d'une exacerbation pathologique du sentiment d'avoir perdu tout contact avec les hommes qui sont devenus pour lui des « êtres mécaniques ». Le besoin d'expliquer continuellement ses positions à l'égard d'un monde qui le persécute injustement donne naissance aux *Dialogues,* une œuvre dramatique par sa démesure et dans laquelle Jean-Jacques s'institue lui-même accusé et juge. Avec cette crise mentale, une idée obsessionnelle s'impose avec une douloureuse intensité : toute réflexion sur soi-même et sur le monde est un fardeau trop lourd, une torture. Et dans un effort désespéré et paradoxal, Jean-Jacques essaie de s'affranchir de tout contact avec les hommes, de se libérer de toute réflexion sur lui-même et autrui, de réduire la conscience au pur sentiment de l'existence. Il ne s'agit même pas d'une démarche réfléchie, mais d'un quasi-réflexe d'autodéfense de la personnalité qui cherche instinctivement l'unique chance d'acquérir la paix intérieure, d'échapper à l'obsession. Il nous est une fois de plus impossible de dissocier distinctement le concept de l'existence, tel qu'il se structure dans la réflexion philosophique et morale de Jean-Jacques, et le sentiment de l'existence, tel que Rousseau en avait fait l'expérience à l'île Saint-Pierre et qu'il recherchait dans ses promenades solitaires.

Nous n'allons pas revenir aux descriptions de Jean-Jacques. Essayons seulement de voir comment l'expérience de l'existence pure rend compte des antinomies philosophiques et morales de la solitude, de l'effort fait pour les dépasser ; comment cette expérience s'éclaire par ces antinomies, d'autant plus qu'elle est décrite, bien qu'elle semble échapper et s'opposer à toute conceptualisation, cet acte même d'écriture lui conférant une signification spécifique. Elle est, cette expérience, l'ultime tentative, poussée jusqu'à l'impossible, de rompre tout contact avec le monde humain. Dans cet état où le rêve se mêle à l'extase, l'individu « se suffit à lui-même comme Dieu ». Toute frontière disparaît entre la conscience et le monde extérieur, le monde des choses, de la nature à laquelle on participe en restant pourtant soi-même. Mais, précisément, le terme même de « chose » n'a plus qu'un sens résiduel pour décrire les contenus encore décelables dans une conscience aussi réduite : toute extériorité, toute particularité concrète définissant un objet s'effacent. Pourtant, dans cette expérience, la nature ne se spiritualise pas : l'individu qui « se suffit à lui-même comme Dieu » ne pense pas à Dieu. Son contact avec la réalité est une communion sensuelle, il est — pour ainsi dire — un rêve sensuel, charnel, une extension sensible de l'existence sur l'ensemble des êtres. A ce niveau-là, le sentiment « d'être soi-même » ne peut plus être différencié : la conscience se vide de la temporalité, elle est réduite à la seule expérience de l'instant immédiat et par là même elle se libère de la mémoire et, avec elle, de toute idée d'individualité. Eliminer toute conscience réflexive de soi, c'est éliminer aussi toute réflexion sur l'extériorité, c'est faire l'expérience d'une solidarité absolue avec la nature en tant qu'être absorbant le moi, c'est « être à sa place » dans la nature, sans que le moi y pense et soit conscient que cette « place » lui est propre. Dans ses rapports avec la nature, l'homme semble ici retourner à ses origines ; or ce retour est le terme d'une longue suite de désillusions, d'une longue route parcourue en solitaire, et l'homme en porte la marque. Au départ,

les rapports de « l'âme sensible » avec la nature sont riches en significations multiples, et la « solitude choisie » y ajoute les siennes. La
nature est le symbole manifeste de l'ordre moral que l'homme de bien
ne trouve pas dans le monde social. L'expérience de la nature est à la
fois esthétique et morale. Sa vraie beauté est indissociable des valeurs
morales que l'ordre comporte et ne se révèle qu'aux êtres qui ont gardé
leur sensibilité morale et dont les âmes se reconnaissent dans la nature.
On sait tout ce que la sensibilité esthétique de l'époque doit à cette
expérience esthétique et moralisante de la nature, à la recherche des
correspondances entre la nature et les états d'âme, les passions et les
inquiétudes, les désespoirs et les joies. L'expérience esthétique de la
nature confirme à la fois la sublimité de la « belle âme » et sa rupture
avec le monde. En s'élançant vers le monde des rêves, en s'entretenant
de la vertu et de l'ordre moral, les « belles âmes » trouvent dans la
beauté de la nature environnante l'impulsion qui élève leur pensée vers
Dieu. Plus s'intensifie la conscience du conflit de l'individu avec le monde
social, plus il importe, à titre en quelque sorte de compensation, de
communier avec la nature dans cette expérience morale et esthétique.
Quand il devient impossible d'éprouver « le plus doux sentiment de
l'humanité (qui) est de multiplier pour ainsi dire notre existence, en
l'étendant sur tous nos semblables par un sentiment de bienveillance
universelle [214] », il ne reste plus qu'à dialoguer avec la nature, à contempler l'ordre qui y règne.

« La contemplation de la nature — écrit Jean-Jacques en parlant de
lui-même — eut toujours un grand attrait pour son cœur : il y trouvoit un supplément aux attachements dont il avoit besoin : mais il eut
laissé le supplément pour la chose, s'il en avoit eu le choix, et il ne se
réduisit à converser avec les plantes qu'après de vains efforts pour
converser avec les humains [215]. » Pour l'être humain qui achève de parcourir la route de la solitude, l'idée de la nature se réduit aux sensations
des objets qui l'entourent et, fuyant les hommes, il « n'imagine plus
et pense encore moins ». « Tant que les hommes furent ses frères, je
me faisois des projets de félicité terrestre ; ces projets étant toujours
relatifs au tout, je ne pouvois être heureux que de la félicité publique,
et jamais l'idée d'un bonheur particulier n'a touché mon cœur quand
j'ai vu mes frères ne chercher le leur que dans ma misère (...). Forcé
de m'abstenir de penser, de peur de penser à mes malheurs malgré moi :
forcé de contenir les restes d'une imagination riante mais languissante,
que tant d'angois(s)es pourroient effaroucher à la fin : forcé de tâcher
d'oublier les hommes, qui m'accablent d'ignominie et d'outrages, de
peur que l'indignation ne m'aigrit enfin contre eux, je ne peux cependant me concentrer tout entier en moi-même, parce que mon âme
expansive cherche malgré que j'en aye à étendre ses sentiments et son
existence sur d'autres êtres, et je ne puis plus comme autrefois me
jetter tête baissée dans ce vaste océan de la nature, parce que mes
facultés affoiblies et relâchées ne trouvent plus d'objets assez déterminés,
assez fixes, assez à ma portée pour s'y attacher fortement et que je ne
me sens plus assez de vigueur pour nager dans le chaos de mes anciennes

extases. Mes idées ne sont presque plus des sensations, et la sphère de mon entendement ne passe pas les objets dont je suis immédiatement entouré [216]. »

La solitude atteint ici son faîte et est — semblerait-il — totale. Et s'il est vrai que « l'être sensible (qui) peut vivre toujours sans passions, sans attachements », « ce n'est pas un homme », mais « c'est une brute, ou c'est un Dieu [217] », alors cette solitude serait à l'image de l'homme naturel dont l'existence était presque animale, et qui pourtant se suffisait à lui-même presque comme Dieu.

Ainsi, les antinomies de la solitude semblent être définitivement surmontées, du moins sur le plan psychologique, grâce précisément à ce type d'expérience de soi et du monde qui, sacrifiant toute réflexion, permet à l'individu de se suffire entièrement à lui-même. En tirant de la seule communication avec les choses l'unique sens de sa propre existence, on arrive à éliminer tout besoin d'autrui.

Et pourtant, ces antinomies subsistent. Malgré toute leur sincérité et leur authenticité, les descriptions des états d'âme vécus dans la solitude totale expriment les mêmes conflits philosophiques, moraux et sociaux que Jean-Jacques espérait dépasser en fuyant le monde des hommes pour rejoindre celui des choses. Chez Jean-Jacques, les conflits du monde humain ne sont jamais absents de l'image de la personne humaine et de son existence. Et fuir le monde des hommes pour s'enfermer dans la solitude la plus totale, c'est encore manifester sa présence dans ce monde. Car son expérience de la solitude totale, Jean-Jacques l'a décrite, l'a communiquée dans une œuvre littéraire rédigée, comme l'attestent les manuscrits, au prix d'un long et pénible effort, dans le souci évident de façonner la forme de chaque phrase, d'en amplifier la force d'expression et de l'imprégner d'une puissante tonalité effective. Jean-Jacques dit qu'il écrit les *Rêveries du promeneur solitaire* rien que pour lui. Par son écriture, il veut rompre son isolement total, tout en restant — dans un dédoublement paradoxal — toujours seul. « Je ferai sur moi-même à quelque égard les opérations que font les physiciens sur l'air pour en connoître l'état journalier. J'appliquerai le baromettre à mon âme, et ces opérations bien dirigées et longtemps répétées me pourroient fournir des résultats aussi surs que les leurs (...). Je fais la même entreprise que Montaigne, mais avec un but tout contraire au sien : car il n'écrivoit ses essais que pour les autres, et je n'écris mes rêveries que pour moi. Si dans mes vieux jours aux approches du départ, je reste, comme je l'espère, dans la même disposition où je suis, leur lecture me rappellera la douceur que je goute à les écrire, et faisant renoitre ainsi pour moi le temps passé doublera pour ainsi dire mon existence. En dépit des hommes je saurai gouter encore le charme de la société et je vivrai decrepit avec moi dans un autre age, comme je vivrois avec un moins vieux que moi [218]. »

Une œuvre littéraire constitue toujours l'expression de la personnalité de l'auteur. Mais elle est aussi toujours, par l'acte même de l'écriture, une objectivation pour les autres, une tentative d'entrer en communication avec eux. Ainsi, en s'enfermant dans la solitude et en se limitant à la communication avec les choses, on ne se libère qu'en apparence du besoin d'exister dans une communauté d'hommes. Qui plus est, le récit de cette solitude en fait une solitude pour les autres, et l'œuvre qui le contient est un message et un défi de l'écrivain solitaire. C'est le message d'un homme qui, tenu par la société à l'écart, incompris et repoussé par elle, accorde à lui-même et à son œuvre un pouvoir de libération contre les forces qui engendrent l'inégalité sociale, le mal moral, l'aliénation et la solitude. L'œuvre littéraire acquiert ainsi une signification spécifique : c'est dans elle et par elle que s'offre la possibilité d'entrer en communication avec les autres, de personne à personne, et de réaliser au moins le substitut de cette communauté humaine qui est irréalisable dans la réalité sociale. Le message est des plus intimes et des plus personnels. Pourtant, ses résonnances sont historiques et il est facile de les retrouver dans les mythes et les idéologies qui se centreront sur l'image de l'artiste solitaire, opposé à sa société et à son siècle.

La vérité et le sens de la personne humaine que Jean-Jacques cherche dans son œuvre et dans la vie ne se révèlent que dans les antinomies de cette recherche même. Et si l'on veut une image qui donnerait un raccourci quasi symbolique de ces antinomies, nous avons retenu cette description d'une des promenades solitaires de Jean-Jacques. Parti un jour pour herboriser dans le Jura, en allant « de bois en bois, de roche en roche », il parvint à « un réduit si caché » qu'il n'avait « vu de sa vie un aspect plus sauvage ». Dans ce lieu, le sentiment de solitude était si total qu'il aurait confiné à l'horreur, si des cris d'oiseaux, témoignant de l'existence d'autres êtres vivants, n'étaient venus le tempérer. Là, Jean-Jacques cueille des plantes, identifie leurs noms (avec une grande précision), puis, « insensiblement dominé par la forte impression des objets », il se met à contempler leur beauté, à rêver, à se comparer avec orgueil à un grand voyageur qui aurait découvert une île déserte ; il se voit dans « un refuge ignoré de tout l'univers et où les persécuteurs ne (le) detterreroient pas ». Mais sa rêverie solitaire, douce et paisible, est troublée par un cliquetis qui « se répète et se multiplie ». « Surpris et curieux je me lève, je perce à travers un fourré de broussaille du côté d'où venoit le bruit, et dans une combe à vingt pas du lieu même où je croyois être parvenu le premier j'apperçois une manufacture de bas (...) [219]. »

Notes de la troisième partie

1. *Les rêveries du promeneur solitaire*, op. cit., p. 995, 996 ; *Les confessions*, op. cit., p. 492 ; *Rousseau juge...*, op. cit., p. 734 ; *Histoire du précédent écrit*, op. cit., p. 978 ; *Correspondance générale*, op. cit., t. XIX, p. 237. Voir également l'analyse de la stylistique de cette phrase chez Starobinski, J.-J. *Rousseau : la transparence et l'obstacle*, op. cit., p. 299 ; voir aussi B. Muntéano, « La solitude de J.-J. Rousseau », *Annales de la Société J.-J. Rousseau*, t. XXXI, p. 132.

2. *Cf. Les confessions*, op. cit., p. 41. « Je suis né avec un amour naturel pour la solitude » — écrivait Rousseau à Malesherbes (*Lettres à Malesherbes*, op. cit.,

p. 1131), à qui il rend d'autre part compte des circonstances qui l'ont « chassé de Paris » et le « poursuivent dans son asile » (*ibid.*, p. 1137). Ailleurs, il constate « la facilité qu'il a de vivre seul », mais aussi affirme : « J'étois fait pour être le meilleur ami qui fut jamais, mais celui qui devoit me répondre est encore à venir. » (*Mon portrait, op. cit.*, p. 1124.) Voir également *Les confessions, op. cit.*, p. 188, 332.

3. Il nous a semblé utile de souligner combien est particulier et complexe sociologiquement le recul que Jean-Jacques prend en quittant Genève. Lors de l'analyse des problèmes de l'aliénation, nous avons pu constater l'importance qu'il y avait lieu d'attribuer au sentiment d'extériorité éprouvé vis-à-vis des formes existantes de socialisation, des rôles et institutions que traverse l'époque. Des études plus récentes sur l'histoire de Genève nous permettent de cerner sociologiquement la fuite de Jean-Jacques. Il s'agit surtout des travaux de Herbert Lüthy, en particulier de son œuvre fondamentale, *La banque protestante en France, de la Révocation de l'Edit de Nantes à la Révolution*, Paris, 1959-1961. La rupture avec Genève est une des manifestations de la crise sociale, mais aussi morale, religieuse, de la société genevoise. Cette crise est liée à celle des structures sociales traditionnelles qui survint quand la bourgeoisie calviniste se lança à une grande échelle dans les spéculations qu'avait déchaînées « l'affaire Law ». Les études de Lüthy montrent jusqu'à quel point la bourgeoisie genevoise était engagée dans « l'affaire » et permettent de saisir la puissance de la secousse qui ébranla alors Genève. Dans cette petite cité, où tout le monde observait tout le monde, où chaque différend politique confinait à la querelle de famille, l'atmosphère dut devenir étouffante quand il s'avéra que le sort des Genevois se décidait à Paris, rue Quincampoix. Dans la hiérarchie traditionnelle s'infiltrent les « Mississipiens », c'est-à-dire ceux qui avaient fait fortune sur « l'affaire » et dont l'argent constitue l'unique titre les autorisant à entrer dans le patriciat. Bien que Genève eût commencé plus tôt à assumer les fonctions du banquier de l'Europe et que déjà au XVIIᵉ siècle on employât en France le nom de « genevois », au même titre que le nom de « juif », pour désigner les usuriers et les prêteurs, ce n'est qu'à partir de l'affaire Law que l'argent devint véritablement le facteur dominant de régulation de tous les rapports sociaux, fonctionnant à l'intérieur de la cité, prenant le pas sur les normes morales et les divisions sociales traditionnelles, révélant les antagonismes sociaux latents. C'est dans cette atmosphère de crise que grandit, de 1710 à 1730, la génération de la Régence, dont il est symptomatique qu'elle épouse souvent les carrières de savants, mathématiciens, physiciens, abandonnant les carrières traditionnelles de pasteurs, de commerçants et d'artisans. Aussi, cette génération pourra-t-elle se prévaloir de grands savants, mais elle comptera également grand nombre de jeunes patriciens qui iront à Paris, pour y dissiper leur fortune et y jouir de la vie. « Mais la crise spirituelle d'une société puritaine produit des figures plus inquiétantes que de jeunes patriciens joueurs et jouisseurs qui tôt ou tard rentrent au bercail : de véritables transfuges, aventuriers ou tourmentés, qui pour mieux sortir de leur Genève étroite commencent par sortir du calvinisme, tels les frères Beddevole (...) ; tel encore Jean-Jacques Huber, dit l'abbé Huber, et sa sœur mystique Marie Huber, écrivain illuminé dont les ouvrages sévèrement réprouvés par la sainte théologie genevoise, vont exercer une influence notable sur l'introduction du piétisme en France ; tel enfin le jeune Jean-Jacques Rousseau qui, évadé de Genève en 1728 et suivant à quelques années de distance l'itinéraire de l' « abbé Huber », commence par se faire convertir à Turin... » (Lüthy, *La banque protestante en France..., op. cit.*, t. II, p. 52 ; cf. p. 48 sq., 69 sq., 80 sq., 389 sq., 746 sq.) Voir également *La Nouvelle Héloïse, op. cit.*, pp. 662, 663.

4. *Les confessions, op. cit.*, p. 359, 362.

5. « Alors je commençai à me voir seul sur la terre et je compris que mes contemporains n'étoient par rapport à moi que des êtres méchaniques qui n'agissoient que par impulsion et dont je ne pouvois calculer l'action que par les loix du mouvement. » (*Les rêveries du promeneur solitaire, op. cit.*, p. 1078.) Dans cette tendance à considérer le monde comme dépourvu de tout sens, à réduire les hommes à des êtres méchaniques avec lesquels il est impossible de nouer contact, les psychiatres décèlent des symptômes pathologiques. *Cf.* le commentaire des *Rêveries* par M. Raymond, *op. cit.*, p. 1819.

6. *Cf.* J. Starobinski, « Tout le mal provient de l'inégalité », *Europe* 391/392, p. 139 *sq.*

7. *Correspondance complète de Jean-Jacques Rousseau, op. cit.*, t. IV, p. 169. Dans une lettre à Grimm, Diderot disait de Jean-Jacques : « Il serait désespéré d'être ignoré, méconnu, oublié. Il a beau fermer la fenêtre de son ermitage qui regarde la capitale, c'est le seul endroit du monde qu'il voie. Au fond de sa forêt, il est ailleurs : il est à Paris. » (Diderot, *Œuvres*, éd. Assézat, t. X, p. 417.) Bien que l'aigreur de la querelle étende son ombre sur cette caractéristique, celle-ci prouve que Diderot connaissait bien son ami.

8. *Les confessions, op. cit.*, p. 116.

9. *Lettres à Malesherbes, op. cit.*, p. 1134, 1135.

10. *Rousseau juge de Jean-Jacques, op. cit.*, p. 668.

11. *Lettres à Malesherbes, op. cit.*, p. 1144.

12. *Les rêveries du promeneur solitaire, op. cit.*, p. 1066 ; *Emile et Sophie, ou les solitaires, op. cit.*, p. 833. *Cf. Les confessions, op. cit.*, p. 81.

13. *Ibid.*, p. 40 ; *Le persifleur, in Œuvres complètes, op. cit.*, t. I, p. 1108, 1110. Les psychiatres font observer comment chez Jean-Jacques se succèdent les états d'agressivité et de dépression, d'optimisme et de désespoir profond, allant jusqu'au désir de mourir. *Cf.* J. Menetier, « L'homme Rousseau », *Europe* 391/392, p. 7-12.

14. *L'art de jouir et autres fragments autobiographiques, op. cit.*, p. 1175.

15. *Cf. Emile, op. cit.*, p. 567, 568.

16. *Ibid.*, p. 568.

17. *Cf.* Holbach, *La politique naturelle*, Londres, 1773, t. I, § 3-4 ; Diderot, *Œuvres, op. cit.*, t. V, p. 119, 120. Voir également N. Willard, *Le génie et la folie au XVIIIᵉ siècle*, Paris, 1963, p. 17 *sq.*, 25 *sq.*, 43 *sq.*, 75 *sq.*

18. *Ebauches des confessions, op. cit.*, p. 1149.

19. *Les confessions, op. cit.*, p. 278.

20. L'intention des *Confessions*, exposée dans le Préambule, suscita des jugements sévères, dont celui de Walpole qui y voyait « un délire calculé, l'arrogance dans l'humiliation de soi-même » (cité d'après J. Voisine, *J.-J. Rousseau en Angleterre à l'époque romantique*, Paris, 1956, p. 107). Remarquons qu'à la lumière des recherches et vérifications historiques, la relation des faits par Jean-Jacques s'avère relativement fidèle, c'est-à-dire que plusieurs de ses déformations peuvent être imputées aux défaillances de la mémoire. Même l'obsession du « complot » ne se ramène pas aux seuls phantasmes de Rousseau, ou plutôt ceux-ci purent se développer à partir de certaines actions qui furent effectivement concertées à son encontre d'une manière plus ou moins délibérée. Evidemment, si Rousseau monta à partir de là un « complot », c'est à sa sensibilité maladive qu'il faut l'attribuer. Le meilleur exemple en est « l'affaire infernale », c'est-à-dire la querelle avec Hume au cours de laquelle les accusations de Jean-Jacques faisaient preuve d'une agressivité si excessive qu'elle devait déclencher de l'autre côté une avalanche de brochures, lettres et rumeurs qui confirmèrent Jean-Jacques dans l'existence d'un « complot ». Un autre exemple pour illustrer comment le modèle de son moi que Rousseau façonne dans son œuvre moule la relation des faits : dans *Les confessions*, Jean-Jacques se plaint de souffrir d'insomnie depuis sa jeunesse. Or, un témoin raconte que lors d'une excursion dans le Jura et après une nuit de repos dans un chalet, alors que Jean-Jacques avait déclaré : « je ne dors jamais », un de ses compagnons aurait protesté, ayant entendu Rousseau ronfler toute la nuit et n'ayant pas pu de ce fait fermer l'œil... (*Cf. Les confessions, op. cit.*, p. 228, le commentaire, p. 1344). Ainsi, la conscience d'être malheureux et malade, abandonné à sa solitude, impliquait en quelque sorte cette plainte de souffrir d'insomnie permanente, de ne jamais pouvoir goûter la paix, même la nuit.

21. *Les rêveries du promeneur solitaire, op. cit.*, p. 995.

22. Voir les définitions des mots « ordre » et « nature » donnés par le *Dictionnaire de la langue française* de Richelet, édité en 1759, ainsi que par le *Dictionnaire de l'Académie française* publié en 1787. Voir également l'analyse des différentes acceptions de ces termes dans Lovejoy and Boas, *Primitivism and Related Ideas...*, *op. cit.*, p. 12, 13 ; 454, 455.

23. *Cf.* Wade, *Voltaire and « Candide », op. cit.*, p. 350 *sq.* Wade démontre entre autres que la crise de Voltaire se reflète jusque dans la structure de la phrase et

l'emploi des formes grammaticales dans la description des actions individuelles (p. 213 *sq.*, 246 *sq.*).

24. *Cf.* Diderot, *Le fils naturel, in Œuvres, op. cit.*, t. VII, p. 67 ; Mauzi, *L'idée du bonheur, op. cit.*, p. 544 *sq.*

25. Au sujet de l' « histoire intellectuelle » du concept de l' « ordre » à l'époque des Lumières, voir entre autres Lovejoy, *The Great Chain of Being, op. cit.*, en particulier p. 144 *sq.* ; H. Barber, *Leibniz in France*, Oxford, 1955, en particulier p. 70 *sq.* ; R. Mercier, *La réhabilitation de la nature humaine*, Villemomble, p. 163 *sq.* ; J. S. Spink, *French Free-Thought from Gassendi to Voltaire*, Londres, 1960, p. 238-280, 312-325 ; P. Vernière, *Spinoza et la pensée française avant la Révolution*, Paris, 1954, en particulier p. 333 *sq ;* A. Morize, « Le " Candide " de Voltaire », *Revue du XVIII⁰ siècle*, 1913 ; G. Lanson, « Origines et premières manifestations de l'esprit philosophique en France », *Revue des cours et des conférences*, 1907, 1908, *passim.*

26. « Il n'y a rien d'étranger ; toutes les parties sont relatives au tout.
L'esprit universel, qui s'étend par-tout, qui conserve tout,
Unit tous les Etres ; le plus grand au plus petit.
La bête est utile à l'Homme et l'homme est utile à la bête.
Tout est servi et tout sert. *Rien n'existe à part.*
La chaîne se perpétue : où finit-elle ? »

(A Pope, *Œuvres complètes*, Paris, 1779, t. III, p. 88.) Rousseau reprendra la formule de Pope : « il n'y a rien d'étranger à l'univers », mais en lui donnant un sens spécifique, défini par le contexte de sa démarche. *Lettre à Voltaire* (sur la Providence), *op. cit.*, p. 1066.

27. En ce qui concerne l'orientation de la pensée des Lumières vers « l'homme concret », je l'ai analysée de plus près dans « Filozofia francuskiego Oświecena i poszukiwanie czlowieka konkretnego » (La philosophie des Lumières et la recherche de l'homme concret), *Studia Filozoficzne* 2/3, 1960. Pour les correspondances entre les valeurs et les attitudes impliquées par le concept de « l'ordre » d'une part, et la formation dans les mentalités et sensibilités collectives d'une vision et d'une expérience du monde bourgeoises d'autre part, voir B. Groethuysen, *Die Entstehung der bürgerlichen Welt- und Lebensanschauung in Frankreich*, Halle, 1930, en particulier t. I, p. 231 *sq.* ; t. II, p. 80-120, 231 *sq.*

28. *Cf.* Mauzi, *L'idée du bonheur, op. cit.*, p. 198, 199.

29. *Cf.* Mauzi, *ibid. ;* E. Troeltsch, *Aufsätze zur Geistesgeschichte und Religionssoziologie*, Tübingen, 1925, p. 420 *sq* ; Barth, *Die Protestantische Theologie im XIX Jahrhundert, op. cit.*, p. 55 *sq.* ; Groethuysen, *op. cit.*, t. I, p. 155 *sq.*

30. Holbach, *Le bon sens du curé Meslier*, Dijon, 1930, p. 47 ; Holbach, *Le système de la nature, op. cit.*, t. I, p. 68 ; D. Diderot, *Le neveu de Rameau*, Paris, Garnier Frères, 1962, p. 405.

31. *Cf.* Hegel, *Phénoménologie de l'esprit, op. cit.*, t. II, p. 111-113 ; A. Kojève, *Introduction à la lecture de Hegel*, Paris, NRF, 1947, p. 138, 139.

32. Pope, *Œuvres complètes, op. cit.*, t. III, 125, 158.

33. D. Diderot, *Le rêve de d'Alembert, in Œuvres philosophiques*, Paris, Garnier Frères, 1964, p. 312. La doctrine philosophique de Dom Deschamps ainsi que son utopie présentent un cas, certes, extrême, mais par là même révélateur, du rôle que joue dans la philosophie de l'époque l'idée du « grand tout » et de ses rapports avec ses parties.

34. *Cf.* Lovejoy, *The Great Chain of Being, op. cit.*, p. 221 *sq.* Lovejoy démontre comment la pensée de Leibniz contribua à fonder l'idée que la diversité des êtres constitue une valeur autonome, sans la réalisation de laquelle l'univers ne peut s'élever jusqu'à l'harmonie qui n'est que l'unité dans la diversité. *Cf.* K. Luppol, *Denis Diderot*, Moscou, 1960, p. 190 *sq.* Voir également B. Groethuysen, *Philosophie de la Révolution française*, Paris, 1956, p. 104, 112-116 ; Cassirer, *The Philosophy of the Enlightenment, op. cit.*, p. 8 *sq.*, 66 *sq.*

35. Volney, *Les ruines*, Paris, 1902, t. I, p. 35, 36. « L'étude convenable à l'homme — dit Rousseau — est celle de ses rapports (...). Il doit s'étudier par ses rapports avec les choses (...). Il doit s'étudier par ses rapports avec les hommes. » (*Emile, op. cit.*, p. 493.)

36. Staszic, un des représentants les plus éminents des Lumières en Pologne, exprime d'une manière suggestive ce thème si caractéristique de la pensée de l'époque. Voici ce que la « voix de la nature » dit à l'homme : « Il t'est interdit de connaître l'essence des choses, mais toutes les choses doivent t'affecter de différentes manières, toutes les choses doivent nouer avec toi différents rapports. Pour connaître ces rapports, je te donne des facultés individuelles. » Ces vérités s'imposent à l'homme éclairé comme faisant intégralement partie de son savoir sur l'univers et son ordre. Mais, d'autre part, chacun peut les découvrir en soi-même. « Entre en toi, tu y trouveras tout ce que je lis dans le livre de la nature. » (S. Staszic, *Rod ludzki* (Le genre humain), Varsovie, 1959, t. I, p. 61, 56.)

37. D. Hume, *Traité de la nature humaine*, Paris, Aubier Montaigne, 1946, p. 2-4, 6, 58, 59 ; 524, 525. Hume donne au terme « sentiment » (*feeling*) une acception spécifique et un sens très large. Il n'est pas dans notre intention d'analyser ici comment, chez Hume, la prééminence accordée au discours anthropologique redéfinit les thèmes courants de la philosophie des Lumières et infirme les fondements même de l'idée de l'ordre. Hume en tirera des conclusions dans ses écrits politiques, historiques et éthiques qu'on a trop tendance à dissocier de la réflexion épistémologique de cet auteur. Pourtant, son *Histoire de l'Angleterre* est une application de cette philosophie, qu'elle éclaire.

38. « Faible ouvrage de mes mains — semble dire la nature à l'homme — je ne te dois rien et je te donne la vie. Le monde où je te place ne fut pas fait pour toi, et cependant, je t'en accorde l'usage : tu le trouveras mêlé de biens et de maux ; c'est à toi de les distinguer, c'est à toi de guider tes pas dans des sentiers de fleurs et d'épines. Sois l'arbitre de ton sort ; je te remets ta destinée. » (Volney, *Les ruines, op. cit.*, p. 37, 38.)

39. Quand « l'histoire philosophique » présente l'histoire des hommes comme une suite d' « absurdités » et de « préjugés », c'est encore son unité qu'elle vise, et cela à deux niveaux : à celui du discours de l'historien qui dénonce précisément les événements comme absurdes, et à celui de l'identité de la nature humaine qui se manifeste au-delà des idées et des comportements et les définit.

40. Alberto Radicati, *Recueil de pièces curieuses sur les matières les plus intéressantes*, Rotterdam, 1736, p. 165, 166 ; D. Diderot, *Correspondance*, Paris, Editions de Minuit, 1956, t. II, p. 54 ; Diderot, *Œuvres, op. cit.*, t. XV, p. 255 (l'article « Isolé ») ; Voltaire, *Dictionnaire philosophique, op. cit.*, p. 373 (article « Vertu »). Voir également W. Krauss, *Cartaud de la Villate : Ein Beitrag zur Entstehung des geschichtlichen Weltbildes in der französischen Frühaufklärung*, Berlin, 1950, p. 26-28 ; Mauzi, *L'idée du bonheur, op. cit.*, p. 235, 236 ; Willard, *Le génie et la folie..., op. cit.*, p. 23 sq., 43, 44, 109, 110.

41. Cf. R. P. Sertillanges, *Le problème du mal*, Paris, 1948, t. I, p. 234 sq. ; J. Kremer, *Das Problem der Theodizee in der Philosophie und Literatur des XVIII Jahrhunderts*, Berlin, 1909, p. 11, 12, 38 sq.

42. En infirmant la possibilité de concevoir le monde comme une totalité métaphysique et morale rationnelle, Hume s'inspirait certes de Bayle, mais l'orientation anthropologique de sa pensée l'opposera à la recherche d'une foi irrationnelle comme réponse à la « crise de l'ordre ».

43. Cf. Barth, *Die protestantische Theologie, op. cit.*, p. 57-62 ; Rang, *Rousseau's Lehre..., op. cit.*, p. 49 sq. ; Cassirer, *The Philosophy of the Enlightenment, op. cit.*, p. 158 sq.

44. Pour le rapport de la théodicée traditionnelle à la théodicée qui se nourrit de la recherche du « sens de l'histoire », et le passage de l'une à l'autre, voir les remarquables analyses de T. Kronski, *Rozważania wokol Hegla* (Considérations sur Hegel), Varsovie, 1960, p. 59 sq.

45. Cf. Lovejoy, *The Great Chain of Being, op. cit.*, p. 249 sq.

46. Le cas Robinet, étudié sous cet aspect par Lovejoy, est révélateur de l'amalgame de la spéculation philosophique et des sciences de la vie. Cf. supra. Voir également D. Mornet, *Les sciences de la nature en France au XVIIIᵉ siècle*, Paris, 1911.

47. Ainsi, Holbach écrivait : « Le besoin est le premier des maux que l'homme éprouve ; cependant ce mal est nécessaire au maintien de son être, qu'il ne serait point averti de conserver, si le désordre de son corps ne l'obligeait à y porter

remède. Sans besoins, nous ne serions que des machines insensibles, semblables aux végétaux, incapables, comme eux, de nous conserver ou de prendre les moyens de persévérer dans l'existence que nous avons reçue. C'est à nos besoins que sont dues nos passions, nos désirs, l'exercice de nos facultés corporelles et intellectuelles ; ce sont nos besoins qui nous forcent à penser, à vouloir, à agir ; c'est pour les satisfaire ou pour mettre fin aux sensations pénibles qu'ils nous causent que, suivant notre sensibilité naturelle et l'énergie qui nous est propre, nous déployons les forces, soit de notre corps, soit de notre esprit. » (Holbach, *Le système de la nature, op. cit.,* t. I, p. 441.)

48. « L'examen de la nature, de ses lois fixes, immuables, serait le premier fondement de toute doctrine, l'*initium sapientiae.* De ces premières notions de la nature on passerait à ses principales productions, et ensuite à son action circonscrite et individualisée ; l'Andrologie, ou la connaissance de l'homme en général, servirait de base à la médecine physique et morale, et de cette connaissance naîtrait le Politique, qui ne serait que le résultat de toutes les autres. Ce serait alors qu'on aurait une véritable Physiocratie, ou gouvernement fondé sur les forces de la nature et sur l'énergie de son action. » (Chastellux, *De la félicité publique,* Amsterdam, 1772, t. I, p. 71 ; cité d'après P. Hazard, *La pensée européenne au XVIIIe siècle,* Paris, Librairie Furne, 1946, t. III, p. 61.)

49. Holbach, *Système de la nature, op. cit.,* t. I, p. 68. *Cf.* B. Willey, *The Eighteenth Century Background,* Londres, 1962, p. 151 *sq.,* 196 *sq.*

50. Cet enchevêtrement de déterminisme et de finalisme est particulièrement sensible dans le physiocratisme : un système complet de morale sociale est « déduit » du mécanisme de la nature.

51. K. N. Derzavin, *Voltaire,* cité d'après l'édition polonaise, Varsovie, 1962, p. 126.

52. *Cf.* Cassirer, *Philosophy of the Enlightenment, op. cit.,* p. 156 *sq.* ; du même auteur, « L'unité de l'œuvre de J.-J. Rousseau », *Bulletin de la société française de philosophie,* t. XXXII, 1932, p. 55 *sq.*

53. Rousseau est d'ailleurs le premier à reconnaître qu'il se méfie de ce genre de réflexion systématique. *Cf. Correspondance générale, op. cit.,* t. XIX, p. 56.

54. Nous reconstruisons ce schéma principalement d'après la *Lettre à Voltaire* (sur la Providence), *(op. cit.,* p. 1060 *sq.,* 1068) et de la première partie de la *Profession de foi du vicaire savoyard (Emile, op. cit.,* p. 818 ; *La Nouvelle Héloïse, op. cit.,* p. 388, 595 ; *Lettre à Philopolis, op. cit.,* p. 951 *sq.*). Le caractère provisoire de cette reconstruction apparaîtra par la suite. Ici, nous nous arrêterons uniquement aux quelques réserves que Jean-Jacques lui-même formule, même quand il s'engage dans une réflexion spéculative de ce genre sur l'ordre de la nature. Ainsi, on pourrait dire que telle est l'idée de l'ordre naturel à laquelle arrive presque le baron de Wolmar au terme de sa réflexion intellectuelle, bien qu'il soit athée. Pourtant, Jean-Jacques souligne que le rapport de l'homme à l'ordre n'est pas réductible à la seule réfexion sur cet ordre. Dans le rapport purement intellectuel à la nature, l'essentiel échappe : c'est un appauvrissement aussi bien de l'ordre lui-même que de l'individualité. « Le spectacle de la nature — dit Julie qui souffre de l'athéisme de son époux — si vivant, si animé pour nous, est mort aux yeux de l'infortuné Wolmar, et dans cette grande harmonie des êtres, où tout parle de Dieu d'une voix si douce, il n'aperçoit qu'un silence éternel. » (*La Nouvelle Héloïse, op. cit.,* p. 591, 592.) Le rapport de l'individu à l'ordre et à son créateur doit également être affectif. Dans sa polémique avec Voltaire, après avoir exposé tous les arguments spéculatifs concernant l'existence de l'ordre dans l'univers, Jean-Jacques ajoute qu'on « ne prouve pas l'existence de Dieu par le système de Pope, mais le système de Pope par l'existence de Dieu ». Quant à l'existence de Dieu, elle ne peut être démontrée par « les lumières de la raison » ; il faut « une preuve de sentiment », car pour accepter une vérité, quelle qu'elle soit, il faut surtout y croire, « parce que croire et ne croire pas sont les choses qui dépendent le moins de moi, que l'état de doute est un état trop violent pour mon âme, que quand ma raison flotte, ma foi ne peut rester longtemps en suspens, et se détermine sans elle ». (*Lettre à Voltaire* (sur la Providence), *op. cit.,* p. 1068, 1070, 1071.) De même, dans la *Profession de foi,* toute l'argumentation rationnelle et spéculative se réfère finalement à une détermination affective de l'âme. Remarquons enfin que les

différences établies entre l'ordre physique et l'ordre moral jouent un certain rôle dans les développements spéculatifs de Rousseau. Ainsi, si « dans l'ordre physique », le problème du mal est considéré dans le cadre du schéma « la partie — le tout » (« chaque être matériel est disposé le mieux qu'il est possible par rapport au tout »), dans « l'ordre moral », chaque « être intelligent et sensible » peut être considéré non pas relativement au tout, mais absolument, c'est-à-dire qu'il est « disposé le mieux qu'il soit possible par rapport à lui-même ». (*Lettre à Voltaire, op. cit.*, p. 1069, 1070.)

55. *Emile, op. cit.*, p. 583.

56. *Lettre à Voltaire* (sur la Providence), *op. cit.*, p. 1069, 1070.

57. *Lettre à Philopolis, op. cit.*, p. 235. Dans sa polémique avec Voltaire au sujet du « système optimiste », Rousseau recourt parfois au schéma rationaliste leibnizien du rapport des parties au tout. Et pourtant, de tous les philosophes des Lumières, c'est probablement lui qui, sous un certain aspect, est le plus proche de son adversaire. En effet, face au schéma d'une théodicée rationaliste, Voltaire fait également appel à un argument existentiel : la souffrance demeure un fait premier et sans aucune raison pour celui qui la subit. « Nier qu'il y ait du mal, cela peut être dit en riant par un Lucullus qui se porte bien, et qui fait un bon dîner avec ses amis et sa maîtresse dans le salon d'Apollon ; mais qu'il mette la tête à la fenêtre, il verra des malheureux ; qu'il ait la fièvre, il le sera lui-même. » (Voltaire, *Dictionnaire philosophique, op. cit.*, p. 68, article : « Tout est bien ».) Evidemment, l'argumentation chez Rousseau est très différente de ce qu'elle est chez Voltaire. Et si le premier oppose au second un schéma rationaliste abstrait, c'est entre autres pour démontrer que le mal moral, celui dont l'homme souffre réellement, n'est imputable ni à Dieu, ni à la nature, mais aux hommes eux-mêmes. *Cf. infra*, note 63.

58. *Lettre à Philopolis, op. cit.*, p. 233.

59. *Cf.* G. Poulet, *Studies in Human Time*, 1959, p. 161, 162.

60. *Emile, op. cit.*, p. 602 ; Préface de *Narcisse, op. cit.*, p. 929. « Quant à l'amour de l'ordre dont je fais partie, il ordonne tout par rapport à moi, et comme je suis seul le centre de cet ordre, il serait absurde et contradictoire qu'il ne me fit pas rapporter toutes choses à mon bien particulier. » (*Correspondance générale, op. cit.*, t. X, p. 340.)

61. *Correspondance générale, op. cit.*, t. XV, p. 138, 139.

62. « En matière de morale, il n'y a point, selon moi, de lecture utile aux gens du monde (...). S'ils (les livres) soutiennent les maximes du monde, ils sont superflus ; et s'ils les combattent, ils sont inutiles. Ils trouvent ceux qui les lisent liés aux vices de la société, par des chaînes qu'ils ne peuvent rompre. L'homme du monde qui veut remuer son âme pour la remettre dans l'ordre moral, trouvant de toutes parts une résistance invincible, est toujours forcé de garder ou reprendre sa première situation. Je suis persuadé qu'il y a peu de gens bien nés qui n'ayent fait cet essai, du moins une fois dans leur vie ; mais bientôt découragé d'un vain effort on ne le répète plus, et l'on s'accoutume à regarder la morale des livres comme un babil de gens oisifs. » (*La Nouvelle Héloïse*, seconde préface, *op. cit.*, p. 18, 19.)

63. *Emile, op. cit.*, p. 245, 588. Cette idée, Jean-Jacques la développe avec un esprit de suite qui confine au paradoxe. Ainsi, dans sa polémique avec Voltaire, il démontre que si le tremblement de terre à Lisbonne a causé tant de souffrances, la faute en incombe aux hommes qui ont construit cette grande ville ; d'où le grand nombre de victimes. La faute en incombe aussi aux institutions sociales du fait desquelles les hommes sont surtout attachés aux biens matériels ; d'où l'opiniâtreté insensée avec laquelle les habitants sont restés dans la ville malgré les premières secousses. De même, l'homme souffre moins des maladies et de la mort, et plus par la crainte de la mort et du fait de la médecine. « Le sentiment de la mort et de la douleur est presque nul dans l'ordre de la nature. Ce sont les hommes qui l'ont aiguisé ; sans leurs raffinements insensés, sans leurs institutions barbares, les maux physiques ne nous atteindroient, ne nous affecteroient guère, et nous ne sentirions point la mort. » (*Correspondance générale, op. cit.*, t. XIX, p. 56, 57.) Les accents stoïciens se confondent ici avec une tendance caractéristique de la démarche de Jean-Jacques : de sa tendance à pousser ses idées jusqu'à ce

qu'elles prennent figure de paradoxes (abstraction fait de sa phobie pour la médecine...).

64. *Réponse à Stanislas, op. cit.,* p. 49, 50.

65. *Lettre à Voltaire* (sur la Providence), *op. cit.,* p. 1016 ; *Rousseau juge de Jean-Jacques, op. cit.,* p. 669, 806 ; *Lettres à Malesherbes, op. cit.,* p. 1135, 1136 ; *Dernière réponse à Bordes, op. cit.,* p. 80.

66. *Réponse à Stanislas, op. cit.,* p. 56.

67. *Correspondance générale, op. cit.,* t. XIX, p. 58.

68. *Emile, op. cit.,* p. 603.

69. *Correspondance générale, op. cit.,* t. XIX, p. 52.

70. *Dernière réponse à Bordes, op. cit.,* p. 79, 80.

71. *Ibid.,* p. 75, 79, 83, 90.

72. *Lettre à Philopolis, op. cit.,* p. 232.

73. Cf. H. Gouhier, « Nature et histoire dans la pensée de Rousseau », *Annales J.-J. Rousseau,* t. XXXIII, p. 18 *sq.*

74. *Du contrat social, op. cit.,* p. 385.

75. *Ibid. ; Sur l'origine de l'inégalité,* p. 190, 191 ; *Réponse à Stanislas, op. cit.,* p. 56.

76. Quelque audacieuse que fût son imagination sociale, Jean-Jacques ne pouvait évidemment pas envisager la possibilité que les hommes, au cours de leur histoire, produiraient des moyens capables de mettre fin à l'existence même de l'espèce humaine. La certitude que l'existence du genre humain est un fait donné, hors de portée de l'histoire, était d'ailleurs jusqu'à ces derniers temps la prémisse implicite de toute philosophie de l'histoire. Le triomphe ironique et amer de l'historicisme total date en effet de peu, à savoir depuis qu'il s'est avéré que l'existence biologique de l'homme, donnée première de son histoire, n'est pourtant qu'une donnée secondaire par rapport à un certain seuil que peuvent franchir les conflits qui se déroulent dans l'histoire.

77. *Lettre à Voltaire* (sur la Providence), *op. cit.,* p. 1069, 1070. Soulignons qu'il s'agit là du sentiment de participer à une totalité morale, d'un sentiment ayant pour composante la conscience de la particularité individuelle, de l'originalité du « moi ». Ainsi, dans la *Profession de foi,* Jean-Jacques critique tous ceux qui voudraient réduire ce sentiment de participation à la seule sensibilité, en tant que phénomène biologique universel. « Cet univers visible est matière, matière éparse et morte qui n'a rien dans son tout de l'union, de l'organisation, du sentiment commun des parties d'un corps animé ; puisqu'il est certain que nous qui sommes parties ne nous sentons nullement dans le tout. » (*Emile, op. cit.,* p. 575.)

78. *Emile, op. cit.,* p. 578.

79. *Ibid.,* p. 577, 493.

80. *Ibid.,* p. 594 ; *Les rêveries du promeneur solitaire, op. cit.,* p. 1062, 1063, 1065, 1066.

81. *Emile, op. cit.,* p. 600.

82. *Ibid.,* p. 505, 506 ; *Sur l'origine de l'inégalité, op. cit.,* p. 154-156. Ce penchant naturel qu'est la pitié fonde la possibilité même du lien social et semble être, dans « l'histoire hypothétique », le point de départ à partir duquel se formera le besoin de sociabilité. En effet, comme le fait remarquer H. Gouhier, le fondement du besoin de sociabilité n'est pas clair dans la doctrine de Rousseau : on ne sait pas si ce besoin provient de la nature dans laquelle il aurait existé en puissance, se développant ensuite par le jeu des idées et de l'imagination, ou s'il est né dans l'histoire, s'y formant en tant que sentiment de solidarité dans le travail, dans l'exécution en commun de tâches productives. Cf. Gouhier, *op. cit.,* p. 16, 17. Rousseau lui-même hésite dans ses définitions de la pitié (cf., par exemple, *Discours sur l'inégalité, op. cit.,* p. 154 ; *Essai sur les langues, op. cit.,* p. 93), mais il est possible d'y discerner une évolution de ses idées. De toute manière, le lien social suppose un mécanisme analogue à celui de la pitié : le transfert affectif du « moi » et son identification avec un autre être. Ainsi, la formule même du contrat social joue implicitement sur le caractère affectif du lien social et du transfert total du « moi » sur le « corps politique ». Nous revenons plus loin sur ce problème.

83. *Sur l'origine de l'inégalité, op. cit.,* p. 144, 160.

84. *Emile, op. cit.*, p. 239. Répondant au reproche maintes fois formulé qu'il devrait « vivre dans les bois » pour se conformer à ses principes, Jean-Jacques écrit : « Mais comment savez-vous, Monsieur, que j'irois vivre dans les bois si ma santé me le permettoit, plustôt que parmi mes Concitoyens pour lesquels vous connoissez ma tendresse ? Loin de rien dire de semblable dans mon ouvrage (*Sur l'origine de l'inégalité*), vous y avez dû voir des raisons très fortes de ne point choisir ce genre de vie. Je sens trop en mon particulier combien peu je puis me passer de vivre avec des hommes aussi corrompus que moi, et le sage même, s'il en est, n'ira pas aujourd'hui chercher le bonheur au fond d'un désert. Il faut fixer, quand on le peut, son séjour dans sa Patrie pour l'aimer et la servir. Heureux celui qui, privé de cet avantage, peut au moins vivre au sein de l'amitié dans la Patrie commune du Genre humain, dans cet azile immense ouvert à tous les hommes. » (*Lettre à Philopolis, op. cit.*, p. 235.)

85. *Les confessions, op. cit.*, p. 404.

86. *Les rêveries du promeneur solitaire, op. cit.*, p. 1012, 1013.

87. Au sujet de cette conception de la vérité morale et de son importance pour les philosophies romantiques, voir A. Lovejoy, *Reason, Understanding and Time*, Baltimore, 1961, p. 59 *sq.*

88. *Emile et Sophie, ou les solitaires, op. cit.*, p. 886.

89. *Lettres morales, op. cit.*, p. 1113.

90. *Ibid.*

91. *Cf.* A. Hauser, *Sozialgeschichte der Kunst und Literatur, op. cit.*, t. II, p. 78, 79.

92. *Les confessions, op. cit.*, p. 82.

93. *Emile, op. cit.*, p. 567.

94. *Les confessions, op. cit.*, p. 81.

95. *Cf. Les confessions*, p. 409 ; *Rousseau juge de Jean-Jacques, op. cit.*, p. 671 ; *L'art de jouir, op. cit.*, p. 1173 ; ainsi que le commentaire de Raymond et Gagnebin, *op. cit.*, p. 1864 *sq.*

96. *Lettres morales, op. cit.*, p. 1087.

97. *Ibid.*, p. 1113.

98. *Ibid.*, p. 1114, 1115.

99. *Ibid.*, p. 1115.

100. *Ibid.*, p. 1115.

101. Ainsi, d'après Helvétius, l'ennui est « l'une des maladies les plus communes et les plus cruelles de l'humanité ».

102. Nous ne tenons pas compte des péripéties supplémentaires des rapports personnels entre Jean-Jacques et Mme de Houdetot pour laquelle il se fait professeur de vertu dans ses lettres, qui ne manquent pas d'introduire dans ces leçons de morale une bonne dose d'ambiguïté.

103. « Le résultat de mes pénibles recherches fut tel à peu près que je l'ai consigné depuis dans *La profession de foi du vicaire savoyard*, ouvrage indignement prostitué et profané dans la génération présente, mais qui peut faire un jour révolution parmi les hommes si jamais il y renaît du bon sens et de la bonne foi. » (*Les rêveries du promeneur solitaire, op. cit.*, p. 1018.)

104. Descartes n'est pas le seul visé par cette critique. Comme on le sait, *La profession de foi* était dirigée aussi bien contre les « philosophes » (la cause immédiate ayant été plus particulièrement l'œuvre de Helvétius, *De l'esprit*) que contre le dogmatisme et l'intolérance religieuse.

105. Sur le rapport de Rousseau à la tradition cartésienne, voir H. Gouhier, « Ce que le vicaire doit à Descartes », *Annales de la Société J.-J. Rousseau*, t. XXXV, Genève, 1963.

106. *Emile, op. cit.*, p. 565.

107. Les « illusions des sens », les « entraves du corps », les passions naturelles refoulées en butte aux scrupules et aux jugements de la société pèsent sur la « chute » des deux interlocuteurs. Dans le cas du prosélyte du Vicaire, il s'agit probablement des expériences vécues par Jean-Jacques à l'hospice des catéchumènes et décrites dans *Les confessions*. Par ailleurs, il se peut que Jean-Jacques ait particulièrement souligné les problèmes de la vie sexuelle eu égard à la composition d'*Emile*. *La profession de foi* est en effet destinée au jeune homme

alors que celui-ci est à l'âge de raison, mais aussi des passions, donc à « l'âge critique » auquel Jean-Jacques attache une importance particulière dans le développement de la personnalité.

108. *Lettres morales, op. cit.*, p. 1095. Les citations précédentes provenaient de *La profession de foi, Emile, op. cit.*, p. 567 sq. *Cf.* une note de Rousseau en marge de *La Nouvelle Héloïse*, citée dans les *Œuvres complètes, op. cit.*, t. II, p. 1797.

109. *Lettres morales, op. cit.*, p. 1095.

110. *Emile, op. cit.*, p. 569.

111. *Lettres morales, op. cit.*, p. 1096.

112. *Ibid.*, p. 1097, 1092.

113. « Où est le philosophe qui pour sa gloire ne tromperoit pas volontiers le genre humain ? Où est celui qui dans le secret de son cœur se propose un autre objet que de se distinguer ? Pourvu qu'il s'élève au-dessus du vulgaire, pourvu qu'il efface l'éclat de ses concurrens, que demande-t-il de plus ? » (*Emile, op. cit.*, p. 569.)

114. *Emile, op. cit.*, p. 600 ; *Sur l'origine de l'inégalité*, p. 144, 164.

115. Descartes, *Les principes de la philosophie, in Œuvres et Lettres*, Paris, Bibliothèque de la Pléiade, 1949, p. 436.

116. *Emile, op. cit.*, p. 567.

117. Les parallèles qui s'imposent dans le contexte, entre le doute de Descartes et celui de Rousseau, ainsi que les affinités avec Pascal et la « logique du cœur » demanderaient à être analysés à part.

118. Comme on le sait, Rousseau supprima de *La profession de foi* les allusions à Helvétius, dès qu'il apprit que *De l'esprit* avait été condamné par la Sorbonne et que son auteur faisait l'objet de persécutions.

119. Rousseau, *Notes sur « De l'esprit » d'Helvétius, in Œuvres complètes, op. cit.*, t. IV, p. 1121. « Nous avons en nous deux facultés, ou, si je l'ose dire, deux puissances passives, dont l'existence est généralement et distinctement reconnue. L'une est la faculté de recevoir les impressions différentes que font sur nous les objets extérieurs ; on la nomme sensibilité physique. L'autre est la faculté de conserver l'impression que ces objets ont faite sur nous : on l'appelle mémoire », écrivait Helvétius qui niait l'existence d'une faculté distincte de juger. « Juger n'est jamais que sentir (...) dans l'homme, tout se réduit à sentir. » (*De l'esprit, op. cit.*, p. 71, 78-80.) Rousseau n'est pas d'accord avec Helvétius et prétend, quant à lui qu'il existe des facultés actives : la volonté et la raison. La raison, c'est la faculté de juger dont la particularité consiste en ce que « apercevoir les objets c'est sentir ; apercevoir les rapports, c'est juger » (Rousseau, *Notes sur « De l'esprit », op. cit.*, p. 1122). « Par la sensation, les objets s'offrent à moi séparés, isolés (...) ; par la comparaison, je les remue, je les transporte, pour ainsi dire, je les pose l'un sur l'autre pour prononcer sur leur différence ou sur leur similitude, et généralement sur tous leurs rapports. Selon moi, la faculté distinctive de l'être actif ou intelligent est de pouvoir donner un sens à ce mot *est* (...). Ces idées comparatives (...) ne sont certainement pas des sensations, quoique mon esprit ne les produise qu'à l'occasion de mes sensations (...). Je ne suis donc pas simplement un être sensitif et passif, mais un être actif et intelligent. » Aussi est-ce la raison, et non pas les sensations, qui est la source des erreurs : « Mon entendement qui juge les rapports mêle ses erreurs à la vérité des sensations qui ne montrent que les objets. » (*Emile, op. cit.*, p. 571 sq. ; *cf. La Nouvelle Héloïse, op. cit.*, p. 641.)

120. *Emile*, notes et variantes, *op. cit.*, p. 1559.

121. Dans ses tentatives de fonder spéculativement le sentiment du moi, Rousseau semble hésiter dans la réponse à donner à la question : « Ai-je un sentiment propre de mon existence, ou ne la sens-je que par mes sensations ? » ; « Comment puis-je savoir si le sentiment du moi est quelque chose hors des mêmes sensations ? » Néanmoins, il est certain d'une chose, à savoir : « Mes sensations se passent en moi, puisqu'elles me font sentir mon existence. » (*Emile, op. cit.*, p. 570, 571.)

122. *Emile, op. cit.*, p. 571.

123. *Cf.* Poulet, *Studies in Human Time, op. cit.*, p. 25.

124. *Emile, op. cit.,* p. 572.
125. *Ibid.,* p. 594, 595.
126. Ce texte a été publié par Charles Guyot, *in Œuvres complètes, op. cit.,* t. II, p. 1324, 1325. D'après C. Guyot, il semble dater des années 1764-1765. On comprend que C. Guyot ait été tenté de lier le fragment en question, en le datant de cette époque, avec l'expérience de l'île Saint-Pierre, de voir en lui une première description cherchant à rendre discursif le « sentiment de l'existence ». *Cf.* Notes et variantes, *op. cit.,* p. 1957.
127. *Emile, op. cit.,* p. 523, 514, 515, 509, 510. *Cf. supra,* note 82.
128. *Les rêveries du promeneur solitaire, op. cit.,* p. 1046, 1047, 1005, 1056.
129. Dans son introduction à *La Nouvelle Héloïse* (*op. cit.,* en particulier p. LV *sq.*), B. Guyon analyse ces transformations successives de l'idée du roman.
130. *Cf.* S. Morawski, *Studia z historii mysli estetycznej XVIII i XIX w.* (Etudes sur l'histoire de la pensée esthétique des XVIII⁰ et XIX⁰ siècles), Varsovie, 1961, p. 61 *sq.* ; Masson, *La religion de Rousseau, op. cit.,* t. I, p. 237 *sq.* Voir également : R. Mercier, *La réhabilitation de la nature humaine,* Villemomble, 1960, p. 344, 345.
131. Nous n'attachons pas une importance prépondérante à ce genre de précisions pour expliquer la structure, l'interdépendance fonctionnelle des différents thèmes dans la vision du monde de Rousseau. De même, il nous importe peu de démontrer l'originalité des différents éléments de cette vision par rapport aux thèmes de pensée développés par d'autres antérieurement ou simultanément. La recherche de « précurseurs » n'avance guère l'intelligence d'une œuvre et de sa structure. En paraphrasant Bergson, ceux qu'on appelle les « précurseurs » de Rousseau, n'existent que par son œuvre, par l'éclairage qu'elle projette sur le passé. Les thèmes développés dans des textes antérieurs deviennent signifiants pour la recherche, parce que l'œuvre — pour laquelle on cherche à établir les influences subies et la genèse — est précisément devenue un lieu générateur des valeurs culturelles.
132. *Emile, op. cit.,* p. 630, 606, 607, 599.
133. *Ibid.,* p. 370, 344, 481.
134. *Ibid.,* p. 483, 572, 573.
135. *Ibid.,* p. 481, 572.
136. *Ibid.,* p. 370, 483.
137. *Ibid.,* p. 598.
138. *Ibid.,* p. 599, 600.
139. *Ibid.,* p. 288 ; *cf. Rousseau juge de Jean-Jacques, op. cit.,* p. 842 ; le commentaire, p. 1690.
140. *Emile, op. cit.,* p. 610. En analysant les polémiques dirigées contre *Emile* du côté des protestants comme de celui des catholiques, R. Dérathé argumente d'une manière convaincante que l'œuvre de Rousseau a été lue à l'époque comme étant radicalement rationaliste, opposant « l'orgueil de la raison » à la foi. *Cf.* R. Dérathé, *Le rationalisme de J.-J. Rousseau,* Paris, 1948, p. 139 *sq.* Ce n'est en effet qu'à travers le prisme du romantisme et de ses attaches rousseauistes que les tendances irrationalistes de Rousseau furent dégagées. N'oublions pas toutefois que les romantiques ne se reconnaissaient pas dans les tendances déistes et politiques du *Contrat social.*
141. *Emile, op. cit.,* p. 594, 573.
142. Un exemple pour illustrer ce développement. Emile apprend de Sophie, devenue son épouse, qu'elle l'a trahi. C'est la catastrophe : Emile éprouve à la fois la rage, l'emportement, la honte, l'amour, la fureur, les regrets, la jalousie, le désespoir, etc. Il est la proie des tourments les plus cruels, puis, tout à coup, une réflexion « plus prompte qu'un éclair » le fit voir « clairement à sa place et l'usage de ce moment de raison fut de (lui) apprendre qu'(il) étoit incapable de raisonner (...) hors d'état de rien voir, de rien comparer, de délibérer, de résoudre, de juger de rien ». Emile décide donc « de faire exhaler la fougue des transports », de s'y livrer avec furie, de « mettre sa douleur à son aise ». Et c'est ce qu'il fait, au point d'avoir le sein « sanglant et déchiré comme le cœur qu'il enfermoit ». Ayant ainsi cédé à la passion, Emile retrouve enfin « son bon sens », c'est-à-dire qu'il tient un long monologue sur la nature et les devoirs de l'homme, sur la

dépravation engendrée par les rapports sociaux ; bref, il répète toute la philosophie de Jean-Jacques afin d'en conclure les principes du comportement à adopter (*Emile et Sophie ou les solitaires, op. cit.*, p. 891 *sq.*). Du point de vue littéraire, ce texte n'est certainement pas des meilleurs, mais probablement pour cette raison, il traduit bien l'amalgame du sentimentalisme et du rationalisme.

143. *Cf.* R. Dérathé, *Le rationalisme de J.-J. Rousseau, op. cit.*, p. 3-8, 167 *sq.* L'auteur résume les débats qui datent depuis longtemps sur le rationalisme de Rousseau.

144. *Emile, op. cit.*, p. 345, note.

145. *Cf. Les confessions, op. cit.*, p. 409 ; *L'art de jouir, op. cit.*, p. 1173 *sq.* Voir également : E. Gilson, « La méthode de M. Wolmar », *in Les idées et les lettres*, 1932, p. 275 *sq.*

146. *La Nouvelle Héloïse, op. cit.*, p, 682.

147. *Rousseau juge de Jean-Jacques, op. cit.*, p. 774, 823, 824.

148. P. Burgelin, *J.-J. Rousseau et la religion de Genève*, Genève, 1962, p. 60.

149. *Cf.* P.M. Masson, *La religion de J.-J. Rousseau*, Paris, 1916, 3 vol. ; du même auteur, l'édition critique de *La profession de foi du vicaire savoyard*, Fribourg-Paris, 1913. Voir également R. Hubert, *Les sciences sociales dans l'Encyclopédie*, Paris, 1923, p. 193 *sq.*, 270 *sq.* ; id., *Rousseau et l'Encyclopédie*, Paris, éd. non datée, p. 132-133 ; B. Groethuysen, *J.-J. Rousseau*, Paris, 1949, p. 234 *sq. ;* A. Schinz, *La pensée de J.-J. Rousseau*, Paris 1929 (la polémique avec P.M. Masson, p. 485 *sq.*). Chaque ouvrage plus important, consacré à la pensée de Rousseau, se trouve devant la tâche délicate de définir ses idées religieuses. Dans le livre de M. Rang, *Rousseau's Lehre vom Menschen*, Göttingen, 1959, on trouve une bibliographie raisonnée du problème ainsi qu'une analyse détaillée du contexte des courants religieux de l'époque, dans lequel s'inscrivent les idées de Rousseau. K. Barth, *Die protestantische Theologie im XIX. Jahrundert*, Zürich, 1947, propose une interprétation originale à partir de ses propres idées théologiques.

150. Ce problème est délicat pour ceux qui ont entrepris la tâche difficile de concilier cette pensée, incontestablement hérétique par rapport à toutes les communautés confessionnelles avec le fait qu'elle ait joué un rôle essentiel dans le renouveau des sentiments religieux. C'est probablement K. Barth qui, à la fin de ses analyses, exprime le mieux en quoi cette situation est épineuse pour un théologien : « Il était certainement un pécheur, mais un pécheur singulier. Personne ne nous demande de l'imiter, ni de lui jeter la pierre. Face à la sincérité avec laquelle il s'est présenté à nous, le mieux est de se taire (...). Ce n'est pas à nous qu'il revient de lui donner ou de lui refuser la qualité de chrétien. » (Barth, *op. cit.*, p. 188. 206.)

151. *Lettre à C. de Beaumont, op. cit.*, p. 964 ; *Rousseau juge de Jean-Jacques, op. cit.*, p. 727, 728 ; *Les rêveries du promeneur solitaire, op. cit.*, p. 1016, 1017 ; *Les confessions, op. cit.*, p. 5.

152. Groethuysen, *J.-J. Rousseau, op. cit.*, p. 283. « C'est un penseur laïque, un « philosophe », qu'elle qu'eût été sa répugnance à se voir désigné comme tel. » (p. 302). Groethuysen ne met d'ailleurs nullement en question la sincérité des sentiments religieux de Jean-Jacques. Rousseau a donné à ses sentiments un caractère propre « sans qu'il faille recourir à des formes traditionnelles ou évoquer d'anciennes croyances. Ses extases sont, par exemple, dégagées de toute visualité religieuse » (p. 283). « Rousseau considère la religion en général et non telle donnée religieuse particulière ; il l'envisage comme un ensemble de traditions. Pour cela, il faut déjà savoir se placer à une certaine distance des conceptions religieuses (...). On discute en philosophes. » (p. 302 *sq.* ; *cf.* p. 276 *sq.*, 290 *sq.*).

153. *Emile, op. cit.*, p. 558, 610. *Cf. La Nouvelle Héloïse, op. cit.*, p. 13, 583-585, ainsi que les variantes des manuscrits p. 1682. Comme on le sait, Rousseau admet par rapport aux filles des principes d'éducation fondés sur l'autorité et sur la croyance religieuse des parents. Cependant, il s'agit là uniquement d'une modification des mêmes principes généraux d'éducation ; modification qui est fonction de la spécificité que Jean-Jacques attribue à la personnalité et au psychique des femmes, laquelle se manifeste également dans leur expérience religieuse. *Cf. Emile, op. cit.*, p. 721 *sq.* Au sujet de l'éducation des filles, dont l'éducation religieuse,

voir P. Burgelin, « L'éducation de Sophie », *Annales de la Société J.-J. Rousseau,* t. XXXV, 1963, p. 113 *sq.*

154. *Emile, op. cit.,* p. 610, 625.

155. « Il y a tant de raisons solides pour et contre (la révélation) que ne sachant à quoi me déterminer, je ne l'admets ni ne la rejette ; je rejette seulement l'obligation de la reconoitre, parce que cette obligation prétendue est incompatible avec la justice de Dieu, et que, loin de lever par là les obstacles au salut il les eût multipliés, il les eût rendus insurmontables pour la plus grande partie du genre humain. » (*Emile, op. cit.,* p. 625.)

156. *Correspondance complète, op. cit.,* t. V, p. 65, 66.

157. *Cf.* Burgelin, *J.-J. Rousseau et la religion de Genève, op. cit.,* p. 39 *sq.* Cette interprétation des Ecritures contribue éminemment à comprendre les termes dans lesquels Jean-Jacques saisit le personnage de Jésus-Christ ; question à laquelle nous reviendrons

158. *Lettres de la montagne, op. cit.,* p. 712 ; *cf. Correspondance générale op. cit.,* t. XV, p. 138, 139. Au sujet de la réaction des pasteurs genevois à cette interprétation explicitement hétérodoxe du protestantisme, voir Rang, *op. cit.,* p. 574 *sq.*

159. « Je ne cherche à savoir que ce qui importe à ma conduite ; quant aux dogmes qui n'influent ni sur les actions ni sur la morale et dont tant de gens se tourmentent je ne m'en mets nullement en peine. » *Emile, op. cit.,* p. 267.

160. J. Maritain, *Trois réformateurs,* Paris, 1925, p. 139 ; *Lettre à C. de Beaumont, op. cit.,* p. 969.

161. *Emile, op. cit.,* p. 632. « Le culte essentiel est celui du cœur. Dieu n'en rejette point l'hommage, quand il est sincère, sous quelque forme qu'il lui soit offert. » (*Ibid.,* p. 627.)

162. *Lettres de la montagne, op. cit.,* p. 695, 702, 704. Citons un texte qui, par son ton, rappelle le pamphlet anticlérical, tel qu'il était pratiqué à l'époque par les « philosophes » : « Vous rappelez-vous — demande Rousseau à M. du Peyrou — le conte de ce chirurgien dont la boutique donnoit sur deux rues, et qui, sortant par une porte, estropioit les passants, puis rentroit subtilement et, pour les panser, ressortoit par l'autre ? Voilà l'histoire de tous les clergés du monde, excepté que le chirurgien guérissoit du moins ses blessés, et que ces messieurs, en traitant les leurs, les achèvent. » (*Correspondance générale, op. cit., t. XIV,* p. 85). Aussi paradoxal que cela puisse paraître, l'attitude ici manifestée envers le clergé ne tombe nullement en contradiction avec la conviction de Rousseau, formulée dans *La profession de foi,* sur la vocation exceptionnelle du prêtre...

163. *Rousseau juge de Jean-Jacques, op. cit.,* p. 728.

164. *Les confessions, op. cit.,* p. 642 ; *Lettres à Malesherbes, op. cit.,* p. 1141.

165. L. Kolakowski, « Mistyka i konflikt spoleczny » (Mystique et conflit social), *Studia Filozoficzne* 3, 1959, p. 33. Ces tendances subjectivistes mènent également, dans certaines versions, à la conception d'une religion naturelle réduite pratiquement à une morale. L'exemple de Marie Huber, réformatrice religieuse marquée par le piétisme, est à cet égard représentatif, et son cas révélateur. D'ailleurs, surtout depuis les études de Masson, la littérature sur ce sujet a maintes fois relevé les concordances entre la religion de Jean-Jacques et la doctrine de Marie Huber, ainsi que ses nombreuses affinités avec d'autres tendances subjectivistes de l'époque (ainsi, outre Marie Huber et Béat de Muralt, on se réfère également au quiétisme, en particulier à Fénelon et Mme Guyon).

166. « Je regarde toutes les religions particulières comme autant d'institutions salutaires qui prescrivent dans chaque pays une manière uniforme d'honorer Dieu par un culte public, et qui peuvent toutes avoir leurs raisons dans le climat, dans le gouvernement, dans le génie du peuple, ou dans quelque autre cause locale qui rend l'une préférable à l'autre selon les temps et les lieux. Je les crois toutes bonnes quand on y sert Dieu convenablement. » (*Emile, op. cit.,* p. 627.)

167. *Du contrat social, op. cit.,* p. 468 ; *cf. Lettre à Voltaire* (sur la Providence), *op. cit.,* p. 1073, 1074 ; *Lettres de la montagne, op. cit.,* p. 705. « Je pense que solliciter quelqu'un de quitter celle (la religion) où il est né c'est le solliciter de mal faire et par conséquent faire mal soi-même. En attendant de plus grandes lumières gardons l'ordre public ; dans tout pays respectons les loix ; ne troublons point le

culte qu'elles prescrivent, ne portons point les Citoyens à la désobéissance ; car
nous ne savons point certainement si c'est un bien pour eux de quitter leurs
opinions pour d'autres, et nous savons certainement que c'est un mal de désobéir
aux lois (...). Le devoir de suivre et d'aimer la religion de son pays ne s'étend
pas jusqu'aux dogmes contraires à la bonne morale tels que celui de l'intolérance.
C'est ce dogme horrible qui arme les hommes les uns contre les autres et les
rend tous ennemis du genre humain. » (*Emile, op. cit.*, p. 628, 629.) Afin de ne pas
compliquer excessivement nos raisonnements, nous laissons ici de côté le problème
du rapport de la « religion civile » au christianisme.

168. *Emile, op. cit.*, p. 631 ; *La Nouvelle Héloïse, op. cit.*, p. 593.

169. *Du contrat social, op. cit.*, p. 363, 468.

170. Ce qui ne signifie cependant pas que l'expérience religieuse soit réduite
aux sentiments civiques. Comme Hobbes, Rousseau confère au Souverain le droit
d'établir les principes du culte public, sans cependant ramener la religion à ses
seules fonctions sociales, de même qu'il ne réduit pas l'individu à la dimension
politique de son existence.

171. *Cf.* Burgelin, *J.-J. Rousseau et la religion de Genève, op. cit.*, p. 55.

172. « On a beau faire, le cœur ne s'attache que par l'entremise des sens ou de
l'imagination qui les représente, et le moyen de voir ou d'imaginer l'immensité du
grand Etre ! Quand je veux m'élever à lui, je ne sais où je suis ; n'apercevant aucun
rapport entre lui et moi, je ne sais par où l'atteindre, et ne vois ni ne sens plus
rien, je me trouve dans une espèce d'anéantissement, et si j'osais juger d'autrui par
moi-même, je craindrois que les extases des mystiques ne vinssent moins d'un
cœur plein que d'un cerveau vide. Que faire pour me dérober aux fantômes d'une
raison qui s'égare ? Je substitue un culte grossier mais à ma portée à ces sublimes
contemplations qui passent mes facultés. Je rabaisse à regret la majesté divine ;
j'interpose entre elle et moi des objets sensibles ; ne la pouvant contempler dans
son essence, je la contemple au moins dans ses œuvres. Je l'aime dans ses bienfaits ;
mais de quelque manière que je m'y prenne, au lieu de l'amour pur qu'elle exige,
je n'ai qu'une reconnoissance intéressée à lui présenter. C'est ainsi que tout devient
sentiment dans un cœur sensible. » Pour ces mêmes raisons, Jean-Jacques fait
l'éloge des images saintes et des personnages des saints dans le catholicisme, en tant
qu'objets d'un « culte sensuel » qui parle au peuple. Et c'est dans ce contexte antimys-
tique que Rousseau formule également un aphorisme qui, légèrement modifié,
fit la carrière qu'on connaît : « La dévotion est un opium pour l'âme. Elle égaye,
anime et soutient quand on en prend peu : une trop forte dose endort, ou rend
furieux, ou tue ; j'espère — ajoute Julie — ne pas aller jusque-là. » (*La Nouvelle
Héloïse, op. cit.*, p. 590, 591 ; p. 697.)

173. *Cf. Lettres de la montagne, op. cit.*, p. 739, 740, 742, 743. Jean-Jacques
s'y réfère d'ailleurs à la science ; c'est elle qui, en se développant et en élargissant
le savoir humain, explique rationnellement des phénomènes qu'un esprit ignorant
prend facilement pour des exceptions aux lois de la nature. « Les miracles sont
les preuves des simples pourquoi les lois de la nature forment un cercle très étroit
autour d'eux. Mais la sphère s'étend à mesure que les hommes s'instruisent et
qu'ils sentent combien il leur reste encore à savoir. » La négation des miracles
par Jean-Jacques et sa thèse sur l'inutilité de l'éducation religieuse durant l'enfance
soulevèrent une tempête tant chez les catholiques que chez les protestants. C'est
d'ailleurs quand il aborde ces thèmes que Rousseau, par son type d'argumentation
et parfois même par son style, se rapproche le plus de la littérature des « philosophes ».

174. *Emile, op. cit.*, p. 503.

175. *La Nouvelle Héloïse, op. cit.*, p. 592 ; cf. *Emile, op. cit.*, p. 632 ; *Rousseau juge de Jean-Jacques, op. cit.*, p. 971.

176. « Je crois en Dieu — écrivait Jean-Jacques à Jacob Vernes — et Dieu
ne seroit pas juste si mon âme n'étoit immortelle (...). Quand je me tromperois
dans cet espoir il est lui-même un bien qui m'aura fait supporter plus aisément tous
mes maux. » (*Correspondance complète, op. cit.*, t. V, p. 33.)

177. *La Nouvelle Héloïse, op. cit.*, p. 358, 359.

178. *Emile, op. cit.*, p. 636, 603.

179. *Cf.* Masson, *La profession de foi du vicaire savoyard, op. cit.*, p. 323.

180. *Ibid.*, p. 296.

181. « Je crois que l'âme survit au corps assés pour le maintien de l'ordre ; qui sait si c'est assés pour durer toujours ? » (*Emile, op. cit.*, p. 590.)

182. *Cf.* Rang, *op. cit.*, p. 517, 518.

183. *La Nouvelle Héloïse, op. cit.*, p. 729 ; le commentaire, p. 1807.

184. *Emile, op. cit.*, p. 592.

185. *La Nouvelle Héloïse, op. cit.*, p. 714.

186. *Ibid.*, p. 359.

187. M. Rang argumente à juste titre que toute la conception de Rousseau est organisée autour de la « bonne conscience », et c'est ce qui la distingue des théologies protestantes ainsi que des idées de Béat de Muralt. D'après Rousseau, la voix de la conscience ne s'élève comme reproche que dans les cas où l'individu est en conflit avec lui-même, où il s'imbrique dans le monde des apparences et des passions. Mais la conscience — la voix de Dieu et de la nature — se fait entendre dans toute son amplitude précisément chez l'homme bon qui échappe aux conflits. Dans la conception protestante, la conscience est liée au jugement de Dieu, elle est le lieu où Dieu juge l'homme en fonction de sa loi (*cf.* Rang, *op. cit.*, p. 558 ; ainsi que l'article de M. Kähler qui est cité, « Das Gewissen » in *Realenzyklopädie für protestantische Kirche und Theologie*.) D'après Béat de Muralt, de qui Rousseau a probablement emprunté la formule de la conscience en tant qu' « instinct divin », s'il existe différents jugements, « le premier est celui qui se passe dans la Conscience, qui est le tribunal de Dieu au-dedans de nous », et la parole du Christ n'est entendue que par les élus, par le nouveau « peuple de Dieu » (Béat de Muralt, *L'instinct divin recommandé aux hommes*, Londres — Paris, 1790, p. 153 ; *cf.* 32 sq., 93 sq. ; *cf.* Rang, *op. cit.*, p. 548). Inutile de souligner combien l'optique définie par l'aspiration à fonder une Eglise, une secte, et qui se réfère à l'idée d'une religion institutionnalisée, diffère de celle de Jean-Jacques.

188. *Œuvres et correspondance inédites, op. cit.*, p. 138, 139.

189. *Les rêveries du promeneur solitaire, op. cit.*, p. 999, 1047 ; *Les confessions, op. cit.*, p. 640. Voir également Burgelin, *J.-J. Rousseau et la religion de Genève, op. cit.*, p. 53, 54.

190. Remarquons que ce sentiment de l'existence s'assortit d'une acceptation de la mort comme appartenant au même ordre que l'existence, à l'ordre de la nature, d'une acceptation d'une mort sereine à laquelle on ne pense pas.

191. « Aussi pourrait-on dire que tous ceux qui, à un titre quelconque, établissent l'ordre sont des figures de Dieu » — conclut P. Burgelin (*J.-J. Rousseau et la religion de Genève, op. cit.*, p. 55). Voir également, du même auteur, *Philosophie de l'existence de J.-J. Rousseau, op. cit.*, p. 556 sq. ; Starobinski, *J.-J. Rousseau, La transparence et l'obstacle, op. cit.*, p. 148 sq.

192. *Du contrat social, op. cit.*, p. 381 ; *Considérations sur le gouvernement de Pologne, op. cit.*, p. 970, 971 ; *Sur l'origine de l'inégalité, op. cit.*, p. 248 ; *Emile, op. cit.*, p. 263. Des résonances des lectures de Machiavel sont sensibles dans l'image du législateur solitaire qui s'élève au-dessus du commun des hommes et agit pour leur bien. *Cf.* les *Discours sur la première décade de Tite-Live*, I, 7. Voir également, dans *La Nouvelle Héloïse*, l'affinité avec l'image du Père qui, avec sa famille idéale, dans le cloisonnement d'une « vie retirée et domestique », « seul entre tous les mortels, est maître de sa propre félicité, parce qu'il est heureux comme Dieu même, sans rien désirer de plus que ce dont il jouit ; comme cet Etre immense il ne songe pas à amplifier ses possessions mais à les rendre véritablement siennes par les relations les plus parfaites et la direction la mieux entendue (...). Il tire de ses touchantes et nobles fonctions la gloire et le plaisir d'être homme. » (*Op. cit.*, p. 466, 467.)

193. *Les confessions, op. cit.*, p. 351-389 ; *Lettres à Malesherbes, op. cit.*, p. 1135, 1136.

194. *Lettres de la montagne, op. cit.*, p. 699 ; *Emile, op. cit.*, p. 626, 627 ; *cf. Correspondance générale, op. cit.*, t. XIX, p. 48-63. « Jean-Jacques voit en Jésus une sorte de Lycurgue, un législateur, un éducateur des mœurs et un libérateur politique. » (Burgelin, *Rousseau et la religion de Genève, op. cit.*, p. 40, 41, 48).

195. « Je me disois, ô quel bien feroit aux hommes celui qui leur diroit la

vérité sans déguisement, sans craintes (...), celui qui leur feroit voir qu'ils ne sont méchans que parce qu'ils sont dupes ni malheureux que parce qu'ils sont insensés, celui qui leur apprendroit qu'ils sont faits pour être heureux et bons et ce qu'ils ont à faire pour l'être. J'ai taché d'être cet homme-là ; je l'ai osé du moins, et ce qu'il y a de plus difficile en cette entreprise est le courage (...). Je hais la servitude comme la source de tous les maux du genre humain (...). J'ai pénétré le secret des gouvernemens, je l'ai révélé aux peuples non pas afin qu'ils secouassent le joug, ce qui ne leur est pas possible, mais afin qu'ils redevinssent hommes dans leur esclavage. » (Fragments manuscrits de la *Lettre à C. de Beaumont, op. cit.*, p. 1018, 1019.) Le rapprochement avec les pages des *Lettres écrites de la montagne* est révélateur ; cf. *op. cit.*, p. 728 et 1582 (variante du texte).

196. *Cf. Les Confessions, op. cit.*, p. 5 ; Masson, *La profession de foi du vicaire savoyard*, édition critique, *op. cit.*, p. 284 ; *La Nouvelle Héloïse, op. cit.*, p. 362 ; *Emile, op. cit.*, p. 791, 792.

197. *Rousseau juge de Jean-Jacques, op. cit.*, p. 827.

198. Combien est caractéristique à cet égard l'indignation de Jean-Jacques quand il vit comment les « Holbackiens » jugeaient sa « grande réforme ». « Ils avaient travesti l'Hermite en galant berger. » (*Les confessions, op. cit.*, p. 455.) Voir également Groethuysen, *Philosophie de la Révolution française, op. cit.*, p. 199, 200.

199. *Les confessions, op. cit.*, p. 351, 356, 362, 363, 401 ; *Lettres à Malesherbes, op. cit.*, p. 1143 ; *Mon portrait, op. cit.*, p. 1119, 1120 ; *Ebauches des confessions, op. cit.*, p. 1149.

200. *Correspondance complète, op. cit.*, t. IV, p. 292.

201. *Les confessions, op. cit.*, p. 351.

202. Alors que d'après Diderot, « le génie est le guerrier de la raison, l'homme sociable par excellence » (Willard, *Le génie et la folie au XVIIIᵉ siècle, op. cit.*, p. 45 *sq.*).

203. *Dictionnaire de musique*, in *Œuvres complètes*, Paris, Hachette, 1857, t. V, p. 63.

204. « Presque point d'hommes célèbres, qui n'aient commencé par habiter un grenier. J'y ai vu l'auteur d'*Emile*, pauvre, fier et content. » La fierté avec laquelle Mercier parle des sujets de cette « partie la plus curieuse de Paris » est très symptomatique des processus sociologiques à l'issue desquels les intellectuels se déterminent eux-mêmes et revalorisent la situation de la marge sociale. « Greuze, Fragonard, Vernet, se sont formés dans des greniers ; ils n'en rougissent point, c'est là leur plus beau titre de gloire. » Les greniers sont cette « région la plus élevée » qu'occupent « le génie, l'industrie, l'application, la vertu ». C'est là que « l'écrivain est souvent placé entre des contrastes frappants, et voilà pourquoi il devient véhément et sensible ; il a vu de près la misère de la portion la plus nombreuse d'une ville qu'on appelle opulente et superbe ; il en conserve le sentiment profond. S'il eût été heureux, il y a mille idées touchantes et patriotiques qu'il n'eût pas eues ». Cette situation sociale contribue à déterminer la vocation de l'écrivain : « Orateur du plus grand nombre, et conséquemment des infortunés, il doit défendre leur cause. » (L.S. Mercier, *Tableau de Paris*, Amsterdam, 1782, t. II, ch. 11, Les greniers, p. 10-13.) Cependant, la condition du marginal engendre non seulement la fierté des « greniers », mais aussi le nihilisme moral d'un neveu de Rameau.

205. Un développement romanesque de *La Nouvelle Héloïse* est à cet égard extrêmement caractéristique, à savoir l'histoire de l'amour malheureux de Milord Edouard et de Lauretta. Celle-ci est une victime de la société corrompue ; vendue par ses parents, sa triste destinée est le résultat du mal qui étend son empire sur le monde. Et pourtant, malgré la vie de débauche à laquelle Lauretta a été condamnée, l'amour véritable purifiera son âme, la sublimera, l'élèvera jusqu'aux cimes de la vertu.

Il se peut que cet épisode soit une réminiscence du séjour de Jean-Jacques à Venise et d'une éphémère aventure sentimentale qu'il y aurait vécue. Mais toute l'œuvre de Rousseau exprime cet intérêt aigu pour les marginaux, ces êtres que la société rejette après en avoir fait des victimes et qui, dans leur chute, valent moralement plus que l'ordre social qui les condamne (le Vicaire savoyard est aussi un « marginal »). L'épisode sur le sort d'une « fille déchue », bannie des rangs de la société, est bien à sa place dans *La Nouvelle Héloïse*, dans ce roman « fait pour les Solitaires et parlant la langue des Solitaires » (*op. cit.*, p. 22), consacré aux âmes belles et pures que l'amour rend encore plus généreuses et héroïques. D'après une rédaction primitive, Rousseau avait même eu l'intention de faire venir Lauretta à Clarens, dans cette communauté idéale des « belles âmes » qui se trouvent et s'unissent en transgressant les préjugés sociaux. *Cf.* l'introduction et les notes de Guyon, *La Nouvelle Héloïse, op. cit.*, p. LVII-LX ; 1723, 1724 ; 1816, 1817.

206. *Cf.* Groethuysen, *J.-J. Rousseau, op. cit.*, p. 201-203.

207. Il est intéressant à cet égard d'étudier les lettres de lecteurs envoyées à Rousseau après la parution de *La Nouvelle Héloïse*, publiées en partie dans *Correspondance générale*, d'après les archives de la Bibliothèque de Neuchâtel. Une étude sociologique de cette correspondance pourrait être révélatrice pour la connaissance des résonances de l'œuvre de Jean-Jacques dans les différents milieux sociaux.

208. *Cf.* Hegel, *La phénoménologie de l'esprit, op. cit.*, t. I, p. 254-256 (La loi de l'individualité) ; t. II, p. 156 *sq.* (La moralité ; Les contradictions dans la vision du monde (de l'*Aufklärung*) ; La conscience morale, La belle âme, le Mal et son pardon). Au sujet des références implicites dans ces textes à l'œuvre de Rousseau, voir J. Hyppolite, *Genèse et structure de la phénoménologie*, Paris, 1946, p. 275 *sq.*, 487 *sq* ; Starobinski, *J.-J. Rousseau : la transparence et l'obstacle, op. cit.*, p. 50 *sq.*, 100, 101 ; ainsi que notre texte, *Hegel et Rousseau*, op. cit.

209. Nous recourons ici à des analyses de Hegel portant sur la « loi du cœur » comme sur la « belle âme », avec l'intention non pas de commenter le texte de Hegel, mais de dégager sa « lecture » de Rousseau.

210. *La Nouvelle Héloïse*, variantes, *op. cit.*, p. 1787.

211. *La phénoménologie de l'esprit, op. cit.*, t. II, p. 190.

212. *Les confessions, op. cit.*, p. 41.

213. *La phénoménologie de l'esprit, op. cit.*, t. II, p. 186, 187, 190.

214. *La Nouvelle Héloïse* (variante), *op. cit.*, p. 1654.

215. *Rousseau juge de Jean-Jacques, op. cit.*, p. 794. L'évolution des goûts de Jean-Jacques pour la botanique est très révélatrice. Jeune, il s'intéressait aux plantes en « apothicaire », les cueillant et les étudiant pour leurs propriétés médicinales. Mais « ces tournures d'esprit » qui cherchent uniquement dans la nature de quoi satisfaire les besoins humains, « qui rapportent toujours tout à notre intérêt matériel, qui font chercher par tout du profit ou des remèdes, et qui feroient regarder avec indifférence toute la nature si l'on se portoit toujours bien » ne lui ont jamais vraiment convenu (*Les rêveries du promeneur solitaire, op. cit.*, p. 1065). A ces attitudes utilitaristes, propres à « l'industrie » à l'exploitation du « règne minéral », Jean-Jacques oppose la contemplation solitaire de la nature et de sa beauté. Pourtant, cette contemplation s'accompagne d'un vif intérêt pour la taxonomie, si caractéristique de l'esprit scientifique de l'époque. Ainsi, Jean-Jacques examine les plantes, les compare, les classe dans des herbiers, « marque leurs rapports et leurs différences, observe l'organisation végétale de manière (...) à chercher quelquefois avec succès leurs lois générales, la raison et la fin de leurs structures diverses ». Ainsi, cette étude confirme que chaque chose a sa « place » dans la nature, elle aide à s'affranchir du monde du mal moral et recoupe l'idée que chacun possède sa propre « place dans l'ordre », indépendante des opinions humaines (*op. cit.*, p. 1068, 1069).

216. *Les rêveries du promeneur solitaire, op. cit.*, p. 1066.

217. *Emile et Sophie, ou les solitaires, op. cit.*, p. 883.

218. *Les rêveries du promeneur solitaire, op. cit.*, p. 1001.

219. *Ibid.*, p. 1070, 1071.

QUATRIÈME PARTIE

Liberté et utopie

Philosophie et politique

Que ses lecteurs fussent de son temps ou, d'autant plus, des générations
suivantes, c'est un rapport personnel très particulier que Jean-Jacques
Rousseau finit par leur imposer à l'égard de son œuvre et de lui-même.
Il est l'un des rares écrivains et, certainement, l'un des philosophes plus
rares encore qu'on désigne par leur prénom quand on pense à eux ou
qu'on écrit à leur sujet. Nous disons tout naturellement : « l'œuvre
de Jean-Jacques », la « pensée de Jean-Jacques », alors qu'il nous
paraîtrait étrange de dire « la pensée de Blaise » par rapport à Pascal, le « criticisme d'Emmanuel » pour définir l'œuvre de Kant, ou
encore « la dialectique de Georg Wilhem » pour indiquer l'intention
maîtresse de l'œuvre de Hegel. Evidemment, Jean-Jacques est l'auteur
des *Confessions,* c'est-à-dire qu'il visait délibérément à faire de sa vie
« une pièce de comparaison » à l'usage de ses semblables. Mais par
elle-même, une autobiographie ne suffit pas toujours pour transformer
le contact avec l'auteur et son œuvre en un rapport plus personnel,
plus familier. Ce qui décide finalement de ce rapport, c'est le caractère
de son autobiographie. Dans les *Confessions,* Jean-Jacques fait à la
fois moins et plus que raconter les événements de sa vie : il écrit plutôt
et surtout l'histoire des « états de son âme » à mesure que ces événements arrivent, ceux-ci étant pour lui les « causes occasionnelles »
de ces sentiments et de ses idées. Avec un degré variable d'exactitude,
cette formule s'applique à toute l'œuvre de Jean-Jacques, car c'est toujours
le monde saisi à travers le prisme de sa personnalité qu'il nous présente.
Les questions les plus générales et les plus abstraites — la place de
l'homme dans l'univers et les principes du gouvernement politique, les
origines du mal moral et le rapport de l'homme à Dieu —, Jean-
Jacques les présente non seulement comme des objets de sa réflexion,
mais aussi comme ses problèmes personnels, qu'il intègre dans son vécu.
Même dans le *Contrat social,* alors que l'auteur s'était imposé la rigueur
d'un recul optimal par rapport à la matière abordée et qu'il voulait
donner à son ouvrage la forme d'un traité pseudo-juridique systématique,
nous retrouvons presque à chaque page cette manière particulière de
concevoir la réalité comme si elle était donnée non seulement dans une
réflexion intellectuelle, mais aussi dans une expérience personnelle, existentielle, imprégnée de contenus affectifs [1].
    Pourtant, l'expérience subjective et l'expression des « états de son
âme » ne dissimulent presque jamais dans l'œuvre de Jean-Jacques la

réalité, le monde humain. Même quand les symptômes psychopathologiques de Jean-Jacques sont au comble de leur gravité et que celui-ci, au bord de la folie, s'absorbe tout entier en lui-même et semble avoir perdu tout contact avec le réel, même alors sa conscience est dans son intentionnalité orientée vers le monde. Même alors, il tente désespérément, par un effort parfois tragique de sa conscience qui se débat contre la maladie, de maîtriser sa propre situation dans le monde humain en orientant sa pensée vers le concret de ses réalités sociales. Et de même que l'œuvre de Jean-Jacques traduit tout le concret de son expérience du monde, de même ce monde et ses réalités sociales se manifestent dans cette œuvre non pas comme l'objet d'une réflexion impersonnelle et abstraite, mais dans toute la diversité de leurs significations pour l'individu.

Du fait de l'étroite union existante entre le destin de Jean-Jacques et son œuvre tout imprégnée de la personnalité de son auteur, il est tantôt plus facile et tantôt plus difficile de comprendre et d'analyser la vision du monde exprimée. Une fois de plus, nous n'avons pas ici en vue le rapport entre la sincérité et la construction dans l'œuvre : nous sommes prêts à admettre que ce qui était une construction de soi-même était psychologiquement sincère ; d'autre part, l'impératif et le besoin de manifester sa sincérité dans une œuvre littéraire peuvent être interprétés comme des éléments qui structurent la vision du monde. L'étroite union entre la personnalité et l'œuvre aide à comprendre la vision du monde qui s'y manifeste, dans la mesure où elle permet de mieux situer la vision dans le concret de l'expérience humaine. A l'opposé de ce qui se passe inéluctablement quand on analyse une œuvre dans la perspective d'une histoire déjà accomplie et pétrifiée, l'union entre l'œuvre et l'auteur détruit l'apparence qui veut que les visions du monde soient produites par des forces ou des discours impersonnels, anonymes. C'est ainsi que l'œuvre ne se transforme pas en épiphénomène, qu'elle témoigne d'un facteur important de sa genèse réelle : de l'effort intellectuel dans lequel s'est engagé un individu réel, l'auteur qui parle pour faire front à la réalité, pour maîtriser celle-ci intellectuellement, en la saisissant comme une structure globale et signifiante. Mais cette même union, surtout quand elle est aussi intime et instante que chez Jean-Jacques, peut aussi être un obstacle à une compréhension de la vision du monde manifeste dans l'œuvre. De son fait, on est porté à réduire la vision du monde à la seule expression d'une personnalité unique et, dans le cas de Jean-Jacques, à une seule entreprise, complexe et confuse, qui ne fait que compenser ses frustrations personnelles, enlevant ainsi à son expérience de la vie et à son destin leur texture même : la participation à l'histoire, à ce que Jean-Jacques appelait « les contradictions du monde humain ».

Certes, les expériences personnelles de l'auteur des *Confessions* étaient particulièrement lourdes en contradictions. Mais à la même époque et dans la même génération, il serait évidemment facile de trouver des biographies plus aventureuses, plus riches en événements, et nous en avons cité quelques exemples parmi les exilés genevois plus ou moins contemporains de Jean-Jacques.

Il est également incontestable que Jean-Jacques possédait une extraordinaire sensibilité sociologique, la faculté de déceler « les contradictions du monde humain[2] » contenues dans les différents événements qui lui sont arrivés. Il serait cependant simpliste de vouloir inférer une vision du monde — quelle qu'elle soit — d'une simple accumulation progressive d'expériences isolées et fortuites. De même que dans toute activité psychique, certaines structures et visions globales, en général dissimulées pour le sujet lui-même, permettent à celui-ci d'assimiler le fragmentaire ; de même, des structures globales plus ou moins manifestes, susceptibles d'être sociologiquement interprétées et historiquement situées, sont en œuvre dans l'activité intellectuelle dont l'objet intentionnel est une vision du monde[3]. Les expériences personnelles, les observations directes et indirectes sont intégrées dans une vision du monde à l'aide d'une grille conceptuelle qui « possède des significations différentes chez des hommes et des penseurs différemment situés dans la société ». Ainsi, les contenus conférés aux concepts sont indissociables de ce que K. Mannheim appelle *Aspektstruktur* ; la structuration d'une vision du monde est toujours sélective, et ce, en fonction du lieu d'où l'on perçoit la réalité et d'où l'on parle d'elle[4]. Ce lieu est également défini, entre autres déterminations, par le contexte biographique. Pour qu'une vision du monde sociologiquement significative et importante se forme dans une œuvre individuelle, il faut que celle-ci s'articule sur des problèmes qui ne soient pas uniquement personnels. Il faut qu'elle soit le lieu où les idées, les concepts et les valeurs s'agencent dans des structures de pensée globales et signifiantes qui puissent traduire des besoins, des aspirations et des conflits collectifs, mais aussi les justifier et les interpréter. Or, toutes ces conditions peuvent fort bien être remplies sans que la vie et l'œuvre soient aussi étroitement liées que dans le cas de Jean-Jacques, sans que le cours de la vie de l'auteur et sa création soient organisés autour d'un même ensemble de problèmes. Ainsi, même si c'est là un lieu commun, rappelons que des hommes aux biographies semblables ne possèdent pas toujours des idées similaires, et qu'il est courant de constater chez les idéologues une coupure entre leur vision du monde à usage personnel, une anthropologie en quelque sorte de leur quotidienneté, et la réflexion philosophique systématique qu'ils expriment dans leurs œuvres.

Nous avons déjà dit ailleurs que les problèmes majeurs décelés par Jean-Jacques dans le monde qu'il vit et dans lequel il est situé, que les questions autour desquelles il organise l'ensemble de ses expériences concernent le rapport de la personne humaine à la communauté. Nommons-les une fois de plus en les rapportant aux schémas sociologiques les plus généraux, avec l'espoir que ces caractéristiques nécessairement sommaires ne deviendront pas trop autonomes par rapport au concret historique de la substance dont la vision du monde de Jean-Jacques est née et s'est nourrie, sans jamais rompre ces attaches.

Rappelons donc, en premier lieu, que la vision du monde de l'auteur des *Confessions* et du *Contrat social* donne une expression spécifique à la crise des représentations collectives de l'ordre social et du rapport de l'individu à cette « totalité » qu'est la société. Cette crise était l'un des effets de la dissolution des communautés sociales traditionnelles, de ces petits conglomérats humains délimités et fermés, dans lesquels une hiérarchisation sociale accentuée correspondait au degré minime d'autonomie que l'individu possédait par rapport aux valeurs, institutions, mœurs et formes de vie collective. Ainsi, la cohérence du corps social et les rapports sociaux s'y présentaient comme des relations entre personnes, faisant de la communauté une « totalité » signifiante pour l'individu et englobant tous les phénomènes et aspects de la vie individuelle, un « Nous » auquel l'individu se référait et s'identifiait facilement [5].

Quand Rousseau s'indigne et se révolte contre toute réduction de l'individu — et de lui, Jean-Jacques, en tout premier lieu — à un quelconque état social ou à une confession religieuse, quand il prône la souveraineté absolue de l'individu dans son autodétermination par rapport au monde, ou encore quand il s'oppose à l'intolérance et au fanatisme ou qu'il étend les droits de l'individu au droit de se défendre contre la société quitte à s'isoler entièrement d'elle ; bref, quand il affirme l'autonomie radicale de l'homme dans le monde social, il souscrit à la tendance individualiste caractéristique du style de pensée des Lumières. Mais Rousseau développe radicalement cet individualisme, ce qu'il ne pouvait faire qu'en dépassant les idées courantes, le modèle libéral et utilitariste de la société et du rapport de l'individu au monde.

Une sensibilité sociale particulière se profile dans l'œuvre de Jean-Jacques. L'éclatement des liens sociaux traditionnels, des anciennes mœurs et des vieux modèles culturels est ressenti comme un processus de désintégration et d'atomisation sociale, processus au cours duquel les liens personnels sont remplacés par des rapports sociaux anonymes, l'individu cesse d'appartenir à une communauté sociale cohérente et la marginalité sociale devient un phénomène collectif. La culture spirituelle, le modèle de la personnalité et des rapports humains en voie de s'instaurer portent tous les stigmates d'un état social morbide : l'opacité des relations entre les hommes, le système de plus en plus dense et compliqué des intérêts particuliers qui s'entrecroisent, l'existence instable et incertaine de l'individu qui dépend de plus en plus de forces anonymes extérieures à « sa » communauté. L'argent sépare l'individu des choses et d'autrui, détruisant les rapports d'homme à homme et le rapport concret et signifiant de l'homme aux choses ; il déprave le pouvoir et fait éclater les structures familiales, il porte atteinte à la cohérence interne des petites communautés qu'il sape de l'intérieur. Déchiré par les contradictions, tiraillé entre diverses sollicitations, l'individu a le sentiment de perdre sa personnalité et sa cohérence interne, d'être la proie d'un conflit incessant entre sa vocation humaine universelle et son existence réelle. « Ainsi parmi nous chaque homme est un être double ; la nature agit en dedans, l'esprit social se montre en dehors. Tout ce que nous faisons semble se rapporter aux autres et se rapporte toujours à nous. Si chacun pouvoit sans faire le bien qu'il fait obtenir le même effect pour lui-même, il seroit fort à craindre que le monde moral ne tombât dans une triste letargie ou ne restat tout à fait en proye aux méchans (...). Nous ne sommes pas précisément doubles mais composés. Tantôt entrainés par les passions et réprimés par les loix, tantot poussés par l'opinion et retenus par la nature nous ne sommes bien ni pour nous ni pour les autres, nous unissons les vices de l'état social aux abus de l'état de nature, les préjugés des conditions aux erreurs du raisonnement, nous sommes paysans, Bourgeois, Rois, Gentilshommes, Peuple, nous ne sommes ni hommes ni Citoyens (...) Entraînés par la nature et par les hommes dans des routes contraires, nous en suivons une composée qui ne nous mêne ni à l'un ni à l'autre but [6]. »

Les processus qui ont modelé sa propre condition et déterminé son destin personnel et unique, Jean-Jacques en prend conscience et les juge, leur imputant de l'avoir lui-même relégué en marge de la société et rendu inutile en son sein, d'amener en général à la dépersonnalisation de l'homme et à la désintégration des rapports immédiats — affectifs, moraux et personnels, d'atomiser les communautés familiales, de rapporter les valeurs aux intérêts particuliers des individus et groupes sociaux, de contribuer à de plus grandes inégalités sociales, etc. Ainsi, Jean-Jacques est loin de partager l'optimisme des autres penseurs des Lumières, d'espérer comme eux que les anciens liens pourront être remplacés par une nouvelle rationalité sociale, par des rapports fondés sur l'intérêt personnel bien entendu d'une part, et par un gouvernement rationnel, un ensemble de normes et d'institutions juridiques protégeant l'intérêt général d'autre part. Dans une société atomisée et minée par les inégalités sociales, détruire les liens personnels, c'est entraîner la dissolution des communautés en une masse d'individus isolés et égoïstes par rapport auxquels les institutions juridiques et politiques ne peuvent constituer qu'une contrainte extérieure, fondée sur la force ; la loi étant au service des puissants et le pouvoir devenant une tyrannie. L'ancienne participation à une communauté, avec laquelle l'individu se sentait solidaire, et l'authenticité de sa vie personnelle ne peuvent être remplacées que par le « monde des apparences » : les apparences de la loi et de l'ordre dans la vie publique, la domination de l'amour-propre et des passions factices, la tendance à « exister dans le regard d'autrui », etc.

Aux époques charnières de l'histoire, on entretient souvent l'illusion que la transformation du type historique de la personne humaine et des formes de la vie collective équivaut à la dissolution de toute individualité, à une dépersonnalisation totale et à l'anéantissement de toute solidarité humaine. Cette illusion, nous la retrouvons dans la vision du monde de Jean-Jacques. Cependant, elle s'y mêle à des sentiments beaucoup plus complexes qui traduisent des expériences sociales plus riches et contradictoires. Du fait de la désintégration des structures sociales traditionnelles acceptées irréflexivement comme naturelles et relevant de l'ordre même des choses, du fait d'une civilisation urbaine et industrielle en voie de formation sur la base du développement du capitalisme, la personne de l'homme devient une valeur sur laquelle s'appuient et à laquelle font appel les individus pour définir et justifier leurs comportements sociaux. Mais, par là même, naissent également les condi-

tions dans lesquelles, au nom précisément de cette valeur, on pourra se
révolter contre les aspects dépersonnalisants des processus sociaux et
culturels en cours. Cette antinomie, non seulement Jean-Jacques aura
à l'affronter, mais encore des générations entières après lui.

Jean-Jacques réagit à tous ces processus avec une sensibilité maladive
qui non seulement déforme sa réceptivité, mais fait de lui en quelque
sorte un sismographe qui enregistre tous les malaises de la société, tout
ce qui empêche de concilier l'expression de la personnalité avec une participation aux communautés sociales et aux actions collectives, tout ce
qui aliène l'individu de ses propres formes de socialisation, aggrave l'instabilité de sa situation sociale, le soumet à des forces anonymes [7]. On
pourrait même dire que c'est à cette sensibilité maladive que Jean-
Jacques doit l'acuité avec laquelle il percevait et absorbait le concret
social qui se présentait à lui et s'accumulait au fil de ses jours ;
il le retenait sans rien perdre d'essentiel de ses expériences à Genève, de
ses vagabondages et voyages en Savoie, en Italie ou en France, de son
séjour idyllique aux Charmettes, de sa carrière parisienne, des discussions théologiques et intellectuelles ou des conversations de salon.

Il serait naïf de chercher une filiation directe entre tel ou tel fragment
de la vie et de l'œuvre de Rousseau et tel ou tel élément de sa vision
du monde. Une vision du monde est une structure globale et irréductible à l'ensemble des facteurs qui sont à son origine. Chaque
étape de sa vie procure en quelque sorte à Jean-Jacques le concret
sociologique dont se nourrissent ses attitudes globales. Nous avons
parlé plus haut de la fuite de Genève et de son contexte sociologique. Le jeune Jean-Jacques emportait de Genève une expérience sociale
riche et complexe, dont l'expérience de la désintégration sociale de la
petite cité politique et religieuse qu'était cette « nouvelle Jérusalem »,
désintégration qu'avaient amorcée la différenciation des rapports sociaux
et l'accroissement des antagonismes internes, l'ébranlement, dû au pouvoir
de l'argent, de la hiérarchie traditionnelle des valeurs et des prestiges,
l'assujettissement progressif de la vie intérieure de la Cité au « grand
monde » des finances et des affaires, etc. « Vous surtout, Génevois (...)
— écrivait Jean-Jacques à l'époque où son conflit avec sa ville natale
était devenu une guerre ouverte —, vous n'êtes ni Romains, ni Spar-
tiates, vous n'êtes pas même Athéniens. Laissez là ces grands noms qui
ne vous vont point. Vous êtes des Marchands, des Artisans, des Bourgeois, toujours occupés de leurs intérêts privés, de leur travail, de leur
trafic, de leur gain ; des gens pour qui la liberté même n'est qu'un
moyen d'acquérir sans obstacle et de posséder en sûreté [8]. » Fuir Genève,
c'était en même temps pour Jean-Jacques vivre sa première expérience
intense de la liberté, s'affranchir du cadre étriqué de la Cité, échapper
à la monotonie de l'atelier du maître graveur, briser le cercle de la
communauté traditionnelle et de ses coutumes pour parcourir le vaste
monde où l'on peut « être soi-même » et où la réussite est promise
à chacun. La liberté était hors des murs de Genève, hors des formes
institutionnalisées de la vie sociale, sur les routes suivies par des hommes
sans attaches, par des marginaux. L'individu peut faire l'expérience de

la liberté dans le sentiment de sa pleine indépendance par rapport aux autres, et même si ce sentiment est illusoire, l'expérience de la liberté est réelle. Mais sur ces mêmes routes, Jean-Jacques acquiert une expérience qui, par son essence, est collective. « L'inégalité n'est pas une expérience que l'on fait seul ; elle ne se réduit pas au sentiment d'infériorité : l'inégalité est un sort commun, elle s'éprouve solidairement [9]. » Toute l'œuvre de Jean-Jacques est imprégnée de ce sentiment de solidarité avec les pauvres et les opprimés, d'un esprit de révolte contre l'injustice sociale ; mais ces sentiments traduisent également une farouche opposition à ce que lui, Jean-Jacques, soit réduit à une condition sociale désignée par les autres, par l'ordre social que rien ne justifie moralement [10]. Entré à Turin au service de Mme de Vercellis, Rousseau lui en veut parce qu'elle « me jugea moins sur ce que j'étois que sur ce qu'elle m'avoit fait, et à force de ne voir en moi qu'un laquais, elle m'empêcha de lui paroître autre chose ». Quant aux autres domestiques de la maison, Jean-Jacques ne leur « agréait » pas et lui-même se sentait différent d'eux. « Je n'imaginois pas qu'outre le service de notre commune maîtresse je dusse être encore le valet de ses valets. J'étois d'ailleurs une espèce de personnage inquiétant pour eux. Ils voyaient bien que je n'étois pas à ma place [11]. »

C'est à Venise, alors qu'il était secrétaire de l'ambassadeur de France, que Jean-Jacques commença sa véritable éducation politique et qu'il comprit « par l'étude historique de la morale » que « tout tenoit radicalement à la politique », que « tous (les) vices n'appartiennent pas tant à l'homme, qu'à l'homme mal gouverné [12] ». La politique, l'inégalité, les privilèges et l'argent fonctionnent conjointement, s'enchevêtrent, produisent un réseau dense et opaque de rapports qui font éclater toute communauté humaine et dépravent les hommes, leur imposant des rôles et des masques. « L'emploi de l'argent se dévoye et se cache ; il est destiné à une chose et employé à une autre (...). Si la marche de l'or laissoit une marque ostensible et ne pouvoit se cacher, il n'y auroit point d'expédient plus commode pour achetter des services, du courage, de la fidélité, des vertus ; mais vû sa circulation secrète, il est plus commode encore pour faire des pillards, et des traîtres, pour mettre à l'enchère le bien public et la liberté [13]. » Quant aux expériences parisiennes de Jean-Jacques lui-même, ou de Saint-Preux et d'Emile, nous en avons déjà parlé ailleurs. Les « petites communautés » y sont confrontées avec la grande ville et ses rapports sociaux qui, pour Jean-Jacques, équivalent à une totale atomisation, à la « vie apparente » d'une foule anonyme ; mais il s'y produit également une confrontation avec le concret social et politique de la capitale d'une France absolutiste, vivant à l'ombre de Versailles. Les rencontres avec Paris s'inscrivent dans le cadre de la condition sociale d'un intellectuel, avec ses splendeurs — la gloire, l'indépendance —, mais aussi avec toutes ses vicissitudes : une position en marge d'une société hiérarchisée en ordres fermés, les méfaits de la mercantilisation de la culture, les hauts et les bas d'un neveu de Rameau, les persécutions, etc. Cette condition d'intellectuel, Jean-Jacques l'accepte comme sienne et en fait l'amer apprentissage ; jusqu'à

10

la fin de ses jours, il restera un écrivain par excellence, pour qui le besoin d'exprimer sa propre personnalité est indissociable du besoin de l'objectiver dans une œuvre littéraire. Et pourtant, à travers toute son œuvre, il dénonce cette condition, les intellectuels qui se constituent en une couche sociale distincte, la création qui obtient le statut d'une activité professionnelle distincte dans le cadre de la division sociale du travail. Avec le temps, Jean-Jacques verra dans sa situation sociale d'écrivain une condition qui lui a été imposée par un sort malheureux et hostile, et qu'il doit dépasser parce qu'elle est génératrice de conflits avec autrui, introduit une dissonance interne dans sa propre existence.

Nous pourrions prolonger cette énumération sans qu'elle devienne jamais exhaustive. Notre seul propos était de souligner une fois de plus à quel point le concret historique sature la vision du monde de Jean-Jacques. On pourrait dire que le « bruit de la manufacture de bas », évoqué antérieurement pour symboliser la présence constante du monde social dans l'œuvre de Rousseau, jamais ne s'y tait. Mais il importe d'autant plus de préciser que l'œuvre de Jean-Jacques n'est pas organisée autour de l'analyse et de la critique de ce concret social, qu'elle n'est réductible ni à la dénonciation de l'injustice sociale, ni à un appel politique, ni à un récit autobiographique. Les expériences de sa vie et de son destin intellectuel, les contradictions, les antinomies de la personne humaine et de la culture spirituelle, telles qu'elles sont façonnées par son siècle, toute cette matière riche et variée sustente chez Jean-Jacques des questions anthropologiques générales : le rapport de l'homme à la nature et à sa propre histoire ; la liberté de l'homme et son aliénation par rapport à ses produits et à ses activités ; l'unicité de l'individu et sa participation aux valeurs universelles ; l'autonomie de la personne humaine et sa participation aux communautés sociales. Car, ce qu'est l'homme et ce qu'est le monde pour l'homme, ce qu'est l'individu pour lui-même et pour autrui, quel est le sens et quelles sont les limites de la liberté humaine, quelle échelle de valeurs appliquer à la vie humaine et au mal moral engendré par les hommes, tels sont bel et bien les problèmes — formulés à chaque fois dans les différentes visions du monde et posés avec d'autant plus d'insistance aux époques de grands bouleversements — qui tirent leur substance de l'amalgame des conflits et des antinomies engendrés dans l'histoire. C'est de cette même substance que se nourrit l'effort dans lequel Jean-Jacques s'engage afin de parvenir, à travers une réflexion générale, à la conscience de soi qui lui permettrait, en même temps qu'à l'homme en général, d'obtenir un rapport univoque à lui-même et au monde dans lequel il vit.

Pour Jean-Jacques, la crise morale qui ronge son époque se traduit par le désaccord entre le sentiment « d'être soi-même », donné à l'individu dans la conscience de soi, et son existence sociale, entre la politique et la morale, la nature humaine et la culture, l'ordre immuable de la nature et le temps instable et ambigu de l'histoire des sociétés et des hommes. Les contradictions et l'inégalité sociales isolent les individus les uns des autres, morcellent la société et aliènent le pouvoir et la loi qui sont au service des puissants. De leur fait, le mal moral triomphe dans le monde humain, les rapports sociaux cessent d'être des liens personnels, l'individu ne se reconnaît ni en aucune communauté, ni en lui-même.

Nous avons déjà à plusieurs reprises indiqué les rapports, tantôt directs, tantôt complexes et sublimés, qui s'établissent dans l'œuvre de Jean-Jacques entre le diagnostic social et moral de son siècle d'une part et la réflexion philosophique sur l'histoire, la réflexion métaphysique sur l'ordre et la conception de la personne humaine d'autre part. Une liaison étroite existe entre les divers thèmes d'une vision du monde qui, dans son ensemble comme dans chacune de ses dimensions thématiques, est en quelque sorte toujours branchée sur les problèmes philosophiques touchant à la situation de l'homme dans son monde. Jean-Jacques concentre les problèmes religieux, métaphysiques, épistémologiques, etc., autour des questions morales. Mais « tout le mal vient de l'inégalité » et « l'étude convenable à l'homme est celle de ses rapports ». Dans la vision du monde de Jean-Jacques, les perspectives sont délibérément cernées par l'anthropologie, par les questions sur l'homme et l'humain. Toute réflexion qui perd de vue les besoins et les aspirations des hommes, non seulement est inutile, mais son émergence même témoigne des altérations de l'existence des hommes et de leurs rapports. Aussi, à l'horizon en quelque sorte de nos analyses, avons-nous vu plusieurs fois se profiler l'image d'un autre monde humain pensé en rêve par Rousseau, un modèle qui transcende la réalité existante. La contradiction entre l'idéal et la réalité et la tension interne qui en résulte, marquent toute la vision du monde de Jean-Jacques, ce conflit se manifestant dans toutes les sphères de sa réflexion théorique, dans sa conception de la personne humaine, dans ses jugements sur la réalité existante, etc. Engendré et entretenu par l'existence sociale de l'homme, ce conflit ne peut être dépassé ni par la religion, ni par la philosophie. Qui plus est, comprendre la place de l'homme dans le monde, les rapports de l'individu à Dieu et à l'ordre naturel et moral, à l'histoire et à lui-même, c'est approfondir d'autant la conscience de ce conflit. La condition de l'homme une fois « tiré de l'ordre de la nature » passe par son existence sociale. Ainsi, la présence d'un idéal social, d'une réflexion politique attachée à un idéal social, tient à la structure même de la vision du monde de Rousseau. Ce n'est pas un thème plus ou moins autonome, mais une dimension de toute sa pensée comme de sa sensibilité. Le problème de la liberté de l'homme et de sa vocation morale, de la cohérence interne de la personnalité et de sa conformité avec la nature même de l'homme est de par son essence le problème du rapport de l'individu à une totalité morale ; or, dans la société, les totalités morales possèdent un caractère politique. « Tout (tient) radicalement à la politique », aux « contradictions des institutions humaines ».

Evidemment, il s'agit ici de la politique dans le sens le plus large de ce terme, c'est-à-dire du problème du pouvoir comme de l'ensemble des rapports sociaux entre les hommes. On ne peut comprendre les conflits et les problèmes auxquels l'homme est affronté, même s'ils sont religieux et métaphysiques, sans tenir compte de la dimension « politique » de l'existence humaine, de la participation de l'homme à des communautés morales qui possèdent un caractère social et politique. « Toutes les institutions qui mettent l'homme en contradiction avec lui-même ne valent rien [14]. » Les institutions politiques — le système des lois, le système du gouvernement, les divisions sociales, les Églises, etc., — touchent aux problèmes fondamentaux de la personne humaine, à sa cohérence interne. « Il faut étudier la société par les hommes et les hommes par la société : ceux qui voudront traiter séparément la politique et la morale, n'entendront jamais rien à aucune des deux [15]. »

Les problèmes liés aux « institutions humaines » ne concernent donc pas uniquement tels ou tels autres aspects de la vie de la société ou de l'individu, et si un mal grave sape la société, il atteint l'ensemble de ses institutions. Le caractère fondamental de la contradiction entre l'idéal moral et l'état de choses existant exclut toute possibilité d'envisager les problèmes politiques dans la perspective d'une réforme partielle : il ne peut être question de se contenter d'améliorer tel ou tel autre aspect fragmentaire de la réalité. La critique de la réalité met en question les principes sociaux et moraux de l'ordre existant, la légitimité du système de gouvernement comme les rapports moraux sur lesquels celui-ci se fonde. Aussi l'idéal de nouveaux rapports humains oppose-t-il d'autres « principes » aux principes établis, une autre morale à la morale existante, une personnalité harmonieuse à « l'homme en contradiction avec lui-même ». Quel que soit le degré de sa concrétisation, cet idéal est une vision globale de la société, opposée et transcendante à l'égard des rapports sociaux existants. Et c'est dans ce sens le plus large que nous voudrions employer ici le terme « utopie », sans impliquer aucun jugement de valeur portant en particulier sur les possibilités de réalisation de cette vision, sans préjuger de son « réalisme ».

Telle que Rousseau la conçoit, la politique est irréductible à une technique de gouvernement, à l'exercice du pouvoir, et ce non seulement parce que les formes et les moyens de l'exercice du pouvoir dépendent des principes qui fondent l'organisation de la société dans son ensemble. En général, le rôle de la « politique » ne consiste pas à créer le cadre institutionnel qui garantit les conditions dans lesquelles l'individu peut bénéficier de ses droits, réaliser son aspiration au bonheur, etc., ainsi qu'il en est dans le modèle libéral de l'Etat. Les problèmes politiques ne sont pas l'apanage des gouvernants, mais ils sont universels et touchent tous les membres de la société, car ils concernent les questions les plus essentielles de chacun d'eux, leur humanité, leur liberté, leur conscience. Aussi, comme les problèmes moraux, relèvent-ils de la compétence de tout être humain. Le fait même que la société soit divisée en gouvernants dont la politique est l'apanage, et en gouvernés qui ne sont que les objets de l'activité politique, témoigne de l'altération, de la dégénérescence du « corps politique ». « On sépare trop deux choses inséparables, savoir le corps qui gouverne et le corps qui est gouverné. Ces deux corps n'en font qu'un par l'institution primitive, ils ne se séparent que par l'abus de l'institution [16]. » Dans l'œuvre de Rousseau, la philosophie est devenue politique, au sens fort de ce mot : elle engage dans la politique les questions de la vocation de l'homme et fait dépendre la légitimité du système social et politique de l'assentiment moral des individus. Ainsi que le remarque E. Cassirer, le seul fait d'avoir associé la politique à l'assentiment moral que lui donnent chaque individu et la société dans son ensemble conférait à l'œuvre de Rousseau son caractère révolutionnaire, quelles que fussent les idées concrètes véhiculées par son idéal de la société, par son utopie [17].

Remarquons ensuite le rapport, caractéristique lui aussi de la vision du monde de Rousseau, entre l'utopie qui vise un ordre meilleur et la révolte qui vise l'ordre existant. L'une comme l'autre naissent de la critique morale et sociale de la réalité existante, du diagnostic d'une crise : toutes les deux expriment une opposition à la réalité et la condamnent. Aussi bien « l'utopie » que la « révolte » se greffent sur l'expérience vécue du conflit entre l'idéal et la réalité, s'inspirant de la réflexion sur les causes de ce conflit. En ce sens, elles se conditionnent l'une l'autre et se complètent ; d'ailleurs, rares sont les passages de l'œuvre de Jean-Jacques où elles sont exprimées comme des thèmes distincts, autonomes. Pourtant, leurs rapports sont beaucoup plus complexes. En effet, la révolte ne se produit pas toujours au nom de l'idéal, ne s'inspire pas toujours d'une vision de rapports sociaux meilleurs. Ce qui caractérise la vie et l'œuvre de Rousseau, c'est l'autonomie de l'attitude de révolte individuelle. Nous l'avons déjà dit : l'anthropologie de Jean-Jacques étend le concept de liberté au droit de l'individu à s'opposer radicalement aux conditions sociales de son existence et de contester la société dans son ensemble, si la réalité tombe en contradiction avec les besoins, les sentiments et les aspirations que l'individu découvre dans son for intérieur, et qui lui procurent une échelle de valeurs absolues et des plus évidentes. Le solitaire qui « se suffit comme Dieu » s'élève au-dessus des problèmes moraux posés par l'existence sociale, ou plutôt il renonce aux choix moraux imposés par la société, il se refuse à devoir choisir. Evidemment, cela ne signifie pas qu'il perd la notion distincte du bien et du mal ; ce qu'il fait par contre, c'est se séparer, s'isoler entièrement de la société, de manière à se placer dans une situation dans laquelle il devient « spontanément bon ». Nous avons antérieurement constaté le caractère antinomique de cette attitude de révolte qui revêt la forme à la fois d'une « solitude choisie » et d'une « solitude imposée ». Certes, la « révolte » garde également un rapport avec « l'utopie » se traduisant par l'aspiration vague de l'individu solitaire à participer à une communauté et à remédier à sa propre « inutilité », mais ce rapport est indirect et imprécis. Ainsi, la révolte individuelle ne tire pas nécessairement sa justification de l'utopie, pas plus qu'elle ne s'associe à l'attente de sa réalisation. Le refus social peut avoir pour seule motivation positive l'aspiration de l'individu à la cohérence interne, à vivre le sentiment « d'être soi-même ».

Ces remarques nous semblent importantes pour comprendre aussi bien les contenus sociologiques de l'œuvre de Rousseau que ses diverses fonctions et résonances sociales. En effet, le contexte social et idéologique de cette idée radicale de la liberté individuelle présuppose un processus d'émancipation, long et complexe, au terme duquel l'individu n'accepte plus irréflexivement ses propres formes de socialisation, comme il refuse que d'autres l'identifient avec ces formes. L'idée de la personne humaine, propre à l'œuvre de Rousseau, se réfère à une conscience de soi qui est celle d'un moi se reconnaissant comme différent de ses propres déterminations sociales. La personne humaine n'est pas réductible aux relations, institutions et valeurs collectives : l'individu est libre de choisir entre son moi et les valeurs qui lui sont propres d'une part, et la société telle qu'elle existe d'autre part. Mais, comme nous l'avons vu, c'est une idée antinomique, car la personne humaine comporte également l'aspiration à établir une solidarité parfaite entre l'individu et la communauté, à vivre ses rapports avec autrui par l'intermédiaire d'une conscience collective. L'adhésion de l'individu à une « vraie » communauté devrait amener celui-ci à s'identifier entièrement avec les valeurs de la vie collective, à se libérer de la nécessité des choix moraux. Ces antinomies, nous les retrouverons également à l'intérieur des utopies de Rousseau.

Par ailleurs, bien que toute la vision du monde de Rousseau contribue à faire de la problématique politique l'une des questions anthropologiques fondamentales, il est aisé de constater qu'aucune des attitudes que nous avons schématique dégagées ici — et conventionnellement nommées la « révolte » et « utopie » —, n'impliquait nécessairement ni une action, ni un engagement politiques directs. De ce point de vue, la connexion des deux attitudes dans la vision du monde était ambiguë, sociologiquement indéterminée par rapport aux catégories de l'action politique.

Rappelons tout d'abord que Jean-Jacques se défend toujours de souhaiter une révolution, même s'il écrit dans le *Contrat social* : « Ce n'est pas que, comme quelques maladies bouleversent la tête des hommes et leur ôtent le souvenir du passé, il ne se trouve quelquefois dans la durée des Etats des époques violentes où les révolutions font sur les peuples ce que certaines crises font sur les individus, où l'horreur du passé tient lieu d'oubli, et où l'Etat, embrasé par les guerres civiles, renaît pour ainsi dire de sa cendre et reprend la vigueur de la jeunesse en sortant des bras de la mort [18]. » Et si, pendant la Révolution française, ce texte fut interprété comme un présage, voire comme un appel à la révolution, c'est qu'il y eut une projection sur le passé d'une situation nouvelle qui conférait un contexte spécifique à la lecture de Rousseau [19].

Avant la Révolution, l'œuvre de Rousseau inspira un modèle de personnalité qui tenait principalement de la « belle âme » et non pas de l'homme d'action politique. Il est intéressant à cet égard d'analyser la place attribuée à la politique dans l'éducation d'Emile et les conclusions pratiques inférées de cette éducation. Jean-Jacques confère un rôle particulièrement important à l'éducation politique [20], car sans elle, sans la connaissance des « devoirs et (des) droits des citoyens », sans savoir « ce que c'est que la patrie », le gouvernement et la loi, sans s'être « considéré par ses rapports civils avec ses concitoyens », l'éducation n'est pas terminée ; Emile ne pourrait pas être entièrement libre et véritablement « maître de (sa) personne ». La sphère de la liberté englobe les rapports sociaux et politiques, elle implique la participation de l'individu à la collectivité, l'accomplissement de ses devoirs de citoyen. Le fondement de cette « éducation politique » est l'idée du contrat social en tant que principe de la Cité. Aussi, pour parfaire cette éducation, Emile ne commencera pas par l'étude de l'histoire, ni des traditions de son pays : « Il faut qu'il commence par étudier la nature du gouvernement en général, les diverses formes de gouvernement, et enfin le gouvernement particulier sous lequel il est né, pour savoir s'il lui convient d'y vivre. » Car Emile a le droit de choisir son pays : il n'appartient pas à la collectivité, mais peut y accéder en fonction des principes sur lequels elle est fondée en tant qu'association et qui doivent obtenir son assentiment. « Par un droit que rien ne peut abroger, chaque homme en devenant majeur et maître de lui-même, devient maître aussi de renoncer au contract par lequel il tient à la communauté, en quittant le pays dans lequel elle est établie. Ce n'est que par le séjour qu'il y fait après l'âge de raison qu'il est censé confirmer tacitement l'engagement qu'ont pris ses ancêtres. Il acquiert le droit de renoncer à sa patrie comme à la succession de son père : encore, le lieu de la naissance étant un don de la nature, cède-t-on du sien en y renonçant. Par le droit rigoureux chaque homme reste libre à ses risques en quelque lieu qu'il naisse, à moins qu'il ne se soumette volontairement aux loix, pour acquérir le droit d'en être protégé. » Emile part donc en voyage pour trouver en Europe un pays qui pourrait être sa « véritable patrie » où il pourrait « vivre heureux avec (sa) famille à l'abri de tous les dangers ». Dans ses recherches, il applique à tous les pays existants des règles, une « échelle pour y apporter des mesures » — les principes de droit politique. Les résultats de ces « mesures » étaient facilement prévisibles : il n'y a en Europe aucun « coin » où l'on pourrait vivre « indépendant et libre, sans avoir besoin de faire mal à personne et sans crainte d'en recevoir », où le règne de la justice et de la liberté ne serait pas une « chimère ». Mais il ne s'ensuivra pas qu'Emile deviendra le cosmopolite des Lumières qui ne connaît pas de patrie, car la dialectique de son éducation et du rapport de l'individu à la société est dans la vision du monde de Rousseau beaucoup plus complexe. Pendant ses « voyages », Emile apprendra également cette autre vérité qu'il n'y a sur terre aucun « homme de bien qui ne (dût) rien à son pays » et que tout homme, « quel qu'il soit, lui doit ce qu'il y a de plus précieux pour l'homme, la moralité de ses actions et l'amour de la vertu ». Ainsi, les expériences de ses « voyages » semblent suggérer à Emile l'idée des liens sociaux autres que conventionnels et juridiques ; il découvre la nation en tant que communauté formée et fondée dans l'histoire (question à laquelle nous reviendrons par la suite).

Quelles sont cependant les conclusions pratiques que l'auteur infère dans *Emile* de cette confrontation de l'idéal politique avec la réalité ? Théoriquement, elles sont au nombre de deux. C'est d'abord de prendre sur soi « le triste emploi de dire la vérité aux hommes », de s'exiler volontairement quand on « peut être plus utile à ses concitoyens hors de sa patrie que (si l'on) vivoit dans son sein », en leur faisant connaître les véritables principes moraux et politiques. Or, Jean-Jacques se réserve ce rôle, « ses douloureux sacrifices », et l'on retrouve une nouvelle interprétation de sa propre situation dans cette image du martyr accomplissant son devoir de moraliste et de législateur. Il propose par contre à son élève idéal une deuxième solution : Emile sera une « belle âme », il vivra au milieu des hommes et deviendra « leur bienfaiteur, leur modèle », cultivant « leur amitié dans un doux commerce ». L'exemple qu'Emile donnera aux autres, est « celui de la vie patriarcale et champêtre », contribuant ainsi à la renaissance de « l'âge d'or » dans une petite communauté rurale idéale qui ressemble à Clarens.

Ainsi, la communauté morale idéale des « belles âmes » possède en un sens le caractère d'une communauté qui réunit des hommes déçus dans leurs aspirations politiques et sociales. Au plus profond d'elle résident la conscience de ces hommes de leur propre grandeur d'âme et un sentiment d'amertume du fait de la contradiction existante entre leur idéal et la réalité ; en elle se manifestent enfin des aspirations plus ou moins vagues à un ordre politique et social différent de l'ordre établi. Mais, d'autre part, l'aspect social et politique des valeurs et des idéaux fondamentaux pour la vie des hommes subit une sublimation sentimentale et esthétique dans cette évocation bucolique du bonheur, de la liberté et de la justice qui s'épanouissent dans l'asile champêtre d'Emile et de Sophie, grâce à l'amitié et à la « réforme des mœurs », ainsi que dans leur « vie domestique », grâce au jardin sentimental et à l'éducation idéale des enfants.

Les fonctions idéologiques de l'utopie de Rousseau, connectée avec le modèle littéraire et personnel de la « belle âme », constituent un chapitre important de l'histoire des idéologies à la fin du XVIIIe siècle et au début du XIXe. Mais ce chapitre est encore à écrire, alors qu'il pourrait, à ce qu'il nous semble, éclairer toute la complexité de ce mouvement d'idées, de mentalités et de sensibilités qu'on appelle couramment le préromantisme et qui, comme tous les courants dotés du préfixe « pré », se situe à la charnière de grandes formations culturelles nettement structurées. Dans ces mouvements situés à la charnière des époques, la structuration interne des visions du monde est plutôt lâche et agence des idées, des attitudes et des valeurs qui s'avéreront au fil de l'évolution historique et culturelle nettement opposées. Ainsi, on y trouve des concepts, valeurs et attitudes qui sont idéologiquement et sociologiquement ambivalents ; elles sont marquées par une atmosphère diffuse de vacuité, par un sentiment du transitoire et du fugitif, par un désir et un espoir vagues de quelque chose de nouveau, exprimés dans le langage plutôt de l'émotion que du concept. Ces visions du monde ne sont pas en général véhiculées par des mouvements qui auraient la conscience nette de former un courant commun, un groupe, une génération. C'est ainsi qu'on peut se définir en tant que « romantique » ou « positiviste », mais qu'on ne peut pas dire de soi qu'on est un « préromantique » ou un « prépositiviste ». C'est dans la seule perspective d'une autre vision du monde déjà bien formée et structurée qu'on interprète des mouvements comme précurseurs, ce qui dissimule souvent leurs particularités.

De ce point de vue, il serait extrêmement intéressant d'étudier, par exemple, comment le modèle de la « belle âme » esquissé par Rousseau fonctionne sociologiquement comme appui idéologique pour les associations et cercles voués au culte de l'amitié, qui se multiplièrent en Europe au début du XIXe siècle, et dont l'ambiance politico-philosophique devait en grande partie sa fermentation au rousseauisme [21]. Sociologiquement, les rapports entre le modèle de la « belle âme » et l'idéal social et politique de Rousseau changent de contexte avec la Révolution. Avec l'explosion de la Révolution et, surtout, au terme du durcissement des luttes politiques et sociales, l'utopie sociale et politique de Rousseau cessa d'être un simple modèle, situé quelque part dans le « pays des rêves et des chimères » et par rapport auquel — après avoir lu *Emile* et la *Nouvelle Héloïse* — on pouvait se définir en pratiquant une autre éducation des enfants, un nouveau style de jardins et une vie domestique sentimentale. Avec la Révolution, le *Contrat social* s'imprégna des idées et des valeurs issues des actions politiques collectives, et toute lecture de Rousseau ne pouvait se faire qu'en fonction des positions prises à l'égard de la Révolution.

Recourons à la petite histoire pour illustrer un problème qui mériterait lui aussi une étude à part. J.U. Niemcewicz, poète et homme politique polonais, raconte qu'étant en visite chez le prince Czartoryski, dans son domaine à Pulawy — d'où rayonnait le culte de Rousseau en Pologne —, il constata avec étonnement l'absence du buste de Rousseau, placé d'habitude dans les grands salons du palais. Après les récents événements révolutionnaires en France, on avait relégué le buste dans un coin éloigné du grand parc sentimental. Rousseau le chantre de la nature et de l'âge d'or, qui était à sa place dans un salon aristocratique, et Rousseau le « révolutionnaire », dont la place était à présent un coin perdu du parc sentimental, — voilà qui peut servir non seulement de symbole à la complexité et à la pluralité des fonctions idéologiques de l'œuvre de Jean-Jacques, mais aussi de contribution à l'étude du rapport de la vision du monde et de la politique.

Pour faire poids et mettre en relief l'ambivalence sociologique et politique de la place de l'utopie dans la vision du monde de Jean-Jacques, un autre exemple mérite d'être évoqué. Le jeune Robespierre, à l'époque de ses études à Paris et des débuts de sa carrière à Arras, s'inspirait du modèle de la « belle âme ». Il allie donc sa sensibilité à l'injustice, aux inégalités et aux privilèges sociaux — avec une totale inertie politique ; le culte de l'amitié et de l'amour — avec l'idéal de la vie vertueuse de « l'homme pauvre » ; l'amour de la solitude et de la nature — avec une aspiration à la réforme des mœurs. Cet idéal de l'âme sensible, Robespierre s'en imprégna grâce à la lecture des œuvres de Rousseau et, à ce qu'il semble, le choisit délibérément en tant que modèle de sa vie spirituelle et de ses attitudes pratiques. Et c'est seulement à l'issue de la convocation des Etats généraux, quand les débats politiques s'engagèrent à Arras, que des aspirations à l'action politique ébranlèrent cette « belle âme ». Le jeune député écrivit alors dans sa *Dédicace à J.-J. Rousseau* : « Ton exemple est là, devant mes yeux (...). Je veux suivre ta trace vénérée,

dussé-je ne laisser qu'un nom dont les siècles à venir ne s'informeront pas :
heureux si, dans la périlleuse carrière qu'une révolution inouïe vient
d'ouvrir devant nous, je reste constamment fidèle aux inspirations que
j'ai puisées dans tes écrits [22] ! »

La connexion de l'utopie avec le modèle de la « belle âme » favorisait
l'intériorisation et la subjectivation des conflits sociaux ; elle poussait
moins à l'action et justifiait plus la passivité politique à l'égard des conflits
que l'homme ne peut pas surmonter à l'échelle individuelle. Elle favorisait
la sublimation de ces conflits dans des constructions idéologiques, dans
la création artistique, dans une attitude esthétique et moralisatrice par
rapport au monde, etc. La conscience individuelle de la rupture entre
l'idéal des rapports sociaux et moraux et la réalité se mêlait facilement
avec un sentiment d'impuissance face à cette réalité, avec un déchirement
de l'individu, mais aussi avec le sentiment d'une crise affectant la société
tout entière. Les conflits intériorisés se traduisent alors par des attitudes
autres que politiques ; ils trouvent un exutoire dans la création artistique,
la réflexion moralisatrice, etc. Cependant, si ce sentiment de la crise dure,
ces formes d'expression des aspiration sociales, souvent axées sur
les conflits internes de la personne humaine, deviennent un élément de
cristallisation de la conscience sociale et politique des classes et des groupes sociaux. Ce n'est pas à travers la confrontation de la réalité avec un
ensemble de thèses théoriques et de diagnostics politiques et sociaux que
des individus prennent alors conscience du caractère transitoire de leur
époque, des conflits et des crises qui la secouent : cette prise de conscience
se fait au cours de la confrontation de la réalité avec un « besoin intérieur »,
avec un impératif moral et avec des valeurs morales et culturelles. Au cours
de ces processus idéologiques, l'image de la réalité politique et sociale est
souvent mystifiée ; mais les conflits que cette réalité comporte, la contradiction entre elle et l'idéal, le sentiment d'une crise s'emparent de la
conscience individuelle. Dans la conscience de la déchirure interne du moi,
les différents aspects de l'existence sociale de l'individu, les idées, les
valeurs, les sentiments, s'amalgament, et cette existence même est ressentie comme intolérable [23]. Et c'est précisément dans ce processus complexe, intérieurement contradictoire, de l'interaction de la politique et
de l'art, de la réflexion théorique et de la morale, des modèles de personnalité et des programmes politiques et sociaux que s'inscrivent le sort
historique de l'œuvre de Jean-Jacques et les destinées successives du rousseauisme en tant que mouvement culturel à la fin du XVIIIe siècle et au
début du XIXe.

Rousseau expose son idéal de la communauté sociale et politique en premier lieu dans le corps de ses nombreux écrits politiques, et cependant ceux-ci n'épuisent pas cette vision. Car, rappelons encore la maxime de l'auteur du *Contrat* : « Il faut étudier la société par les hommes, et les hommes par la société ; ceux qui voudront traiter séparément la politique et la morale, n'entendront jamais rien à aucune des deux. » Chez Jean-Jacques, l'idéal de la communauté sociale et politique a comme arrière-plan toute sa construction historiosophique, mais aussi sa métaphysique dans la mesure où elle est organisée autour du problème du mal moral. Car les problèmes que les hommes ont à résoudre dans leur vie collective concernent les questions morales fondamentales qu'on ne peut pas détacher de la « politique ». Le mal moral est imputable à l'histoire profane des hommes, non à l'histoire sainte, au processus de socialisation et d'individualisation, à la naissance et à l'accroissement de l'inégalité, non à la chute du premier homme et au péché originel. Il faut donc chercher une solution au problème du mal non pas dans le Royaume de Dieu, mais dans l'organisation de la vie collective des hommes, non pas dans l'ordre métaphysique, mais dans l'ordre social. Le retour à « l'état de nature », à l'état d'innocence précédant la connaissance du bien et du mal, est impossible, car entre « l'homme de la nature » et « l'homme de l'homme » se dresse l'histoire créée par les hommes eux-mêmes et qu'on ne peut pas défaire. On peut certes remédier au mal existant, mais à la seule condition de tenir compte de cette histoire, « de tirer du mal même le remède qui doit le guérir » et « par de nouvelles associations » de corriger, « s'il se peut, le défaut de l'association générale » qui s'est spontanément instaurée et développée [24].

Ce sont les contradictions morales et sociales engendrées par le processus de dénaturation et de socialisation de l'homme qui suscitent le besoin d'une réflexion théorique sur les principes de la communauté sociale, en particulier sur les lois de la Cité. Car il y va précisément des principes de l'existence de la communauté, et non pas d'une réforme de telles ou telles institutions administratives existantes, ou encore d'un perfectionnement du fonctionnement du pouvoir, etc. Pour être plus précis : il s'agit aussi de ces questions, mais dans la mesure où elles sont liées à des problèmes sociaux, moraux et historiosophiques fondamentaux. Ainsi, c'est dans des catégories politiques, dans l'optique des principes d'une législation idéale, que l'utopie de Jean-Jacques aborde le problème du mal moral engendré dans l'histoire.

Dans la première version du *Contrat social* (plus particulièrement dans le chapitre II du Livre I), Jean-Jacques commence par analyser les processus historiques d'où est née la nécessité de l'Etat et des institutions politiques, avant d'exposer les principes de la légitimité de ces institutions. Dans ces développements, on retrouve notamment, dans leurs grandes lignes, les analyses du processus de dénaturation de l'homme et des antinomies qui s'ensuivent. Dans « l'état de nature », il n'y a pas de rapports sociaux, ils n'apparaîtront qu'au moment où la rupture de « l'équilibre naturel » entre les besoins de l'homme et ses facultés rendra nécessaire à chacun « l'assistance de ses semblables ». C'est alors que s'étend la dépendance réciproque des hommes, que naissent les fondements de la « société générale » humaine. Ce terme de « société générale », Jean-Jacques l'emploie pour désigner les liens sociaux qui précèdent toute convention et sont fondés exclusivement sur le fait que les hommes sont « unis par leurs besoins mutuels [25] ». Ces « premiers liens de la société générale » se nouent spontanément et s'imbriquent d'emblée dans les contradictions que nous connaissons par ailleurs : plus les besoins de l'homme augmentent, plus ses désirs s'exacerbent au point que « le concours de tout le genre humain suffit à peine pour les assouvir ». Mais si les besoins mutuels rapprochent les hommes, les passions les divisent, « et plus nous devenons ennemis de nos semblables, moins nous pouvons nous passer d'eux ». L'amour de soi dégénère en amour-propre ; l'individu « dépend de mille autres rapports qui sont dans un flux continuel », de forces sociales qu'il ne connaît ni ne contrôle ; les rapports entre les hommes se fondent de plus en plus sur la propriété et l'inégalité, tandis que le motif d'action principal devient l'intérêt égoïste. Au terme de ce même processus de dénaturation, l'homme acquiert d'autre part la conscience de soi : il se reconnaît comme individu et comme partie du genre humain ; c'est-à-dire que ce processus est à la fois celui de l'individualisation et de la formation de la conscience morale. C'est cependant le mal moral et l'injustice sociale qui l'emportent dans ces rapports instaurés spontanément, car des liens fondés exclusivement sur des « besoins mutuels » favorisent les plus forts, les plus cupides et les plus méchants, alors qu'ils n'offrent « point une assistance efficace à l'homme devenu misérable, ou du moins (ils) ne donne(nt) de nouvelles forces qu'à celui qui en a déjà trop, tandis que le faible, perdu, étouffé, écrasé dans la multitude, ne trouve nul asile où se réfugier, nul support à sa faiblesse ». La société générale, « telle que nos besoins mutuels peuvent l'engendrer », est « une union trompeuse » : de ses liens « naissent des multitudes de rapports sans mesure, sans règle, sans consistance, que les hommes altèrent et changent continuellement ». Par conséquent, même si un individu s'élève « jusqu'aux notions sublimes de la vertu », il ne peut pas les appliquer dans un état aussi instable, où chacun ne voit que son intérêt et reste « isolé parmi les autres », où l'on ne peut « discerner ni le bien ni le mal, ni l'honnête homme ni le méchant ». L'individu est incapable de définir clairement son rapport au monde dans une société opaque et aliénée, où les hommes sont à la fois « indépendants et devenus sociables ».

Le modèle de rapports sociaux décrit ci-dessus rappelle l'état « de guerre de tous contre tous » de Hobbes, rapporté cependant non pas à l'état de nature, mais aux effets des processus de dénaturation. En outre, on y retrouve la même ambiguïté que nous avions constatée lors des analyses du « retour aux origines ». D'une part donc, nous avons affaire à une référence pseudo-historique qui renvoie à l'« état d'indépendance » qui aurait précédé l'instauration de l'Etat, et au processus de dénaturation. Or, ce passé est difficile à situer avec plus de précision dans le temps d'histoire. D'autre part, cette analyse se rapproche également du présent, d'un aspect essentiel des rapports sociaux actuellement existants : elle permet d'interpréter le présent en fonction de sa conformité avec des « principes », pose des questions sur les « raisons » de son existence. En effet, les « institutions politiques » contemporaines n'ont pas corrigé les vices des rapports sociaux spontanément établis, ni ceux de l'homme et de la civilisation connectés avec ces rapports. A la société atomisée, composée « d'hommes privés » guidés par leurs intérêts égoïstes, correspondent des institutions qui, sous le prétexte de veiller à l'intérêt général et à l'ordre public, consacrent l'oppression, l'injustice et l'inégalité. Ces institutions n'apportent pas de solutions aux contradictions de l'existence même des hommes « qui vivent à la fois dans la liberté de l'état de nature et sont soumis aux besoins de l'état social », et pour qui « les loix de la justice et de l'égalité ne (sont) rien [26] ».

Le processus de dénaturation que nous venons de rappeler schématiquement désigne en quelque sorte le cadre théorique dans lequel sera posé le problème des principes et du fonctionnement du « corps social ». Ainsi, les principes des « nouvelles associations » doivent être réalistes, c'est-à-dire qu'ils doivent tenir compte des hommes tels qu'ils sont, donc des hommes tels qu'ils sont devenus au terme du processus de dénaturation, des « hommes privés » qui agissent au nom de leurs propres intérêts égoïstes. Et Jean-Jacques ne cesse de prôner le réalisme de ses propres démarches. « Je veux chercher — annonce-t-il dans son préambule au *Contrat social* — si dans l'ordre civil il peut y avoir quelque règle d'administration légitime et sûre, en prenant les hommes tels qu'ils sont, et les loix telles qu'elles peuvent être : je tâcherai d'allier toujours dans cette recherche ce que le droit permet à ce que l'intérêt prescrit, afin que la justice et l'utilité ne se trouvent point divisées [27]. » Mais combien sont multiples et diversifiés les aspects de ce « réalisme » ! Nous ne citerons ici qu'un exemple. Dans le *Discours sur l'inégalité,* Jean-Jacques considère la naissance de la propriété privée comme l'un des facteurs décisifs de l'évolution de la société et, à la fois, de la dépravation morale des hommes. « Que de crimes, de guerres, de meurtres, que de misères et d'horreurs — énonce la célèbre apostrophe — n'eût point épargnés au Genre-humain celui qui arrachant les pieux ou comblant le fossé, eût crié à ses semblables. Gardez-vous d'écouter cet imposteur ; vous êtes perdus, si vous oubliez que les fruits sont à tous, et que la terre n'est à personne [28] ! » Or, l'idéal de la communauté sociale et politique de Jean-Jacques ne revendique à aucun instant la suppression de la propriété privée. Car on ne peut arrêter la « lente succession d'événements et de connoissances », et il est probable que même à l'instant, hypothétique d'ailleurs, où « le premier (...) ayant enclos un terrain, s'avisa de dire, ceci est à moi », on ne pouvait plus remédier à la naissance de la propriété privée, car « les choses en étoient déjà venues au point de ne pouvoir plus durer comme elles étoient [29] ». Il est d'autant plus impossible de revenir en arrière dans les projets des « nouvelles associations » qui doivent tenir compte des « hommes tels qu'ils sont ». Les principes et la nature de la communauté sociale et politique doivent donc prendre en considération la nature humaine telle qu'elle s'est maintenue comme le fond immuable du processus de socialisation, mais aussi les effets de l'historicité de l'homme, de la marche de l'histoire qui a amené à la dénaturation et à ses effets. La nécessité de l'Etat et de l'art de la politique est née de la rupture et des antinomies qui se sont produites entre la nature et l'histoire.

Ainsi, on ne peut inférer les principes de la Cité ni directement de la nature humaine, ni des institutions politiques qui ont spontanément surgi dans l'histoire. On ne peut pas les inférer des seules propriétés naturelles de l'homme, car : « L'identité de nature (..) est autant pour les hommes un sujet de querelles que d'union, et met aussi souvent entre eux la concurrence et la jalousie que la bonne intelligence et l'accord. » Certes, de par sa nature, l'homme possède la faculté « d'étendre son être » sur les autres, de compatir, et sans cette aptitude, toute coopération sociale serait impossible entre les hommes. Chacun ne penserait qu'en fonction du « moi » et jamais en fonction du « nous » dont il fait lui-même partie. Mais cette sensibilité ne suffit pas pour fonder une communauté équitable : si l'identité de la nature humaine est à la base du « sentiment de l'humanité », ce sentiment ne s'éveille dans les cœurs qu'au terme d'un progrès des rapports sociaux, à une époque donc où « l'interest personnel (...) et le développement antérieur des passions rendent impuissants tous ses preceptes ». « Il est faux que dans l'état d'indépendance, la raison nous porte à concourir au bien commun par la vue de notre propre interest. » Aussi Jean-Jacques considère-t-il comme une « véritable chimère », comme une construction spéculative des philosophes, « ce prétendu traité social dicté par la nature [30] ». Selon lui, à la base de toute association civile, il y a obligatoirement l'assentiment libre des associés, leurs engagements librement consentis. Ces engagements que les hommes prennent en tant qu'êtres libres et indépendants, auxquels ils se soumettent en toute liberté et pour la liberté, définissent les conditions de tous les autres engagements possibles. Dans les constructions de Rousseau, le rapport de la loi naturelle au pacte social est particulièrement complexe. L'un des préceptes de la loi naturelle est que l'homme est libre et que la liberté individuelle est la condition de tout engagement, de toute convention. C'est dans ce sens que le droit positif ainsi que le pacte social ne peuvent être contradictoires avec la loi naturelle, donc avec la liberté, la souveraineté et l'égalité des individus. Mais le problème de la genèse des sociétés réelles est une chose, le problème des principes et de la légitimité de la société en est une autre. C'est ainsi que les sociétés existantes

sont nées de la violation de la liberté des hommes, en rupture donc avec
la loi naturelle. Aussi n'ont-elles aucune sanction : pas plus la loi naturelle
qu'un décret divin. Une communauté sociale et politique véritable, conforme aux principes de la liberté, de l'égalité et de la justice, doit
consister, d'une part, à instaurer l'ordre, c'est-à-dire à poser les fondements d'une nouvelle organisation sociale et politique, d'autre part, à
restituer l'ordre, c'est-à-dire à fonder l'activité collective des hommes sur
les principes de la loi naturelle dont les hommes ont pris conscience [31].
Les « nouvelles associations » nécessaires — rappelons-le — afin de
« corriger les défauts de l'association générale » doivent donc viser à
rassembler en une communauté non pas des « hommes naturels », mais
des individus déjà liés par la « société générale », c'est-à-dire des êtres
déjà dotés de passions, de biens, de mœurs, unis par leurs besoins mutuels
et divisés par leurs intérêts égoïstes, etc. La législation qui pose les fondements d'une nouvelle communauté, ne peut donc pas œuvrer sur « un
terrain vierge ». Quand l'inégalité sociale et l'atomisation de la société
sont allées trop loin, il est presque impossible d'instituer un véritable
« corps politique » ; autrement dit : l'idéal ne peut pas faire son apparition dans l'histoire à n'importe quel moment. D'où la question que se
pose Rousseau et qui est éminemment caractéristique de lui : « Quel
peuple est propre à la législation ? » Chaque peuple possède une époque
particulièrement favorable à l'introduction des lois : cette époque se situe
quelque part entre « l'enfance » de l'état de nature et la « décrépitude » des grands Etats européens contemporains où « le ressort civil est
usé ». « Il est pour les Nations comme pour les hommes un tems de
maturité qu'il faut attendre avant de les soumettre à des loix ; mais la
maturité d'un peuple n'est pas toujours facile à connoître, et si on la
prévient l'ouvrage est manqué. » Et Jean-Jacques de citer l'exemple du
« génie imitatif » de Pierre le Grand qui « a voulu civiliser le (peuple
russe) quand il ne faloit que l'agguerrir. Il a d'abord voulu faire des
Allemands, des Anglois, quand il falloit commencer par faire des Russes ;
il a empêché ses sujets de jamais devenir ce qu'ils pourroient être, en
leur persuadant qu'ils étoient ce qu'ils ne sont pas [32] ». Notons donc pour
l'instant, car nous reviendrons plus en détail à ce problème, que parmi les
conditions historiques qui définissent la forme des lois, il y a également
lieu de ranger la spécificité des nations et la particularité de leurs destinées
historiques. Une législation idéale ne doit pas consister uniquement en
une construction abstraite qui réaliserait les principes universels de la
coopération sociale des hommes, mais elle doit chercher à concilier ces
principes rationnels avec la spécificité, née spontanément dans l'histoire,
des mœurs, des mentalités et des comportements collectifs. Jean-Jacques
oppose cette particularité des peuples aux effets uniformisants du progrès,
et il la recherche loin des villes, partout où subsistent les formes traditionnelles de la vie sociale, caractéristiques des petites communautés fermées où les liens personnels immédiats n'ont pas disparu, où la différenciation sociale est encore minime. Le peuple qui se prête le mieux à la
législation est celui « qui, se trouvant déjà lié par quelque union d'origine, d'intérêt ou de convention, n'a point encore porté le vrai joug des

loix (...) ; celui dont chaque membre peut être connu de tous, et où l'on n'est point forcé de charger un homme d'un plus grand fardeau qu'un homme ne peut porter, celui qui peut se passer des autres peuples et dont tout autre peuple peut se passer ; celui qui n'est ni riche ni pauvre et peut se suffire à lui-même ; enfin, celui qui réunit la consistance d'un ancien peuple avec la docilité d'un peuple nouveau » ; celui dans lequel « la simplicité de la nature (est) jointe aux besoins de la société [33] ».

De la manière la plus générale, on peut donc conclure que la législation idéale doit opérer une synthèse spécifique de la nature et de l'histoire, des particularités nationales et des principes humains universels. Nous reconnaissons le rythme ternaire déjà constaté ailleurs. Dans ce cas précis, le premier terme est l'état de la nature, le second la négation de cet état à l'issue du processus spontanée de socialisation, le troisième enfin une législation qui restaurerait les principes de la loi naturelle sur la base des sentiments moraux et des rapports sociaux engendrés au cours du processus de dénaturation, mais qui dépasserait cependant, dans le cadre d'une communauté nouvelle, l'atomisation et les conflits sociaux. Le cours spontané de l'histoire ne peut en aucun cas mener à cette synthèse : loin de donner naissance à une communauté authentique, l'histoire engendre des facteurs de désintégration. Seule l'intervention dans le cours de l'histoire du facteur extra-historique qu'est une législation rationnelle peut amener l'instauration d'une Cité nouvelle. Qui plus est, le but de la législation est en quelque sorte de protéger, contre les transformations sociales et politiques, contre tout changement l'ordre instauré dans cette communauté. L'idéal est donc une petite communauté, la plus isolée possible, où les citoyens assureraient la cohérence interne grâce aux valeurs morales et spirituelles de la vie collective dont ils seraient pénétrés. Les principes du « corps politique » visent à obtenir le plus grand accord possible entre l'intérêt individuel et l'intérêt général, et ce à travers la transformation de la personnalité même de l'individu qui, dans sa vie spirituelle, devrait harmoniser le sentiment de son autonomie individuelle avec le sentiment d'appartenance à la communauté.

A l'extrême, dans une cité idéale, il faudrait que l'individu s'identifie pleinement avec la communauté. « L'homme naturel est tout pour lui : il est l'unité numérique, l'entier absolu qui n'a de rapport qu'à lui-même ou à son semblable. L'homme civil n'est qu'une unité fractionnaire qui tient au dénominateur, et dont la valeur est dans son rapport avec l'entier, qui est le corps social. Les bonnes institutions sociales sont celles qui savent le mieux dénaturer l'homme, lui ôter son existence absolue pour lui en donner une relative, et transporter le moi dans l'unité commune ; en sorte que chaque particulier ne se croye plus un, mais partie de l'unité, et ne soit plus sensible que dans le tout. Un citoyen de Rome n'étoit ni Caius ni Lucius, c'étoit un Romain : même il aimoit la patrie exclusivement à lui [34]. » Jean-Jacques cherche des expressions et des analogies qui rendraient compte de ce caractère particulier du lien social indispensable à la cohérence de la communauté. Ce lien doit être non seulement rationnel, mais aussi affectif : la communauté idéale est une patrie qu'on aime et dans laquelle l'amour de soi est plus qu'indissociable de l'amour de la patrie, puisque le premier doit être fonction du second. Il doit faire plus qu'assembler en un agrégat mécanique des individus autonomes, réunis par la concordance de leurs intérêts individuels ; il doit transformer ces individus en parties d'un tout organique où « le bien ou le mal public ne seroit pas seulement la somme des biens ou des maux particuliers comme dans une simple aggrégation, mais il résiderait dans la liaison qui les unit, il seroit plus grand que cette somme, et loin que la félicité publique fut établie sur le bonheur des particuliers, c'est elle qui en seroit la source [35] ».

Dans ce contexte, Jean-Jacques recourt également à l'analogie entre l'Etat et l'organisme : « Le corps politique, pris individuellement, peut être considéré comme un corps organisé, vivant et semblable à celui de l'homme (...). La vie de l'un et de l'autre est le moi commun au tout, la sensibilité réciproque, et la correspondance interne de toutes les parties. Cette communication vient-elle à cesser, l'unité formelle à s'évanouir, et les parties contiguës à n'appartenir plus l'une à l'autre que la juxtaposition ? L'homme est mort, ou l'état est dissous [36]. » Ailleurs encore, Jean-Jacques fait appel pour ses comparaisons à la chimie, à laquelle il s'intéressait étant jeune. Ainsi, il s'agit de créer « un Etre moral qui aurait des qualités propres et distinctes de celles des Etres particuliers qui la constituent, à peu près comme les composés chymiques ont des propriétés qu'ils ne tiennent d'aucune des mixtes qui les composent [37] ».

Qu'instaurer une communauté telle qu'il la conçoit, et à partir des prémisses de son anthropologie et de son idée de l'histoire, soit une entreprise antinomique et quasi irréalisable, Jean-Jacques en est manifestement conscient. Il semblerait même que dans son désir d'être « réaliste », il multiplie les obstacles qu'il voit sur la route menant à la nouvelle communauté, dans laquelle l'union entre les individus serait fondée sur autre chose que l'intérêt égoïste. L'homme de la nature est « l'unité numérique », « l'entier absolu qui n'a de rapport qu'à lui-même » ; dans « l'état de nature », « l'existence absolue » de l'individu ne s'exprime que dans le seul amour de soi qui, faute de contacts permanents avec autrui, ne peut pas avoir d'effets sociaux. Par contre, au terme de sa socialisation, l'homme prend conscience de son individualité au point que le motif majeur de ses actions est son intérêt particulier auquel il rapporte toute idée de communauté sociale. Pourtant ce sont ces hommes qui doivent constituer la communauté ; d'où la nécessité de tenir compte de leur amour de soi dégénéré en amour-propre, de leur égoïsme devenu la motivation maîtresse de leurs actions, etc. Les motifs qui mènent au pacte social constituant une communauté équitable sont donc exclusivement particuliers et égoïstes.

Nous avons vu que Rousseau excluait l'existence d'un instinct social inné, d'une sociabilité naturelle dont on pourrait inférer les principes du pacte social et qui constituerait le mobile des individus contractant ce pacte. Une fois les passions éveillées, elles prennent toujours le dessus sur la voix de la conscience, tandis que l'inégalité sociale et l'égoïsme poussent toujours les forts à tirer profit de leur supériorité et à imposer leur volonté aux faibles. Ainsi, toutes les actions des hommes sont motivées par la recherche de l'intérêt particulier qui est toujours opposé au bien général dont, en outre, la représentation est abstraite. Tout au plus, les hommes sont conscients de l'existence du mal, mais ils n'en connaissent ni les causes, ni les moyens de s'en délivrer. Les difficultés semblent donc, comme l'écrit Jean-Jacques, « insurmontables ».

« Cherchez les motifs qui ont porté les hommes unis par leurs besoins mutuels dans la grande société à s'unir plus étroitement par des sociétés civiles, vous n'en trouverez point d'autre que celui d'assurer les biens, la vie, et la liberté de chaque membre par la protection de tous : or, comment forcer des hommes à défendre la liberté de l'un d'entre eux, sans porter atteinte à celle des autres ? » « Dans les motifs qui portent les hommes à s'unir entre eux par des liens volontaires il n'y a rien qui se rapporte au point de réunion [38]. » Toute cette démarche complexe, marquée par les schémas et les concepts propres aux théoriciens du droit naturel, met en relief le contraste entre le particularisme de l'homme privé d'une part, et l'existence du citoyen, membre d'une communauté politique, d'autre part. Ainsi, la transformation de l'homme en citoyen est presque un « prodige », l'effet d'une « inspiration céleste [39] ».

Pour accomplir cette transformation, pour constituer une société civile, exécuter « une entreprise aussi grande, aussi difficile », il faut un législateur. Ce dernier est indispensable dans le schéma historiosophique de Rousseau : tel le *deus ex machina*, il intervient dans la marche spontanée de l'histoire des hommes. Aussi, comme nous l'avons vu, ce créateur de l'ordre social est-il comparé à Dieu. Le législateur voit « toutes les passions des hommes et n'en éprouv(e) aucune », il n'a « aucun rapport avec notre nature et la conn(aît) à fond ». « Celui qui ose entreprendre d'instituer un peuple, doit se sentir en état de changer, pour ainsi dire, la nature humaine ; de transformer chaque individu, qui par lui-même est un tout parfait et solitaire, en partie d'un plus grand tout dont cet individu reçoive en quelque sorte sa vie et son être ; d'altérer la constitution de l'homme pour la renforcer ; de substituer une existence partielle et morale à l'existence physique et indépendante que nous avons tous reçue de la nature ». « Il faudroit des Dieux pour donner des loix aux hommes [40]. » « Le Législateur est à tous égards un homme extraordinaire », entre autres parce qu'il a à mener à bien des entreprises « qui semblent incompatibles. » Ainsi, « chaque individu ne goûtant d'autre plan de gouvernement que celui qui se rapporte à son intérêt particulier, apperçoit difficilement les avantages qu'il doit retirer des privations continuelles qu'imposent les bonnes loix. Pour qu'un peuple naissant put goûter les saines maximes de la politique et suivre les règles fondamentales de la raison d'Etat, il faudroit que l'effet put devenir la cause, que l'esprit social qui doit être l'ouvrage de l'institution présidât à l'institution même, et que les hommes fussent avant les loix ce qu'ils doivent devenir par elles [41] ». En s'élevant au-dessus de ses contemporains, le grand législateur est à la fois l'incarnation de la raison pure et le porteur d'une mission morale ; il est un grand solitaire parmi les hommes et agit en accord avec son apostolat. On aurait envie de dire de lui qu'il est « rusé » avec les hommes, tout comme l'est l'histoire chez Hegel. Car, pour donner une consécration à ses actions, pour imposer aux « hommes vulgaires » des objectifs qu'ils ne comprennent pas, le législateur doit recourir à l'autorité divine et « honorer les Dieux de (sa) propre sagesse ». Mais le législateur n'en est pas pour autant un imposteur, car « sa grande âme » et son « puissant génie » s'animent d' « une inspiration céleste ». C'est la vocation morale qui s'impose dans les paroles et les actes du législateur, comme une force extérieure aux « hommes vulgaires [42] ».

Si le législateur peut accomplir de tels actes, dépasser dialectiquement les antinomies et transformer le mal en son contraire, c'est parce qu'il dispose d'un moyen véritablement miraculeux : on pourrait dire qu'il met en œuvre la dialectique de la liberté, la propriété de celle-ci de se transformer en son propre contraire. Car le législateur n'est à vrai dire que l'accoucheur de l'acte par lequel le « citoyen » naît de l' « homme privé », et cette mutation prodigieuse s'accomplit grâce à la loi qui est à la fois l'expression de la liberté et l'aliénation de la liberté.

On peut, en effet, affirmer que toutes les antinomies de l'existence sociale de l'homme, accumulées au cours du processus de dénaturation et que le législateur doit résoudre, sont des antinomies de la liberté.

D'une part, toute communauté civile ne peut être instituée qu'avec l'assentiment libre d'individus autonomes : tout corps social est le produit d'une convention. La condition de toute convention est la libre décision des individus qui la contractent, d'individus conscients de leur particularité et souveraineté ; or, la liberté ainsi conçue est inaliénable, elle appartient à la nature humaine. On ne peut pas renoncer à sa liberté, car « c'est renoncer à sa qualité d'homme, aux droits de l'humanité, même à ses devoirs ». Il est impossible d'instituer une communauté sociale et politique en privant les hommes du droit à une décision individuelle rationnelle et de leur droit à l'autodétermination morale, car une pareille communauté ne serait fondée sur aucun lien moral. La renonciation à la liberté « est incompatible avec la nature de l'homme, et c'est ôter toute moralité à ses actions que d'ôter toute liberté à sa volonté [43] ». Les antinomies et les contradictions sociales, ainsi que la domination du mal moral se manifestent précisément dans le fait que « l'homme est né libre, et partout il est dans les fers ». La liberté de l'homme est incompatible avec la contrainte. « De quelques sophismes qu'on puisse colorer tout cela, il est certain que si l'on peut contraindre ma volonté, je ne suis plus libre. » Mais d'autre part, pour qu'une association intègre les individus, elle doit limiter la liberté naturelle de chacun, soumettre sa volonté au bien général, lui enlever son « existence physique et indépendante reçue de la nature ». Elle doit donc « assujettir les hommes pour les rendre libres [44] ».

Seule la loi résout ces antinomies ; le projet social et politique du *Contrat* est celui de l'idéal communautaire conjugué de l'Etat et de ses lois. C'est en effet dans la loi que se manifeste le caractère dialectique de la liberté, la loi devant opérer la synthèse de ses antinomies. La liberté exclut toute contrainte et toute limitation imposées à l'individu par autrui ; elle ne peut non plus être limitée en fonction de valeurs autres qu'elle-même, car toute moralité dérive de la liberté. Mais de par son essence, la liberté peut s'exprimer et se réaliser en s'imposant elle-même ses limites. La loi que l'individu lui-même institue équivaut à la fois à l'expression et à la limitation de sa liberté, à son autodétermination morale en fonction de sa propre liberté. L'homme est libre quand il est maître de lui-même, quand il agit conformément aux principes de sa raison et qu'il se sent en accord avec lui-même. « L'obéissance à la loi qu'on s'est prescrite est liberté [46]. » Cette dernière formule réitérée sous diverses variantes dans l'œuvre de Rousseau, scelle l'une à l'autre la politique et la morale. Obéir à la loi morale non pas en vertu de l'autorité, de la révélation ou d'une quelconque contrainte mais en vertu de sa propre raison et de sa conscience, voilà en quoi consiste la vertu. Obéir à la loi qui est l'expression de la volonté générale, voilà en quoi consiste la vertu civique, la moralité dans la sphère politique de l'existence de l'homme. En créant la loi, l'individu contribue à la constitution de l'ordre, il actualise donc ce qui peut rapprocher l'humain du divin. Tous les thèmes majeurs de la vision du monde de Rousseau, la politique et la métaphysique, la morale et la réflexion historique, amènent à identifier l'essence de l'homme avec la liberté et à chercher dans la dialectique de la liberté, au terme de laquelle l'homme est à la fois le sujet et l'objet de la loi, les solutions des antinomies engendrées par l'existence sociale et historique de l'homme.

En s'objectivant dans la loi, la liberté elle-même se transforme : uniquement négative chez l'homme naturel chez qui elle équivalait à une totale indépendance par rapport aux autres, puis ramenée chez « l'homme privé » à un moyen assujetti à la réalisation des buts égoïstes, elle se transforme enfin en liberté civique et morale qui constitue pour le citoyen à la fois le but et le moyen. « L'inspiration céleste (...) apprit à l'homme à imiter ici-bas les décrets immuables de la divinité. Par quel art inconcevable a-t-on pu trouver le moyen d'assujettir les hommes pour les rendre libres (...) d'enchaîner leur volonté de leur propre aveu ? de faire valoir leur consentement contre leur refus, et de les forcer à se punir eux-mêmes, quand ils font ce qu'ils n'ont pas voulu ? Comment se peut-il faire qu'ils obéissent et que personne ne commande, qu'ils servent et n'ayent point de maître ; d'autant plus libres en effet que sous une apparente sujétion, nul ne perd de sa liberté que ce qui peut nuire à celle d'un autre ? Ces prodiges sont l'ouvrage de la loi. C'est à la loi seule que les hommes doivent la justice et la liberté. C'est cet organe salutaire de la volonté de tous, qui rétablit dans le droit l'égalité naturelle entre les hommes. C'est cette voix céleste qui dicte à chaque citoyen les préceptes de la raison publique, et lui apprend à agir selon les maximes de son propre jugement, et à n'être pas en contradiction avec lui-même [46]. » La liberté, en tant qu'obéissance à la loi, est opposée à « l'arbitraire », aux actions motivées par les passions, les ambitions, les intérêts égoïstes. Etre libre, c'est être « tellement soumis aux loix que ni moi ni personne n'en pût secouer l'honorable joug ; ce joug salutaire et doux, que les têtes les plus fières portent d'autant plus docilement qu'elles sont faites pour n'en porter aucun autre [47] ». Tout corps politique qui veut participer de l' « ordre », être une communauté morale, doit se fonder sur la loi ainsi comprise et en faire une loi vivante. Les structures et les institutions politiques sont à la fois l'objectivation de la liberté et sa garantie. Dans la conception de Rousseau, la constitution de la société politique par la loi équivaut en même temps à la rationalisation du déroulement spontané de la dénaturation et de l'individualisation des hommes, ainsi qu'à l'autodétermination morale des individus dont la liberté trouve son expression dans les limites qu'elle s'impose elle-même au moyen de la loi.

Et c'est avec cette conception de la liberté et de la loi que Rousseau met en rapport sa formule du pacte social. Pour mettre celle-ci en relief, évoquons du moins sommairement certains aspects de l'idée du pacte social, telle qu'elle fut élaborée par les théoriciens du droit naturel. Comme l'a démontré R. Dérathé, Rousseau avait constamment en vue leurs doctrines, subissant leur influence et se proposant en même temps de les réfuter. Or, dans la tradition de l'école du droit naturel, l'idée du pacte social recouvre deux concepts reliés entre eux, mais cependant bien distincts. Le premier est celui du pacte conclu entre gouvernants et gouvernés, entre les sujets et le souverain (pacte de gouvernement, *Herrschaftsvertrag*), et portant sur les devoirs et droits réciproques des parties contractantes, en particulier sur le système des garanties qui assuraient l'individu contre les abus du pouvoir. Le second était celui du pacte social au sens propre du terme (pacte d'association, *Gesellschaftsvertrag*), ou encore d'un système de conventions conclues entre les individus formant la société, définissant les fondements juridiques et moraux de la société politique considérée comme une association librement consentie par ses membres. Ainsi, le concept du pacte d'association peut permettre d'envisager toutes les institutions politiques et juridiques comme secondaires par rapport aux objectifs que veulent atteindre les individus qui décident d'un commun accord de s'associer. En effet, ce pacte allait de pair avec le concept des droits naturels des hommes : droits considérés comme étant logiquement et même historiquement antérieurs à toutes les formes d'organisation sociale et politique des individus. D'où la conclusion que ce pacte ne pouvait conférer une sanction légale et morale qu'aux seules relations et institutions sociales qui étaient conformes avec ces droits naturels et imprescriptibles de l'individu, d'où, également, les termes de validité du pacte et le rôle de l'autorité souveraine établis en fonction de ces droits.

C'est la conception du pacte social envisagé dans ce dernier sens, c'est-à-dire comme pacte d'association, qui domine dans les débats idéologiques au XVIIIᵉ siècle. Quels que fussent la définition de la forme même du gouvernement et les contenus politiques véhiculés par les différentes théories contractuelles de la société, à compter surtout de l'*Essai sur le gouvernement civil* de Locke, l'unanimité se fait de plus en plus sur le modèle utilitariste et libéral de l'individu et du lien social. Les individus s'associent librement entre eux en tant que sujets de droit, et le but de leur association est de garantir leur sécurité, leur vie, propriété, liberté de conscience, libre exploitation des biens, réalisation de la tendance individuelle au bonheur, etc. Les institutions sociales, en particulier la législation, constituent des moyens servant à la réalisation de ces objectifs individuels, définis par la nature humaine. L'ensemble des aspirations et des droits naturels des individus est considéré comme ce qui définit fondamentalement la personne humaine et est antérieur aux différences de confessions, de conditions, de fortunes, etc. Le bien public, la raison d'Etat, etc., n'ont aucune réalité autonome. La société, conçue comme l'ensemble des intérêts individuels et réduite à l'accord de ceux qui la composent, est considérée comme préalable à toutes les institutions politiques et juridiques. L'ordre économique, exprimé dans le pacte social, tient sa sanction de la nature même, tandis que le droit positif n'est que l'exposé rationnel des principes de cet ordre et que le rôle de l'autorité est d'élaborer des lois destinées à faire respecter les droits naturels. Les liens sociaux fondamentaux constituent la « société civile » qui ne doit rien au sacré, ni à l'Etat, ni aux traditions historiques (le terme allemand *bürgerliche Gesellschaft* traduit peut-être le mieux cette idée du social), ces liens étant établis entre les individus et par les individus et non pas entre l'individu et une « personne morale » distincte qui les dépasserait.

Dans ce contexte, auquel il nous faudra encore revenir, rappelons uniquement quelques traits caractéristiques du pacte social tel que Rousseau le formule. En tout premier lieu, le pacte social n'est jamais un pacte de soumission (l'acte qui institue le gouvernement n'est donc pas un contrat, mais une loi statuée par le souverain, et de plus un acte complexe, puisque le peuple passe à l'exécution de la loi en nommant les chefs chargés du gouvernement établi). « Il n'y a qu'un contrat dans l'Etat, c'est celui de l'association ; et celui-là seul en exclud tout autre [48]. » La condition préalable du pacte social est l'absence de division en gouvernants et gouvernés. L'autorité souveraine dans l'Etat est le peuple, considéré comme la totalité des membres de la communauté, chacun d'eux étant à la fois souverain et sujet, gouvernant et gouverné, sujet et objet de la loi. Le pacte est conclu librement ; il ne se réduit cependant pas à une convention passée entre les participants de la future communauté, mais il est « un engagement réciproque du public avec les particuliers », « un engagement avec un tout dont on fait partie [49] ». Ce pacte possède une propriété particulière : il est une association libre d'individus, « une somme de forces », mais à l'instant même où l'acte d'association est conclu, « il produit un corps moral et collectif composé d'autant de membres que l'assemblée a de voix, lequel reçoit de ce même acte son unité, son moi commun, sa vie et sa volonté [50] ». Ainsi, chaque membre devient une « partie indivisible du tout » ; le lien social fondamental ainsi que la forme fondamentale de l'engagement de l'individu dans la vie collective consistent dans son rapport au tout, au « corps collectif et moral » produit par le pacte d'association. Les clauses du pacte « se réduisent toutes à une seule, savoir l'aliénation totale de chaque associé avec tous ses droits à toute la communauté », chacun « se donne à la Patrie » (remarquons bien la charge affective qu'accusent les derniers termes). Jean-Jacques souligne à maintes reprises aussi bien le fait que « chaque membre de la communauté se donne à elle au moment qu'elle se forme », mais aussi que tous les droits individuels, en particulier le droit à la propriété, ne sont pas déterminés dans le rapport réciproque des particuliers les uns envers les autres, mais par « le droit que la communauté a sur tous ». Et c'est dans ce rapport de l'individu à la communauté, au corps collectif et moral qu'est fondée « la solidité du lien social[51] ».

Ainsi, ce « lien social » assure l'égalité et la liberté à chaque individu. Les individus sont égaux entre eux du fait de leur rapport identique à la communauté. Chacun d'entre eux est libre, car obéir aux décisions de la communauté, du tout dont on est partie, c'est non pas dépendre d'autrui, mais dépendre de soi-même, imposer soi-même, à travers la loi rationnelle, des bornes à sa propre liberté. Cette nature des rapports entre l'individu et la communauté définit également les bornes du pouvoir souverain du « corps politique » formé à la suite du pacte, ces limites étant plus logiques et morales que juridiques. Le « corps politique » composé par tous les membres de l'Etat, ne peut, dans ses actions, vouloir que son seul bien qui — *ex definitione* — est identique avec le bien de tous les membres de la communauté. En effet, l'acte d'association désigne comme souverain le peuple, défini comme la totalité des membres de la communauté qui exercent l'autorité politique suprême envers cette même communauté. Le concept du peuple est dans ce contexte (et nous verrons qu'il y en a d'autres) indissociable de la conception de l'Etat, du social structuré juridiquement et politiquement, tandis que la souveraineté de l'autorité est la souveraineté du « corps du peuple » envers lui-même. La souveraineté est inaliénable et se manifeste dans l'activité législative. Seule la volonté du peuple souverain fait loi, ce peuple étant à la fois l'auteur et l'objet de son acte. La loi ne peut jamais statuer sur les particuliers : tout le peuple statue sur tout le peuple. C'est dans et par la loi que le peuple se définit et s'affirme lui-même. La participation dans l'acte de souveraineté est le droit fondamental de l'individu, et c'est ainsi que se manifeste sa liberté. L'individu n'est effectivement libre et n'exerce sa liberté qu'en tant que membre du peuple, de l'autorité souveraine. La conscience individuelle de la liberté est aussi celle de participer à une communauté qui est un corps politique. Aussi le droit fondamental et imprescriptible dans lequel se manifeste la liberté de l'individu, est le droit du peuple d'être le souverain dans la Cité. L'individu est libre à travers sa participation aux décisions du « corps politique », aux actes de la « volonté générale », à travers sa « sensibilité au sein du moi commun ».

L'idéal de la Cité et le modèle du citoyen

La formule du pacte social proposée par Rousseau pose toute une série de questions complexes relevant du droit public et sur lesquelles nous ne voudrions pas nous arrêter. Notre propos est de dégager un autre aspect du problème, à savoir l'idéal de la Cité-patrie et le modèle personnel du citoyen-patriote que Jean-Jacques allie avec l'idéal de l'Etat légitime, fondé sur les principes du pacte social et de la souveraineté du peuple. En constituant le « corps politique », le pacte social provoque, ou plutôt implique qu'une simple agrégation d'individus se transforme en un peuple souverain, qu'une multitude de particuliers unis par le jeu des intérêts privés devient une Cité, et les particuliers eux-mêmes des citoyens. « Le corps moral et collectif (...), la personne publique qui se forme ainsi par l'union de toutes les autres prenoit autrefois le nom de *Cité* (...). Le vrai sens de ce mot s'est presque entièrement effacé chez les modernes ; la plupart prennent une ville pour une Cité et un bourgeois pour un Citoyen. Ils ne savent pas que les maisons font la ville mais que les Citoyens font la Cité [52]. » Evidemment, il s'agit là non pas d'une simple redéfinition de noms, mais d'une transformation des rapports entre les individus qui forment la communauté, ainsi qu'entre chacun des membres et la communauté elle-même.

Nous avons plusieurs fois souligné que, pour Jean-Jacques, le « corps politique » est irréductible à la somme des individus visant à réaliser et à protéger leurs propres intérêts. Une telle société équivaudrait à une « agrégation » et non pas à une « association ». Les rapports sociaux étant fondés sur l'inégalité sociale et un système d' « apparences » s'étant constitué, le motif d'action ne peut être que « l'amour-propre », l'ambition orientée vers des biens illusoires. Les actions individuelles ne sont alors rationnelles qu'en apparence, car la raison est sous le joug des passions et des besoins factices. Le rôle du pacte et des lois ne peut donc pas uniquement consister à garantir la libre activité des individus, à protéger les droits individuels contre l'ingérence de l'Etat et contre les atteintes à la liberté individuelle portées par d'autres individus. La loi ne peut pas uniquement créer un cadre institutionnel pour le libre jeu des actions motivées par le seul intérêt individuel. L'individu ne peut pas considérer la liberté d'autrui uniquement comme la limite de sa propre liberté, et la loi uniquement comme la protection de sa vie, de sa propriété et de son droit au bonheur. Or, c'est ainsi que « l'homme particulier » égoïste comprend sa liberté : il considère l'Etat comme un moyen assurant la réalisation du principe *cuique suum,* mais « il détache son intérêt de l'intérêt commun » et essaie d'établir les « principes du juste et de l'injuste » sur la base « des relations particulières d'homme à homme ». Certes, de l'avis de Rousseau également, l'Etat doit assurer la réalisation de la maxime *cuique suum,* faire de la liberté de chaque individu la limite de la liberté d'autrui [53]. Cependant, ce n'est pas en cela que consiste la spécificité des rapports mutuels des individus en tant que citoyens, ainsi que du rapport du citoyen à la Cité. « L'acte d'association produit un corps moral et collectif (...) auquel le moi commun donne l'unité formelle, la vie et la volonté. » L'existence de ce « moi commun » se fonde sur « l'unité de ses membres » que doivent assurer des lois « qui ne se grave(nt) pas sur le marbre ni l'airain, mais dans les cœurs des citoyens », des attitudes morales d'une tonalité affective très intense et fixées par les mœurs et les coutumes qui « conserve(nt) un peuple dans l'esprit de son institution ». Entre le citoyen et la communauté considérée comme un être moral, comme une totalité spécifique, il ne peut y avoir une « relation qui en fa(sse) deux Etres séparés dont la partie est l'un, et le tout moins cette même partie l'autre ». Pour le citoyen, l'Etat est « un tout dont lui-même constitue une partie ». Le citoyen identifie sa personne avec la Cité, et ses intérêts particuliers, égoïstes, ne peuvent pas (ou du moins ne doivent pas) constituer une fin autonome dans ses actions. « L'Etat a le plus haut degré de force et de vie qu'il puisse avoir, quand toutes nos passions particulières se réunissent en lui », quand « le moi particulier (est) répandu sur le tout ». « Tant que plusieurs hommes réunis se considèrent comme un seul corps, ils n'ont qu'une seule volonté, qui se rapporte à la commune conservation, et au bien être général. » Les aspirations au bien général naissent spontanément dans les cœurs des citoyens qu'il ne faut donc ni convaincre, ni contraindre, ni d'autant moins séduire par la perspective d'avantages personnels. Ces citoyens sont unis entre eux non pas par un rapport d'interdépendance ou d'avantages mutuels, mais par des liens civiques qui se forment uniquement sur la base de leur participation à la Cité, au « moi commun ». Les uns sont à l'égard des autres des concitoyens et des compatriotes. Les rapports civiques traduisent l'union et la solidarité qui s'établissent entre les individus en tant qu'ils participent à une communauté morale et politique ; cette union et cette solidarité se nouant à travers la communauté et se fondant sur le fait que chaque citoyen est « partie du tout », qu'il est « sensible dans le tout » et que sa personne est consubstantielle à la communauté. Le rapport des citoyens entre eux « doit être (...) aussi petit (...) qu'il est possible, de sorte que chaque Citoyen soit dans une parfaite indépendance de tous les autres » ; par contre, leur rapport avec le corps social entier « doit être aussi grand qu'il est possible », de sorte qu'ils soient par rapport à lui « dans une dépendance excessive ». Car « le moi particulier répandu sur le tout est le plus fort lien de la société [54] ».

Seule une pareille société, fondée tant sur la loi que sur la moralité des citoyens et sur les attitudes affectives, constitue une Cité-patrie, une communauté morale et politique avec laquelle l'individu se sent lié par un sentiment intime de solidarité. La Cité ne peut pas être pour le citoyen un moyen lui permettant d'atteindre ses fins individuelles, et n'est pas réductible à une somme d'êtres atomisés que seuls unissent des liens extérieurs et l'obéissance à des lois contraignantes. Le citoyen obéit lui aussi à la patrie et à la loi, mais encore il les aime. Quand il agit au nom de la patrie, il ne renonce pas à lui-même, pas plus qu'il ne confronte son bien avec le bien d'autrui ; il exprime sa propre personnalité, se définit lui-même moralement. En même temps que la somme des individus se transforme en Cité, les individus mêmes se transforment spirituellement en citoyens-patriotes. La condition de la liberté de l'individu est l'amour de la patrie et de la loi : en suivant la loi, le citoyen agit spontanément, il assume ses devoirs envers la Cité, transporté par l'élan du cœur. Il agit dans « cette ivresse patriotique qui seule sait élever les hommes au-dessus d'eux-mêmes, et sans laquelle la liberté n'est qu'un vain nom et la législation qu'une chimère ». « Les transports des cœurs tendres paroissent autant de chimeres à quiconque ne les a point sentis ; et l'amour de la patrie plus vif et plus délicieux cent fois que celui d'une maîtresse, ne se conçoit de même qu'en l'éprouvant [55]. »

Les rapports civiques sont donc fondés sur l'acte fondamental du pacte social, mais ils transcendent les clauses explicites du pacte et les enrichissent dans cet élan affectif d'identification du citoyen avec le corps collectif que le pacte produit, avec la patrie. Aussi les rapports civiques sont-ils personnels, transparents et univoques, surtout quand ils s'instaurent dans le cadre d'une petite communauté. Plus la société se rapproche du modèle de la Cité, plus les rapports civiques, sous leur forme « pure », impliquent la disparition de toutes les tensions et contradictions entre la conscience de l'homme de son individualité et son sentiment d'appartenance à une communauté, entre la conscience de soi morale et le rôle social, entre l'expression de la personne humaine et sa participation à la vie collective. L'Etat et le citoyen possèdent tous les deux un même principe moral qui est la vertu. L'homme réalise la plénitude de son moi en participant à chaque instant à la totalisation commune, en axant sa vie intérieure sur la valeur suprême qu'est la liberté objectivée dans la Cité.

L'idéal de la Cité postule la primauté des rapports civiques à l'égard de toutes les autres formes de la vie sociale et de la coopération des hommes. On serait même tenté de dire que l'idéal serait de réduire tous les liens entre les individus aux rapports entre les concitoyens. L'idéal est la cité dans laquelle l'unique « grande affaire » des citoyens est la liberté. C'est ce qui se passait chez les Grecs où le peuple « étoit sans cesse assemblé sur la place », toujours prêt à débattre des affaires de la patrie et de sa liberté. Mais le peuple disposait en Grèce de cet avantage que « des esclaves faisoient ses travaux ». Et Jean-Jacques n'hésitait pas à se demander si « la liberté ne se maintient qu'à l'appui de la servitude ? » et à pencher vers cette hypothèse, bien que se rendant compte combien elle était paradoxale dans un livre où, dès les premières pages, il attaquait violemment Grotius pour sa défense de la légitimité de l'esclavage. « Les deux excès se touchent. Tout ce qui n'est pas dans la nature a ses inconvénients et la société civile plus que tout le reste. Il y a de telles positions malheureuses où l'on ne peut conserver sa liberté qu'aux dépends de celle d'autrui, et où le citoyen ne peut être parfaitement libre que l'esclave ne soit extrêmement esclave [56]. »

Dans les Etats modernes, où l' « on donne plus à son gain qu'à sa liberté », il est impossible de réduire, ou plutôt d'élever, tous les liens sociaux aux rapports civiques ; cette impossibilité étant à l'origine des difficultés que nous constaterons dans la vision sociale de Jean-Jacques. Quoi qu'il en soit, l'idéal de la Cité-patrie postule cependant que le rapport du citoyen à la communauté et, par ce truchement, les rapports entre les citoyens ne contiennent aucune motivation égoïste, ne supposent aucune séparation entre les intérêts de l'individu et le bien de la Cité.

Dans la sphère de la politique, de ses rapports avec la communauté, l'individu existe (ou encore doit exister) en tant que « citoyen pur », abstraction faite de toutes ses autres déterminations sociales : fortune, famille, confession, etc. En constituant la Cité, la patrie, le pacte social doit être en quelque sorte pour les individus un acte qui les purifie de toute la corruption apportée par l'intérêt privé et égoïste, et leur fait recommencer leur vie individuelle. La prémisse du pacte est de ne pas tenir compte de tout ce qui caractérise les individus en tant qu'êtres particuliers, donc des différences de fortune, de naissance, d'instruction, etc. : les individus concluent le pacte en tant qu'êtres libres et égaux. C'est dans cet espace abstrait de la vie civique que se réalise le plus pleinement l'égalité : chaque citoyen possède les mêmes droits, le suffrage de l'un vaut autant que celui de l'autre, sa participation à la vie collective pèse autant que celle d'autrui. Mais dès que, dans cet espace circonscrit par la coopération des individus en tant que citoyens, se font jour des actions motivées par les intérêts particuliers des individus ou groupes sociaux, le « corps politique » est menacé de ruine. La loi pourrait en effet être mise alors au service des intérêts particuliers et, cessant d'être l'expression de la volonté générale, deviendrait l'instrument de l'oppression des uns par les autres. Aux rapports civiques se substitueraient la lutte et la rivalité réciproques des individus, la violence et l'inégalité. Pour être plus précis : l'émergence dans la sphère de la « vie civique » de tendances particulières et égoïstes témoigne déjà de l'ébranlement de la cohérence et de l'unité morale et spirituelle de la Cité.

On peut donc dire que la Cité a le même point de départ et le même point d'aboutissement, à savoir l'individu, sa liberté, sa finalité, ses valeurs spirituelles, etc. [57]. Mais, l'individualité même s'étant transformée d'un point à l'autre, il y va en réalité d'individus différents. Ce qui pousse les individus à contracter une convention, c'est leur aspiration à protéger leurs biens, leur sécurité, leur vie, etc. La Cité réalise également toutes ces aspirations, traditionnellement reconnues dans toutes les doctrines du droit naturel et du pacte social comme le fondement de l'association sociale et politique des hommes et de leur coopération. Mais la Cité de Rousseau vise également, voire principalement, à atteindre d'autres buts : elle élève l'individu jusqu'à la vertu et l'amour de la patrie, au-dessus de l'intérêt particulier, elle triomphe de son égoisme, le transforme moralement et fait de lui un « citoyen ». L'individu étant devenu « sensible dans le tout », son bonheur et sa liberté sont indissociables du bien général et

de la grandeur morale de la patrie, tandis que la conscience de sa propre
vertu civique et le sentiment de « l'ivresse patriotique » font la plénitude
de son être. Jean-Jacques n'identifie pas les normes suprêmes de la vie
sociale avec la protection de l'ensemble des droits naturels des individus,
prenant ainsi le contre-pied des doctrines libérales du droit naturel et du
pacte social. Les normes de la vie collective ne peuvent être définies que
par la « volonté générale », la volonté du « corps politique » considéré
comme une « personne morale », comme un tout supra-individuel.

Ainsi, l'idéal de la Cité implique la légitimité de l'Etat ; mais il implique
encore qu'à la base du « sistème de législation » se trouve « le plus
grand bien de tous... qui se réduit à ces deux objets principaux : la liberté
et l'égalité ». D'où la nécessité d'éliminer au maximum de la vie sociale
les facteurs qui porteraient atteinte au rapport des citoyens et de l'Etat,
conforme avec les principes de l'égalité et de la liberté, et pourraient
dépraver moralement les citoyens eux-mêmes, « attiédir l'amour de la
patrie ». Aussi l'idéal est-il surtout un petit Etat, et ce, pour plusieurs
raisons. Dans une petite société, le gouvernement, c'est-à-dire le pouvoir
exécutif, peut difficilement s'isoler de la totalité des citoyens, s'emparer
de l'autorité souveraine. Circonscrit dans les frontières d'une ville, l'Etat
offre en quelque sorte les meilleures conditions techniques pour que le
peuple, « assemblé sur la place » exerce directement, sans avoir recours
à des représentants, son autorité souveraine, sa « puissance législative »,
et à la limite, puisse appliquer lui-même la loi ; autrement dit, un petit
Etat offre les meilleures conditions de la démocratie directe. De cette
manière, Jean-Jacques confère à la « grandeur » de la société non seulement un sens quantitatif, mais surtout un sens sociologique déterminé.
On retrouve les valeurs impliquées par l'idéal de la « petite communauté »
dans l'image de Genève, Etat « d'une grandeur bornée par l'étendue des
facultés humaines, c'est-à-dire par la possibilité d'être bien gouvernée, et
où chacun suffisant à son emploi, nul n'(est) contraint de commettre à
d'autres les fonctions dont il (est) chargé : un Etat où tous les particuliers
se connoissant entre eux (...) cette douce habitude de se voir et de se
connoître, (fait) de l'amour de la Patrie l'amour des Citoyens plutôt que
celui de la terre ». Ainsi les limites géographiques sont des grandeurs
sociologiques et morales : la Cité doit avoir une étendue telle que le
« peuple soit facile à rassembler et (que) chaque citoyen puisse aisément
connoître tous les autres », car « le peuple a moins d'affection (...) pour
la patrie qui est à ses yeux comme le monde, et pour ses concitoyens dont
la plus-part lui sont étrangers », car « plus le lien social s'étend, plus il
se relâche ». Et quand Jean-Jacques idéalise Genève, il fait l'éloge des
liens intimes qui l'unissent à ses concitoyens : « Mes chers Concitoyens,
ou plutôt mes frères, puisque les liens du sang ainsi que les Loix nous
unissent presque tous [58]. »

Les liens juridiques ne doivent donc pas éliminer les rapports personnels (voire les rapports de parenté), mais au contraire les compléter,
constituer en quelque sorte le cadre dans lequel ceux-ci auront à se développer et à s'intensifier. Les lois ne doivent pas remplacer la spontanéité
en instituant un lien formel et anonyme, bien qu'il faille en même temps

qu'elles imprègnent les rapports entre l'individu et la patrie, ainsi que les relations des individus entre eux en tant que concitoyens. Mais aussi — rappelons-le — la loi n'est pas réduite à un ensemble de règles qui définissent le permis et l'exigible : le « citoyen » aime sa loi. Elle ne peut pas se transformer en « une forme illusoire et vaine », en un « lien social (...) rompu dans tous les cœurs ». La grandeur idéale se réfère une fois de plus à la communauté fermée, antarcique. Ainsi, c'est entre autres parce que la Corse est une île que ce pays est particulièrement favorable à l'institution d'une législation idéale [59].

Dans son idée de l'Etat, il est caractéristique de Jean-Jacques de tendre à éliminer des rapports sociaux tous les facteurs qui détacheraient l'individu de la patrie, lui feraient préférer les liens fondés sur « les intérêts particuliers » aux rapports de solidarité civique. « Mieux l'Etat est constitué, plus les affaires publiques l'emportent sur les privées dans l'esprit des Citoyens. » En général, il devrait y avoir « beaucoup moins d'affaires privées » dans la Cité, « parce que la somme du bonheur commun fournissant une portion plus considérable à celui de chaque individu, il lui en reste moins à chercher dans les soins particuliers [60] ». La Cité ne connaît qu'une faible différenciation sociale. Si l'Etat est plus grand qu'une ville, la population doit être, si possible, répartie uniformément dans le pays, sans qu'aucune ville ne devienne la capitale de l'Etat, afin d'éviter que ne s'y établissent les néfastes rapports propres aux métropoles. Les différences de fortune des citoyens doivent être minimes (bien que les principes mêmes de la législation excluent que la fortune puisse influencer en quoi que ce soit le statut du citoyen) ; quant au système économique, ce sont des fermes indépendantes et presque autarciques qui en constituent l'essentiel.

Cependant, « l'état civil ne peut subsister qu'autant que le travail des hommes rend au-delà de leurs besoins », car « dans tous les Gouvernements du monde la personne publique consomme et ne produit rien », et « c'est le superflu des particuliers qui produit le nécessaire du public ». Tout en soulignant l'improductivité du gouvernement, Rousseau ne se limite cependant pas à demander un « gouvernement le moins onéreux possible », revendication qui était courante dans la pensée politique bourgeoise. Ce qui compte à son avis, c'est qu'aux « peuples libres » conviennent le mieux « les lieux où l'excès du produit sur le travail est médiocre », où, par conséquent, les besoins eux-mêmes sont modérés, limités, indifférenciés. Car dans les contrées où, au contraire, le « terroir abondant et fertile donne beaucoup de produit pour peu de travail », « l'excès du superflu des sujets » donne naissance au luxe et, par là même, à cet excès « d'affaires privées » qui est nuisible à la cohérence et à l'unité de la Cité [61].

Une fois de plus, l'argent apparaît comme le symbole des forces capables de détruire la Cité-patrie et de démoraliser le citoyen-patriote. En employant le mot « symbole », nous ne voudrions en rien diminuer la valeur des observations sociologiques et économiques contenues dans les analyses de Rousseau. Ce dont il s'agit fondamentalement, c'est que l'irruption des rapports fondés sur l'argent et médiatisés par l'argent constitue pour

Jean-Jacques non seulement un problème économique, mais encore l'indice en quelque sorte global de la formation au sein de l'Etat de forces
destructrices pour toute la communauté. L'argent permet à l'individu de
dissocier son intérêt particulier de l'intérêt général, ainsi que de chiffrer
en quelque sorte le bien public en avantages individuels. En instaurant
une mesure, l'argent rationalise d'une certaine manière les rapports entre
les individus, mais c'est une rationalisation qui va à l'encontre de la
rationalisation opérée par la loi. Fondée sur le calcul des intérêts égoïstes,
la rationalisation par l'argent s'oppose à la vertu considérée comme
l'obéissance à la loi rationnelle ; l'amour de l'argent se substitue à l'amour
de la Cité. Le règne de l'argent fait de l'accumulation des biens et de leur
jouissance l'objectif fondamental de l'action individuelle, réduisant les
rapports entre les hommes à un échange de services et de biens dégradant
la liberté au rôle de moyen. C'est ainsi que les choses se sont passées à
Genève, où « la liberté même n'est qu'un moyen d'acquérir sans obstacle
et de posséder en sûreté ». Ce qui ne signifie pas que Jean-Jacques élimine
totalement l'argent de sa vision de la société : dans la mesure où les
échanges sont indispensables et où, de ce fait, il est nécessaire de comparer
« la valeur des choses de différentes espèces », « la monnoye est le vrai
lien de la société ». L'unique fonction donc de l'argent devrait être de
servir en tant que « mesure commune de la valeur des choses », en tant
que « terme moyen de tous les échanges ». Mais tôt ou tard, dans chaque
communauté sociale, l'argent outrepasse cette fonction pour laquelle il
avait été inventé, et « les signes font négliger les choses [62] ».

Il faut donc qu'il y ait le moins possible de rapports fondés sur l'échange
et l'argent dans la Cité, le moins possible d' « affaires privées », et que
l'Etat lui-même réduise au minimum le commerce et l'échange avec
d'autres Etats. L'argent est cosmopolite, il transporte les préoccupations
du citoyen hors des frontières de sa patrie, les fixant partout là où le
profit peut être augmenté, faisant finalement éclater la communauté fermée. A l'intérieur de l'Etat, l'argent noue des rapports qui unissent les
individus entre eux non plus par l'intermédiaire de la patrie, de la communauté, mais au moyen des intérêts particuliers qui s'articulent les uns
aux autres et supplantent de plus en plus le bien général. L'argent s'introduit en tant que médiation entre l'individu et la communauté, se substituant à la loi, à l'amour de la patrie et au sentiment du devoir. « Sitôt
que le service public cesse d'être la principale affaire des Citoyens, et qu'ils
aiment mieux servir de leur bourse que de leur personne, l'Etat est déjà
près de sa ruine (...). C'est le tracas du commerce et des arts, c'est l'avide
intérêt du gain, c'est la molesse et l'amour des comodités, qui changent les
services personnels en argent. On cède une partie de son profit pour
l'augmenter à son aise. Donnez de l'argent, et bientôt vous aurez des fers.
Ce mot de finance est un mot d'esclave ; il est inconnu dans la Cité.
Dans un Etat vraiment libre les citoyens font tout avec leurs bras et rien
avec de l'argent (...). Je suis bien loin des idées communes — n'hésite
pas à conclure Jean-Jacques —, je crois les corvées moins contraires à
la liberté que les taxes [63]. »

L'antique *polis* sert à Jean-Jacques de modèle rétrospectif pour la construction de son idéal communautaire : mais s'il idéalise Sparte et la Rome républicaine, il est par contre hostile à Athènes. Ce qui lui répugne, ce ne sont pas seulement le commerce, l'accumulation des richesses, le raffinement de la culture, mais aussi et surtout leurs effets sur le civisme, dont l'individualisme excessif des citoyens qui ne cherchent pas à s'identifier avec le « moi commun ». D'ailleurs, pour ce qui est de Rome, Jean-Jacques n'idéalise de son histoire que les siècles de la République, où la vertu et la loi semblaient régner dans toute leur rigueur. Et encore, cette loi est pour lui autre chose que le droit civil qui ne fait qu'unir formellement des individus et protéger leurs intérêts. Ainsi, l'éloge du civisme antique ne s'oppose nullement à la critique romantique, dont la cible préférée sera précisément le droit civil romain en tant que prototype du lien social « artificiel » formel et non organique ; au contraire, cet éloge appelait cette critique. Jean-Jacques voit en Rome la cité du pathos républicain, l'Etat dont chaque citoyen était prêt à tous les sacrifices et où l'homme s'accomplissait par son identification avec la communauté. « Un Citoyen de Rome n'étoit ni Caius ni Lucius ; c'étoit un Romain : même il aimoit la patrie exclusivement à lui [64]. »

Pour dégager certains traits spécifiques de la pensée sociologique et politique de Rousseau, ainsi que de l'idéologie qui s'élabore dans son idéal de la Cité, il nous semble utile de se référer aux tendances qui, au Siècle des Lumières, deviennent dominantes dans les doctrines du droit naturel. La pensée de Jean-Jacques constitue indéniablement l'une des principales étapes de la pensée sociale et politique, liée avec le concept du droit naturel et la conception contractuelle de la société, et dont l'évolution s'échelonne sur les XVIIe et XVIIIe siècles. Mais elle représente en même temps un tournant, car Rousseau met en cause et transforme les présuppositions principales de la théorie du droit naturel, donne de nouveaux contenus à ses concepts majeurs. D'une part, la forme théorique, le mode d'argumentation, les catégories conceptuelles caractéristiques de l'idéal rousseauiste de la « Cité-patrie » sont indissociables des acquis de l'école du droit naturel. Ainsi, comme on l'a à juste titre fait remarquer, les concepts de prime abord les plus innovateurs chez Jean-Jacques, tels que la « volonté générale » et l'Etat en tant que « personne morale », sont tous empruntés à la tradition intellectuelle léguée à l'époque par Hobbes, Pufendorf, Barbeyrac, Locke et Burlamaqui. D'ailleurs Jean-Jacques est le premier à situer sa réflexion politique dans le cadre de cette tradition : c'est ainsi qu'il précise que le *Contrat social* « ne peut être considéré que dans le nombre de ceux qui traitent du droit naturel et politique (...) discutant par abstraction des questions de politique », et qu'il cite comme exemples les écrits d'Althusius, de Locke et de l'abbé de Saint-Pierre [65]. Par ailleurs, le *Contrat social* et d'autres textes politiques de Jean-Jacques abondent généralement en comparaisons et polémiques avec les écrits des principaux théoriciens de l'école du droit naturel. D'autre part cependant, Jean-Jacques se trouve manifestement aux prises avec les difficultés suscitées précisément par les schémas théoriques hérités. Tout en maintenant l'appareil conceptuel et certains schémas de pensée, il les charge de contenus politiques et idéologiques nouveaux, les adapte à la problématique issue de son diagnostic de l'époque et du jugement moral de la crise que traverse la société ; de ce même diagnostic qui constitue chez Rousseau le fondement de sa vision d'une communauté harmonieuse et intégrée [66].

Il va de soi que nous ne pouvons pas entreprendre ici une analyse comparative détaillée de la doctrine de Jean-Jacques et de la science politique de son siècle. L'ouvrage précieux de R. Dérathé, auquel nous nous sommes déjà plusieurs fois référé, démontre la complexité et l'ampleur des problèmes, résume l'état actuel de la question. Nous nous limiterons donc à une confrontation sommaire avec certaines tendances idéologiques qui se profilent dans l'évolution des doctrines du droit naturel ; tendances que nous schématiserons sous le seul aspect qui importe pour mieux dégager les contenus spécifiques de l'idéal de la Cité. Il s'agira donc pour nous de suivre comment l'idée de la rationalisation des rapports sociaux par la loi se transforme dans l'école du droit naturel à mesure que se cristallise en elle l'expression du modèle atomiste et utilitariste du lien social et de la personne humaine.

C'est au cours des XVIᵉ et XVIIᵉ siècles que la théorie du droit naturel s'affranchit progressivement des contenus qui, au Moyen Age, dans les représentations traditionnelles des structures sociales et des relations entre le vassal et le souverain, avaient été conférés à la catégorie du droit naturel et à la conception des rapports sociaux en tant que conventions. L'idée moderne du droit naturel s'associe de plus en plus étroitement à la théorie de la société et de l'Etat en tant que fondés sur des conventions. Ainsi, on considère l'Etat comme une institution profane, instaurée sciemment par des hommes qui lui assignent sa finalité : contribuer à la réalisation des aspirations « naturelles » des individus. D'où le rôle attribué au savoir : la connaissance des mécanismes sociaux et politiques, des aspirations « naturelles » des individus permettrait la rationalisation de l'Etat et l'accomplissement de ses fonctions. Aux XVIIᵉ et XVIIIᵉ siècles, les catégories et schémas dérivés de l'idée du droit naturel et de la théorie de la société et de l'autorité considérées comme des conventions humaines sont considérablement élargis et élaborés, servant à l'interprétation de la totalité des institutions sociales, des rapports entre les individus, les groupes sociaux, etc. La doctrine du droit naturel connaît à cette époque une évolution complexe ; elle est imbriquée dans divers conflits sociaux et politiques, employée en tant qu'argumentation théorique à des fins politiques et sociales diamétralement opposées. En effet, son schéma était suffisamment extensible pour qu'on puisse le mettre en rapport avec des valeurs et des idéaux très différents quant à leur signification sociale et politique. Ainsi, en fonction des termes dans lesquels étaient définies les principales aspirations de l'homme fondées dans « la nature », en fonction des contenus sociaux conférés à la tendance de l'individu au bonheur, à la sécurité et à la paix, on pouvait utiliser ce schéma pour argumenter aussi bien l'absolutisme que le modèle libéral et bourgeois de la société, et même des utopies communistes.

Toutes ces imbrications et toute la complexité du problème n'empêchent cependant pas de dégager l'idée de la rationalisation par la loi de l'ensemble des rapports sociaux et politiques, comme l'une des idées maîtresses de la théorie du droit naturel et de ses implications tant théoriques qu'idéologiques et politiques. Or, pour les doctrines du droit naturel, l'Etat ne peut être qu'un état légitime et, de ce fait, se pose le problème des principes de la légitimité. N'est légitime que ce qui est conforme au droit immuable déduit par la raison de l'ordre même de la nature. Ce droit s'impose nécessairement aux hommes et à leurs institutions : l'autorité n'est légitime que si elle observe le droit naturel, que si elle est raisonnable et utile à la société. Comme nous l'avons constaté ailleurs, l'idée du droit positif s'allie ainsi avec l'interprétation de la nature en tant qu'ordre naturel et avec la conception rationaliste de l'homme. A mesure que les doctrines du droit naturel s'étoffent, le point de vue rationaliste et juridique s'étend à la totalité des rapports sociaux. Tout lien social est considéré soit comme identique avec un rapport de droit, soit comme déductible du droit. Cette interprétation est manifestement dirigée contre les liens sociaux traditionnels, contre les systèmes de valeurs fondés sur la hiérarchie des privilèges, sur les rapports de dépendance personnelle, etc. Le principe d'unifier la société globale grâce à la loi rationnelle implique l'idéal d'un Etat moderne unitaire et s'oppose au morcellement féodal, au droit coutumier, à l'autonomie des communautés locales et traditionnelles, etc. A la conception « qualitative » de l'individu défini par sa condition, son appartenance à un état, une confession, etc., on oppose une conception « quantitative », numérique de l'individu autonome en tant que sujet juridique, en tant qu'homme et citoyen. Au privilège consacré par l'ancienneté, on oppose les principes du droit intemporel qui uniformisent les rapports entre les individus. A la consécration religieuse du pouvoir, à la fusion de ses fonctions politiques avec des fins transcendantes, la doctrine du droit naturel oppose la sanction qui relève de la raison d'Etat associée exclusivement avec les fins profanes de la vie sociale. A la domination dans la vie publique de normes morales fondées sur des idées religieuses ou sur l'appartenance à une communauté confessionnelle, on oppose une morale définie dans les seules catégories rationnelles des droits et des devoirs, cette dernière question revêtant une signification particulière à l'époque de la crise morale et religieuse engendrée par la Réforme et la Contre-Réforme. (L'exemple de Hobbes qui oppose une morale dérivée de la loi à la morale fondée sur des convictions « subjectives » et sur « l'enthousiasme » est très significatif.) Dans les versions extrêmes où le formalisme est le plus outré, on a tendance à voir dans tous les rapports sociaux autant de liens de type rationnel et juridique, et à les interpréter à partir des catégories du droit. La catégorie de la propriété, de la jouissance et de la disposition des choses, avec toutes les restrictions établies par un ordre légal, joue un rôle essentiel. L'individu même est ainsi réduit à n'être que le sujet de ses droits à « posséder » des biens, des idées et même le bonheur. La présence dans la vie collective de liens irrationnels qui tiennent aux traditions, croyances, sentiments, etc., et ne se prêtent pas à la formalisation, ne peut être considérée que comme un facteur désintégrant la société, divisant ses membres et constituant uni-

11

quement un reliquat des temps passés. Dans des versions plus modérées, les liens affectifs et coutumiers, personnels et informels, etc., sont envisagés comme des rapports marginaux dans la vie sociale, complétant — tout au plus — les rapports sociaux réglés par le droit.

La doctrine du droit naturel pouvait servir de fondement théorique et idéologique à la conception de l'Etat absolu. Il en fut ainsi surtout au XVIIᵉ siècle où elle s'allie, plus ou moins étroitement selon les diverses versions, avec l'idée bureaucratique et étatiste de la rationalisation de la vie sociale. C'est dans l'œuvre politique de Hobbes que cette idée se concrétise de la manière la plus radicale et théoriquement la plus élaborée ; enrichie d'observations sociologiques d'une extraordinaire lucidité, elle forme le noyau de la première théorie du pouvoir moderne. La carrière historique de la doctrine du droit naturel atteint son sommet dans la réflexion sociale et politique des Lumières. A cette époque, les schémas du droit naturel constituent un cadre de pensée adopté quasi tacitement : certes, les positions et les points de vue s'affrontent, de vives controverses idéologiques ont lieu, mais toujours sur la base de ces schémas qui — grâce aux travaux des jurisconsultes — se sont étoffés d'un appareil conceptuel très subtil et extrêmement formalisé. Cependant, rares sont les doctrines où cet outillage sert à travailler une matière sociologiquement et politiquement aussi riche qu'elle l'était chez Hobbes ; bien souvent les doctrines du droit naturel se pétrifient dans de minutieuses distinctions juridiques qui font l'objet de vastes traités respectant rigoureusement des schémas définis d'exposition.

Une évolution se profile dans les doctrines du droit naturel quant au problème de la rationalisation de la vie sociale. Dans la réflexion théorique, les accents manifestement se déplacent : on refuse à l'Etat absolu le rôle décisif dans la rationalisation de la vie sociale globale. On considère que le caractère absolutiste du pouvoir est responsable de l'irrationalité dont celui-ci est atteint et qui le mine, tandis qu'on souligne la rationalité immanente aux mécanismes économiques, donc à des mécanismes autres que les rouages juridico-politiques. Dans les critiques notoires de la conception politique de Hobbes, on voit se préciser une distinction entre l'idéal de la rationalisation de la vie sociale par la loi et le modèle étatiste et bureaucratique de la société. Le libéralisme politique, conjugué avec le schéma utilitariste du lien social et avec l'idée de la personne humaine en tant que sujet de ses droits, gagne du terrain, s'inspirant largement de la doctrine du droit naturel et du pacte social élaborée par Locke. La pensée politique des Lumières s'attache à bien démarquer les différences entre la tyrannie et la monarchie, comme, par exemple, dans la critique que fait Montesquieu du « despotisme oriental », de la « tyranie » de l'Etat absolu. (Bien que dans cette critique, d'une manière apparemment paradoxale, la conception libérale et bourgeoise de la liberté s'articule sur les idées traditionalistes de l'esprit des « anciennes libertés » constituées dans le passé et transmises par l'histoire [67].) Avec l'absolutisme s'instaurent l'arbitraire et le « bon plaisir » du monarque ; les intrigues des courtisans font dépendre le destin de l'Etat de facteurs contraires à l'ordre social rationnel et à ses exigences implicites. En critiquant le « despotisme », on souligne d'autant l'importance du système de lois rationnelles pour conserver l'unité et la cohérence de la société. On s'oriente vers l'idée d'une société bien ordonnée, où le pouvoir politique serait circonscrit par des principes et des facteurs rationnels qui ne dépendraient pas des rouages de la politique. A la rencontre de ces thèmes et dans les débats polémiques, se cristallisent les diverses idées d'un pouvoir raisonnable et utile à la société. Pour les uns, c'est l'idée de l'absolutisme éclairé : le prince doit non seulement s'imposer lui-même des limites en fonction des exigences de la raison éclairée, mais qui plus est, il doit exercer son autorité uniquement en vue de la réalisation de ces exigences. Pour d'autres, c'est l'idée d'une monarchie libérale : le prince ne serait que le dépositaire d'une autorité qui de droit n'appartient qu'à la société tout entière.

A mesure que l'absolutisme perd du terrain, on s'interroge sur les facteurs qui, en dehors de l'autorité de l'Etat, pourraient être porteurs de rationalité sociale. Ainsi, les doctrines du droit naturel accordent une importance de plus en plus grande à l'exploration des sphères de la vie sociale et des rapports sociaux autonomes vis-à-vis de l'Etat et même des systèmes de droit positif. Cette évolution dans la réflexion théorique apparaît essentiellement comme la conséquence de nouveaux principes, dont certains sont explicités dans des termes politiques, à savoir notamment : l'exercice du pouvoir doit s'adapter au « bien de la société » et lui être utile ; or, ce « bien », on le voit dans les aspirations et les intérêts rationnels des individus qui composent la société. Les objectifs fondamentaux des activités individuelles, les principes d'une coopération sociale rationnelle entre les individus, le rapport de l'individu à la société, etc. ; tout ce qui est à la limite l'ensemble de la vie sociale, la réflexion théorique essaie de le saisir dans un système plus ou moins formalisé de droits et de devoirs qui, eux-mêmes, ne seraient que des conséquences découlant de l' « ordre naturel » et de la « nature humaine ». Dans cette optique, la société globale apparaît comme une communauté enracinée dans une sphère extérieure à l'autorité de l'Etat et dont les objectifs et les valeurs sont définis par les principes rationnels de la coopération des individus au nom de la satisfaction de leurs besoins. Ainsi, dans la rationalisation de la vie sociale, un rôle décisif est attribué au progrès et à l'extension des lumières, en particulier à ce que les individus eux-mêmes et l'autorité politique comprennent mieux les intérêts individuels réels, donc « rationnels », et leurs enchaînements. Aussi reconnaît-on la primauté — historique et logique — des aspirations fondamentales des individus, ainsi que des objectifs et des principes rationnels de leur coopération sociale par rapport à l'Etat et à l'autorité politique. D'où la tendance, mentionnée ci-dessus, à circonscrire un espace de plus en plus grand de la vie sociale comme étant une « sphère privée », autonome par rapport à l'autorité et possédant ses propres mécanismes rationnels de régulation. Le pouvoir et le droit positif devraient donc se limiter dans leurs fonctions à garantir et protéger les principes de vie collective et de coopération qui fonctionnent dans cette sphère et sont fondés sur les « droits naturels » de l'homme.

Des idées politiques libérales, anti-absolutistes et anti-étatistes, s'allient avec les principes du modèle de l'économie de la libre concurrence. Les idées du droit naturel s'agencent avec une conception de la personne humaine conforme à ce modèle, c'est-à-dire avec la conception d'un individu dont les motivations sont entièrement rationalisées et dont le champ fondamental d'action est la production, dans le cadre d'une division sociale du travail rationnelle, en vue d'échanges avec d'autres individus productifs, tandis que la base de ses rapports sociaux est la propriété privée protégée par le droit.

Cette orientation de l'évolution du droit naturel est probablement la plus évidente dans la version physiocratique du droit naturel, en particulier chez Quesnay (par la suite, des idées étrangères à la pensée de Quesnay se mêlent au physiocratisme, où se manifestent également des tendances à idéaliser et sublimer les formes précapitalistes de l'économie et des mœurs et, subséquemment, une sensiblerie philanthropique [68]). Dans son *Droit naturel,* Quesnay compare diverses définitions de ce droit et les juge toutes unilatérales. « Si on me demande ce que c'est qu'un droit juste, et si je réponds d'après la raison, je dirai que c'est ce que l'on connaît appartenir à quelqu'un, ou à soi-même, à titre de règle naturelle et souveraine. » Le droit naturel, c'est le droit de l'homme « aux choses dont il peut obtenir la jouissance ». « Son droit à tout n'est qu'idéal (...). Il est semblable au droit de chaque hirondelle à tous les moucherons qui voltigent dans l'air. » Car, en réalité, « les hommes ne jouissent de leur droit naturel aux choses dont ils ont besoin que par le travail, c'est-à-dire par les recherches nécessaires pour les obtenir ». Le droit naturel définit donc le rapport de l'homme aux choses en tant que jouissance des choses, et il fonde les rapports entre les hommes sur le respect mutuel des biens que chacun possède. Ce ne sont pas les différentes formes d'autorité et les lois positives « qui décident de l'essence du droit naturel des hommes réunis en société ». Elles sont elles-mêmes fonction de cet « archétype des gouvernements » qui s'exprime dans « la faculté des hommes à être propriétaires », dans leur rapport naturel aux choses comme à « des biens que chacun possède ou peut posséder, et dont ils veulent s'assurer la conservation et la propriété ». Quesnay considère le travail comme une activité économique rationnelle qui consiste à réaliser des fins définies à l'aide de moyens définis ; les uns et les autres étant calculables et chiffrables grâce à cet instrument de mesure qu'est la monnaie. Grâce à la quantification, il devient possible de calculer tous les éléments de l'activité économique en fonction du profit. Ainsi, sur la base des conceptions du droit naturel, Quesnay est le premier à formuler, en le présentant comme « l'idéal de l'activité économique », le principe de la rationalité économique : « Obtenir la plus grande augmentation possible de jouissance, par la plus grande diminution possible de dépenses, c'est la perfection de la conduite économique. » Est donc conforme avec l'ordre de la nature, avec la « nature humaine » universelle et immuable, une action rationnelle dans laquelle le rapport des fins et des moyens est intentionnellement défini de manière à obtenir

le maximum d'avantages individuels, à « étendre l'usage du droit naturel » des hommes [69].

La rationalité ainsi définie doit circonscrire la sphère fondamentale de
l'action de l'homme et ses principaux modes. C'est notamment en son
nom qu'est condamnée la participation des individus aux modes coutumiers d'action dans lesquels la tradition et l'habitude ont force de loi.
L'individu trouve une sanction suffisante pour ses modes d'activité dans
l'idée de rationalité, et c'est à partir de son intérêt rationnel qu'il circonscrit son champ d'action. L'ingérence de l'Etat dans la « sphère
privée » ainsi définie, ses tentatives d'imposer des buts et des moyens
d'action inadéquats à l'intérêt individuel rationnel sont encore autant
d'expressions de « tyrannie » et de « despotisme », autant de violations
du droit naturel. Le fait que les individus sont membres d'une société,
pose évidemment le problème de l'accord entre « l'intérêt particulier »,
le « bien général » et les intérêts d'autrui. Pourtant, le droit ne peut
que définir négativement les limites que l'individu doit respecter : chacun
est en effet tenu à ne pas porter atteinte à l'autonomie des autres et
à ne pas nuire à leurs « intérêts particuliers » dont la somme constitue
précisément le « bien général ». Ainsi, l'idée du droit et de ses obligations
se réfère à l'idée de leur utilité pour les individus et à la conscience
rationnelle de chacun d'eux des avantages qu'il en tire.

On pourrait évoquer encore maintes autres approches par lesquelles
le modèle individualiste et utilitariste du lien social gagne du terrain à
l'intérieur des doctrines du droit naturel. On pourrait multiplier les formulations de l'idée de la rationalisation de la vie sociale globale grâce
à un ensemble de règles quasi juridiques, grâce au modèle d'une société
envisagée comme une communauté d'intérêt nouée au nom des avantages de chacun de ses membres, le droit étant alors réduit à un moyen
de protection. (A l'époque de la Révolution, Burke dira avec mépris qu'on
construisait la société comme on monte une compagnie pour le commerce
du duvet et du café.) Cette même évolution de la pensée amène au
modèle de l'*homo œconomicus,* d'un individu dont les comportements se
guident sur les principes de la rationalité, de l'efficacité, de la quantification des choses, de la multiplication des richesses, etc. Par la suite,
le schéma atomiste et utilitariste de la société se détache de plus en plus
des idées jugées « métaphysiques » de l' « ordre naturel » ou des
« droits naturels » de l'homme (comme, par exemple, dans la doctrine
éthique et juridique de Bentham).

Dans ses idées sociales et sa théorie politique, Rousseau développe
radicalement l'idée de la rationalisation de la société par la loi. Le point
de vue de la légitimité, du *quid juris,* semble totalement dominer toute
sa vision de la société, dissimulant ses autres aspects qui pourtant, à
notre avis, sont non moins importants. C'est ce qui se produit surtout
dans le *Contrat social* dont Jean-Jacques voulait faire un traité sur les
principes du droit politique. Afin de comprendre le principe de l'ordre
social, « il faut toujours remonter à une première convention », à
l'acte antérieur aux autres actes législatifs et qui est le « vrai fondement
de la société [70] ». La totalité de la vie sociale, la réalisation des valeurs

suprêmes qui sont la liberté, l'égalité et la justice, la nature des rapports entre les individus et de leur rapport à l'Etat, sont fonction du principe de la loi et de sa domination dans la société. L'existence d'une communauté sociale et politique est indissociale de son enracinement dans la loi, l'obéissance à la loi de tous les citoyens. Même au risque de nous répéter ici trop souvent, rappelons l'importance primordiale que Rousseau attache à l'acte fondamental, antérieur aux autres lois, duquel il tient la légitimité d'une « société politique » et qui la distingue des « attroupements forcés que rien n'autorise ». Le caractère spécifique du contrat social, de cet acte par lequel « le peuple est un peuple », fait qu'il est à la base des principes majeurs de la vie sociale, assurant la domination de la loi. La Cité ne peut exister qu'en tant que communauté légitime ; aussi, toute violation du pacte social équivaut-elle à la rupture du lien social, de l'unité du « corps politique ». La société se transforme alors en une multitude d'individus qui se combattent, où seules subsistent des apparences de l'ordre et de la légitimité, tandis que triomphent le mal moral, l'inégalité et l'oppression. Evidemment, n'importe quel droit ne fait pas une société légitime et, en particulier, le droit positif en vigueur. Les principes de la société doivent être inférés des « vrais principes du droit politique », et non pas du « droit positif des gouvernements établis ». Et la chose à laquelle Jean-Jacques s'attache particulièrement, c'est à fonder par la formule même du pacte social la souveraineté du peuple, en tant que condition de l'égalité et de la liberté des citoyens, ainsi que de la justice sociale.

Le texte du *Contrat social* revêt même parfois la forme d'un raisonnement quasi déductif, où les solutions des problèmes, non seulement des institutions politiques mais aussi de la totalité de la vie sociale, s'enchaînent à partir du principe majeur de la légitimité. Jean-Jacques est fier de cette rigueur de raisonnement, de cette démarche qui lui permet de bâtir « l'édifice (du droit) avec du bois et non pas avec des hommes, tant nous alignons exactement chaque pièce à la règle [71] ». « Les loix ne sont proprement que les conditions de l'association civile. Le Peuple soumis aux loix en doit être l'auteur ; il n'appartient qu'à ceux qui s'associent de regler les conditions de la société [72]. » La loi est définie comme étant l'expression de la volonté du « corps social » en tant qu'un tout, de la volonté de « tout le peuple » qui « statue sur tout le peuple » ; « alors la matière sur laquelle on statue est générale comme la volonté qui statue ». De cette idée de la loi (remarquons qu'elle sous-entend un ensemble de valeurs sociales et politiques, conjuguées avec l'idée de la souveraineté du peuple), Jean-Jacques conclut que la loi ne « peut être injuste, puisque nul n'est injuste envers lui-même », et qu'on peut « être libre et soumis aux loix, puisqu'elles ne sont que des registres de nos volontés ». Et c'est seulement quand une société est régie par la loi ainsi définie que « l'intérêt public gouverne » et que « la chose publique est quelque chose [73] ». De par son essence même, la loi est rationnelle : elle est l'expression de la volonté rationnelle de la société en tant qu'un tout. Toute autorité dans la société doit se fonder sur la loi, et c'est à cette seule autorité que l'individu est engagé à obéir : il obéit alors à lui-même et préserve sa liberté. Toute autorité doit être « une puissance légitime, et par conséquent soumise aux lois dont elle tient son être [74] ». La loi possède une autorité absolue dans la société, c'est-à-dire que tous, absolument tous, sont soumis à la loi, mais aussi que chacun lui est absolument soumis comme à l'instance sociale suprême. La domination de la loi équivaut donc à la rationalisation des rapports sociaux, assure leur conformité avec les exigences de la volonté rationnelle de la société et le contrôle constant de la vie sociale de la part de cette volonté. Et ce n'est que par la loi que cette volonté rationnelle peut se manifester. Ainsi, prenons-en bien note, Rousseau oppose la « rationalité », identifiée avec la domination de la loi, au règne du privilège, à l'utilisation du pouvoir au profit des intérêts particuliers des individus et groupes sociaux, à la formation anarchique des rapports sociaux sous l'influence des passions factices, etc.

A maintes reprises, avec insistance et rigueur, Rousseau rejette l'idée que les principes de la société civile et politique et de ses institutions puissent être inférés de facteurs et de forces qui ne seraient pas fondés sur la loi, et que cette loi ne consacrerait pas. Entre autres, ainsi que nous l'avons déjà mentionné, Jean-Jacques nie que les règles de l'existence collective dans un « corps politique » puissent être inférées du penchant inné des hommes à la compassion, à l'extension du moi sur autrui. De même, les principes de justice impliqués par l'ordre moral universel et donnés immédiatement à chaque individu, dans la voix de sa conscience, ne suffisent pas à fonder la vie sociale. Le « corps politique » doit respecter ces règles et ces principes, mais pour qu'il puisse précisément les observer, il faut que ceux-ci soient médiatisés par la loi. L'individu doit aliéner ses droits naturels à la communauté pour que cette même communauté les lui restitue. Ainsi, la loi, ou plutôt la volonté générale exprimée dans la loi, joue le rôle d'une médiation dialectique : elle « abolit » les droits naturels afin de les restituer à l'individu sous la forme des droits civils. Les principes naturels de la justice, dans la mesure où ils concernent « l'existence et la vie du corps politique », restent vains tant qu'ils n'ont pas la sanction que leur confèrent l'acte originaire du pacte social et la volonté générale du peuple-souverain, exprimée dans la loi et établissant dans la loi les droits et les devoirs des citoyens [75]. Certes, c'est une certaine conformité des intérêts particuliers qui est à la base de la société, « car si l'opposition des intérêts particuliers a rendu nécessaire l'établissement des sociétés, c'est ce qu'il y a de commun dans ces différents intérêts qui forme le lien social, et s'il n'y avoit pas quelque point dans lequel tous les intérêts s'accordent, nulle société ne sauroit exister ». Mais, tout en reconnaissant l'accord des intérêts particuliers comme un élément du lien social (et nous avons déjà souligné que la Cité n'était pas réductible à l'accord de ceux qui la composent), Jean-Jacques s'attache à démontrer que cet « intérêt général » ne se cristallise pas au terme d'une interaction anarchique des intérêts particuliers dans la « sphère privée » des activités individuelles, mais qu'il se manifeste comme la loi, comme l'expression de la « volonté générale [76] ».

Jean-Jacques devient encore plus véhément quand il réfute les doctrines qui infèrent l'autorité de principes autres que la loi. Toute sujétion des individus ne peut être qu'une soumission à la loi, et jamais à une personne. C'est ainsi que Grotius est attaqué pour avoir cherché l'origine de l'autorité politique dans l'autorité paternelle ; or, cette explication est « favorable aux Tirans » et sert à justifier les abus. Pour Jean-Jacques, la rationalisation des rapports sociaux par l'idée de la légitimité s'étend également à la famille : celle-ci est le « premier modèle des sociétés politiques » ; pourtant, les enfants restent liés naturellement au père aussi longtemps qu'ils ont besoin de lui pour leur propre conservation ; s'ils restent ensuite unis, c'est volontairement, « par convention ». Evidemment, ce n'est pas non plus la force qui constitue l'autorité : on obéit par nécessité au plus fort tant que celui-ci garde sa supériorité physique. Ainsi, « la force ne fait pas droit, et l'on n'est obligé d'obéir qu'aux puissances légitimes [77]. »

Parce que Rousseau attribue à la loi des fonctions dominantes dans la rationalisation de l'ensemble de la vie sociale (en particulier, en définissant le pacte social comme un acte d'aliénation inconditionnelle des droits de l'individu au souverain), parce qu'il reconnaît la volonté du souverain exprimée dans la loi comme la dominante de la vie sociale, on a souvent hâtivement rapproché ses conceptions de l'Etat de celles de Hobbes. En se référant surtout aux divergences manifestes entre les idées politiques de Rousseau et les tendances libérales des théories de son temps, l'auteur du *Contrat social* semble en effet, dans cette optique, plus proche de l'auteur du *Léviathan* que de Locke ou de Montesquieu. Cependant, il ne s'agit vraiment que de convergences apparentes. D'abord, Jean-Jacques oppose avec rigueur son républicanisme à l'absolutisme de Hobbes, et cette question est d'importance à une époque où la distinction entre la « tyranie » et la « puissance légitime » joue un rôle théorique et idéologique aussi considérable. Ensuite, et ce second élément spécifique de la vision sociale de Jean-Jacques est non moins important, son idée de la Cité est antibureaucratique et anti-étatiste. L'organisation politique de la société ne consiste pas en un ensemble de normes et d'institutions extérieures par rapport à ses membres : elle n'est pas autre chose que ces membres organisés en citoyens. Les liens sociaux, tout en étant formels et rationalisés, tout en équivalant à l'expression de la loi et de la raison, doivent être imprégnés de cette spontanéité qui jaillit des « élans du cœur », et exprimer la volonté et les sentiments des citoyens. Dans sa version idéale, la démocratie de Jean-Jacques est une démocratie directe qui élimine tout besoin d'un corps intermédiaire chargé d'exécuter la loi : le gouvernement et son corps constituent toujours pour Jean-Jacques un mal nécessaire. Le rapport social fondamental n'est pas le rapport de l'individu à l'autorité, du gouverné au gouvernant, mais le rapport de citoyen à citoyen. « L'essence du corps politique est dans l'accord de l'obéissance et de la liberté, et (...) ces mots de sujet et de souverain sont des corrélations identiques dont l'idée se réunit sous le seul mot de Citoyen [78]. » Le gouvernement doit uniquement assumer une fonction intermédiaire entre les deux rôles sociaux qui incombent à tous les membres de la société : celui de citoyens quand ils participent à l'autorité souveraine, et celui de sujets quand ils sont soumis aux lois. L'idéal serait de réduire au minimum ces fonctions médiatrices, car l'existence du pouvoir exécutif en tant que corps distinct, possédant son moi particulier, sa volonté particulière et le sentiment de la particularité de ses intérêts, représente pour Rousseau une menace constante pour la domination de la loi et la cohérence sociale. Tout appareil de pouvoir fait preuve d'une tendance en quelque sorte inéluctable à s'aliéner par rapport à la totalité de la société, et cette tendance est l'une des raisons de la chute de tout Etat [79]. Ainsi, l'idéalisation de la petite communauté sociale, si caractéristique de la conception de la Cité-patrie, traduit également la pensée que seule une telle société est capable de s'opposer à la tendance de tout gouvernement à prendre une place prépondérante dans la société et à s'aliéner d'elle.

Ainsi, la tendance typique de toute la vision du monde de Rousseau à éliminer toute médiation dans les rapports entre la personne humaine et la totalité morale, marque également son idée du « corps social ». D'où un statut de la personnalité humaine différent de celui que lui attribue Hobbes, ainsi qu'une autre conception de l'autonomie de l'individu au sein de la société. Car, d'une part, Jean-Jacques transforme l'acte par lequel l'individu aliène à la communauté tous ses droits naturels, en un acte qui n'est en un sens que formel, puisque cette même communauté, le « corps collectif », restitue à l'individu ces mêmes droits naturels en tant que « liberté civile ». D'autre part, et c'est le plus important, si l'individu aliène ses droits à la communauté, par contre il ne renonce pas à sa conscience morale et à sa raison politique. La loi n'élimine pas la nécessité de l'autodétermination morale de la part de l'individu, au contraire, elle implique ce besoin et le fortifie. Constamment affronté au problème de la responsabilité morale, le « citoyen » non seulement conserve son autonomie morale, mais encore en élargit l'extension : il est également responsable du sort et de la grandeur morale de la patrie. C'est dans l'autonomie morale de l'individu-citoyen que se fondent la grandeur et la durée de la Cité. Grâce à cette autonomie, le lien social tient son origine et sa force non seulement de la loi rationnelle et de l'obéissance des individus à l'autorité légitime, mais, qui plus est, de « l'élan des cœurs » des citoyens. Cependant, le maintien par l'individu de son autonomie morale et intellectuelle pose de constants problèmes à la communauté. Si, d'une part, cette autonomie est la condition de l'effort moral assurant l'existence durable de la société, d'autre part, elle contient toujours en elle une menace potentielle : l'individu peut préférer son intérêt particulier à l'intérêt général, s'opposer donc à la communauté et devenir ainsi un agent de sa destruction et désintégration.

Arrêtons-nous encore à un problème. La démocratie, telle que la formule Rousseau, se réfère à une idée de la liberté civile qui va plus loin que celle que l'école du droit naturel avait élaborée et qui consistait en la garantie institutionnelle de la sécurité, de la propriété et autres « droits naturels » de l'individu. Pour reprendre les mots de Czarnowski, d'après la doctrine de Rousseau « on perd la liberté dès qu'il devient impossible de constituer directement la volonté générale, par conséquent, à l'instant même où un individu ou un groupe s'approprie le pouvoir de décider des questions publiques [80] ». La participation à la vie politique de la collectivité est la condition et la manifestation de la liberté du citoyen ; la souveraineté du peuple est la garantie des droits de l'individu, tandis que la participation de ce dernier à l'exercice de cette souveraineté constitue la prémisse de l'autonomie et de la liberté de l'homme. Participer à la souveraineté du peuple, c'est participer à l'autodétermination non seulement politique, mais aussi morale de la communauté. Cette participation demande une perpétuelle autodétermination morale de l'homme ; elle est en quelque sorte le lieu de vérification permanente, d'identification de l'individu avec la volonté générale, du degré de son renoncement aux intérêts particuliers ; elle équivaut pour chacun à prendre part à une totalisation commune et à « s'éprouver » soi-même en tant que partie du tout. La domination de la loi et de la volonté générale ne signifie donc pas que la communauté absorbe l'individu et son autonomie morale. La participation à la souveraineté du peuple, à l'autodétermination politique de la communauté, de la « patrie », n'est nullement indifférente pour le fond spirituel de l'individu ; quant à la loi, elle n'est pas uniquement un système de garanties pour la réalisation des fins morales que l'individu s'assigne indépendamment de sa participation à la société. Prendre part à la souveraineté du peuple, à « l'ordre social », c'est donc enrichir la vie intellectuelle et morale de l'homme, et c'est aussi concentrer toute sa personnalité autour de la vertu civique. Ainsi, on peut atteindre dans la Cité ce que le monde des apparences et de l'aliénation voue à l'échec, on peut y surmonter les antinomies des processus d'individualisation et de socialisation, issues de l'histoire. « Ses facultés (de l'homme) s'exercent et se développent, son âme tout entière s'élève à un tel point, que si les abus de cette nouvelle condition ne le dégradoient souvent au-dessous de celle (de l'état de nature) dont il est sorti, il devroit bénir sans cesse l'instant heureux qui l'en arracha pour jamais et qui, d'un animal stupide et borné, fit un être intelligent et un homme [81]. »

Ce qui menace avant tout l'autonomie morale et intellectuelle de l'individu, c'est le règne de l'inégalité et des passions factices qui rendent les hommes étrangers les uns aux autres, les empêchent d'instaurer des rapports univoques à eux-mêmes et à la société, leur mettent des masques, faussent leur « être » par le « paraître ». Le projet rousseauiste de la Cité n'équivaut pas à un collectivisme outré, à l'idée de la domination d'une collectivité anonyme sur l'individu. L'interpréter ainsi, c'est omettre l'essentiel et tomber dans des anachronismes. L'idéal de Rousseau est beaucoup plus complexe. La Cité doit créer des conditions dans lesquelles l'individu pourrait « répandre son moi » sur toute la communauté sociale, grâce à son propre effort moral, l'existence de la Cité impliquant carrément la nécessité d'un tel effort. La participation à l'autorité souveraine du peuple, à l'autodétermination de la communauté, ne serait que l'expression la plus élevée de la « liberté morale » de l'individu ; mais d'autre part, l'effort moral devrait amener une convergence optimale de l'individualité avec les valeurs collectives. Il faut que l'individu trouve la vérité politique et civique non pas dans les codes des lois ni dans la voix de l'autorité, mais dans son for intérieur, comme une vérité personnelle des plus authentiques, comme l'expression de son individualité [82].

Ainsi donc, si Jean-Jacques radicalise l'idée de la rationalisation de la société par la loi, en associant cette idée avec le modèle du « citoyen » animé par la « vertu civique », il confère par là même au concept de loi des contenus et des valeurs spécifiques, différents de ceux dont il était chargé au terme de l'évolution de l'école du droit naturel. Considérée comme la manifestation de la souveraineté du peuple, la loi s'imprègne d'un pathos moral qui lui enlève son caractère de lien formel extérieur à la personne humaine. Tant que la loi n'est que ce lien formel, elle ne constitue pas une communauté, elle devient uniquement un instrument aux mains des puissants, elle est une apparence et non pas une réalité. La cohérence sociale, issue de la domination de la loi, ne se réduit pas à une rationalisation du lien social qui laisse intact l'intérêt individuel, pas plus que la rationalisation des rapports sociaux ne doit amener à une élimination des liens affectifs. D'après Rousseau, c'est plutôt le contraire qui devrait se produire : seule une communauté politique fondée sur la loi crée des conditions favorables à la naissance et au renforcement des liens affectifs de personne à personne. La loi n'est pas un système de règles qui sanctionneraient la particularité de l'individu par rapport au tout. L'Etat est une communauté « signifiante » pour la personnalité du « citoyen », alors que la participation à la souveraineté du peuple, à l'institution de la loi, devrait jouer un rôle décisif dans la vie spirituelle de l'individu, ajouter un sens essentiel à sa vie personnelle, lui procurer le sentiment de sa propre cohérence, satisfaire ses aspirations les plus profondes. Cette tonalité affective du lien social, à laquelle correspond dans les âmes « l'élan patriotique », marque moins les rapports entre les individus eux-mêmes, et plus le rapport de chaque citoyen à la patrie. La « patrie » devient ainsi une médiation entre les individus, mais une médiation parfaitement transparente et qui unit les individus en une communauté authentique. L'individu se détermine en fonction non pas de son rapport aux autres individus, mais de son rapport à la communauté.

Il est facile de constater que cet idéal qui vise à rationaliser la société et à attribuer en même temps au rapport de l'individu à la communauté le caractère d'une expression affective, doit beaucoup de son pathos moral aux analyses des antinomies de la personne humaine et de la crise morale qu'elle traverse dans le « monde des apparences ». Aussi bien l'idéal de la solitude que l'idéal de la Cité sont organisés — chacun sur un autre plan — autour du même ensemble de problèmes concernant la personne de l'homme. Dans l'un et l'autre cas, ce qui est recherché, c'est l'unité interne et la cohérence de l'individu, c'est son émancipation du « paraître » et des assujettissements qui détruisent sa liberté. Evidemment, dans l'idéal de la Cité, l'émancipation de l'individu est indissociable de l'émancipation collective de tous ceux que le système existant de rapports sociaux et moraux refoule en marge de la société. La finalité de la domination de la loi n'est pas de protéger les individus et leur coopération la plus efficace en vue de l'appropriation et de l'accumulation des biens, considérés comme la condition du bonheur individuel et collectif ; elle est d'opérer leur transformation morale. Or, la condition nécessaire de cette transformation est que disparaissent les divisions sociales, l'inégalité, la dépendance personnelle, l'inégalité sociale, etc. Pourtant, il ne suffit pas de faire triompher les seuls principes de la raison et de la justice dans les institutions politiques et sociales en laissant les hommes tels que les ont façonnés la déraison et l'injustice d'une vie sociale anarchique. Les institutions politiques et la rationalisation des rapports sociaux sont subordonnés à deux valeurs indissociables l'une de l'autre : l'unité de la société et l'aspiration de l'individu à vivre en accord avec lui-même. « Tout ce qui rompt l'unité sociale ne vaut rien : toutes les institutions qui mettent l'homme en contradiction avec lui-même ne valent rien. » Par contre, les modèles conjugués de la Cité-patrie et du citoyen définissent les conditions à la fois de l'unité sociale et de l'accord de l'homme avec lui-même : la politique est le lieu de l'accomplissement de l'individualité et de la totalisation des individus en un seul être moral, le peuple souverain et libre. « Les bornes du possible dans les choses morales sont moins étroites que nous ne pensions » et le corps politique a « d'étonnantes propriétés par lesquelles il concilie des opérations contradictoires en apparence [83] ». L'individu peut se libérer de toutes les ambiguïtés morales dont est chargée son autonomie, sans abdiquer sa qualité d'être libre. Grâce à la Cité-patrie l'individu peut avoir, avec le tout dont il fait partie, des rapports moraux univoques et stables, sans être dispensé d'un effort moral et civique continu. L'individu-citoyen peut s'affirmer dans le plein exercice de sa liberté qui pourtant le relie à ses concitoyens par un ensemble de rapports parfaitement transparents et immédiats ; dans l'élan patriotique de son cœur, il peut concilier sa spontanéité affective avec la rationalité du tout, l'expression de la particularité de son être avec son identification à la communauté. Aucun terme n'absorbe l'autre ; au contraire, l'intensification de chacun d'eux les manifeste comme complémentaires et permet leur synthèse. Les concitoyens ne sont plus les uns pour les autres cet « autrui » qui les aliène, les déspossède par son « regard » de leur propre existence. Par son identification libre et spontanée avec la communauté, chaque individu s'affirme lui-même et affirme sa solidarité avec ses concitoyens. Qui plus est, le sentiment d' « être soi-même » relie l'un non seulement à l'autre, mais aussi et surtout à ce « moi commun » que l'acte du pacte social instaure en tant que peuple souverain et qui totalise les consciences des citoyens libres.

Nous voudrions encore éclairer cette reconstruction de l'idéal de la Cité-patrie à la lumière de la parallèle établie par Benjamin Constant entre deux libertés. Comme on le sait, Constant distingue la « liberté antique » et la « liberté moderne », les opposant l'une à l'autre. Or, cet essai de typologie fait bien apparaître certains traits spécifiques de l'idéal rousseauiste de la « Cité-patrie », ainsi que son opposition au modèle libéral et utilitariste de la société.

Rappelons que Constant procède ce parallèle en se réclamant du libéralisme et dans une perspective historique bien définie : il examine les formules de Rousseau à travers le prisme des expériences récentes de la Révolution. Jean-Jacques était « l'inspirateur du jacobinisme » et l'image de sa Cité s'est confondue avec le spectre du règne de la « vertu » et de la terreur. Pourtant, Constant ne se borne pas aux problèmes politiques d'actualité et situe son analyse sur un plan beaucoup plus large. Les divergences entre les formules de liberté demandent une explication qui se réfère à l'opposition des structures sociales globales. Et c'est en suivant cette démarche que Constant reproche à l'auteur du *Contrat social* d'avoir construit un idéal de l'Etat et de la société qui est une tentative anachronique d'imposer à la société moderne le modèle de la « liberté antique », « de transporter dans nos temps modernes une étendue du pouvoir social, de souveraineté collective qui appartenait à d'autres siècles. En s'inspirant de cet idéal et en voulant le réaliser, le jacobinisme devait subir un échec, car il était dirigé contre « l'esprit des temps modernes », contre les aspirations et les désirs de l'homme de ces temps. Vouloir imposer cet idéal, c'était amener la tyrannie [84].

Si la liberté « moderne », dont l'esprit se manifeste dans le système représentatif, n'existait pas dans l'antiquité, c'est que « l'état de l'espèce humaine ne permettait pas (alors) à une institution de cette nature de s'y introduire ou de s'y établir. Les peuples anciens ne pouvaient ni en sentir la nécessité, ni en apprécier les avantages. Leur organisation sociale les conduisait à désirer une liberté toute différente de celle que le système nous assure. » La différence fondamentale entre les deux libertés consiste en ce que « le but des anciens était le partage du pouvoir social entre tous les citoyens d'une même patrie. C'était là ce qu'ils nommaient liberté. Le but des modernes est la sécurité dans les jouissances privées ; et ils nomment liberté les garanties accordées par les institutions à ces jouissances. »

Comme nous l'avons dit, B. Constant éclaire les oppositions à l'aide d'une typologie sociologique remarquable. Les formes de la liberté sont donc inhérentes à des structures qui englobent les rapports économiques, les activités politiques et sociales, le degré d'autonomie de l'individu, les systèmes des valeurs orientant la vie individuelle et sociale, etc. Dans la société antique, dans la *polis*, « l'individu s'était en quelque sorte perdu dans la nation, le citoyen dans la cité ». La liberté y était « collective », ce qui signifiait une « participation active et constante au pouvoir collectif » de chaque citoyen, dont « la volonté avait une influence réelle » et pour qui « l'exercice de cette volonté était un plaisir vif et répété ». C'est pourquoi « les anciens étaient disposés à faire beaucoup de sacrifices pour la conservation de leurs droits politiques », chacun accédant à la « conscience de son importance personnelle » grâce à la « part qu'il prenait à la souveraineté nationale ». Mais les sacrifices consentis par les anciens à leur liberté « collective » étaient considérables, se traduisant principalement par « l'asservissement de

l'existence individuelle au corps collectif ». « L'individu, souverain presque habituellement dans les affaires publiques, est esclave dans tous les
rapports privés. Comme citoyen, il décide de la paix et de la guerre ;
comme particulier, il est circonscrit, observé, réprimé dans tous ses
mouvements : comme portion du corps collectif, il interroge, destitue,
condamne, dépouille, exile, frappe de mort ses magistrats ou ses supérieurs, comme soumis au corps collectif, il peut à son tour être privé de
son état, dépouillé de ses dignités, banni, mis à mort. » Le corps collectif
exerce son pouvoir sur la totalité de la vie individuelle. « Toutes les
actions privées sont soumises à une surveillance sévère. Rien n'est accordé
à l'indépendance individuelle, ni sous le rapport des opinions, ni sous
celui de l'industrie, ni surtout sous le rapport de la religion (...).
Dans les choses qui nous semblent les plus futiles, l'autorité du corps
social s'interpose et gêne la volonté des individus (...). Dans les relations
les plus domestiques, l'autorité intervient encore (...). Les lois règlent les
mœurs, et comme les mœurs tiennent à tout, il n'y a rien que les lois ne
règlent. » Si, dans les peuples anciens, « le citoyen s'était constitué en
quelque sorte l'esclave de la nation dont il faisait partie », tout en
étant « lui-même à son tour le législateur et le souverain », cela tient
à plusieurs raisons. « Toutes les républiques anciennes étaient renfermées
dans des limites étroites » et, « suite inévitable de leur peu d'étendue,
leur esprit était belliqueux ». La guerre « était l'intérêt constant, l'occupation presque habituelle des Etats libres de l'antiquité » ; d'où une
dépendance d'autant plus grande du sort de l'individu du sort de la
patrie, d'où également le patriotisme puissant des anciens. Le commerce
et l'industrie étaient très peu développés et confiés principalement aux
esclaves, ce qui permettait aux citoyens de consacrer tout leur temps aux
affaires publiques. L'idéal de la parfaite « liberté antique » s'était surtout
réalisé à Sparte, si glorifiée par Rousseau, Mably et les Jacobins qui
rêvaient d'en transposer le modèle dans les temps modernes. Pourtant,
Sparte n'était qu'un « vaste couvent » où les formes républicaines
s'alliaient avec le même asservissement de l'individu. Seule Athènes, la
plus riche et la plus commerçante de toutes les républiques anciennes,
s'éloignait du modèle « antique » de la liberté ; d'où le profond mépris
qu'avaient pour elle les « antiquisants », en particulier Mably.
    La liberté moderne, c'est avant tout la liberté de « l'homme privé »,
indissociable de son « bonheur privé ». « Ce que de nos jours un
Anglais, un Français, un habitant des Etats-Unis de l'Amérique, enten-
dent par le mot de liberté, c'est pour chacun le droit de n'être soumis
qu'aux lois, de ne pouvoir être ni arrêté, ni détenu, ni mis à mort, ni
maltraité d'aucune manière, par l'effet de la volonté arbitraire d'un ou
de plusieurs individus. C'est pour chacun le droit de dire son opinion,
de choisir son industrie et de l'exercer ; de disposer de sa propriété,
d'en abuser même (...). Le but des modernes est la sécurité dans les
jouissances privées ; et ils nomment liberté les garanties accordées par
les institutions à ces jouissances (...). Presque toutes les jouissances des
modernes sont dans leur existence privée. » Leur liberté se compose
« de la jouissance paisible de l'indépendance privée » ; ils veulent « le

repos ; avec le repos, l'aisance ; et comme source de l'aisance, l'industrie ».
Si le sens et les exigences de la liberté ont ainsi changé pour les modernes, c'est parce que « l'esprit de l'époque » a changé subséquemment
aux transformations de « l'organisation sociale ». Les anciennes sociétés
« renfermées dans des limites étroites » ont été remplacées par de grands
Etats dans lesquels l'individu, « perdu dans la multitude », « n'empreint
jamais sa volonté sur l'ensemble » et pour qui la jouissance de la liberté
politique, la participation à la souveraineté nationale est « une supposi-
tion abstraite ». Ce n'est plus la guerre, mais le commerce et l'industrie
qui jouent un rôle décisif dans la vie de la société et des individus.
« Les progrès de la civilisation, la tendance commerciale de l'époque, la
communication des peuples entre eux, ont multiplié et varié les moyens
de bonheur particulier. Les hommes n'ont besoin, pour être heureux, que
d'être laissés dans une indépendance parfaite sur tout ce qui a rapport
à leurs occupations, à leurs entreprises, à leur sphère d'activité, à leur
fantaisie (...). Les ramifications sociales sont plus compliquées, plus
étendues qu'autrefois, les classes mêmes qui paraissent ennemies sont
liées entre elles par des liens imperceptibles mais indissolubles. La propriété s'est identifiée plus intimement à l'existence de l'homme. » Les
sociétés antiques formaient autant de « familles isolées », alors qu'aujourd'hui « une masse d'hommes existe sous différents noms, et sous
divers modes d'organisation sociale, mais homogène de sa nature ».
Dans la vie spirituelle de l'homme moderne, l'important n'est plus l'élan
patriotique, mais le calcul : « la guerre est l'impulsion, le commerce
est le calcul ». L'homme moderne, « occupé de ses spéculations, de
ses entreprises, des jouissances qu'il obtient ou qu'il espère, ne veut en
être détourné que momentanément et le moins possible ». Certes, l'argent
sert parfois au despotisme, mais il est également, voire principalement
une arme efficace contre celui-ci : il soumet l'autorité aux individus et
leur assure ainsi un fondement durable d'indépendance. La démocratie
directe est impossible et inutile dans la société moderne à laquelle seul
le système représentatif convient, car il est le seul gouvernement « à
l'abri duquel nous puissions aujourd'hui trouver quelque liberté et quelque repos ». Benjamin Constant juge évidemment, et sans la moindre
ambiguïté, la « liberté moderne » supérieure à « la liberté antique »,
car celle-ci équivaut à l'asservissement de l'individu, à « la suprématie du
corps social », à la négation même de la liberté individuelle. Dans les
développements de Constant que nous venons de rapporter schématiquement, on trouve l'essentiel de maintes analyses qui se succèdent
jusqu'à nos jours et réduisent l'idéal social de Rousseau à un système
instituant la « tyrannie » de l'Etat. La référence aux régimes totalitaires
contemporains a réanimé cette ligne d'analyse, bien qu'il ne nous semble
pas que celle-ci ait enrichi les débats : elle les a plutôt embrouillés par
de trop nombreux anachronismes. Remarquons d'ailleurs que B. Constant
évite précisément les anachronismes en procédant à des interprétations
historiquement et sociologiquement plus nuancées. Ainsi, il n'affirme pas
que le « modèle antique » était en lui-même tyranique : il ne pouvait
pas l'être pour le « citoyen » de l'époque qui ne connaissait pas encore

la « liberté individuelle ». Seules les tentatives d'imposer les formes « antiques » de la liberté collective à « l'homme moderne » devaient inéluctablement amener à la tyrannie. « La république romaine, sans commerce, sans lettres, sans arts, n'ayant pour occupation intérieure que l'agriculture, restreinte à un sol peu étendu pour ses habitants, entourée de peuples, et toujours menacée ou menaçante, suivait sa destinée en se livrant à des entreprises militaires non interrompues. Un gouvernement qui, de nos jours, voudrait imiter la république romaine, aurait ceci de différent, qu'agissant en opposition avec son peuple, il rendrait ses instruments tout aussi malheureux que ses victimes ; un peuple ainsi gouverné serait la république romaine, moins la liberté, moins le mouvement national, qui facilite tous les sacrifices. » Constant flétrit ceux des « philosophes » qui « en transportant dans nos temps modernes une étendue de pouvoir social, de souveraineté collective qui appartenait à d'autres siècles (...) ont fourni de funestes prétextes à plus d'un genre de tyrannie », sans tenir compte des « modifications apportées par deux mille ans aux dispositions du genre humain ». Cependant, dans ses critiques, Constant ménage Rousseau en qui il voit « un génie sublime qu'animait l'amour le plus pur de la liberté ». Il combat par contre férocement les épigones de Rousseau, en particulier l'abbé de Mably, « moins éloquent, mais non moins austère, et mille fois plus exagéré ». Il lui reproche surtout d'avoir détesté « la liberté individuelle, comme on déteste un ennemi personnel », de s'être élevé « contre les richesses et même contre la propriété », de s'être « extasié sur les Egyptiens chez qui tout pliait sous l'empire du législateur ». Suivant l'exemple des anciens, Mably, comme Rousseau et comme beaucoup d'autres, avait pris « l'autorité du corps social pour la liberté et tous les moyens lui paraissaient bons pour étendre l'action de cette autorité sur la partie récalcitrante de l'existence humaine ». Quant à Rousseau, son esprit doctrinaire consistait en ceci : il voulait que la volonté générale l'emportât « sur toute autre puissance, même sur celle de la mémoire et du temps ». Ainsi donc, toute entreprise visant à imposer la démocratie antique équivaut au projet rétrograde d'une révolution qui est dans son fond conservatrice et ne peut engendrer que destruction et despotisme, comme ce fut le cas pendant la Révolution française.

Le parallèle de Constant est à la fois mystificateur et instructif, ou encore — en recourant à un paradoxe — instructif précisément dans ses formules mystificatrices. En effet, c'est bel et bien tomber soi-même dans le piège de la mystification idéologique que de considérer le « costume antique » des idéologues du XVIIIe siècle comme adéquat à la réalité romaine ou spartiate. A cet égard, Constant procède finalement à la même projection du présent et de ses conflits sur le passé que les idéologues qu'il critique. De même, c'est toujours à une mystification qu'on se prête quand on confond le « costume antique » dont était revêtu l'idéal de la démocratie politique au XVIIIe siècle (vocabulaire, rhétorique, symbolique, réminiscences culturelles, etc.) avec l'essentiel des idées démocratiques, ou quand on cherche dans ce « costume » la genèse historique réelle de ces idées. Il nous semble inutile de démontrer que cet idéal à l'antique était précisément une formule de l'Etat moderne et qu'il avait puisé sa substance dans une autre histoire que celle des Grecs et des Romains. Mais l'analyse de Constant est à la fois extrêmement significative, car elle dégage toute l'importance de la doctrine de Jean-Jacques pour les hommes de la Révolution, du fait même qu'elle leur transmettait un ensemble de signes et de modes d'expression : métaphores, rhétoriques, pathos, modèles individuels de comportement, rites collectifs, etc. [85]. Penser et agir, vivre et mourir à l'antique n'était certainement pas pour eux une question de « costume », pas plus que l'ensemble des signes par lesquels s'extériorise un mouvement historique ne peut représenter pour nous un simple déguisement, si nous voulons voir dans la Révolution autre chose qu'une mascarade historique.

La référence de Constant au « modèle antique » est également significative dans la mesure où elle traduit en « langage antique » une critique qui reproche à l'idéologie politique de Rousseau son caractère antinomique. Et cette idéologie est en effet antinomique puisqu'elle accouple dans l'idéal de la Cité des éléments historiquement et sociologiquement incohérents : les institutions politiques démocratiques issues d'une époque avec une « organisation sociale » et un type sociologique de personnalité issus d'une autre époque. Pour Constant, ce qui est « conservateur », rétrograde, c'est bien sûr le système politique « à l'antique » et le principe de la démocratie qu'il comporte. Or, dans une optique historique différente de celle de Constant et de son époque, c'est dans d'autres termes qu'il faudrait définir les éléments que Rousseau connecte dans un couple antinomique qui traduit leur incohérence historique et sociologique. Les principes de la démocratie politique et de la souveraineté du peuple, solidaires de l'idée moderne de l'Etat, Rousseau essaie de les greffer sur une « organisation sociale », des rapports humains, un type de culture et de personnalité qui sont bel et bien anachroniques par rapport à « l'esprit des temps modernes », ainsi que les caractérise Constant avec une profonde intuition. En effet, à cet « esprit du temps », Rousseau oppose son idée de la « société fermée », de la simplicité des mœurs, de l'identification spontanée de l'individu avec les valeurs et la vie spirituelle de la communauté, de l'absence de rapports sociaux développés et différenciés, de la domination de l'agriculture, de l'élimination du commerce et de l'argent de la vie économique, etc. Si l'on peut reprendre la formule de Constant que l'idéal antique de Rousseau est une tentative de « l'emporter sur la puissance de la mémoire et du temps », ce n'est donc que dans la mesure où cet idéal veut transformer l'idée de l'Etat politique démocratique en un moyen de protection contre l'esprit de la « liberté moderne ».

Remarquons enfin que Jean-Jacques était dans une grande mesure conscient que son idéal de la « Cité-patrie et son modèle du citoyen » étaient aux prises avec le temps, avec l'histoire. Il en est conscient et maintes fois répète qu'on ne peut plus revenir à Rome et à Sparte qui demeurent des idéaux hors d'atteinte. A Sparte, « les lois et les mœurs, intimement unies dans les cœurs des citoyens, n'y faisaient, pour ainsi dire, qu'un même corps », « mais ne nous flattons pas de voir Sparte

renoître au sein du commerce et de l'amour du gain [86] ». L'image de Rome
et de Sparte est très ambiguë dans la vision du monde de Rousseau, elle est même — en dépit des apparences et des sentiments
exaltés dont elle est chargée — plus pessimiste que, par exemple, dans
les *Considérations sur les causes de la grandeur des Romains et de leur
décadence* de Montesquieu. Comme une ombre menaçante, à l'horizon
de cette image se profile la certitude de Jean-Jacques que tout idéal
social doit inéluctablement dégénérer au terme de sa confrontation avec
« le cours des tems et des choses », avec l'histoire qui détruit de l'intérieur chaque société, même la plus parfaite. Et même quand Jean-
Jacques élabore des projets pour « former la nation » de manière à
l'adapter à la forme idéale de gouvernement, sur sa vision de la société
idéale pèse continuellement la perspective de son inéluctable déclin [87]. Mais
ce pessimisme historiosophique toujours présent en arrière-plan, et
qui confère à l'utopie de Rousseau une tonalité dramatique spécifique,
soulignait d'autant plus l'héroïsme de ces modèles révolus, mettait
d'autant plus en lumière les contrastes entre la médiocrité des temps
contemporains et la grandeur des siècles passés. Cette contradiction sans
cesse dénoncée entre l'idéal et la réalité pouvait être interprétée comme
une simple réminiscence des lectures de Plutarque, avec tout ce qu'elle
exprimait de rêverie et de pathos moral ; et c'est en effet plus ou moins
dans ces termes que la plupart des contemporains de Rousseau interprétèrent le *Contrat social*. Mais, chez d'autres, ce désaccord entre l'idéal
et la réalité attisait au contraire les sentiments de la révolte et le désir de
dépasser la réalité existante qui, confrontée avec l'héroïsme du rêve
politique et moral, devenait d'autant plus intolérable dans sa médiocrité
quotidienne, sans aucune ouverture sur le grand et le sublime.

Démocratie et conservatisme

La pensée politique de Rousseau traduit un effort visant à réconcilier, dans une vision cohérente de la société, les éléments antinomiques que nous caractérisons sommairement à l'aide des deux termes employés dans le titre de ce chapitre. L'utopie de l'auteur du *Contrat social* implique l'idée d'un Etat moderne fondé sur la loi et dans lequel l'autorité souveraine reviendrait à l'ensemble des citoyens qui participent activement à la vie politique, tandis que cette participation serait reconnue comme le droit et le devoir indissociables de l'individu. L'idéal de la « Cité-patrie » implique l'émancipation de l'individu et du « corps politique » tout entier des dépendances personnelles et des privilèges, l'abolition des hiérarchies sociales, ainsi que l'égalité des individus devant l'Etat et la loi. Cet idéal d'un Etat moderne démocratique est cependant connecté avec la vision d'une solidarité entre les individus, entre les « citoyens », caractéristique des seules petites sociétés fermées, soudées par le lien communautaire traditionnel fondé sur des mœurs et des coutumes, sur une autonomie minime de l'individu par rapport à sa communauté locale, sur un minimum de mobilité sociale et de dynamique culturelle de la communauté même, sur une différenciation quasi inexistante des individus en son sein, etc.

Les autres aspects de cet effort antinomique se manifestent dans la conception du rapport de l'individu à la société globale et du caractère du lien social. Dans son *Contrat social*, Rousseau donne pour assises à l'Etat les principes de l'égalité et de la liberté politiques d'individus moralement et intellectuellement autonomes, auxquels il reconnaît les qualités nécessaires pour opérer des choix politiques rationnels ; ces choix tenant compte de l'intérêt de l'individu, étant à la base de la communauté politique. D'autre part, cependant, l'harmonie et la cohérence interne d'une société intégrée, ainsi que l'esprit qui fait de l'homme privé un citoyen, deviennent chez Rousseau fonction de la domination d'éléments irréflexifs et affectifs dans les motivations de chacun, de la tonalité affective dont est saturée la totalité de la vie sociale et individuelle, de l'identification totale et irréflexive de l'individu avec les valeurs collectives (ou encore avec la communauté elle-même en tant que valeur suprême). Le lien social fondamental dans l'Etat est le pacte, c'est-à-dire un lien juridique et rationnel, conventionnel, noué entre les individus autonomes considérés à la fois comme les sujets et les objets de la loi, et dont la pérennité exige qu'il soit en permanence confirmé par ces individus. D'autre part, le pacte social doit réaliser le passage d'une société scindée en individus existant les uns pour les autres dans leur « altérité », à une communauté qui les réunirait organiquement et non pas mécaniquement, constituerait une association où chacun participerait à un « nous » commun. Comme modèle de ce lien, de sa spontanéité, de son caractère intime et personnel, Jean-Jacques prend les rapports existant dans les petites communautés traditionnelles, les liens de voisinage, etc. Ainsi, la domination de la loi devient fonction du sentiment « gravé dans les cœurs », de la solidarité des hommes, du climat moral instauré dans la communauté par des liens affectifs et les mœurs, de « l'ivresse patriotique » qui anime les âmes. Pour le citoyen, l'idée de l'individu en tant qu'élément du « moi commun » doit devenir une partie intégrale de son propre être ; la totalisation du « moi individuel » et du « moi commun » devrait se faire irréflexivement, par un élan spontané de l'âme surgi du quotidien de l'existence sociale. Ainsi le citoyen ne prend aucune distance par rapport à sa condition sociale et à ses rôles sociaux : la prise de conscience de soi-même et de sa situation vis-à-vis d'autrui ne peut être dissociée du sentiment de participer à chaque instant à un « nous » et de s'identifier avec une communauté de valeurs et de personnes [88]. Dans ce modèle idéal, comme nous l'avons déjà dit, l'harmonie doit amener à la suppression non seulement des contradictions, mais aussi de toute différence entre le moi de l'individu et ses rôles sociaux en tant que citoyen, ce dans une synthèse qui sublime chacun des termes de la relation sans en annihiler aucun.

L'idéal de la « Cité-patrie » implique la multiplication des occasions qui permettraient aux citoyens d'exprimer leurs choix politiques. Mais d'autre part, ce même modèle implique une vie sociale constituée de telle sorte que ces choix soient superflus et la vie politique de la communauté réduite au minimum. En tant que « citoyen », l'individu doit, avec ses concitoyens assemblés sur « la place publique », décider du sort de la collectivité, déployer des activités politiques et régler les affaires de l'Etat. La Cité attend et exige qu'il fasse ses choix politiques, et la condition du citoyen est d'accepter cette exigence, de faire face à ce devoir vis-à-vis de la communauté. Mais la Cité implique aussi le devoir de choisir toujours à partir d'un ensemble de valeurs collectives, à partir du « moi commun » et jamais à partir du « moi particulier ». D'autre part, l'harmonie sociale se fonde sur une homogénéité des mœurs, une stabilité des conditions de la vie individuelle et collective telles que tout choix politique devient inutile. Dans le chapitre précédent, nous avons évoqué l'image des « citoyens » assemblés sur « la place de la cité » ou « sous un chêne » en vue d'instituer les lois et de régler les affaires publiques (la « place publique » et l'assemblée « sous un chêne » sont des métaphores caractéristiques des contenus sociologiques et idéologiques qu'elles traduisent, et de la fusion du politique et de l'idyllique). Or, plus la réalité se rapproche du modèle idéal, plus l'unanimité spontanée se substitue aux débats : à une telle assemblée, il ne peut y avoir de différends, ni de choix politiques ; quelle que soit la personne qui la formule, toute proposition touchant aux affaires publiques ne fait qu'exprimer des pensées et des sentiments déjà spontanément nés chez les autres. La multiplicité des actes individuels n'est que l'expression du seul et même phénomène de l'accession de chacun au « moi collectif », ce qui revient à dire que chaque individu ne fait que confirmer l'intériorisation complète des valeurs collectives et des devoirs civiques.

L'idéal de la société harmonieuse présuppose la rationalité de la loi en tant qu'expression de la volonté générale rationnelle, tandis que la participation de l'individu à l'institution de la loi équivaut à sa participation à la fois à la raison commune et à la volonté commune de la collectivité. Pour employer la terminologie plus moderne de Tönnies, disons que l'utopie de la Cité-patrie, considérée sous cet aspect, se recoupe presque entièrement avec le type idéal de la société en tant que *Gesellschaft*. Mais toute la complexité de cette utopie se manifeste dans le fait que celle-ci idéalise en même temps le lien social caractéristique du type idéal contraire de la *Gemeinschaft*, s'opposant ainsi à l'atomisation de la société, au règne en son sein des « apparences », à la fausse rationalité du jeu des intérêts égoïstes. Ainsi, l'établissement d'une communauté fondée sur une solidarité organique, sur des liens affectifs et personnels, serait fonction de la subordination de la vie sociale à une loi rationnelle qui se ferait elle-même l'expression d'une « volonté générale » impersonnelle. On dirait que l'utopie devrait accomplir la synthèse de deux types idéaux opposés de vie sociale. Retenons enfin notre attention sur encore un autre aspct de ce qui relève en réalité d'une même problématique. Jean-Jacques souligne que le projet de la Cité est un essai de « tirer du mal même le remède qui doit le guérir ». « Le point auquel sont parvenus les hommes » dans leur histoire, la naissance et l'accroissement de l'inégalité, le conflit des égoïsmes — telles sont les raisons qui ont donné lieu à la nécessité d'une « association nouvelle » qui prend la forme d'un « corps politique » comportant l'existence de l'Etat, des lois, des contraintes, du pouvoir, etc., ainsi que tout le « jeu de la machine politique ». Or, à l'arrière-plan, on voit toujours apparaître l'idéal d'une société non étatique, dans laquelle les mœurs et les coutumes remplaceraient la loi, l'autorité morale — le pouvoir politique. L'Etat ne doit donc pas reproduire les conditions sociales et morales qui l'ont rendu nécessaire ; au contraire, l'Etat démocratique, expression de la volonté du peuple souverain, doit remédier à l'atomisation de la société, à l'accroissement de l'inégalité, l'exacerbation des intérêts particuliers et la dépersonnalisation des rapports sociaux.

En s'engageant dans cet effort visant à obtenir une synthèse de deux termes socialement et historiquement hétérogènes dans une vision logiquement cohérente de la société, Jean-Jacques conférait à son œuvre un caractère paradoxal. Or — nous l'avons constaté maintes fois — Jean-Jacques choisit souvent le paradoxe pour exprimer ses idées. Nous avons donc décidé d'employer un couple antinomique — « démocratie » et « conservatisme » — pour essayer de traduire la complexité propre à la vision sociale de Rousseau. Bien que connaissant l'ambiguïté de ces termes, faute d'expressions meilleures, nous nous en servons à titre de désignations et non pas en tant que définitions précises. L'emploi du premier de ces termes ne requiert pas, à ce qu'il nous semble, une argumentation plus étendue. La théorie politique de Rousseau pose les fondements de l'idée de l'Etat démocratique moderne. Inutile de rappeler comment elle définit la souveraineté du peuple ; inutile également d'insister sur la définition du statut politique du citoyen-homme libre, dont les droits et les devoirs sont solidaires de sa part de responsabilité pour le sort de la société, responsabilité qui ne peut devenir effective qu'à travers la participation de tous les citoyens à la vie politique d'après le principe de l'égalité. Insistons pourtant sur le fait que les conditions de la démocratie politique transcendent chez Rousseau la sphère de la loi et de la politique. Pour que la loi règne dans la vie sociale, pour que la division en gouvernés et gouvernants disparaisse, il faut que soit maximalement réduite l'inégalité sociale se traduisant par le partage inégal des biens, par l'existence des « riches » et des « pauvres ». Nous avons déjà analysé en quoi cette idée s'oppose à l'organisation politique et à la structure sociale de l'Etat absolu et d'une société hiérarchisée en ordres ; en quoi, d'autre part, elle diffère du modèle de vie politique et sociale qu'on peut conventionnellement appeler libéralisme bourgeois.

Par contre, le deuxième terme employé — le conservatisme — ne peut pas ne pas donner lieu à des malentendus et demande à être commenté. Eliminons en tout premier lieu l'acception courante du mot, car nous n'avons évidemment pas ici en vue le conservatisme considéré comme une attitude politique, sociale et intellectuelle hostile à toute transformation de l'état de choses existant, méfiante à l'égard de toute innovation, de toute remise en question de l'ordre établi, voire à l'égard de toute interrogation sur la raison de son existence. Pour une telle attitude, l' « ordre » est identique à l'immobilité, tous les conflits et tensions sont les effets des « nouveautés » introduites « de l'extérieur » dans une réalité dont la caractéristique fondamentale serait la pérennité des formes de la vie sociale, assimilée à l'inertie propre aux choses. Il n'est donc nullement nécessaire de démontrer que la vision du monde de Rousseau dans son ensemble, sous tous ses aspects, était « anticonservatrice » dans cette acception courante du terme. Elle mettait en question non seulement tel ou tel fragment de la réalité existante et les valeurs qui le consacraient, mais encore sa totalité. Celle-ci considérée non pas comme « l'ordre » mais comme une « apparence de l'ordre », un « chaos », un scandale social et moral permanent. Si l'idée de « l'ordre » peut dans les différentes idéologies servir soit à sanctionner l'état existant, soit à le contester et le condamner, soit à défendre le pouvoir, soit à l'attaquer, chez Rousseau, elle est indissociable de son opposition et de sa révolte, de sa négation radicale des ordres sociaux existants.

Nous avons donc en vue une autre acception du « conservatisme », proche de celle que Mannheim confère à ce terme en parlant de l' « utopie conservatrice » et que traduirait peut-être mieux l'expression du « romantisme conservateur », si celle-ci n'était pas à son tour grevée de diverses ambiguïtés. Nous entendons désigner certains aspects des structures idéologiques qui, historiquement et sociologiquement, sont à mettre en rapport avec le passage de la civilisation préindustrielle à la civilisation industrielle, avec le développement de celle-ci sous ses formes capitalistes. Or, nous parlons du « conservatisme » d'une vision du monde quand celle-ci, en confrontant les mutations, se fait l'écho d'idées rétrospectives, de pensées nostalgiques pour les systèmes de valeurs, les mentalités et les sensibilités collectives propres au monde menacé de disparition. Ce qu'on recherche, c'est la signification globale d'une réalité complexe et diffuse : cette recherche s'articule alors de préférence autour des problèmes issus de la désintégration des formes de sociabilité, des systèmes de valeurs, des types sociaux de personnalité, etc. D'autre part, on est particulièrement sensible aux antinomies et contradictions qui se manifestent tant dans la structure sociale que dans la civilisation du monde qui s'annonce, ainsi qu'aux problèmes de la dynamique du changement social et culturel, au rapport de l'homme à l'histoire, à la tradition, etc.

Dans chacun de ses fragments, et progressivement, le monde perd le caractère concret et signifiant qu'il possédait auparavant pour les individus intégrés dans les communautés traditionnelles. Il devient de plus en plus anonyme et abstrait à mesure que ces individus participent à des groupes, des rapports et des rôles sociaux qui ne sont plus circonscrits par l'expérience directe de leur vie quotidienne. Ce monde où — comme le définit Max Weber — les événements « se produisaient » de plus en plus et « signifiaient » de moins en moins [89] offrait des conditions historiques favorables à l'émergence de perspectives rétrospectives à partir desquelles certains aspects des communautés précapitalistes pouvaient être perçus, revalorisés et opposés aux nouveaux rapports économiques et sociaux. Par l'effet de contraste, la rationalité abstraite de ces rapports, la réification des relations humaines, l'universalisme et l'uniformité des formes culturelles éclairent d'un jour nouveau la vie collective fondée sur des liens de personne à personne, les rapports concrets et signifiants de l'homme aux choses et à la nature, le caractère affectif de l'intégration de l'individu à la communauté, la stabilité des conditions sociales, le rôle régulateur des valeurs morales et des mœurs dans la société, etc.

Il n'est peut-être pas inutile de rappeler que Marx décrit à maintes reprises comment les rapports sociaux capitalistes contribuent à la formation d'une perspective idéologique sensibilisée précisément à ces aspects des formes préindustrielles de la vie sociale, devenus socialement perceptibles par l'effet de contraste. Ainsi, Marx en parle même dans le cas du rapport du paysan à son seigneur, d'un rapport qui — à ce qu'il semblerait — ne pouvait donner lieu sur le plan du vécu qu'à des sentiments d'injustice, d'oppression et d'inégalité. « Dans la propriété foncière féodale, le seigneur apparaît tout au moins comme le roi de la propriété. De même il existe encore apparence d'un rapport plus intime que celui de la simple richesse matérielle entre le possesseur et la terre. La terre s'individualise avec son maître, elle a son rang, elle est baronnie ou comtat avec lui, elle a ses privilèges, sa juridiction, ses relations politiques, etc. Elle aparaît comme le corps non organique de son maître (...) L'histoire de sa famille (du maître), l'histoire de sa maison, etc., tout cela individualise pour lui la propriété foncière et en fait formellement sa maison, en fait une personne. De même ceux qui cultivent sa propriété foncière n'ont pas la situation de journaliers salariés, mais ou bien ils sont eux-mêmes sa propriété comme les serfs, ou bien ils sont vis-à-vis de lui dans un rapport d'allégeance, de sujétion et d'obligation. Sa situation vis-à-vis d'eux est donc directement politique, mais elle a également un côté sentimental. Les mœurs, le caractère, etc., changent d'une terre à l'autre et semblent ne faire qu'un avec la parcelle, tandis que plus tard ce n'est plus que la bourse de l'homme qui le lie à la terre, et non son caractère ou son individualité [90]. »

Les contrastes sont encore plus marqués sur le plan du rapport de l'individu à son existence sociale, ainsi qu'au niveau du sentiment de sa particularité. Pour « le rapport prébourgeois de l'individu aux conditions objectives naturelles du travail », en particulier à la terre, il est caractéristique que « l'homme se comporte vis-à-vis d'elles comme vis-à-vis des présuppositions naturelles de l'homme qui sont en quelque sorte le prolongement de son corps », et que son existence implique son appartenance à une communauté *(Gemeinwesen)*. L'homme ne s'individualise qu'à travers le processus historique, et c'est dans les contradictions historiques du processus d'individualisation que Marx voit le fondement sociologique de l'émergence des idéologies rétrospectives qui opposent l' « homme intégral » des époques précapitalistes à l'aliénation et la désintégration de l'individu. « Pour développer des capacités suffisamment intenses et universelles et rendre possible une telle individualité, il faut au préalable une production fondée sur la valeur d'échange, afin de créer l'universalité de l'aliénation de l'individu vis-à-vis de lui-même et des autres, en même temps que l'universalité des rapports et des aptitudes. Dans les périodes antérieures de l'évolution, l'individu jouit d'une plénitude plus grande justement parce que la plénitude de ses conditions matérielles n'est pas encore dégagée, en lui faisant face comme autant de puissances et de rapports sociaux, indépendants de lui. Il est aussi ridicule — conclut Marx — d'aspirer à cette plénitude du passé que de vouloir en rester au total dénuement d'aujourd'hui. Aucune conception bourgeoise ne s'est jamais opposée à l'idéal romantique tourné vers le passé : c'est donc que celui-ci subsistera jusqu'à la fin bienheureuse de la bourgeoisie [91]. »

On retrouve une « perspective conservatrice » ou encore une « composante rétrospective » dans les idéologies de diverses couches et classes sociales ; elle peut se manifester avec plus ou moins d'intensité, subir telles ou telles modifications en fonction de l'horizon intellectuel et des intérêts de la classe ou de la couche sociale concernée, comme en fonction des contenus historiques de la culture nationale, ou encore des sensibilités individuelles. Les fonctions intellectuelles et idéologiques de cette perspective sont déterminées par la structure globale du système de valeurs et de jugements dans lequel elle intervient. Ce qui domine en elle, c'est soit le retour en arrière qui idéalise les formes révolues et les sublime, soit la révolte contre l'aliénation de l'individu, contre une culture dominée par un esprit de rationalisme abstrait, contre l'uniformisation de la personne humaine, etc. [92].

L'importance, mais aussi la complexité du rôle que l'œuvre entière de Rousseau et notamment son système social et politique ont joué dans l'histoire des idées et des idéologies, tiennent entre autres aux prolongements des deux aspects que nous avons dégagés : de l'aspect « démocratique » et de la « rétrospection conservatrice ». Cette œuvre contient en effet l'ensemble de problèmes et de concepts, le système de valeurs et de jugements, les critères de sélection des phénomènes de la réalité sociale ; bref, les éléments essentiels qu'on retrouve comme le noyau des idéologies romantiques conservatrices (bien que celles-ci, après la Révolution française, se soient réclamées d'un certain antirousseauisme) [93].

Lors de notre reconstruction de l'idéal de la « Cité-patrie », nous avons déjà remarqué que l'utopie de Rousseau réhabilite en quelque sorte la cohérence sociale et la solidarité humaine fondées sur l'acceptation irréfléchie des valeurs, sur l'affirmation du type de culture et du mode de vie caractéristiques des sociétés communautaires traditionnelles, opposées à la grande ville, à l'accumulation des richesses, à la complication des rapports sociaux, etc. Mais c'est dans l'idéal économique de Rousseau que la « composante conservatrice » est la plus évidente, à savoir dans l'idéalisation d'une économie quasi naturelle, dans laquelle l'élément fondamental est la petite exploitation autarcique, où le marché, l'argent et le commerce sont au maximum éliminés, où l'étendue de la décision économique de l'individu est réduite au minimum et la division du travail ramenée à un stade embryonnaire. Cet idéal trouve son expression la plus manifeste dans les « projets » de Jean-Jacques, dans le *Projet de constitution pour la Corse* et les *Considérations sur le gouvernement de Pologne*, mais il est aussi lisible dans le *Contrat social*. D'ailleurs, c'est à travers toute l'œuvre de Jean-Jacques qu'est propagé l'idéal de la communauté patriarcale et rurale, pareille à celle de Clarens dans la *Nouvelle Héloïse* (à laquelle nous reviendrons) ou à celle qu'envisagent Emile et Sophie qui, par leur propre exemple d'une « vie champêtre et patriarcale », espèrent « vivifier la campagne et ranimer le zèle éteint de l'infortuné villageois [94] ». Et même quand Jean-Jacques idéalise une société urbaine, en particulier Genève, il peint toujours le tableau de la vie simple des artisans, imprégnée des mêmes valeurs [95].

N'oublions pas toutefois que le modèle de la « vie champêtre et patriarcale » fait lui-même partie d'un idéal social plus large. S'il y a modèle, il y est question d'élévation à un idéal et non pas d'imitation du réel, il y va d'une vie désirée, rêvée, et non pas de l'apologie d'une réalité sociale effective. A l'opposé de ce rêve, il y a la campagne française que Jean-Jacques avait appris à connaître au cours de ses vagabondages, et où règnent l'inégalité, l'oppression des pauvres par les puissants, où le paysan doit cacher son pain par peur de la taille — pour reprendre un célèbre épisode des *Confessions* — où le peuple est privé de droits politiques, etc. Aussi, aucune réalité « villageoise », même celle des cantons montagnards suisses, ne peut-elle être incorporée dans l'utopie de Rousseau qu'après avoir été sublimée. Et cette sublimation est opérée par un idéal qui lui-même ne s'explique que par la réalité sociale qu'il refuse et par la révolte qu'il traduit. Il est extrêmement caractéristique que le récit de la « vie champêtre et patriarcale » se fait bien souvent de l'extérieur de cette vie même, et qu'à l'intérieur de ce

récit figurent des indices d'une autre réalité par opposition à laquelle les
« campagnes charmantes » sont exaltées. D'où vient peut-être l'impression fréquente d'une sentimentalisation artificielle, parce que apportée de
l'extérieur ; impression qu'on ne peut s'empêcher d'éprouver à la lecture
du moins de certaines de ces descriptions. Mais rappelons que Jean-
Jacques découvre lui-même les valeurs qu'une communauté « patriarcale
et champêtre » traditionnelle peut présenter pour l'individualité, non pas
de l'intérieur d'une telle communauté, mais en partant d'une sensibilisation
presque pathologique à la condition de l'individu libre et autonome, mais
aliéné, rejeté en marge d'une société atomisée, incertain et perdu dans
un monde ambigu et opaque. Or, dans l'utopie de Rousseau, il ne s'agit
pas d'enlever à l'individu sa liberté et son autonomie, mais de le réintégrer dans la communauté. Il s'agit de fonder sur la coopération rationnelle
d'individus autonomes, libres et égaux, une société qui associerait la
solidarité des intérêts avec la solidarité des aspirations et des sentiments
communs ; une société qui serait pour l'individu une totalité signifiante,
et non seulement un moyen de réalisation de ses objectifs individuels ou
encore un terrain sur lequel s'affrontent des intérêts contradictoires.
L'idéal serait de concilier dans cette communauté le droit de l'individu à
reconnaître comme bon et vrai uniquement ce qui est tel pour sa conscience autonome, avec une acceptation passive et irréflexive de sa part
des « bonnes et simples mœurs » collectives. Ainsi, dans la sublimation
et l'idéalisation de la « vie patriarcale » s'exprime une révolte contre les
puissants, contre l'inégalité et l'injustice dont le peuple est victime, alors
que c'est précisément lui qui constitue le « genre humain ». Mais remarquons que c'est aussi un refus des aspects qui, dans la société rurale et la
vie campagnarde, étouffent l'individu, telles la servitude de la routine,
l'inertie des habitudes, etc. Aux vieilles formes communautaires, Rousseau
oppose son individualisme, ou plutôt il essaie de greffer les formes traditionnelles de la société sur sa conception éthique et sociale de l'individualité libre.

Dans ce contexte, une page d'*Emile* sur le rôle du travail manuel dans
l'éducation mérite d'être relue, car elle éclaire la conception de l'individualité à partir de laquelle s'opère la sublimation du monde rural et de
ses modes de vie sociale. Comme on le sait, Rousseau considère le travail
comme une des conditions de l'épanouissement non seulement physique,
mais encore spirituel de l'individu ; il n'entend pas cependant réhabiliter
ainsi tout travail, car seul est digne de l'homme le travail qui est une
création, une activité exercée par un individu libre, intellectuellement et
moralement autonome. C'est dans ce cadre que Jean-Jacques oppose le
travail des paysans au travail des sauvages : « Les premiers sont rustres,
grossiers, maladroits ; les autres connus par leur grand sens le sont
encore par la subtilité de leur esprit : généralement il n'y a rien de plus
lourd qu'un paysan, ni rien de plus fin qu'un sauvage. D'où vient cette
différence ? C'est que le premier faisant toujours ce qu'on lui commande,
ou ce qu'il a vu faire à son père, ou ce qu'il a fait lui-même dès sa jeunesse ne va jamais que par routine et dans sa vie presque automate,
occupé sans cesse des mêmes travaux, l'habitude et l'obéissance lui tien-

nent lieu de raison. Pour le sauvage, c'est autre chose ; n'étant attaché à aucun lieu, n'ayant point de tâche prescrite, n'obéissant à personne, sans autre loi que sa volonté, il est forcé de raisonner à chaque action de sa vie ; il ne fait pas un mouvement, pas un pas sans en avoir d'avance envisagé les suites. Ainsi, plus son corps s'exerce, plus son esprit s'éclaire, sa force et sa raison croissent à la fois et s'étendent l'une par l'autre [96]. » Il est inutile de souligner que dans cette rencontre, l'image du « sauvage » véhicule des valeurs qui sont « extérieures » et opposées aux formes traditionnelles de la vie campagnarde. L'idylle de la « vie champêtre et patriarcale », conforme aux « mœurs anciennes », s'affirme ainsi comme une invention nouvelle et comme l'école de vertus de l'individu libre.

En idéalisant et en sublimant la « vie patriarcale », l'œuvre de Rousseau s'épaississait inéluctablement de significations ambivalentes ou même polyvalentes, dont nous retrouverons les effets aussi bien dans les résonances immédiates que dans l'histoire postérieure du rousseauisme. En effet, cette image sublimée pouvait être interprétée comme une protestation contre les rapports sociaux existants, comme un idéal opposé à la vie réelle, comme une exhortation adressée aux « belles âmes » afin qu'elles transforment les rapports sociaux en idylles humanitaires. Mais on pouvait aussi facilement lui prêter une autre signification, à savoir celle d'être l'apologie de rapports quasi féodaux entre les « bons seigneurs » et leurs « fidèles » paysans et domestiques, de défendre ces rapports partout où ils avaient subsisté, surtout en province, contre les effets nocifs des « nouveautés » venant de la ville. C'est ce qui explique le fait apparemment déconcertant que l'œuvre de Rousseau soit devenue le lieu de travail à la fois d'utopies égalitaires et d'idéologies conservatrices. Un exemple particulièrement frappant de ces résonances idéologiques, diffuses et confuses, est celui des confédérés de Bar qui s'adressent à l'auteur du *Contrat social* pour lui demander des conseils sur la réforme du gouvernement de Pologne. Or, pour des raisons particulières à l'histoire de la Pologne, l'idéologie des confédérés était un amalgame paradoxal, composé d'un égalitarisme et républicanisme nobiliaires ainsi que d'un conservatisme social outré, lesquels fusionnaient dans un élan patriotique, dans cette « ivresse patriotique » dont Rousseau faisait l'éloge.

Nous pensons avoir jusqu'ici manifesté clairement notre intention de ne pas diviser l'utopie de Rousseau en éléments disjoints. Insistons cependant une fois de plus sur ce point important : ceux que nous avons définis comme « démocratiques » et « conservateurs », ne constituent pas des éléments autonomes de l'utopie de Rousseau, mais équivalent à des entités abstraites, à des types idéaux qui n'existent qu'à l'issue de procédés analytiques les séparant de l'unité réelle de la pensée sociale et politique de Rousseau, ainsi que de son œuvre. La valeur des opérations de ce genre consiste tout au plus à faciliter éventuellement la compréhension de l'unité, de la cohérence de l'utopie de Rousseau, comme de la diversité de ses fonctions inspiratrices dans l'histoire. En reconstruisant l'idéal de la « Cité-patrie », nous avons déjà essayé de montrer comment les éléments ici dissociés se complètent mutuellement et qu'on peut les saisir uniquement comme des aspects de l'idéal global d'une communauté intégrée et juste, au sein de laquelle l'individu n'est plus « en contradiction avec lui-même » ; contradiction à laquelle le condamne sa situation dans le « monde des apparences ». Il est vrai que dans tel ou tel écrit de Rousseau, un seul aspect de cet idéal peut se dégager au premier plan. Il est également vrai que dans l'histoire des rousseauismes, des idéologies différentes et même opposées se sont inspirées de ce même idéal. Et pourtant, les aspects que nous avons schématiquement distingués, et qui sont antinomiques en tant que « types idéaux », s'interpénètrent et se complètent chez Rousseau dans une vision globale de la Cité humaine, cette complémentarité étant elle-même un élément constitutif de l'unité de l'œuvre qui ne se décompose pas en éléments abstraits. Les ambiguïtés, les indéterminations sociologiques de l'utopie, ses oscillations entre les termes antinomiques masquent mais aussi révèlent l'effort spécifiquement dialectique, souvent dramatique et pénible, visant à embrasser les contradictions en un tout social. En allant jusqu'à simplifier les choses, disons que l'objectif visé est de permettre aux individus autonomes et libres, socialement, intellectuellement et moralement libérés de l'oppression de « l'inégalité », d'échapper à toutes les antinomies, ambiguïtés et tensions de leur autonomie, grâce à leur réintégration dans une communauté dont le caractère homogène et fermé, « simple » et archaïque, assurerait la transparence des rapports sociaux, la stabilité et l'univocité du rapport de l'individu au monde, la régulation de la vie collective et individuelle par des valeurs et des institutions immuables.

La synthèse que Jean-Jacques recherche dans sa réflexion politique et dans sa vision sociale, est donc indissociable des interrogations surgies de son diagnostic d'une crise sociale et morale. Les solutions politiques et sociales recherchées sont indissociables de la tonalité dramatique des questions qui visent l'homme et le sens de sa vie ; le rapport de l'idéal et de la réalité, de la morale et de l'histoire ; les moyens de s'affranchir des conditions d'existence sociale qui aliènent la personne humaine et engendrent le mal moral ; la possibilité de protéger l'autonomie de l'individu contre les mécanismes sociaux et les formes culturelles qui dépersonnalisent l'homme ; la suppression des inégalités sociales au nom de la liberté dont le sens se manifesterait à la fois dans l'expression de la particularité individuelle et dans la solidarité interne de la communauté qui définit souverainement son sort et les principes de son existence ; la forme et le sens social de l'authenticité de la personne, du sentiment de son identité qui traduirait le rapport univoque de l'individu au monde des hommes et des choses, etc. Et c'est de la recherche d'une réponse globale que se dégage, dans toute sa complexité, l'idéal d'une société harmonieuse dans laquelle la démocratie, la suppression de la division en dirigeants et dirigés, l'égalité et la liberté politique et sociale des individus, la domination de la loi dans l'ensemble de la vie sociale auraient pour assises la simplicité des mœurs et la spontanéité de la « vie patriarcale » de la communauté. Dans cette communauté, le peuple serait à la fois l'autorité politique suprême et le porteur des valeurs morales qui intègrent la collectivité et régissent sa vie morale ; il doit concilier en lui la rationalité traduite par la loi et la spontanéité de l'amour et la vertu traduite par un état affectif ; il doit être une association d'individus libres et autonomes, mais aussi l'incarnation d'une volonté collective intègre et droite. La signification des institutions économiques et politiques, des mœurs et de la vie religieuse de la communauté est indissociable des valeurs que celle-ci doit réaliser, de la satisfaction des aspirations que Jean-Jacques découvre en lui-même comme des aspirations humaines universelles, inhérentes à toute individualité. La communauté idéale doit assurer la transparence et l'immédiateté absolues des rapports sociaux fondés non seulement sur la coopération rationnelle au nom des intérêts individuels, mais aussi sur la solidarité affective, sur « la communion des cœurs ». Elle doit permettre à la personne humaine de s'affirmer dans une expérience dans laquelle le « moi » particulier se dissout dans le « moi commun », se transcende lui-même sans rien perdre pourtant de son autonomie et de sa particularité. Etendre le sentiment de son existence sur l'ensemble de la communauté, et ce à travers un élan moral et affectif, c'est donner à la liberté son vrai sens d'un consentement spontané à la loi et au devoir rationnel.

Nous voudrions concrétiser cette vision aux multiples et divers aspects sur deux exemples, particulièrement significatifs dans la mesure où s'opère en eux, à l'intérieur en quelque sorte de l'utopie même, une confrontation entre la construction rationaliste et la sublimation sentimentale d'une part, et ce que Jean-Jacques appelle lui-même la réalité des choses d'autre part [97]. Il est symptomatique de toute l'utopie de Jean-Jacques qu'on peut toujours déceler une tension, tantôt explicite et tantôt implicite, entre l'idéal et les conditions sociales de sa réalisation ; tension qui mène d'ailleurs à des conclusions pessimistes : le « cours des tems et des choses » finit toujours par triompher sur l'idéal. Les deux exemples que nous avons choisis sont d'une part l'image de la communauté idéale de Clarens et, d'autre part, l'idée de la « volonté générale » et son corrélat qu'est l'idée du « peuple », situés au centre de l'idéal de la Cité-patrie.

Nous avons déjà parlé de Clarens lors de nos propos sur la « belle âme ». Rappelons que Clarens est la propriété du baron de Wolmar où Saint-Preux arrive après son long voyage et y rencontre Julie, son ancienne maîtresse devenue l'épouse du baron, « l'athée vertueux », et la mère de ses enfants. Ce lieu est la scène sur laquelle se jouent l'idylle et le drame des « âmes sensibles » qui « communient » entre elles, s'abandonnent à la « voix du cœur », manifestent leurs antinomies, s'engagent dans des recherches esthétiques et religieuses.

Mais Clarens, c'est aussi un domaine, et la *Nouvelle Héloïse* contient une description très détaillée de l'organisation de la vie domestique et sociale, des principes de l'organisation du travail et de l'économie, etc. Dans le roman, cette description choque parfois par sa méticulosité, son didactisme importun et son côté pratique, terre à terre, cet aspect intervenant au milieu de visions poétiques, de rêveries sur le bonheur, et donnant l'impression d'un ajout extérieur, surtout quand on le compare avec la sublimité des derniers livres de la *Nouvelle Héloïse* où une place de plus en plus importante est accordée aux idées, aux sentiments religieux et moraux. Et pourtant, il existe une correspondance étroite entre l'univers intime des « belles âmes » et le monde prosaïque des aménagements et calculs économiques du domaine du baron de Wolmar. Méfions-nous bien entendu des simplifications sommaires : la problématique morale de la *Nouvelle Héloïse* ne « résulte » pas de l'idéal économique et social de Clarens, pas plus que les calculs économiques ne « traduisent » les éventuels contenus sociologiques des rêves et des idéaux éthiques de Julie et de Saint-Preux. Le modèle économique et social de Clarens n'apporte aucune solution au problème de l'incroyance de Wolmar, pas plus qu'il ne remédie aux conflits moraux de Julie, lesquels préfigurent sa mort tragique. Par contre, Clarens circonscrit une communauté morale élitaire de « belles âmes », constitue pour elles un cadre de vie fermé et isolé ; il donne également aux « belles âmes » la possibilité de « s'objectiver », d'imprégner leurs conditions de vie des valeurs et de l'élan affectif qu'elles portent en elles. Enfin, Clarens assure à ses habitants, ou plutôt à ses propriétaires, l'indépendance économique qui, de l'avis de Jean-Jacques, est la condition indispensable de l'autonomie morale.

Mais le modèle social et économique de Clarens n'est pas non plus réductible aux conditions extérieures de l'univers des « belles âmes » qui y sont réunies. Les recettes économiques et sociales de Wolmar forment un élément constitutif de « l'art de jouir ». Or, la jouissance porte sur la totalité de l'existence humaine : elle est authentique et effective à condition qu'aucun fragment, aucune sphère de l'existence ne soit hors de sa portée, à condition de former un « tout fermé ». L'idéal de Clarens est une tentative d'inclure en quelque sorte les problèmes sociaux et économiques dans ce monde de valeurs et d'idéaux que les « belles âmes » portent en elles. Cet idéal est significatif entre autres parce qu'il montre le degré de cohérence des différentes valeurs — sociales, morales, esthétiques — qui se complètent dans l'idée de bonheur de Jean-Jacques. Les « âmes sensibles » s'affirment et se retrouvent dans l'univers social de Clarens, elles n'y éprouvent pas ce sentiment de dépaysement qui afflige toute « belle âme » vivant dans une grande ville. La nature et la culture y sont réconciliées, comme dans l' « Elysée » de Julie, ce jardin où tout est par ses soins exactement ordonné et construit, mais de manière à y imiter la spontanéité de la nature [98]. Le beau et le bien imprègnent le travail des habitants de Clarens, le subliment, lui confèrent une dimension éthique et esthétique complémentaire. Le milieu social de Clarens est une médiation entièrement « transparente » pour la « communication des cœurs » ; il est non seulement une communauté économique, mais aussi une communauté spirituelle. Les rôles sociaux qui échoient aux différents habitants de la maison et du domaine ne leur sont pas imposés, ne sont pas « extérieurs » à leur individualité ; au contraire, ils ne font que l'exprimer. C'est dans le rayonnement de la maîtresse des lieux sur toute la petite communauté qui s'exprimant la nature exceptionnelle de Julie, sa sublimité, sa pureté et sa beauté morales. A Clarens, aucune distance ne s'installe entre les individus et la communauté qui absorbe toute leur existence ; mais aussi chaque problème personnel est-il ici un problème de la communauté tout entière. D'ailleurs, soyons plus précis : chaque

problème personnel des domestiques de Clarens. Car la riche vie intérieure des maîtres et de leurs invités, leurs conflits intellectuels et moraux
sont inconnus des hommes simples et leur sont inaccessibles. Ceux-ci,
ces « bonnes gens », n'éprouvent ni doutes, ni incertitudes intellectuelles,
ils ne s'interrogent pas sur ce qu'est le bien et le mal, sur l'existence ou
l'inexistence de Dieu. C'est en cela que consistent leur supériorité et à
la fois leur infériorité par rapport à leurs « maîtres ». Le baron de
Wolmar et Julie peuvent rendre heureux les gens simples, participer à leur
simple bonheur, mais ils ne peuvent pas être aussi heureux qu'eux, aussi
heureux que des hommes qui ne s'analysent pas et sont presque identiques aux conditions de leur existence. Les maîtres de Clarens non seulement y vivent, mais c'est encore eux qui ont créé cette communauté et
qui la gouvernent.

A Clarens, l' « âme sensible » se charge en quelque sorte des fonctions
du « législateur », elle institue « l'ordre » dans ce fragment circonscrit du
monde, et l'on pourrait dire que la description de cette communauté est
un traité spécifique d' « administration domestique » à l'usage des « belles
âmes [99] ». Clarens porte la marque de la personnalité spirituelle et morale
de ses créateurs qui, quant à eux, expriment dans cette « création » leurs
aspirations morales et affectives, et en tirent de la jouissance. Mais la vie
spirituelle de la « belle âme » ne s'épuise pas dans son œuvre et la vie de
la communauté de Clarens ne suffit pas à la combler entièrement. La
« belle âme » appartient à cette communauté et demeure à la fois en
dehors d'elle. Aussi l'harmonie de Clarens ne comporte-t-elle ni dissonances, ni tensions internes, pas plus pour les « maîtres » que pour les
« domestiques ». Car elle implique également une hiérarchie sociale
marquée et institutionnalisée, la subordination des inférieurs aux maîtres
de la maison et à leurs pairs. Or, toute dépendance personnelle — même à
Clarens — signifie « la bassesse de la servitude et la rigueur de l'autorité [100] ». Mais Clarens connaît également des médiations internes qui permettent à tous ses habitants de se retrouver comme les membres égaux et
libres de la communauté.

L'idéal de Clarens nous intéressera ici en tant qu'il expose précisément
l'idéal de la « vie champêtre patriarcale » de la manière la plus détaillée
et à la fois la plus sublimée, permettant ainsi de mieux comprendre le
sens et les contenus impliqués par la sublimation sentimentale de la
communauté traditionnelle, en cet « âge d'or » que font renaître autour
d'elles les « âmes sensibles ». L'exemple de Clarens est aussi révélateur
des tensions existantes entre les idéaux sociaux et moraux de Rousseau
d'une part, et les structures sociologiques de l'idylle de la « vie patriarcale et champêtre » dans lesquelles ceux-ci doivent prendre corps d'autre
part. Mais l'image de Clarens traduit enfin l'effort spécifiquement rousseauiste de dépasser et de médiatiser ces tensions [101].

L'économie de Clarens est une économie agricole naturelle, visant au
maximum d'autarcie et dont le but n'est pas le profit, ni l'accroissement
de la production, mais la satisfaction des « vrais besoins », conformément
à leur « mesure naturelle » et de manière à ce que soit assurée l' « abon-
dance » indispensable à la réalisation des objectifs moraux auxquels est

subordonnée toute la vie de Clarens, y compris la production. On n'y produit pas pour échanger mais pour consommer. « Il y a une grande différence entre le prix que l'opinion donne aux choses et celui qu'elles ont réellement. » Aussi, à Clarens règne « un ordre de choses où rien n'est donné à l'opinion, où tout a son utilité réelle et qui se borne aux vrais besoins de la nature » ; « les biens n'y sont point dans les coffres, mais dans l'usage » qu'on en tire. Le baron de Wolmar n'afferme pas ses terres ; il ne vise pas à agrandir ses propriétés, pas plus qu'à intensifier la culture et moderniser les techniques d'exploitation. La somme de produits que fournit constamment la terre exploitée selon les méthodes traditionnelles, suffit aux besoins de Clarens. Toute surabondance de production au-dessus de la « mesure naturelle des besoins » livrerait les habitants de Clarens à « l'opinion » et introduirait le « superflu », ces ennemis mortels de la communauté. La stabilité et l'équilibre de l'économie se fondent sur l'immuabilité et l'inertie des besoins qui, à Clarens, ne changent pas et sont limités au « seul nécessaire ». L'échange et l'argent sont éliminés au maximum de la vie à l'intérieur de la communauté et limités au minimum dans les contacts économiques extérieurs. Clarens ne produit pas pour le marché et ses maîtres font tout ce qui est possible pour se rendre économiquement indépendants des échanges, pour « éviter autant qu'il se peut dans l'usage de nos biens les échanges intermédiaires entre le produit et l'emploi ». « Le transport de nos revenus s'évite en les employant sur le lieu, l'échange s'en évite encore en les consommant en nature, et dans l'indispensable conversion de ce que nous avons de trop en ce qui nous manque, au lieu des ventes et des achats pécuniaires qui doublent le préjudice, nous cherchons des échanges réels où la commodité de chaque contractant tienne lieu de profit à tous deux. » C'est donc une économie fermée, presque naturelle, mais cette « naturalité » est — remarquons-le — un artefact, elle est construite en fonction d'un choix rationnel. Car Wolmar sait fort bien qu'il existe d'autres modalités d'organisation, d'autres décisions et choix économiques possibles. Il ne s'agit pas pour lui de perpétuer, de sauvegarder des modes économiques traditionnels au nom en quelque sorte de la tradition : son argumentation est d'ordre économique et il se réfère à une conception particulière de l'économie « la moins onéreuse ». On perd aux échanges faits sur le marché au moyen de l'argent, on est constamment dupé, on reçoit des produits falsifiés, etc. « Aucun de ces échanges ne se fait sans perte, et ces pertes multipliées réduisent presque à rien d'assez grands moyens, comme à force d'être brocantée une belle boete d'or devient un mince colifichet. »

Si nous avions à chercher un équivalent réel de l'économie de Clarens, celui-ci serait négatif : il faudrait probablement invoquer le séjour de Jean-Jacques chez Mme de Warens, la malencontreuse gestion de son domaine, sa ruine, ses incessants soucis d'argent ; donc, les expériences d'une gestion incapable de faire face à l'économie marchante ; le souvenir d'une propriété foncière où l'on manquait toujours d'espèces du fait précisément d'une économie arriérée, mi-naturelle, où l'on n'était « riche » que dans la mesure où l'on n'avait pas besoin d'argent. Mais la principale argumentation est, évidemment, d'ordre éthique : l'argent détruit la cohérence interne de la communauté, anéantit son indépendance et son existence en « vase clos », déforme et falsifie les rapports entre les hommes et le rapport des hommes aux choses ; bref, il est une médiation « opaque », factice.

A Clarens, la production n'est pas la finalité du travail. « On ne travaille que pour jouir », le sens du travail est non seulement, ni même principalement, économique, mais éthique. L'amour du travail et la « vie laborieuse » sont à Clarens des valeurs dans la mesure où ils ont une autre finalité que l'accumulation des biens. La « vie laborieuse » protège contre le vice et les tentations de la ville, elle accroît le « charme des doux loisirs », du « repos qui sert de délassement aux travaux passés et d'encouragement à d'autres ». Les occupations agricoles possèdent de plus des valeurs esthétiques, et Rousseau passe de la description économique et des jugements éthiques à des images pastorales : « Le travail de la campagne est agréable à considérer, et n'a rien d'assés pénible en lui-même pour émouvoir à compassion. L'objet de l'utilité publique et privée le rend intéressant ; et puis c'est la première vocation de l'homme, il rappelle à l'esprit une idée agréable, et au cœur tous les charmes de l'âge d'or. L'imagination ne reste point froide à l'aspect du labourage et des moissons. » Le travail n'éloigne pas l'homme de la nature et des choses, mais l'intègre en quelque sorte à elles ; de même que la consommation des choses, conformément à leur utilité réelle, traduit la solidarité de l'homme avec la nature et son appartenance à l'ordre naturel. Le travail possède également des valeurs esthétiques dans la mesure où il est une création. « Le goût aime à créer, à donner seul la valeur aux choses » et Julie fait elle-même ses habits, ne sacrifiant rien à la mode, s'attachant uniquement à leur « utilité », se fiant à son goût ; seules choses dont peut naître la véritable beauté.

Les rapports entre les hommes demeurent le problème central — et névralgique — de la communauté de Clarens. Certes, les dépendances personnelles traditionnelles et « patriarcales » y sont sublimées grâce à leur dimension sentimentale ; mais il n'empêche qu'il y a les seigneurs, quelque « sensibles » et « bons » puissent-ils être, les domestiques et les ouvriers. Les divisions sociales sont nettement marquées, et c'est ainsi qu'à « la subordination des inférieurs se joint la concorde entre les égaux ». La sélection des domestiques, les moyens de remédier aux discordes entre eux, l'autorité du maître de Clarens auprès d'eux, etc., prennent une place considérable dans l'ensemble de « l'administration domestique ». Evidemment, les domestiques et les maîtres ne sont pas à Clarens ce qu'ils seraient en ville. Les domestiques différent en ce qu'ils ne sont pas « oisifs et désœuvrés », en ce qu'ils sont « occupés à quelque travail utile », en dehors du service personnel des maîtres pour lesquels ils n'ont — bien sûr — que de l'affection, et non pas du mépris comme dans les autres maisons, où ils ne sont que des parasites au service d'autres parasites. On a à juste titre remarqué que le mépris exprimé si souvent par Jean-Jacques à l'encontre des « valets » traduit son ressentiment datant des années où lui-même était au service des autres, où « il n'était pas à sa place » parmi les serviteurs, tandis que ses maîtres faisaient pire que le

12

mépriser : ils ne le remarquaient même pas. Le service personnel est à Clarens limité au minimum, car tous les domestiques participent aux activités économiques, en particulier à la culture de la terre. Outre leurs gages, tous les « travailleurs, journaliers ou valets » reçoivent des gratifications qui sont autant de « moyens d'émulation », tandis que les gages des domestiques attachés au service de la maison augmentent avec leur temps de service.

Cependant, ce qui définit essentiellement les rapports entre les maîtres et les serviteurs, ce ne sont pas les avantages matériels, mais les liens sentimentaux, l'amour et l'attachement. « On ne les (les domestiques) traite point seulement comme des mercenaires dont on n'exige qu'un service exact ; mais comme des membres de la famille, dont le mauvais choix est capable de la désoler. La première chose qu'on leur demande est d'être d'honnêtes gens, la seconde d'aimer leur maître, la troisième de le servir à son gré. » Cet amour pour le maître et la maîtresse des lieux n'a pas en réalité à être demandé, il naît spontanément, car comment ne pas aimer des « maîtres aussi humains » et si exceptionnels. La description de ces rapports rappelle les clichés idylliques du maître vertueux et de son fidèle domestique. Ainsi, l'amour pour le baron de Wolmar, et surtout, pour la baronne, est fondé sur leur autorité morale, sur leur sollicitude pour toute la communauté ; il ressemble à l'amour des enfants pour leurs parents. Aussi « l'intérêt du maître » est-il « sacré ». L'emploi du mot est révélateur : son sens se rapproche ici de celui que Rousseau lui confère dans le cas du pacte social. Et en effet, l'intérêt du maître est à Clarens solidaire de l'ordre social instauré dans le domaine et qui, étant conforme à la nature, bien que créé, est lui même sacré. Il est aussi révélateur que Rousseau compare le baron de Wolmar — le créateur de cet ordre — avec Dieu lui-même, comme il le fait d'ailleurs en parlant du législateur. « Un père de famille qui se plaît dans sa maison a pour prix des soins continuels qu'il s'y donne la continuelle jouissance des plus doux sentiments de la nature. Seul entre tous les mortels, il est maître de sa propre félicité, parce qu'il est heureux comme Dieu même, sans rien désirer de plus que ce dont il jouit : comme cet Etre immense, il ne songe pas à amplifier ses possessions mais à les rendre véritablement siennes par les relations les plus parfaites et la direction la mieux entendue ; s'il ne s'enrichit pas par de nouvelles acquisitions, il s'enrichit en possédant mieux ce qu'il a. » Si le baron de Wolmar évoque plutôt à l'esprit le Dieu froid des déistes, Julie par contre imprègne toute l'atmosphère de Clarens de sa tendresse, elle est sainte par sa personnalité morale exceptionnelle. Des liens fraternels unissent les « inférieurs » entre eux grâce à leur amour commun pour leur maître et, à travers celui-ci, pour la communauté tout entière : « N'est-il pas bien simple que les enfants du même père se traitent en frères entre eux ? C'est ce qu'on nous dit tous les jours au Temple (remarquons une fois de plus l'allusion religieuse) — sans nous le faire sentir ; c'est ce que les habitants de cette maison sentent sans qu'on le leur dise. » Tout est donc à Clarens marqué par la spontanéité et l'amour — car c'est une communauté des cœurs ; les rapports y sont absolument transparents et personnels, il n'y a ni hypocrisie, ni mensonge, chacun dit ce qu'il pense, et pense ce qu'il sent.

N'oublions cependant pas que cette communauté « champêtre et patriarcale » est une construction, un artefact élaboré selon le plan rationnel de Wolmar qui en a pesé chaque détail, possède des domestiques qu'il a sélectionnés et façonnés selon des critères rationnels. Clarens n'est pas une communauté héritière d'un passé « patriarcal » qu'elle ne ferait que vivre et perpétuer. Ici, la vie traditionaliste et la tradition sont construites d'après « l'ordre naturel » ; de même que le jardin de Julie est une « nature artificiellement reconstituée ». Cette intention de concilier la nature et la culture dans un artefact, traduit peut-être le mieux l'esprit qui marque la transition entre les « Lumières » et le « romantisme », cet artefact étant imprégné de sentimental et de spontané, évoquant la tradition d'un passé évolué et se dédoublant dans des significations symboliques.

C'est une éthique traditionaliste qui règle la vie à Clarens : elle accorde la primauté au devoir, à un devoir étroitement lié avec une hiérarchisation morale et sociale. Il y règne une obéissance inconditionnelle aux lois et aux exigences instaurées par les seuls maîtres, et tout caprice en est banni. La différence et l'opposition entre le droit et le devoir perdent ici leur sens, car il n'y a pas véritablement de droit positif à Clarens : les règles sont intériorisées dans le sentiment du devoir et transformées en mœurs et usages traditionnels. « On ne les (les domestiques) gêne point par des loix positives qu'ils seroient tentés d'enfreindre en secret ; mais sans paroitre y songer, on établit des usages plus puissans que l'autorité même. » Ce qui ne veut pas dire que les conflits, combien rares entre les « inférieurs », ne soient pas tranchés ou que des sanctions ne soient jamais prises à leur égard par leurs maîtres. Mais, à Clarens, on ne se réfère jamais à des règles juridiques abstraites, et c'est aux maîtres qu'incombe l'exercice de la justice, en particulier à Julie dont l'attitude envers les inférieurs est toujours affective, protectrice ; chaque acte de justice est concret et personnalisé. Quiconque est admis dans la communauté de Clarens et en est digne ne la quitte plus : les maîtres ne l'en chasseront pas et « il n'y a pas d'exemple dans cette maison qu'un domestique ait demandé son congé ». La vie y est régulière, son rythme se conforme à celui de la nature : au lever et au coucher du soleil, à la succession des saisons. Dans la communauté fermée de Clarens, dans ce « vase clos », il ne se passe rien, l'existence n'y est pas un changement, mais une durée, et c'est de cette continuité que découle le bonheur. Les membres de la communauté se suffisent à eux-mêmes : « Les hôtes sont toujours bien venus et ne sont jamais désirés. » La vie personnelle, le développement de l'individualité sont entièrement absorbés par la vie de la communauté ; il n'y a pas de distinction véritable entre les affaires personnelles et les problèmes communautaires.

Dans « cette maison paternelle où tout n'est qu'une même famille », l'intérêt particulier, égoïste, ne peut naître dans aucun cœur. Mais il ne peut non plus y avoir place pour le développement des talents, des diverses facultés et possibilités individuelles : les individualités également y constituent en quelque sorte des « totalités fermées » spécifiques, immuables, qui ne font que reproduire le même patrimoine affectif et spirituel. Jean-Jacques est pleinement conscient de ce qu'un choix s'impose pour Clarens : soit l'harmonie, la cohérence interne de la collectivité, soit l'accomplissement des individus qui la composent. Mais, quant à lui, son choix est fait. Certes, le mieux serait théoriquement qu'il existe « une société où les emplois et les rangs fussent exactement mesurés sur les talens et le mérite personnel », où « chacun pourrait aspirer à la place qu'il saurait le mieux remplir ». Mais cela est impossible, car le développement des talents se produit effectivement quand la société est démoralisée, dépravée, quand « le plus vil de tous (les talents) est le seul qui mène à la fortune ». Aussi Mme de Wolmar a-t-elle « peine à croire que tant de talens divers doivent être tous développés (...). Les peuples bons et simples n'ont pas besoin de tant de talens ; ils se soutiennent mieux par leur seule simplicité que les autres par toute leur industrie ». Sa grande maxime « est donc de ne point favoriser les changements de condition, mais de contribuer à rendre heureux chacun dans la sienne et surtout d'empêcher que la plus heureuse de toutes, qui est celle du villageois dans un Etat libre, ne se dépeuple en faveur des autres ». Car, toujours de l'avis de Julie, il y a « deux choses à considérer avant le talent, savoir les mœurs et la félicité. L'homme est un être trop noble pour devoir servir simplement d'instrument à d'autres (rappelons ici que Kant n'avait dans son cabinet de travail qu'un seul portrait, celui de l'auteur de la *Nouvelle Héloïse*), et l'on ne doit point l'employer à ce qui leur convient sans consulter aussi ce qui lui convient à lui-même ; car les hommes ne sont pas faits pour les places, mais les places sont faites pour eux ». Le sens de cette maxime est extrêmement ambigu : à la conception de la liberté en tant que droit de l'individu au plein épanouissement de ses possibilités et facultés, on oppose ici la conception de la liberté en tant que droit de l'individu à déterminer lui-même la signification qu'il veut donner à sa vie. Or, il est facile de voir que cette opposition traduit un divorce entre la liberté et les principes égalitaires ; l'égalité étant sacrifiée à la cohérence morale et sociale de la communauté traditionnelle. Le lieu commun moralisant sur le bonheur de l'homme qui ne dépendrait ni de sa richesse, ni de sa position sociale, etc., ne fait que déguiser ce divorce ; de même que la maxime sur « les hommes (qui) ne sont pas faits pour les places », ne fait que justifier l'idée qu'il vaut mieux renoncer aux « places » et aux « talens », car la meilleure condition est celle qui rend l'homme « bon et heureux autant qu'il est possible ». Par l'intermédiaire de Julie, Jean-Jacques formule cependant une réserve qui limite la portée de ces maximes « patriarcales » : certes, du point de vue de « l'état civil », où « chacun doit compte à soi-même et aux autres de tout son prix, il importe d'apprendre à tirer des hommes tout ce que la nature leur a donné », de développer au maximum les facultés individuelles ; mais « ceux qui sont destinés à vivre dans la simplicité champêtre n'ont pas besoin pour être heureux du développement de leurs facultés (...), chacun fait ce que font tous les autres, l'exemple est la seule règle, l'habitude est le seul talent, et nul n'exerce de son âme que la partie commune à tous ».

A Clarens, on ne parle ni de politique, ni de démocratie, parfois, en passant, le texte nous indique que les habitants du domaine même ou des villages voisins sont également de « bons soldats » et qu'ils vivent dans un « Etat libre ». Mais à Clarens, les relations humaines n'ont rien de commun avec les rapports entre citoyens libres et égaux. Et si l'on s'y réfère souvent aux modèles antiques, il s'agit alors des mœurs domestiques, et non pas de la vertu civique. Cette absence de référence à un idéal civique est-elle imputable aux seules particularités du discours romanesque de la *Nouvelle Héloïse* ? Pourtant, Rousseau y introduit de longs développements sur l'économie, la religion, la morale, etc. Autrement dit, quel est le rapport entre l'utopie « patriarcale » de Clarens et l'utopie civique et démocratique de la Cité-patrie ? Posons-nous une question paradoxale : peut-on se représenter la *Nouvelle Héloïse* avec un exposé des idées du *Contrat social,* lequel ferait pendant aux développements où Jean-Jacques ébauche ses conceptions sur l'éducation, reprises plus tard dans *Emile* ? Car après tout, précisément dans *Emile,* Jean-Jacques esquisse une image de la « vie patriarcale et champêtre » dans laquelle on peut facilement reconnaître un autre Clarens, et ce après avoir sommairement exposé le *Contrat social* qui fait partie de l'éducation politique et civique d'Emile. Remarquons cependant que cet autre Clarens n'est pas non plus englobé dans une cité démocratique et égalitaire. Emile s'y isole, il s'enferme dans la « vie patriarcale » : sachant qu'il lui est impossible de trouver une véritable patrie, il se résigne à n'avoir qu'un « pays » et à ne jamais quitter son domaine pour remplir « l'honorable fonction de Citoyen ». « Tant qu'il y aura des hommes de ce siècle, ce n'est pas lui qu'on viendra chercher pour servir l'Etat. » Le domaine d'Emile et de Sophie ne sera donc que l'exemple moral que « les hommes doivent donner aux autres », mais de plus, dans la retraite « champêtre et patriarcale » du jeune couple, les réalités économiques et sociales seront les mêmes qu'à Clarens. Cependant, il est évident que la valeur exemplaire de Clarens n'est pas réductible à ses structures économiques et sociales, car sa raison d'être tient au caractère moral exceptionnel de cette communauté qui est animée par des âmes d'élite. Clarens réalise l'idéal éthique et esthétique de Jean-Jacques : la beauté, la bonté et le bonheur y sont associés avec une « communauté des cœurs » absolument transparente. Mais Clarens réalise cet idéal en maintenant la dépendance personnelle et la hiérarchie des conditions sociales, donc sans avoir universalisé la liberté et l'égalité. Ainsi, la tension symptomatique de la vie intérieure de la « belle âme » et engendrée par le conflit déjà mentionné entre l'élitarisme moral et l'égalitarisme social, cette tension est donc également présente dans les rêves sur la société idéale de Clarens, bien que dans une autre dimension.

Jean-Jacques est conscient de ces difficultés, et c'est pourquoi il formule de temps en temps des réserves que nous avons en partie mentionnées. Toute servitude est avilissante, et à Clarens on ne peut qu'atténuer ce caractère moral de la dépendance et de l'inégalité grâce au fait « qu'il

n'y a ni hauteur, ni caprice dans le commandement (...) et qu'on respecte
assez la dignité de l'homme pour ne l'occuper qu'à des choses qui ne
l'avilissent point ». Pourtant, « la servitude est si peu naturelle à l'homme
qu'elle ne sauroit exister sans quelque mécontentement ». Mais alors,
comment se fait à Clarens la médiation entre les rapports de servitude et
de dépendance d'une part, et l'idéal d'une communauté juste et heureuse
d'autre part ?

L'harmonie sociale de Clarens tient, tout d'abord, aux liens sentimentaux, affectifs qui y règnent. Même le service — rappelons-le — est
librement consenti sur la base d'un contrat entre les maîtres et chacun de
leurs domestiques, et c'est ainsi que la hiérarchie et l'autorité si accentuées
dans le domaine des Wolmar ne traduisent cependant ni les privilèges de
la naissance, ni ceux des conditions sociales. L'ordre hiérarchique se fonde
moins sur la fortune des Wolmar (dans sa vision idyllique, Jean-Jacques
semble même oublier souvent ce fait) et plus sur leur pureté morale. Ce
qui importe le plus, c'est que les propriétaires de Clarens sont de « bons
maîtres », qu'une « communauté des cœurs » existe entre eux et leurs
inférieurs, qu'aucune affaire concernant un domestique « n'est étrangère »
aux maîtres. Le contrat même de travail n'est pas seulement — ni même
principalement — un engagement économique ; il implique aussi un
échange mutuel de sentiments qui, par leur essence, sont équivalents :
chacun donne et reçoit, chacun contribue à enrichir le fonds affectif
commun. Julie joue le rôle le plus important dans cette médiation sentimentale, grâce à l'atmosphère de familiarité, de douceur et de bienveillance qu'elle sait introduire dans les rapports entre supérieurs et inférieurs.
« Cette familiarité modérée *(sic !)* forme entre nous un lien de douceur et
d'attachement qui ramène un peu l'humanité naturelle, en tempérant la
bassesse de la servitude et la rigueur de l'autorité. » Il existe donc à
Clarens une égalité sentimentale apparente, c'est-à-dire une égalité dans
les sentiments qui, cependant, sont dirigés tantôt « vers le haut », des
sujets vers les maîtres, tantôt « vers le bas », des maîtres vers les sujets.
Ainsi que l'a caractérisé Tönnies, en parlant du type idéal de la *Gemein-*
schaft, les fonctions sociales et l'autorité s'exercent ici au nom de la protection des faibles ; elles sont donc approuvées et désirées par les sujets,
fondées sur l'entente et l'accord, et non pas sur le conflit [102]. Ainsi, à
Clarens, l'inégalité et la dépendance sociales devraient être dépassées sur
le plan moral et affectif. « Il y a tant de modération dans ceux qui
commandent et tant de zèle dans ceux qui obéissent que des égaux eussent
pu distribuer entre eux les mêmes emplois, sans qu'aucun se fut plaint de
son partage. »

Il existe cependant encore une autre médiation, extrêmement caractéristique du rousseauisme, dans laquelle l'inégalité sociale est « dépassée »,
toutes les valeurs sociales et morales sont harmonisées et fusionnées, les
rapports sociaux transformés en la communion de chacun avec les autres,
et de tous conjointement avec la communauté. Cette médiation, c'est la
fête, et ce sont les vendanges qui en donnent l'occasion à Clarens [103].

Cette fête est d'autant plus belle que les hommes ont su y « joindre
l'agréable à l'utile », de même que « l'allégresse générale » du travail

s'harmonise avec la beauté de la nature au matin, quand le soleil dissipe le
« voile de brouillard », comme s'il levait « une toile de théâtre pour
découvrir à l'œil un si charmant spectacle », le spectacle de l'unité de la
nature et de la culture dans une communion d'hommes heureux. Durant
les vendanges, tous travaillent, les maîtres et les domestiques, et toutes les
divisions sociales disparaissent. Le travail est une joie : « On chante, on
rit toute la journée, et le travail n'en va que mieux. » Et c'est ainsi que la
communauté s'exprime et se dépasse, en se donnant une certaine image
d'elle-même : « Tout vit dans la plus grande familiarité : tout le monde est
égal, et personne ne s'oublie. » Remarquons cette dernière réserve qui
témoigne de l'ambiguïté de la fête : toutes les distances sociales ne sont pas
dépassées, malgré « l'égalité » qui y règne. Il en va de même quand, en
passant, Rousseau relève les « compliments rustauds » des paysans, « leurs
manières rustiques » dont les maîtres « ne ricanent point orgueilleuse-
ment ». Mais ce n'est qu'un arrière-plan à peine discernable dans l'image
de la fête où « on dine avec les paysans et à leur heure, aussi bien qu'on
travaille avec eux », où l'on fait honneur à celui « qui a fait ce soir-là
le plus d'ouvrage » (c'est à Julie de l'adjuger et elle se l'attribue « sans
façon » si c'est elle qui a le mieux travaillé). Durant la veillée commune,
on chante de vieux airs populaires et tendres, la plupart du temps en
chœur. Le chant à l'unisson, la forme harmonique préférée de Jean-
Jacques, véhicule — du moins dans ce contexte — une signification
morale et idéologique évidente : personne ne dirige le chant, tous sont
égaux, chacun chante spontanément et librement ; cependant chaque voix
s'accorde avec les autres et toutes ensemble se fondent dans le chœur,
l'union de nombreuses voix « égales » formant l'harmonie la plus belle et
la plus naturelle. Jean-Jacques accompagne sa description de la fête des
vendanges d'une remarque générale sur la philosophie et l' « idéologie »
de la fête. « Si de là naît un commun état de fête, non moins doux à
ceux qui descendent qu'à ceux qui montent, ne s'ensuit-il pas que tous les
états sont presque indifférens par eux-mêmes, pourvu qu'on puisse et
qu'on veuille en sortir quelquefois. Les gueux sont malheureux parce
qu'ils sont toujours gueux ; les Rois sont malheureux parce qu'ils sont
toujours Rois. Les états moyens, dont on sort plus aisément offrent des
plaisirs au-dessus et au-dessous de soi (...). Voilà, ce me semble, la principale raison pourquoi c'est généralement dans les conditions médiocres
qu'on trouve les hommes les plus heureux et du meilleurs sens. » Mais,
durant la fête à Clarens, il n'y a ni « ceux qui montent », ni « ceux qui
descendent », la hiérarchie est abolie. Tous sont libres, et accomplissent
leurs devoirs spontanément et avec joie. Chacun est pleinement lui-même,
chacun s'exprime et s'affirme en s'identifiant avec la communauté, dans
l'expérience vécue en commun de la beauté, de la félicité et de la communion avec autrui. Dans la fête, tous — en travaillant et en chantant —
forment un tout à l'image de ce tout qu'est le peuple. Et à la fin de la
soirée, « chacun va se coucher content d'une journée passée dans le travail, la gaité, l'innocence, et qu'on ne seroit pas fâché de recommencer le
lendemain, le surlendemain, et toute sa vie ».
Si la fête est le symbole de la vie à Clarens, c'est aussi parce

qu'elle est le « dépassement », au sens hégélien du terme, de tout ce qui dans la vie quotidienne de la communauté relève encore de l'inégalité sociale. Ce « dépassement » s'opère dans la fusion de l'idéal esthétique avec l'idéal social et moral : la vie quotidienne est saturée de poésie et de chant, la différence entre l'art et la vie s'estompe ou, plutôt, la vie absorbe l'art en un spectacle qui a ses participants pour auteurs et acteurs. La fête réalise donc l'idéal social de la communauté sur le plan affectif et esthétique. Et c'est d'ailleurs sur ce seul plan que l'idéal s'incarne pleinement, ou encore que la réalité s'élève jusqu'à l'idéal. La fête est certes un fragment de la vie, mais même à Clarens, les vendanges ne durent ni « demain, ni le surlendemain, ni toute la vie ». Entre l'idéal et la vie quotidienne même la plus belle, la plus sublimée par le rêve, une distance demeure qu'il faut à chaque fois dépasser par la fête, et qui à chaque fois resurgit dans le quotidien.

L'opposition entre la fête populaire et le théâtre donne un plus grand relief à la philosophie rousseauiste de la fête. Comme nous l'avons vu, l'esprit du théâtre traduit l'essence même des rapports d'aliénation. Au théâtre, tout est apparence : l'acteur ne fait que simuler ; le public fait semblant de se reconnaître dans le spectacle, même le plus noble, alors qu'une fois rentré chez soi, chacun poursuit sa vie mesquine, sans se soucier des exemples de vertu auxquels il vient d'applaudir. Dans le spectacle populaire, il n'y a pas de dissonance entre « être » et « paraître », de division entre le public et l'acteur. Entre la vie, les mœurs du peuple et ses fêtes, il n'y a pas de coupure : le peuple se donne l'image de ce qu'il est réellement. Alors qu'au théâtre tout est artifice, chacun joue un rôle prescrit, la fête populaire baigne dans le spontané et l'improvisé : personne n'impose rien à personne, chacun est pleinement soi-même et à la fois partie intégrale du tout. La fête n'est jamais une imitation, ni une répétition : bien qu'on y reprenne les chants et danses d'antan, elle se renouvelle pourtant dans un spectacle harmonieux et signifiant pour tous ses participants, dans un spectacle chaque fois différent et toujours le même. Enfin, si au théâtre on paie et l'on est payé, si son existence ressortit à l'argent et au luxe, la fête du peuple est un contact direct entre tous ses participants, sans distances et sans médiations en général, sans la médiation de l'argent et de la richesse en particulier [104].

La fête est plus qu'un symbole des rapports sociaux. Elle est une réalité vécue grâce à laquelle la communauté s'élève en quelque sorte à la « forme pure » de ses vrais principes, se libère des conflits et tensions qu'il lui est impossible de dépasser entièrement dans sa vie quotidienne, atteint le plus haut degré de son unité et cohérence. Faisant partie de la réalité et de la vie sociales, la fête les transcende, les enrichit et les sublime en s'opposant au quotidien. Elle est ainsi un facteur d'intégration sociale : chacun y vit avec une rare intensité sa fusion avec les autres dans le « moi commun ». Tout cela est manifeste dans la fête des vendanges à Clarens, mais aussi, voire surtout, dans la fête républicaine, dans la fête civique. La fête du peuple souverain qui, rassemblé sur la place publique, se donne lui-même en spectacle est la fête populaire par excellence. « C'est dans les Républiques qu'ils (les spectacles) sont nés, c'est dans leur sein qu'on les voit briller avec un véritable air de fête. A quels peuples convient-il mieux de s'assembler souvent et de former entre eux les doux liens du plaisir et de la joie, qu'à ceux qui ont tant de raisons de s'aimer et de rester à jamais unis ? » Les « peuples heureux » n'ont nul besoin de « spectacles exclusifs qui renferment tristement un petit nombre de gens dans un antre obscur » ; « c'est en plein air, c'est sous le ciel qu' (ils) se rassemblent et (se) livrent au doux sentiment du bonheur (...). Mais quels seront enfin les objets de ces spectacles ? Qu'y montrera-t-on ? Rien, si l'on veut ». Il suffit de rassembler le peuple sur une place, autour d'un « piquet couronné de fleurs », « et vous aurez une fête ». Mais on peut faire encore mieux : « Donnez les spectateurs en spectacle ; rendez les acteurs eux-mêmes ; faites que chacun se voie et s'aime dans les autres, afin que tous en soient mieux unis. » Ainsi, rassemblé dans une fête populaire, le peuple de Genève se libère de ses contraintes, de la parcimonie de son existence quotidienne ; l'esprit civique, éteint dans les cœurs par la chasse aux profits, renaît dans l'expérience affective et esthétique de la fête. « Ce n'est plus ce peuple si rangé qui ne se départ point de ses règles économiques ; ce n'est plus ce long raisonneur qui pèse tout à la balance du jugement, jusqu'à la plaisanterie. Il est vif, gai, caressant ; son cœur est alors dans ses yeux, comme il est toujours sur ses lèvres (...). Toutes les sociétés n'en font qu'une, tout devient commun à tous [105]. »

On ne saurait surestimer l'importance que Rousseau donne à la fête. Ainsi, dans ses *Considérations sur le gouvernement de Pologne,* il voit dans les fêtes le moyen essentiel de redresser un peuple, de « monter les âmes au ton des âmes antiques » et d'orienter toutes les passions vers l'amour de la patrie. Ce n'est qu'aux yeux des hommes superficiels que la fête « peut paroître une institution oisive ». Par contre, pour les grands législateurs, les jeux publics, les spectacles et les cérémonies religieuses, où « les citoyens (sont) solennellement assemblés » en « plein air et en corps de nation », sont autant de moyens de renforcer les liens qui rattachent tous les citoyens à la patrie et les unissent les uns aux autres. Et c'est précisément parce que la Pologne se trouve dans une situation particulièrement difficile, qu'elle ne peut opposer à ses ennemis que sa force morale, que son « ivresse patriotique », qu'elle est déchirée par l'anarchie et les inégalités sociales, que les fêtes doivent y devenir des pièces de charpente dans la construction du nouvel édifice social. « Beaucoup de jeux publics où la bonne mère patrie se plaise à voir jouer ses enfants (...). Il faut qu'on s'amuse en Pologne plus que dans les autres pays, mais non pas de la même manière (...). Rien, s'il se peut, d'exclusif pour les grands et les riches. Beaucoup de spectacles en plein air où les rangs soient distingués avec soin, mais où tout le peuple prenne part également comme chez les anciens (...). Ne négligez point une certaine décoration ; qu'elle soit noble et imposante et que la magnificence soit dans les hommes plus que dans les choses (...). Il faut seulement éviter, dans l'appareil des solennités, le clinquant, le papillotage et les décorations de luxe qui sont d'usage dans les cours. Les fêtes d'un peuple libre doivent toujours respirer la décence et la gravité et l'on n'y doit présenter à son admiration que les objets dignes de son estime [106]. »

Il est facile de constater que les fêtes proposées à la Pologne dans les *Considérations*, assument la même fonction que la fête des vendanges dans la communauté de Clarens : elles aussi compensent les inégalités, les tensions et les conflits qui subsistent dans la réalité quotidienne. Mais les *Considérations* dégagent surtout d'autres aspects de la fête civique et, en particulier, son rôle éducatif spécifique. En effet, le « peuple libre », réuni en fête, confirme sa fidélité à la patrie, aux principes et valeurs qui fondent la communauté, c'est-à-dire finalement à lui-même. Le peuple, « solennellement assemblé », se retrouve et se reconnaît dans l'image sublime qu'il se donne de lui-même dans le spectacle de la fête ; mais en même temps, cette même image l'ennoblit et l'élève. L'instauration des fêtes est l'œuvre d'un « grand législateur » qui crée ainsi une institution éducative. Mais la sagesse de ce législateur se manifeste surtout dans le fait d'avoir monté un mécanisme social dont le jeu fait que l'éduqué n'a besoin d'aucun éducateur, si ce n'est lui-même : le peuple — auteur, acteur et spectateur à la fois — devient dans la fête et par la fête son propre éducateur ; il y exerce ses sentiments et son imagination sociale, il se parle à lui-même. L'imagerie de la fête forme un discours spécifique qui traduit les idées en sentiments et touche directement les cœurs. Dans ce discours, tous les arts fusionnent : la musique, la poésie, la danse ; même la nature, partie intégrante de ce spectacle, devient élément du discours. C'est un discours continu, et c'est pourquoi il n'y a pas dans la fête de détails « indifférents », non signifiants : chaque acte, chaque geste a la valeur d'un symbole.

Quand la Révolution eut besoin d'une nouvelle formule de la fête, différente et opposée à celle de l'Ancien Régime, elle trouva dans les textes rousseauistes toute une philosophie de la fête, ainsi que des modèles tout faits. En traduisant dans son langage symbolique l'essence même du peuple souverain, la fête rousseauiste faisait revivre collectivement les grandes idées et les valeurs sublimes de la Cité, ce qui pourrait et devrait être cette Cité de la volonté générale. La fête est un rite d'unanimité : de la coopération de chaque individu naît un seul acte, comme du chant à l'unisson naît un seul son. La volonté de chacun est la manifestation de la volonté générale : dans la fête disparaît toute opposition entre la spontanéité et l'ordre, entre l'expression des individualités qui fusionnent dans le « moi commun », et les manifestations de ce « moi commun » dans les actes particuliers.

Pendant la fête civique, le peuple n'a besoin ni de lois, ni d'autorité pour que le « moi commun » se manifeste partout. Il en est autrement dans l'ensemble de la vie collective où il faut des mécanismes politiques compliqués. Pourtant, l'idéal est d'obtenir là aussi ce type de spontanéité dans l'ordre, ou encore ce type d'ordre spontané qui surgit pendant la fête, en tant que manifestation de l'intériorisation des principes suprêmes de la communauté.

Et c'est ici que se pose le deuxième des problèmes antérieurement signalés : la place de la volonté générale dans l'idéal rousseauiste de la

« Cité-patrie ». « Mettre la loi au-dessus de l'homme est un problème en politique que je compare à celui de la quadrature du cercle en géométrie [107]. » Dans la théorie politique de Rousseau, la « volonté générale » est l'un des concepts clefs qui contribuent à résoudre cette « quadrature du cercle en politique ». C'est une catégorie extrêmement riche et complexe, chargée d'assurer la cohérence logique à l'idéal de la Cité démocratique. Aussi donne-t-elle lieu à de sérieuses difficultés lors de l'interprétation de l'œuvre de Rousseau ; elle échappe en quelque sorte dès qu'on pense l'avoir cernée, elle montre à chaque fois une autre facette. La « volonté générale » apparaît tantôt comme un concept logique et juridique abstrait, tantôt comme une pièce essentielle du mécanisme politique de la démocratie, tantôt comme l'expression de l'idéal de l'unité morale et sociale de la communauté. C'est une catégorie ou encore une construction qui sert de charnière entre les différents aspects de l'idéal de la Cité-patrie, de médiation entre les éléments antinomiques de cet idéal ; d'où précisément son caractère spécifique. Riche en significations multiples, elle n'est cependant pas assez déterminée dans la mesure où elle reste ouverte aux significations que viennent lui ajouter les différentes interprétations ; elle devient ainsi, en quelque sorte, le lieu de travail où se forment les lectures possibles des textes politiques de Rousseau. Sans entreprendre une analyse exhaustive de ce concept, essayons de cerner ses fonctions médiatrices.

Rappelons d'abord les définitions fondamentales de la « volonté générale ». « A l'instant, au lieu de la personne particulière de chaque contractant, cet acte d'association (le pacte social) produit un corps moral et collectif composé d'autant de membres que l'assemblée a de voix, lequel reçoit de ce même acte son unité, son moi commun, sa vie et sa volonté [108]. » Par le fait de posséder sa propre volonté, ce corps collectif se distingue de « la société générale du genre humain ». Jean-Jacques accentue précisément le facteur volitif : c'est par la possession d'une « volonté » et par ses actes, et non pas par l'unité d'une raison collective que se particularise le « moi commun ». Ainsi, la conception du pacte social met l'accent sur le devoir moral et politique qui incombe à la communauté de déterminer elle-même son destin collectif par des actes de volonté. Le rapport de l'individu au « corps moral et collectif » s'exprime avant tout dans le droit et le devoir de tous les citoyens de contribuer à la formation de la « volonté générale », dans leur droit à instaurer les lois qui définissent les objectifs de la Cité et les principes de son fonctionnement.

La volonté générale est l'expression de la souveraineté du peuple et, en tant que telle, elle est inaliénable et ne connaît d'autres limites que celles prescrites par elle-même. Et puisque le peuple, c'est l'ensemble des citoyens, la démocratie et l'égalité politiques sont nécessaires pour que la « volonté générale » puisse exister. Chaque citoyen doit en effet être consulté dans les questions sur lesquelles la « volonté générale » doit statuer, les voix des citoyens étant alors toutes égales. La « volonté générale » est l'expression de la totalité des citoyens statuant sur des questions concernant cette même totalité, et non pas un individu ou un groupe particulier ; elle ne se manifeste que quand « tout le peuple statue sur tout le peuple ». Elle s'exprime dans la loi qui, de même, constitue un engagement pour tous les citoyens sans exception aucune, et que personne ne peut plus mettre en question dès qu'elle est instituée. Dans le rapport de l'individu à la « volonté générale », interviennent les deux rôles sociaux qui incombent à chacun des membres de la société : le rôle social du « citoyen », en tant que participant à l'institution de la loi, et le rôle social du « sujet », en tant que soumis à la loi. Autrement dit, dans ce rapport se manifestent dans leur unité les deux aspects de la liberté civique : en instituant la loi qui l'oblige lui-même, chaque individu réalise sa liberté, car celle-ci n'est rien d'autre que « l'obéissance à la loi qu'on s'est prescrite [109] ». La « volonté générale » traduit à la fois la liberté du peuple et son unité morale : « Quand tout le peuple statue sur tout le peuple, il ne considère que lui-même, et s'il se forme alors un rapport, c'est de l'objet entier sous un point-de-vue à l'objet entier sous un autre point de vue, sans aucune division du tout [110]. »

La « volonté générale » est le point de jonction de deux différentes conceptions du lien social et du rapport de l'individu à la société, ainsi que leur médiation. Le pacte social, tel que le conçoit Rousseau, crée non pas une agrégation, mais une association, c'est-à-dire un tout organisé ayant des propriétés qui manquent à ses éléments constitutifs, dont chacun est solidaire des autres et ne peut être ce qu'il est — c'est-à-dire un « citoyen » — que dans et par sa relation avec les autres membres du « corps politique ». Cette irréductibilité logique du tout aux parties est fondée sur un lien social et sur une solidarité morale et affective tels que chaque membre fusionne avec les autres dans un « moi commun » avec lequel il s'identifie, et dans lequel il se retrouve et se découvre. D'autre part cependant, en cédant ses droits « sans réserve » au « corps politique », l'individu se voit en quelque sorte restituer au même instant sa particularité et la conserve au sein de la communauté. En tant que Souverain, le peuple n'est « formé que des particuliers qui le composent [111] ».

Ainsi, la « volonté générale » doit traduire deux ordres de faits et de rapports sociaux. La communauté est pour l'individu principalement une patrie, une réalité sociale, morale et affective qui l'englobe et dont il est indissociable. En tant que citoyen-patriote, il ne peut ni s'opposer à sa patrie, ni s'en détacher sans se dégrader comme être humain et sans perdre sa personnalité même. La « volonté » de la patrie est ainsi la sienne. « Tout vrai républicain suça avec le lait de sa mère l'amour de sa patrie, c'est-à-dire des loix et de la liberté. Cet amour fait toute son existence ; il ne voit que la patrie ; il ne vit que pour elle ; sitôt qu'il est seul, il est nul ; sitôt qu'il n'a plus de patrie, il n'est plus et s'il n'est pas mort, il est pis [112]. » Mais, en même temps, le « pacte fondamental » n'abolit pas la diversité des individus ; chaque membre de la communauté demeure dans son cadre un être autonome, avec sa raison, sa conscience et ses intérêts auxquels il peut donner la préférence. Il se peut que l'acte d'association ne touche pas son être moral, qu'il ne se réduise pour lui qu'à une formule juridique et même à un « vain formulaire » le définissant tout au plus comme une partie contractante. « Chaque individu peut comme homme

avoir une volonté particulière contraire ou dissemblable à la volonté générale qu'il a comme Citoyen. Son intérêt particulier peut lui parler tout
autrement que l'intérêt commun ; son existence absolue et naturellement
indépendante peut lui faire envisager ce qu'il doit à la cause commune
comme une contribution gratuite, dont la perte sera moins nuisible aux
autres que le payement n'en est onéreux pour lui, et regardant la personne
morale qui constitue l'Etat comme un être de raison parce que ce n'est
pas un homme, il jouiroit des droits du citoyen sans vouloir remplir les
devoirs du sujet ; injustice dont le progrès causeroit la ruine du corps
politique [113]. »

Nous voilà au centre même de la « quadrature du cercle », au cœur
des difficultés en rapport avec le « grand problème en politique (...) :
trouver une forme de gouvernement qui mette la loi au-dessus de
l'homme ». Ces difficultés proviennent du danger permanent signalé
tant de fois par Rousseau, d'une dissonance entre « l'existence naturellement indépendante de l'individu » et sa vie civique et patriotique, entre
son rôle de « sujet » et son rôle de « citoyen », entre l'existence de
l'homme en tant que « partie du moi commun » et son existence en tant
qu'être possédant son intérêt particulier ; entre la société en tant qu'agrégat d'individus autonomes liés par des liens juridiques et la société en tant
que communauté organique soudée par des liens affectifs et moraux,
gravés dans les « cœurs » et les « âmes » des citoyens-patriotes.

La « volonté générale » est une volonté législative. La loi ne peut être
que l'expression de la « volonté générale », mais, à son tour, celle-ci ne
peut être que l'émanation d'une communauté harmonieuse, intégrée, où
règne l'égalité et qui est cimentée par des valeurs morales communes qui
font « l'union de ses membres ». La loi possède pour unique et suprême
sanction la volonté de la collectivité, considérée comme le « moi commun », comme le peuple souverain. Elle perd cependant cette sanction
dès que le peuple lui-même se désintègre, dès que les intérêts particuliers
prennent le dessus dans la vie sociale ; elle se transforme alors en une
apparence de la loi, elle est usurpée par les grands et les riches, au profit
des intérêts des particuliers et des groupes.

Jean-Jacques souligne que la « volonté générale » n'a que les bornes
qu'elle s'impose elle-même, qu'il n'existe donc dans la société aucune
force ou autorité qui lui serait supérieure. C'est à travers la « volonté
générale » exprimée dans la loi que la communauté, le peuple se détermine aussi lui-même moralement et spirituellement en tant qu'un tout.
Ainsi, la « volonté générale » se manifeste également dans l'acte juridique spécifique qui institue le credo moral de toute la communauté et
de chacun de ses membres, sous la forme d'une « religion civile », c'est-à-
dire d'un ensemble d'idées et de convictions morales et religieuses, dont
est indissociable le civisme qui imprègne les rapports sociaux. Et si la loi
condamne celui qui ne souscrit pas à ce credo, ce n'est pas pour des
raisons religieuses, mais pour des considérations sociales, non pas « comme
impie », mais « comme insociable, comme incapable d'aimer sincèrement
les loix, la justice, et d'immoler au besoin sa vie à son devoir [114] ».

Mais, en même temps, le concept de la « volonté générale » est défini de telle manière qu'il suppose des limites internes, tant logiques que sociales et morales. L'acte de la « volonté générale » est, par définition, une décision du peuple statuant sur lui-même, sur son propre bien et sur ses intérêts, et comme le peuple est considéré en tant que « moi commun », on peut ici appliquer la formule que chacun veut toujours son bien, d'autant que le peuple, dont la volonté est la « volonté générale », est spontanément porté au bien et au juste. « Jamais on ne corrompt le peuple, mais souvent on le trompe, et c'est alors seulement qu'il paroit vouloir ce qui est mal [115]. » Pourtant, si « le peuple veut toujours le bien, de lui-même il ne le voit pas toujours. La volonté générale est toujours droite, mais le jugement qui la guide n'est pas toujours éclairé [116] ». Par sa définition même, la volonté générale ne s'exprime que dans les lois qui réunissent l'universalité de la volonté et celle de leur « objet » : la loi considère ses sujets comme un corps et les actions comme des actions abstraites, mais jamais un homme en tant qu'individu, ni une action particulière. Et pourtant, bien que la volonté générale soit celle du pouvoir souverain, « tout absolu, tout sacré, tout inviolable qu'il soit », il doit respecter les droits qui tiennent à l'existence « naturellement indépendante » de chaque individu ; ces droits que respectent également les conventions générales en laissant à l'individu certains biens et une certaine liberté dont il peut « disposer pleinement ». Ainsi, aucun acte de la volonté générale ne peut abolir l'existence de « l'intérêt particulier » que garde chaque membre du « corps politique ». Autrement dit, la volonté générale est limitée dans la mesure où elle ne peut pas transformer entièrement « l'homme privé » en citoyen, et il est inutile de revenir sur le danger permanent que cela représente pour l'existence même du « corps politique », dont la volonté générale devrait être l'expression.

Toutes ces restrictions et réserves pointilleuses mènent à une distinction combien embarrassante pour toute la conception de la démocratie chez Rousseau, à savoir : la « volonté générale » n'est pas à confondre avec la « volonté de tous ». La volonté de tous « n'est qu'une somme des volontés particulières », dont chacune pense à son seul intérêt particulier opposé à l'intérêt général. La volonté générale naît également du consensus des volontés particulières, mais à condition que celles-ci ne regardent que « le bien commun » et — à la limite — que chacune de ces « volontés » ne voie son vrai intérêt que dans l'intérêt commun [117]. Il s'ensuit que la volonté générale n'est pas toujours identique avec la volonté de la majorité à chaque fois exprimée, car cette majorité peut se constituer d'individus qui, lors de leurs délibérations sur les affaires publiques, n'ont en vue que leurs intérêts particuliers. Ainsi, ce n'est pas le principe majoritaire qui fonde — ni en droit ni en fait — la « volonté générale », mais au contraire, c'est celle-ci — avec l'ensemble des conditions morales et sociales qui la définissent — qui fonde le jeu du principe majoritaire. A la limite, on pourrait même envisager l'hypothèse dans laquelle un vote unanime exprimerait non pas la « volonté générale », mais seulement la « volonté de tous », dans le cas, par exemple, où chacun ne pensant qu'à son intérêt particulier et égoïste, tout le monde se mettrait momentanément d'accord pour qu'on dissolve le contrat initial. Bien entendu, ce n'est que pure hypothèse, puisque, avant qu'une telle éventualité ne se produise, le contrat social aurait déjà été depuis longtemps rompu dans les « cœurs » et dans les faits. Mais alors, il n'y aurait plus de « peuple », il ne resterait qu'une multitude, un attroupement d'individus qui ne seraient même plus capables de constituer une assemblée. Ainsi, si la « volonté générale » naît de la confrontation des différentes opinions individuelles, ce n'est qu'à condition que chacun de ceux qui délibèrent sur les affaires publiques, n'ait en vue que le bien général ; dans ces conditions, ce qu'on confronte tout au plus, ce ne sont pas les différents intérêts particuliers, mais les différentes opinions sur le « bien général ».

La « volonté générale » est donc fonction de la cohérence interne de la communauté, de « l'union de ses membres » et du degré d'identification de l'individu avec les valeurs collectives ; elle est fonction du degré de fusionnement des différents « moi » particuliers dans le « moi commun ». Pour que la volonté générale se manifeste, il faut donc en quelque sorte que chacun pense et vive son individualité et ses rapports avec autrui non pas comme un « moi particulier », mais à partir d'un « nous » ; il faut que les rapports de citoyen à citoyen dominent l'ensemble de la vie sociale. Aussi, dans une société idéale, la « volonté générale » doit-elle être l'expression d'une décision unanime des citoyens, le mécanisme du vote, indispensable pour que cette volonté se dégage, sert uniquement à éliminer les opinions de ceux qui sont « insuffisamment informés ». Car, on présuppose — comme nous l'avons déjà dit — que les intérêts des individus, en tant que citoyens, sont identiques par leur essence et solidaires du « bien public » ; des divergences ne pouvant apparaître qu'au niveau de la compréhension de ce bien par tel ou tel individu. Par conséquent, dans la mesure où un individu s'est élevé jusqu'à devenir un vrai citoyen, la « volonté générale » n'est pas pour lui — ou plutôt ne devrait pas être — une volonté « étrangère », « extérieure ». L'obéissance à la « volonté générale » exprimée dans la loi n'est pas une limitation de la liberté de l'individu, mais, au contraire, sa manifestation suprême. L'identification de la volonté du « citoyen » avec la « volonté générale », avec les devoirs formulés dans la loi, est libre et spontanée ; elle est l'expression de l'individualité et nullement son inhibition. Et vice versa, constater un conflit entre sa volonté individuelle et la volonté générale, c'est, pour un vrai citoyen, découvrir un conflit interne qui met en question sa propre personnalité et les valeurs morales par lesquelles elle se définit.

Mais, si chaque volonté individuelle s'identifiait d'une manière aussi spontanée et totale avec la volonté générale, tout besoin au fond disparaîtrait de confronter les volontés particulières, d'en débattre et de les affronter. Il deviendrait de même inutile d'instituer la loi en tant qu'ensemble de règles assorties de sanctions ; du moins, la nécessité des lois serait réduite au minimum. La loi cesserait alors d'être une règle imposée de l'extérieur aux citoyens qu'elle concerne. « Tant que plusieurs hommes réunis se considèrent comme un seul corps, ils n'ont qu'une seule volonté, qui se rapporte à la commune conservation, et au bien-être général.

Alors tous les ressorts de l'Etat sont vigoureux et simples, ses maximes
sont claires et lumineuses, il n'a point d'intérêts embrouillés, contradictoires, le bien commun se montre partout avec évidence, et ne demande
que du bon sens pour être aperçu (...). Un Etat ainsi gouverné a besoin
de très peu de Loix, et à mesure qu'il devient nécessaire d'en promul-
guer de nouvelles, cette nécessité se voit universellement. Le premier qui
les propose ne fait que dire ce que tous ont déjà senti, et il n'est question ni de brigues ni d'éloquence pour faire passer en loi ce que chacun
a déjà résolu de faire, sitôt qu'il sera sûr que les autres le feront comme
lui [118]. » La loi s'identifie ici avec la règle morale et rationnelle interne de
chacun, laquelle se manifeste dans une spontanéité collective. Pour un
tel peuple, son assemblée publique n'est qu'une fête civique solennelle :
il y retrouve les mêmes valeurs et la même cohérence, il donne sa
propre vertu et son civisme en image et en spectacle, spectacle dont
il est lui-même auteur et acteur. Toute divergence entre l'universalisme
de la loi et le particularisme des individus disparaît. La société politique, fondée sur le contrat et les lois, s'identifie avec la communauté morale
affective, dans laquelle l'identification de l'individu avec la collectivité
est totale, spontanée et presque irréflexive.

Et c'est ainsi que l'idéal d'un Etat juridique rationalisé à l'extrême
s'avère concorder avec l'idéal de la cohérence et de la solidarité sociale
caractéristiques des liens communautaires traditionnels, ou encore avec
l'idéal d'une société non étatique que Jean-Jacques décrivait dans le
Discours sur l'inégalité comme « la véritable jeunesse du monde ». Alors
les hommes formaient « dans chaque contrée une Nation particulière,
unie de mœurs et de caractères, non par des Règlements et des Loix,
mais par le même genre de vie et d'aliments, et par l'influence commune
du Climat ». Et c'est une fois de plus la fête qui est le lieu social où se
forment, se resserrent et d'où s'étendent les liaisons et les rapports
sociaux [119]. Cependant, Jean-Jacques est parfaitement conscient du fait
qu'une telle cohérence interne, fondée sur la solidarité d'individus qui ne
possèdent pas d'intérêts particuliers distincts, élimine en général le besoin
de la loi et de l'Etat. La communauté sociale n'aurait alors nul besoin
d'être une société politique. « S'il n'y avoit point d'intérêts différens (des
individus), à peine sentiroit-on l'intérêt commun qui ne trouveroit jamais
d'obstacle : tout iroit de lui-même, et la politique cesseroit d'être un
art [120]. » Si donc la loi et l'autorité sont nécessaires, c'est uniquement
parce que la société politique exige que la volonté générale se manifeste
en tant qu'elle exprime « l'accord de tous les intérêts par opposition à
celui de chacun [121] ». « La loi n'agit qu'en dehors et ne règle que les
actions ; les mœurs seuls pénètrent intérieurement et dirigent les volontés [122]. »

Ainsi le fait que la volonté générale s'exprime sous forme de lois
tient donc à des conditions sociales et morales dans lesquelles l'individu s'est particularisé par rapport à la communauté à un tel point qu'un
conflit a surgi — ou du moins qu'il constitue un danger permanent —
entre la « volonté particulière » de l'individu et la « volonté générale »,
entre l' « intérêt privé » et le « bien commun ». C'est un conflit qui se

situe également dans le for intérieur de l'individu : pour être « citoyen »,
il doit « élever son âme », fournir l'effort moral qui l'élèvera à la vertu,
c'est-à-dire à l'obéissance au devoir et à la loi, à la maîtrise du « moi »
particulier par le « moi » civique. Comme nous l'avons déjà souligné,
le modèle personnel du citoyen est axé sur l'enthousiasme patriotique,
l'amour spontané de la patrie d'une part, et sur la vertu en tant qu'effort
rationnel visant à se soumettre à la loi, à dominer ses motivations égoïstes
d'autre part. Pour Rousseau, « l'art de la politique » ne peut avoir
comme objectif une « chimère » : enlever aux hommes leurs passions,
leurs ambitions, etc. Ce dont il s'agit, c'est d'utiliser la politique pour
canaliser celles-ci, les réorienter au profit du bien général, au profit de
la patrie. Ainsi donc si « de bonnes mœurs » règnent dans la société
et pénètrent les cœurs, les fonctions de la loi sont réduites au minimum,
la loi devient presque superflue. Par contre, si la loi, en tant qu'expression de la volonté générale, se manifeste aux individus comme une règle
et une contrainte extérieures, c'est que « le nœud social commence à se
relâcher », que « l'unanimité ne règne plus dans les voix » et que les
intérêts particuliers commencent à imprégner la vie de toute la société,
ainsi que la vie spirituelle des individus. Si ces intérêts prennent le dessus,
alors « le lien social est rompu dans tous les cœurs », et l'Etat « près de
sa ruine ne subsiste plus que par une forme illusoire et vaine [123] ». La
volonté générale elle-même ne peut plus se manifester, car personne
ne pense à l'intérêt commun et chacun vise uniquement à abuser de la
loi pour ses propres fins. Chacun en vient à vouloir bénéficier uniquement
de ses droits de « citoyen », c'est-à-dire de membre de l'autorité législative,
et à se soustraire à ses devoirs de sujet tenu d'obéir à la loi.

De bonnes mœurs assureraient à la société une solidarité morale et
affective spontanée, fondée dans les cœurs, qui réduirait au minimum
la nécessité de toute loi. Par contre, plus la loi doit intervenir dans la
vie sociale, plus elle témoigne d'un relâchement des mœurs, d'une particularisation des individus poussée au point que la « volonté générale »
doit se manifester comme un ensemble de règles assorties des sanctions
du pouvoir, comme un système de contraintes obligeant les individus
à contenir leurs intérêts particuliers dont la divergence désintégrera
— tôt ou tard — la communauté. Ainsi, l'idéal de la « Cité-patrie »
est un « artifice » qui cherche si ce n'est la fusion, du moins l'équilibre entre l'empire des lois et le royaume des mœurs, entre le lien
juridique et social, formel et extérieur, et l'union affective, intériorisée
et spontanée. Il oscille entre le modèle de l'Etat politique moderne,
dont l'une des prémisses est la particularisation des individus autonomes, et le modèle de la communauté organique, informelle, dont la prémisse est l'identification maximale de l'individu avec la collectivité,
le nous qui l'englobe.

« L'art de la politique » qui veut résoudre la « quadrature du cercle »
— c'est-à-dire « mettre la loi au-dessus de l'homme » — s'affronte
donc avec les antinomies de l'existence sociale des hommes. Pour que
la démocratie existe, il faut que les individus soient libres et autonomes,
mais en même temps — et Jean-Jacques en est conscient — l'autonomie

des individus est liée avec une particularisation des intérêts développés
à un tel point que la « volonté générale », c'est-à-dire la volonté rationnelle de ces individus mêmes, doit se manifester à eux comme une
contrainte extérieure, comme une force qui peut toujours les forcer à
la respecter. Ainsi, si à l'une des extrémités de la construction de la
« volonté générale », Jean-Jacques élève son idéal de la coopération
spontanée des individus, à l'autre extrémité, face à la menace de la
désintégration de cette communauté par les intérêts particuliers, il dresse
comme un rempart sa célèbre formule paradoxale sur la nécessité de
« forcer » les citoyens d'être libres.

« Afin donc que le pacte social ne soit pas un vain formulaire, il
renferme tacitement cet engagement qui seul peut donner de la force
aux autres, que quiconque refusera d'obéir à la volonté générale y sera
contraint par tout le corps : ce qui ne signifie autre chose sinon qu'on
le forcera d'être libre ; car telle est la condition qui donnant chaque
citoyen à la Patrie le garantit de toute dépendance personnelle ; condition qui fait l'artifice et le jeu de la machine politique, et qui seule
rend légitimes les engagements civils, lesquels sans cela seroient absurdes,
tyranniques, et sujets aux plus énormes abus [124]. »

La forme paradoxale de cette formule n'est pas fortuite. Sur le plan
du langage, elle rend le mieux compte des antinomies et des contradictions que Jean-Jacques ne peut ni éliminer de son image et de son
diagnostic de la société, ni accepter en tant que mécanisme de la « machine politique ». Dans sa vision sociale, Jean-Jacques ne pose pas la
suppression de la diversité des individus, de leurs besoins, talents, etc.,
comme l'une des conditions de l'unité et de la cohésion sociales. Dans
la « société civile », l'autonomie de la personne et les possibilités sociales
de manifester cette autonomie sont beaucoup plus avancées qu'à Clarens. Jean-Jacques souligne qu'en raison, entre autres, de la grandeur
numérique de la société, il y est impossible d'obtenir le degré de fusion
de l'individu avec la collectivité et le degré d'homogénéité sociale qu'assurent la famille ou encore la petite communauté familiale du type de
Clarens. Mais il s'agit encore d'autre chose que d'un état de fait qui ne
tient qu'au nombre. Dans l'idéal de la « Cité-patrie », on ne retrouve que
des traces fugitives de l'idée d'une cohésion sociale fondée — pour
reprendre la formule de Marx — « sur la négation de la personnalité de l'homme », sur sa « réduction » à « une simplicité contraire à sa
nature *(unnatürliche)* d'homme pauvre et sans besoins, qui non seulement n'a pas dépassé le stade de la propriété privée, mais qui n'y
est même pas encore parvenu [125] ». Certes, Rousseau souligne que la
limitation des besoins, la simplification des rapports sociaux, la réduction
des activités économiques, etc., favorisent la cohésion sociale. Mais encore, cet « appauvrissement » économique doit susciter la richesse de
la vie morale, affective et civique. La « Cité-patrie » demande à chaque
citoyen qu'il « monte son âme » au « ton le plus élevé » du noble,
du sublime et même de l'héroïque. Il n'est donc pas question d'unifor-
miser les individus, de les mutiler de leur individualité. L'autonomie
des individus qui entraîne nécessairement la diversité de leurs talents,

besoins, affectivités, etc., ne va certes pas sans risques sociaux graves, elle constitue une menace pour la cohérence de la communauté ; mais elle est en même temps la condition de sa grandeur : sans elle, l'effort moral de l'individu pour s'élever jusqu'à la vertu serait impensable. La liberté doit se manifester dans la société à la fois comme le principe de l'autonomie individuelle et comme le principe de l'intégration sociale, comme la prémisse de l'effort moral des individus autonomes et comme une force extérieure restreignant leur particularisme.

Nous l'avons déjà dit, pour le citoyen, sa participation à l'acte d'expression de la « volonté générale » (et l'on pourrait dire, à la constitution de cette volonté avec l'ensemble de ses concitoyens) est l'expression suprême de sa propre liberté. De même, l'identité de la volonté individuelle et de la « volonté générale » est l'expression la plus sublime de l'autonomie de l'individu et à la fois de sa fusion avec la communauté, de son harmonie interne et de sa solidarité affective avec autrui, avec son concitoyen. C'est pourquoi, quand une dissonance se forme dans le for intérieur même de l'individu, quand celui-ci oppose ses intérêts égoïstes au bien commun, la même « volonté générale » se manifeste par rapport à lui comme une force contraignante. La liberté du citoyen, qui est l'essence même de son être, est solidaire de son identification avec le « moi commun ». Aussi, quand une opposition se produit entre l'universalisme de la loi et le particularisme des intérêts, il n'est pas question pour Rousseau de la considérer comme un conflit entre l'individu et des forces sociales extérieures et contraignantes, telles que l'Etat, le pouvoir, etc. Cette opposition ne fait que traduire les contradictions de l'individu même, son déchirement intérieur. Du moment que la liberté est réduite à l'obéissance à la loi qu'on s'est prescrite et qui est ainsi confondue avec la vertu, si le citoyen refuse d'obéir à la loi, il renonce alors à sa propre liberté et à sa vertu ; celles-ci se retournent alors contre lui en tant que contrainte impersonnelle et répressive, et l'individu sera « forcé d'être libre ».

Dans le *Contrat social,* cette formule paradoxale sert essentiellement à fonder le droit pénal. Mais on retrouve la même idée dans *Emile,* où Rousseau lui confère un contexte philosophique beaucoup plus large. L'éducateur d'Emile exprime l' « essence » rationnelle de son élève qui, tant qu'il n'en a pas pris conscience, perçoit l'éducation comme une nécessité extérieure et une force contraignante.

Cette formule contenait l'amorce de toute une dialectique de la liberté et elle devait inspirer des philosophies et des idéologies des plus diverses, voire opposées et antagonistes. L'énoncé même, de par son tour paradoxal, se prêtait particulièrement bien aux multiples lectures ; il révélait et dissimulait en même temps un enchaînement de problèmes sociaux, politiques et moraux que d'autres retrouvaient à différents niveaux, essayant de résoudre à leur manière le paradoxe de la liberté au visage de Janus. Dans la célèbre formule : « on forcera à être libre quiconque refusera d'obéir à la volonté générale », on cherchera à l'époque de la Révolution les arguments juridiques, mais aussi le pathos moral du « despotisme de la liberté », de la dictature révolutionnaire qui oppose

l'universalisme de la loi, de la liberté et de la vertu au « particularisme »
des ennemis de la patrie. Pour paraphraser Hegel : c'est sur les formules
de Rousseau que Robespierre apprit à prendre au sérieux « la vertu
et la liberté ». Pour définir son impératif catégorique, Kant s'inspira de
l'idée de la loi en tant qu'expression de l'universalité de la volonté, dont
la souveraineté et la rationalité se manifestent par des règles qu'elle
s'impose elle-même contre les particularismes qui la menacent. C'est en
lisant Rousseau que Hegel découvrit la dialectique de la liberté qui dissimule et à la fois manifeste sa rationalité, en s'imposant à l'individu
comme une nécessité extérieure. Les utilisations de cette formule dans
le marxisme formeraient tout un chapitre — particulièrement dramatique — de son histoire.

L'opposition de la « volonté générale » et de la « volonté de tous »
traduit donc les contradictions entre l'universalisme de la loi et le particularisme des intérêts égoïstes ; contradictions qui marquent toute l'existence sociale de l'individu qui est à la fois « citoyen » et « homme privé ».
Mais la « volonté générale » est également la pièce maîtresse des mécanismes politiques compliqués qui sont montés en vue de dépasser ces
contradictions. Le « particularisme » est le principal ennemi de la cohésion de la communauté, mais aussi de l'individu, de sa moralité et de
l'harmonie de sa personnalité ; un ennemi qui est constamment à l'affût
dans l'homme lui-même. Jean-Jacques confère au concept et à l'idée
du « particularisme » des contenus multiples. La clarté illusoire de
l'opposition du tout et de la partie dissimule une indétermination sociologique qui se prête à être chargée de diverses significations idéologiques
et à les véhiculer dans les discours politique, philosophique, moral, etc.
Ainsi, le « particularisme » se rapporte à tout intérêt de groupe, en
tant qu'intérêt différencié et opposé à l'intérêt de la patrie, de la communauté en tant qu'un tout. Il s'agira donc de tout intérêt et privilège résultant de la hiérarchisation de la société en ordres et qui s'opposent à
l'universalité de la loi. Mais il s'agira également de tout privilège qui
tient non plus à la naissance, mais à la fortune ; l'inégalité sociale, la
division en riches et pauvres, conduit inéluctablement à la formation
de l'intérêt de groupe, à l'usurpation de la loi qui perd alors son
caractère universel et ne devient qu'un déguisement. Il s'agira enfin
du privilège du pouvoir, et Jean-Jacques est particulièrement sensibilisé
à cet aspect de la question (d'autant plus qu'il le connaît bien à travers
ses expériences sociales et politiques génevoises). Le gouvernement étant
un « corps intermédiaire entre les sujets et le souverain », les hommes
qui le composent ont une tendance à se constituer en un corps particulier qui, du fait de sa position dans les rouages de la société, bénéficie de
conditions propices à l'usurpation de la loi pour ses propres intérêts.
Cette usurpation est un risque que le peuple et la patrie encourent
constamment ; la république peut alors devenir une tyrannie ; on substitue
au bien commun l'intérêt d'un groupe étroit qui se sert du simulacre
de la légalité pour s'élever au-dessus de la loi et du peuple, etc.

Mais le « particularisme » entache non seulement les motivations qui
tiennent à l'appartenance de l'individu à un groupe social, mais aussi

toutes les aspirations individuelles qui n'ont pas pour seul objet l'intérêt commun, solidaire des valeurs universelles telles que le bien, la
justice, la liberté, la vertu. Toute passion — sauf l'amour de la patrie —
peut écarter l'individu du bien commun, se transformer en « particularisme » dangereux, lui faire oublier ses devoirs, alors qu'il continuera
à bénéficier de ses droits. Le « particularisme » naît donc de tous les
processus qui altèrent l'harmonie et la cohérence interne de la personnalité, éveillent en elle des besoins et des passions factices. Et pourtant,
la Cité-patrie a besoin de grandes passions, de l' « enthousiasme » de
ses citoyens. Aussi, comme nous l'avons déjà dit, l'efficacité de la
« machine politique » consiste-t-elle non pas à opposer aux passions
un système de contraintes extérieures, mais à « retourner le mal contre
lui-même ». Ainsi, l'amour-propre, l'amour de la gloire et des honneurs, etc., sont des passions moralement néfastes, car elles font « vivre
l'homme là où il n'existe pas », mais si l'on ne peut parvenir à la
gloire et mériter les honneurs qu'à travers la vertu et le service de la
patrie, alors ces mêmes passions favorisent l'identification de l'individu
avec sa communauté et élèvent son âme au-dessus des limites de son
« existence particulière ».

Il est cependant impossible d'éliminer entièrement la « menace du
particularisme » de la vie sociale et de l'existence individuelle. Le
« corps politique » est contraint de toujours se méfier de ce danger qui
peut le faire éclater, et de s'en protéger par « l'art de la politique ».
Parce que les aspects « universels » et « particuliers » de l'existence
sociale de l'individu — à la fois « citoyen » et « homme privé » —
se révèlent contradictoires, si « l'artifice de la machine politique » est
le lieu où ces contradictions se manifestent, il doit être en même temps
le lieu où elles doivent être médiatisées et dépassées par le jeu même
de cette « machine ».

En commentant le *Contrat social*, Marx dit que « Rousseau dépeint
excellemment l'abstraction de l'homme politique » qui tient à ce qu'il
appelle « l'idéalisme de l'Etat moderne ». Or, pour Marx, cet « idéalisme » exprime l'idée de l'émancipation politique qui reconnaît à l'homme
« des droits politiques, des droits qui ne peuvent être exercés que si l'on
est membre d'une communauté. La participation à l'essence générale,
à la vie politique commune, à la vie de l'Etat, voilà leur contenu. »
Pourtant, pour Marx, cette idéalisation de la dimension politique de la
vie sociale et de l'existence individuelle « confond l'émancipation politique et l'émancipation humaine universelle ». En constatant les oppositions et les contradictions entre la vie publique et les vies privées,
entre l'intérêt général et les intérêts particuliers, on demande pourtant
à l'homme « qu'il considère comme sa vraie vie la vie politique située
au-delà de sa propre individualité ». Cependant, il ne s'agit pas de
contradictions qui pourraient être dépassées sur le plan d'une pensée
politique ; elles révèlent les contradictions de la vie politique elle-même.
« Là où l'Etat politique est arrivé à un véritable épanouissement,
l'homme mène, non seulement dans la pensée, dans la conscience, mais
dans la réalité, dans la vie, une existence double, céleste et terrestre,

l'existence dans la communauté politique, où il se considère comme un être général, et l'existence dans la société civile (au sens de *bürgerliche Gesellschaft*), où il travaille comme homme privé. » L'homme ne peut ainsi retrouver la vérité de son existence qu'en sa qualité de « citoyen abstrait ». Aussi, pour Marx, l' « idéalisme de l'Etat » ne peut-il que dégénérer en une idéologie qui ne reconnaît « l'homme véritable (...) que sous la forme de l'individu égoïste », de « l'homme privé (qui) voit dans les autres hommes de simples moyens, se ravale lui-même au rang de simple moyen et devient le jouet de puissances étrangères ». Pourtant, cet « idéalisme de l'Etat » n'est pas seulement une mystification idéologique. A des moments particuliers de l'histoire, et Marx fait ici allusion à la dictature jacobine, « la vie politique cherche à étouffer ses conditions primordiales (...) pour s'ériger en vie générique véritable et absolue de l'homme [126] ».

En paraphrasant Marx, on pourrait dire que, pour Rousseau, la « quadrature du cercle en politique » tient au fait que la vie politique doit précisément « étouffer ses conditions primordiales ». D'où la nécessité de « mettre les lois au-dessus des hommes » et de « forcer les hommes d'êtres libres ». La politique est un « art » et le « corps politique » est un artifice. Ni le législateur, ni le théoricien de cet art ne doivent jamais perdre de vue qu'il « faut prendre les hommes tels qu'ils sont et les lois telles qu'elles peuvent être », et que les intérêts individuels opposés ne peuvent pas s'accorder spontanément dans une communauté politique. La fusion des « membres particuliers » en un « moi commun » n'est jamais totale, et la transformation de l'individu en citoyen — jamais définitive. Le cordon ombilical n'est jamais coupé entre le « citoyen » et l' « homme privé » qui ne voit que son intérêt personnel et se particularise lui-même par rapport à la communauté. Mais, d'autre part, tout le jeu de la « machine » politique » vise à dépasser ce désaccord, à trouver un ensemble d'institutions politiques, de facteurs moraux, de conditions économiques, capables d'assurer au « corps politique » la maîtrise des conditions de sa propre existence, de s'opposer aux forces de désintégration que celui-ci contient en lui et que son histoire ne cesse impitoyablement d'engendrer, conduisant tôt ou tard vers la décadence de toute république, même la plus parfaite.

Ainsi, le projet politique de Rousseau est marqué d'un pessimisme à long terme qui ne relève pas seulement du lieu commun qu'on ne construit aucune œuvre humaine pour l'éternité. Ce pessimisme traduit surtout l'idée que les contradictions propres à la vie politique font que celle-ci a tendance non pas à perfectionner la Cité, mais à la dégrader. Le projet politique ne cherche donc pas à assurer à la Cité un mouvement et un progrès, mais doit y instituer la persévérance et la stabilité. Pour créer les conditions de cette stabilité, il faudrait que la « machine politique » tourne de manière à ce que « l'artifice » puisse se rapprocher le plus près possible de « la nature ». En d'autres mots, plus la Cité est parfaite, plus la vie politique proprement dite, légitime en droit, est réduite en fait, voire superflue. Au jeu complexe de la politique se substituerait la simplicité d'un élan moral et affectif, spontané et unanime. On n'est

donc pas tellement loin de l'idéal de la communauté familiale et traditionnelle de Clarens. S'il y a opposition entre les deux modèles de communauté, il y a aussi complémentarité : dans l'un comme dans l'autre modèle,
l'imagination sociale façonne — à des niveaux et par des discours
différents — le même rêve de l'homme et des rapports humains.

Pour éclairer ces questions, il est particulièrement intéressant d'examiner le problème du choix politique individuel du citoyen. En participant aux assemblées où le « peuple réuni » statue sur lui-même et définit
dans les lois les formes de son existence sociale et de sa vie politique,
en y votant, le citoyen exerce sa liberté politique. Or, comment l'idéal
de la Cité-patrie définit-il le champ et la signification des choix individuels ? En dernière instance, le choix politique prend surtout et essentiellement la signification d'un choix moral dont l'individu est lui-même
l'objet. Remarquons tout d'abord que soumettre à l'individu-citoyen
diverses solutions des questions publiques, afin qu'il opte pour l'une
d'elles, n'est pas une condition nécessaire pour que ce choix ait lieu, ni
une situation optimale. Dans la démocratie, telle que la conçoit Rousseau, il n'y a pas de place pour les partis politiques, pas plus qu'il n'y
en a pour l'affrontement des intérêts des individus et des groupes, organisé autour d'une opinion. La liberté ne se définit pas par le maximum
d'options politiques proposées au choix de l'individu. En exerçant sa
liberté politique, l'individu ne fait que confirmer et renforcer le même
choix, et ce qui lui donne sa vraie signification, consiste en ce que l'individu se détermine en tant que « citoyen » et qu'il écarte de son acte
tout ce qui vient de son « particularisme ». Qui plus est, plus la Cité
est parfaite, plus elle remédie aux situations qui engendrent la nécessité
de ce type de choix et de dissonances. Dans le suffrage universel, le citoyen
a à se prononcer non pas sur ce qui « est avantageux à tel homme ou à
tel parti », mais sur ce qui « est avantageux à l'Etat », à la communauté et donc à l'individu lui-même en tant que partie intégrante du
tout et qui ne s'oppose à ce tout à aucun égard. Par son suffrage, le
citoyen n'a pas à donner son avis sur la question soumise à la délibération
publique, mais il doit dire qu'elle est à son avis — sans avoir communi-
qué avec les autres — la « volonté générale » dans la question donnée.
« Quand on propse une loi dans l'assemblée du Peuple, ce qu'on leur
(aux citoyens) demande n'est pas précisément s'ils approuvent la proposition ou s'ils la rejettent, mais si elle est conforme ou non à la volonté
générale qui est la leur (...). Quand donc l'avis contraire au mien l'emporte,
cela ne prouve autre chose sinon que je m'étois trompé, et que ce que
j'estimois être la volonté générale ne l'étoit pas. Si mon avis particulier
l'eut emporté, j'aurois fait autre chose que ce que j'avois voulu, c'est
alors que je n'aurois pas été libre [127]. »

La manière dont se déroulent les assemblées politiques témoigne « de
l'état actuel des mœurs et de la santé du corps politique » : « la paix,
l'union, l'égalité sont ennemies des subtilités politiques ». Dans un Etat
sain, les assemblées du peuple n'ont pas à débattre longtemps, ni très
souvent. Tout d'abord, le nombre même des lois est réduit, et puis
« les citoyens n'ayant qu'un intérêt, le peuple n'a qu'une volonté » et

les décisions sont presque unanimes. Tout en admettant que « la voix
du plus grand nombre oblige toujours tous les autres » dans les questions litigieuses, Jean-Jacques ne prône nullement une conception « quantitative » de la démocratie. Ce qui décide en dernier ressort, ce n'est pas
une majorité arithmétique, mais la « volonté générale », une et indivisible,
que chaque citoyen découvre tout seul en lui-même. Le citoyen ne se
soumet pas à la volonté de la majorité, mais il obéit à la volonté générale.
Le principe de la majorité n'est donc, en quelque sorte, qu'un moyen
technique par le truchement duquel doit se manifester l'unanimité fondamentale des citoyens, de ce « moi commun » qui n'a qu'une volonté
toujours droite. Par contre, quand un groupe parvient à prendre la
domination sur la société au profit de ses intérêts particuliers, la « voix
du plus grand nombre » devient alors, comme nous l'avons déjà vu,
l'expression de la « volonté de tous », et non plus de la volonté générale.
« Quand le nœud social commence à se relâcher et l'Etat à s'affoiblir ;
quand les intérêts particuliers commencent à se faire sentir et les petites
sociétés à influer sur la grande, l'intérêt commun s'altère et trouve des
opposans, l'unanimité ne regne plus dans les voix, la volonté générale
n'est plus la volonté de tous, il s'élève des contradictions, des débats,
et le meilleur des avis ne passe point sans disputes. Enfin quand l'Etat
près de sa ruine ne subsiste plus que par une forme illusoire et vaine,
que le lien social est rompu dans tous les cœurs, que le plus vil intérêt
se pare effrontément du nom sacré du bien public ; alors la volonté
générale devient muette, tous guidés par des motifs secrets n'opinent
pas plus comme Citoyens que si l'Etat n'eut jamais existé, et l'on fait
passer faussement sous le nom de Loix des décrets iniques qui n'ont
pour but que l'intérêt particulier [128]. »
     La conception de la liberté politique oscille ici chez Jean-Jacques
entre deux versions qui correspondent aux deux valeurs suprêmes, aux
deux idéaux de la vie individuelle : « être vertueux » et « être bon » ;
elle partage ainsi l'ambiguïté qui caractérise les tentatives de concilier,
de synthétiser ces valeurs. Dans l'une de ces versions, la liberté est articulée sur l'élévation de l'individu vers la vertu civique, avec son effort
sans cesse renouvelé de dépasser son particularisme, la nécessité permanente de choisir entre la « volonté particulière » et la « volonté générale », entre son intérêt exclusif et sa participation au bien commun.
Faire un choix politique, c'est faire acte d'autodétermination morale,
c'est confronter son « moi » avec la « volonté générale », confirmer et
intensifier son unité morale avec le peuple, avec la totalité sociale. Mais
cet effort d'élévation de l'homme au-dessus de lui-même, Jean-Jacques
voudrait en faire une manifestation morale spontanée qui ne relèverait
pas du choix et du conflit. Certes, l'individu ne peut pas « renoncer à
sa liberté » — dont celle de faire des choix politiques — sans « renoncer à sa qualité d'homme » ; mais d'autre part, l'idéal serait d'éliminer
en fait la nécessité de procéder à des choix moraux. L'idéal serait une
société dans laquelle il suffirait que les hommes donnent libre cours
à leur bonté naturelle pour que les vices disparaissent, où les conditions
sociales de l'existence permettraient à l'individu d'avoir un rapport abso-

lument univoque au monde, de manière à ce que tout choix moral et politique soit superflu. La liberté politique ne se mesure pas aux possibilités réelles de choisir entre différentes solutions politiques alternatives ; elles se mesure au degré d'identification de l'individu avec la « volonté générale ». Une société optimalement libre, ce serait une société maximalement statique dans laquelle chacun dépendrait uniquement de lui-même, tout en faisant intégralement partie du tout qui l'englobe et le situe dans l'ordre humain et pourtant quasi naturel.

« Il y a deux sortes de dépendance. Celle des choses qui est de la nature ; celle des hommes qui est de la société. La dépendance des choses n'ayant aucune moralité ne nuit point à la liberté et n'engendre point de vices. La dépendance des hommes étant désordonnée les engendre tous, et c'est par elle que le maître et l'esclave se dépravent mutuellement. S'il y a quelque moyen de remédier à ce mal dans la société, c'est de substituer la loi à l'homme, et d'armer les volontés générales d'une force réelle supérieure à l'action de toute volonté particulière. Si les loix des nations pouvoient avoir comme celles de la nature une inflexibilité que jamais aucune force humaine ne put vaincre, la dépendance des hommes redeviendroit alors celle des choses, on réuniroit dans la République tous les avantages de l'état naturel à ceux de l'état civil, on joindroit à la liberté qui maintient l'homme exempt de vices la moralité qui l'élève à la vertu [129]. »

Dans cet idéal, la liberté des choix politiques et moraux n'est qu'une faculté potentielle de l'individu ; conservée en droit, elle se traduit en fait dans la suppression de tout besoin de les faire et dans l'élimination de toute situation qui les demande. L'œuvre qui « met la loi au-dessus des hommes » perd ici son caractère spécifiquement politique, l'ordre politique s'assimile à l'ordre naturel : il existe comme un état de fait uniforme auquel l'individu participe et dans lequel il se reconnaît instinctivement. Cet idéal, où l'opposition de la nature et de la culture est dépassée, fond dans un seul creuset deux modèles de rapports sociaux : celui de la communauté traditionnelle de Clarens et celui de l'Etat juridique et politique. L'idéal de l'union juridique et politique, fondé sur une convention rationnelle d'individus indépendants, autonomes et égaux, fusionne ici avec l'idéal de l'unité morale, où l'harmonie sociale et la concorde naissent spontanément de l'épanouissement des « cœurs », de la « communion » des sentiments.

Le Projet de constitution pour la Corse se rapproche peut-être le plus d'une telle vision sociale. L'idéal de la Cité-patrie, de la rationalisation de la vie sociale par la loi, et l'idéal des liens sociaux spontanés et affectifs se recoupent dans ce *Projet*. En gravant la loi dans les cœurs des citoyens et en l'enracinant dans « leur vie simple et isolée » dont « l'uniformité tient lieu de loi », on fait de la loi une force absolue et superflue. Faute d'intérêts particuliers qui se croiseraient, la moralité s'impose d'elle-même ; la liberté politique est conservée et garantie, alors qu'il n'existe aucun besoin réel de procéder à des choix politiques : on respecte les mœurs et l'on obéit à la loi instinctivement. Ainsi, la Corse serait la plus proche de l'exemple des cantons montagnards suisses, avec leurs mœurs rustiques et patriarcales. La démocratie et la loi y avaient pour assises l'égalité fondée sur « la vie rustique », la modestie des besoins, l'absence de l'industrie, l'élimination de l'argent, l'économie naturelle. La famille y constituait la cellule sociale fondamentale et les rapports sociaux se limitaient à « des liaisons de bienveillance et d'amitié » avec les voisins, à l'exception des assemblées publiques et des festivités populaires. Il y régnait « une union constante (...) entre des hommes sans maîtres, presque sans loix ». Une « vie laborieuse et indépendante » attachait à leur patrie « ces hommes rustiques (qui) ne connoissoient qu'eux-mêmes, leurs montagnes et leurs bestiaux ». Le « peuple pauvre mais sans besoin dans la plus parfaite indépendance multiplioit ainsi dans une union que rien ne pouvoit altérer ». « Il n'avoit pas de vertus puisque, n'ayant point de vices à vaincre, bien faire ne lui coutoit rien, et il étoit bon et juste sans savoir même ce que c'étoit que justice et que vertu [130]. »

Nous avons examiné les concepts et les constructions théoriques qui donnent une cohérence logique à un idéal social qui réunit pourtant des valeurs et des réalités historiquement et sociologiquement hétérogènes. Mais l'unité et la vérité de cet idéal ne se situent pas uniquement au niveau des concepts et des constructions théoriques. Ceux-ci ne peuvent assumer la fonction de médiation et de synthèse que parce qu'ils se réfèrent à un autre plan du discours et de l'œuvre politiques de l'auteur du *Contrat social*. Rappelons l'image de la fête populaire dans laquelle l'idéal social trouve son apogée. Pour Jean-Jacques, le peuple n'est pas seulement un concept, une catégorie intellectuelle, mais aussi un symbole et un rêve ; il n'est pas seulement une réalité sociologique, mais encore une réalité existentielle et morale primordiale. Le « peuple » n'est pas uniquement l'objet d'une réflexion et d'un discours, le peuple est et sera toujours. Il est la réconciliation de toutes les contradictions de l'existence sociale de l'homme : les oppositions abstraites des idées et des valeurs, le peuple les dépasse, car il n'a aucun besoin de subtilités politiques et morales. On peut tout au plus tromper le peuple, mais on ne peut jamais le dépraver : il garde toujours un instinct moral infaillible, il aime le bien et le juste spontanément, sans faire de discours savants, parce qu'il est lui-même juste et bon. Il est porté de lui-même à admirer la beauté de la nature et à créer cette beauté simple et sublime de ses chants et de ses fêtes.

Dans les sociétés actuelles, le peuple, c'est la masse des hommes opprimés, humiliés, asservis par les grands, poussés en marge de la société, et pour qui l'inégalité est non pas une idée, un mot abstrait, mais une réalité vécue [131]. S'il arrive que cette masse se conduise en populace, en multitude qui suit aveuglément les passions, c'est une fois de plus la faute de ceux qui la dégradent.

L'idée et l'image du peuple contiennent toujours cette référence à une réalité sociale. Mais ce qui est essentiel, ce qui donne une signification à cette référence même, c'est le renversement des termes dans lesquels est formulée la question sur ce qu'est le peuple. Le peuple est une réalité primordiale, originaire, et nul n'a besoin de la rapporter à quoi que ce soit d'extérieur à elle-même pour fonder son existence et lui donner des raisons. Il faut rendre compte non pas de ce qu'est le peuple, mais de ce qu'on est en dehors du peuple, quand on se place au-dessus de lui et qu'on ne considère ni son sort ni son bonheur comme des valeurs suprêmes. Les politiques et les philosophes méprisent le peuple et, comme les riches qui oppriment les pauvres, « ils se consolent (...) en les supposant assez stupides pour n'en rien sentir ». Mais ce mépris ne fait que camoufler — à eux-mêmes et aux autres — la vérité sur le peuple. Car, « c'est le peuple qui compose le genre humain ; ce qui n'est pas peuple est si peu de chose que ce n'est pas la peine de le compter. L'homme est le même dans tous les états ; si cela est, les états les plus nombreux méritent le plus de respect (...). Le peuple se montre tel qu'il est, et n'est pas aimable ; mais il faut bien que les gens du monde se déguisent ; s'ils se montroient tels qu'ils sont, ils feroient horreur. » Le peuple, ce sont les pauvres, les malheureux, les faibles, et la duplicité des riches consiste à défendre la maxime qu'il y a « même dose de bonheur et de peine dans tous les états ». Or, « la peine du misérable lui vient des choses, de la rigueur du sort qui s'appesantit sur lui. Il n'y a point d'habitude qui lui puisse ôter le sentiment physique de la fatigue, de l'épuisement, de la faim : le bon esprit ni la sagesse ne servent de rien pour l'exempter des maux de son état (...). Quand le peuple seroit aussi sensé que nous le supposons stupide, que pourroit-il être autre que ce qu'il est, que pourroit-il faire autre chose que ce qu'il fait ? Etudiez les gens de cet ordre, vous verrez que sous un autre langage ils ont autant d'esprit et plus de bon sens que vous. Respectez donc votre espece ; songez qu'elle est composée essentiellement de la collection des peuples, que quand tous les Rois et tous les Philosophes en seroient ôtés, il n'y paroîtroit gueres, et que les choses n'en iroient pas plus mal [132]. » L'amour du peuple n'a nul besoin de justification, pas plus que l'amour du bien, du juste et du vrai. La bonté, la vérité, la justice sont devenues des « mots roturiers ». Jean-Jacques projette sur le peuple ses propres souffrances, frustrations, misères et déboires, ses propres espoirs, rêves et attentes. Et vice versa : il retrouve dans ses propres malheurs les souffrances du peuple, et dans ses propres espoirs, les aspirations du peuple. Mais cet élan affectif traduit et en même temps dissimule tout un complexe de culpabilité : lui, Jean-Jacques, s'était également détaché du peuple et, de ce fait, avait perdu le vrai bonheur. Car « être avec le peuple », c'est aussi le symbole de l'enfance de Jean-Jacques, de ses joies innocentes, de l'état de paix avec soi-même ; c'est l'expérience immédiate d'un bonheur simple et complet, de ce bonheur qui est partout présent chez le peuple en fête, quand « la misère n'y porte point son hideux aspect, le faste n'y montre pas non plus son insolence ; le bien-être, la fraternité, la concorde y disposent les cœurs à s'épanouir et souvent dans les transports d'une innocente joye, les inconnus s'accostent, s'embrassent et s'invitent à jouir de concert des plaisirs du jour [133] ». Le peuple est confiné en marge de la vie sociale, mais avec lui, on y a également relégué la bonté, la beauté et la vérité. Le peuple est le plus proche de l'âge d'or, il représente l'enfance de l'humanité préservée dans le présent. Ce qui est pour les philosophes un problème confus et compliqué, est pour le peuple une chose très simple qui lui est donnée dans ses mœurs et coutumes, une vérité qui émane de sa vie quotidienne. Les chansons populaires sont spontanément sublimes et émouvantes, sans qu'il soit nécessaire de les parer d'ornements inutiles. Le peuple est pauvre, mais il est le seul à savoir ce que sont la véritable richesse et le véritable bonheur dont il jouit spontanément quand il est laissé à lui-même. Dans la vie simple du peuple, la vérité et la sagesse sont non pas les produits de la réflexion, mais de la vie même ; l'amour de l'ordre, la communion avec l'ordre et son créateur n'ont pas besoin de mots recherchés, de cheminements contournés de l'esprit : ils sont instinctifs, s'expriment avec toute leur intensité dans la simple exclamation « O » qui servait de prière à la vieille femme. Le peuple est là où les mœurs sont simples, les rapports parfaitement transparents, où les hommes ne se dissimulent pas derrière des masques, où chacun est lui-même, s'identifiant en même temps spontanément avec la communauté et ses valeurs, où l'homme n'éprouve pas comme un fardeau sa propre individualité [134].

Mais le peuple, ce n'est pas seulement la simplicité patriarcale des mœurs de l'âge d'or. Dans un Etat rationnel, fondé sur une convention, le peuple est le sujet et l'objet de la Loi. Son essence s'exprime dans la « volonté générale », droite et juste, et dans la loi impersonnelle et égalitaire. Alors qu'il est opprimé, c'est au peuple seul qu'il incombe d'être l'autorité souveraine dans l'Etat, si celui-ci doit être légitime et conforme à la raison. Le peuple se compose d'individus autonomes qui possèdent des droits naturels, mais il est à la fois, pour chaque individu, un tout signifiant, le « nous » qui l'englobe. Le peuple n'est pas un thème pastoral, littéraire ou artistique : c'est en lui que s'accomplit la synthèse des antinomies de la politique et de la métaphysique, de la nature et de la culture, de la raison et du sentiment, de la démocratie et de la tradition ; c'est en lui que les contraires trouvent une solution et se réconcilient. Pour Jean-Jacques, le vieil adage : la voix du peuple est la voix de Dieu, n'est pas un simple dicton, car le sacré imprègne toujours son image du peuple. Axée sur l'idée du « peuple », la pensée politique de Jean-Jacques n'est pas seulement une construction intellectuelle plus ou moins élaborée dans les détails, un « projet » dans l'attente d'un avenir imprécis et qui dépend du progrès des Lumières. Dans l'idée du « peuple », la réflexion se greffe sur le mythe, ou plutôt contribue à la formation d'une mythologie du peuple. Toute pensée théorique, même quand elle propose le modèle de la société la plus idéale, demande un acte de raison pour être comprise et acceptée. Le « peuple », il faut le toucher, l'atteindre, par un acte total de foi et d'amour, dans lequel l'âme s'élève et s'accomplit en étendant le champ de son existence.

Individualité et dialectique

La vision sociale de Rousseau possède nombre de traits caractéristiques de la démarche utopique classique. Ainsi, elle a une prédilection très nette pour les petites sociétés fermées, optimalement isolées et autarciques. Elle est animée par l'aspiration d'aboutir à un ordre social global qui, radicalement opposé à l'ordre existant, réaliserait les valeurs humaines fondamentales, tels le bien, la justice, la vérité, l'égalité, etc. Elle se traduit en des projets de législation, plus ou moins détaillés, qui doivent être à même non seulement de remédier à tels ou tels défauts sociaux partiels, mais surtout de reconstruire la vie collective dans son ensemble, ainsi que d'imprégner les âmes d'une morale nouvelle. Les grandes valeurs spirituelles et les problèmes qu'elles posent se désacralisent : les solutions se situent dans l'histoire profane et, en premier lieu, dans l'organisation optimalement rationnelle de la vie collective. Ainsi, c'est la société qui définit son code moral comme « religion civile », mais — par le même mouvement — c'est le social qui se substitue au sacré traditionnel. On retrouve également dans la vision de Rousseau la tendance à conférer à la société idéale la plus grande stabilité possible, à véritablement supprimer toutes les causes non seulement des conflits, mais encore de tout changement de l'ordre et de l'équilibre sociaux. Ainsi, la société rejette les individus susceptibles de provoquer ces conflits ou d'introduire le ferment du changement ; tous ceux qui n'acceptent pas le code moral homogène de la société. Le *Contrat social* prévoit le bannissement de quiconque n'accepte pas les principes de la religion civile, « non comme impie, mais comme insociable » ; le *Projet de constitution pour la Corse* recommande de bannir ceux qui, ayant longuement séjourné à l'étranger, peuvent introduire dans la communauté l'esprit des nouveautés, « le faux éclat des nations voisines », nuisible à la simplicité des mœurs et à l'attachement exclusif des citoyens à leur patrie [135]. La législation idéale vise ainsi la stabilité et la cohérence de la société, en réduisant au minimum son développement et sa dynamique interne : il est en effet caractéristique de la démarche utopique d'aspirer à fonder des institutions qui reproduiraient les mêmes rapports sociaux, reconnus comme des relations idéales.

Mais c'est précisément sur ce point que la vision sociale de Jean-Jacques s'éloigne du modèle de l'utopie classique. La différence ne tient pas particulièrement à l'intention de Rousseau de chercher le modèle d'une société faite non pas pour des hommes idéaux, mais pour « les enfants d'Adam ». En effet, la certitude que l'idéal proposé est entièrement réalisable et correspond aux aspirations des hommes tels qu'ils sont, on peut la constater dans maintes utopies et l'on pourrait — vraisemblablement — la considérer comme un élément constitutif de la démarche utopique. Ce qui compte par contre infiniment plus c'est que Jean-Jacques n'élimine pas toute dynamique de sa vision de la société idéale : même au sein de cette société, il admet que les changements sont inéluctables, comme sont inéluctables les conflits que ces changements apportent avec eux. De plus, cette dynamique, ces changements et conflits n'enrichissent pas la société et ne la perfectionnent pas, mais entraînent au contraire son déclin, sa désintégration. Finalement, aucun Etat n'échappe à l'histoire et, si dans l'histoire qui est la sienne, il peut traverser des époques de bonheur et de grandeur morale, il va nécessairement connaître la décadence. Tout gouvernement se trouve « sur une pente à dégénérer » et s'il la suit, le corps politique trouve sa mort du fait des abus propres à toute politique. « Toutes choses ont leurs abus souvent nécessaires et ceux des établissements politiques sont si voisins de leur institution que ce n'est presque pas la peine de la faire pour la voir si vite dégénérer. » La prolifération des institutions et une réglementation minutieuse de la vie publique et privée ne peuvent pas empêcher ce mouvement. « On veut parer à cet inconvénient par des machines qui maintiennent le gouvernement dans son état primitif, on lui donne mille chaînes, mille entraves pour le retenir sur sa pente, et on l'embarrasse tellement qu'affaissé sous le poids de ses fers, il demeure inactif, immobile, et s'il ne décline pas vers sa chute, il ne va pas non plus à sa fin. » Aux « chimères politiques » artificielles qui sont visées par ces critiques, Rousseau oppose son idée maîtresse : « Le plus grand ressort de l'autorité publique est dans le cœur des citoyens et (...) rien ne peut suppléer aux mœurs pour le maintien du gouvernement. » Pour que le corps politique vive, il faut non pas supprimer toutes les passions, mais, au contraire, exciter « cette ardeur bouillante et sublime dont ne brille pas la plus pure vertu » quand elle est séparée de l'amour de la patrie, cette passion politique spécifique qui doit subjuguer les cœurs des citoyens et dont l'« énergie » en fait l'élan « le plus héroïque ». Un Etat libre a besoin de cette ardeur et de cet héroïsme, car la liberté est la condition la plus douce, mais aussi la plus « dangereuse » ; elle demande un effort constant de vigilance et de courage incompatible avec le « repos » et la « paix du despotisme ». Il est impossible de faire des lois dont les passions des hommes n'abuseraient pas. Dès que l'amour de la patrie commence à être tourné en dérision et s'affaiblir, « tous les intérêts particuliers se réunissent contre l'intérêt général qui n'est plus celui de personne, les vices publics ont plus de force pour énerver les loix que les loix n'en ont pour réprimer les vices et la corruption du peuple et des chefs s'étend enfin jusqu'au gouvernement, quelque sage qu'il puisse être ». Et il n'est plus temps de changer « les inclinations naturelles quand elles ont pris leurs cours et que l'habitude s'est jointe à l'amour-propre ; il n'est plus temps de nous tirer hors de nous-mêmes quand une fois le moi humain concentré dans nos cœurs y a acquis cette mépri-

sable activité qui absorbe toute vertu et fait la vie des petites âmes ».
Alors l'Etat doit un jour ou l'autre décliner, connaître le même destin
que Sparte, Rome ou Genève. Tôt ou tard, la souveraineté du peuple
devient une fiction, le gouvernement se détache du peuple et se constitue
en corps particulier qui dégénère en tyrannie. « Telle est la pente naturelle et inévitable des Gouvernements les mieux constitués. Si Sparte
et Rome ont péri, quel Etat peut espérer de durer toujours ? Si nous
voulons former un établissement durable, ne songeons donc point à le
rendre éternel. Pour réussir, il ne faut pas tenter l'impossible, ni se
flatter de donner à l'ouvrage des hommes une solidité que les choses
humaines ne comportent pas. Le corps politique, aussi bien que le
corps de l'homme, commence à mourir dès sa naissance, et porte en
lui-même les causes de sa destruction. » D'ailleurs, « Rome fut durant
cinq cents ans un miracle continuel, que le monde ne doit plus espérer
de revoir [136] ».

Ainsi, l'idée d'une histoire marchant vers la décadence est présente
à l'intérieur même de la vision de l'Etat idéal. L'histoire véhicule le
mal ; mais reconnaître ce fait, ce n'est ni le justifier, ni s'incliner devant
lui. Nous avons déjà dit que Jean-Jacques n'écrivait jamais l' « histoire »
avec un grand H. Précisément, parce que Jean-Jacques n'associe pas la
réalisation des valeurs morales avec le cours de l'histoire, comme c'était
le cas dans les théories du progrès, la « marche des choses » n'apporte
aucune sanction morale à l'état de fait qu'elle a produit et ne le justifie pas. Le triomphe du mal ne lui donne jamais raison. Il semblerait
même que la « marche des choses » peut être d'autant plus contestée
que la vision idéale de la société ne supprime pas l'idée de la décadence
historique, que l'histoire s'écarte de la morale. En associant sa vision
sociale avec la perspective pessimiste de la réflexion sur l'histoire, Jean-
Jacques n'enlève donc rien à sa condamnation morale et sociale de la
réalité existante. Dans un certain sens, sa révolte contre les rapports
sociaux actuels n'en est que plus véhémente : l'état présent des sociétés
n'est-il pas le point culminant de la désintégration du corps politique,
l'apogée de sa décadence ? La victoire inéluctable des facteurs de désintégration dans le corps politique présente une fois de plus l'histoire
comme une force anonyme et abstraite, menaçante et destructive à l'encontre des individus et des sociétés.

Dans la vision du monde de Jean-Jacques, le jeu de la politique qui
« tire du mal son propre remède » se situe à la jonction de l'idéal social
et du pessimisme historique. En effet, rien n'engendre spontanément
dans l'histoire ce qui — par sa propre dialectique — éliminerait le
mal. Le devoir et la responsabilité en incombent aux hommes dont les
institutions sociales doivent continuellement affronter les dangers déterminés par les conditions historiques de toute vie sociale. En sortant de
l'état de nature, en perdant son « innocence », l'homme engendre une
histoire et, immédiatement, se met en contradiction avec elle. Ce n'est
qu'avec l'évolution historique, et uniquement en elle que se forme la
conscience des valeurs autour desquelles une société juste devrait être
organisée. Mais, au nom de ces mêmes valeurs, une telle société devrait

tendre à éliminer le destin que l'histoire inscrit dans la vie sociale même, à s'affronter avec l'histoire pour freiner son cours, à ne pas lui faire confiance et à essayer de maîtriser les contradictions de l'existence sociale. La construction de la « volonté générale » que nous avons analysée, est particulièrement significative à cet égard. La complexité. mais aussi la richesse de la réflexion politique de Rousseau proviennent entre autres du fait que celui-ci montre une sensibilité et — dirait-on même — une probité sociologiques remarquables. Il ne suit pas la tendance de la démarche utopique à construire le modèle d'une société idéale qui éliminerait une fois pour toutes les contradictions de la vie sociale. Au contraire, il présente celles-ci comme étant irréductibles et, en dernier ressort, même insurmontables : c'est à « l'art de la politique » qu'il incombe de les affronter dans un effort permanent, en essayant de résoudre la « quadrature du cercle en politique ».

Envisagée de ce point de vue, l'œuvre politique et sociale de Jean-Jacques n'est pas uniquement une réflexion sur la politique qui lancerait des idées nouvelles et déboucherait sur telle ou telle proposition de solutions pratiques. Elle ne se contente pas non plus de l'opposition : l'idéal social/ la réalité existante. Tout cela est défini et prend sa véritable signification à partir d'un ensemble d'interrogations et d'inquiétudes qui font la texture même de l'œuvre. La politique y est articulée sur les antinomies du processus d'individualisation et de socialisation de l'homme lui-même. Nous l'avons déjà dit : la recherche d'un idéal d'une société juste, où l'égalité et la liberté garantiraient la transparence des rapports sociaux, est indissociable des interrogations fondamentales pour toute la vision du monde de Jean-Jacques et qui s'articulent les unes sur les autres : comment libérer la personne humaine des conditions aliénantes de la vie sociale ; comment l'individu, pour qui sa propre liberté est devenue un problème, peut-il s'accomplir et arriver à l'unité et à la concorde internes ; comment l'individu peut-il se rallier à un tout, à un ordre moral et social avec lequel il pourrait communiquer, affirmant ainsi sa propre liberté, etc. ? La vision sociale de Jean-Jacques était surtout un ensemble de recherches et de tensions, l'expression d'un affrontement continuel avec les antinomies sans cesse redécouvertes dans la dynamique de la réalité sociale. Ou plutôt, elle était le lieu même de cet affrontement, ainsi que celui où la démarche intellectuelle et l'imagination sociale élaboraient les concepts, assortis de mythes et de rêves, de l'homme intégral et d'un ordre social global.

On a appelé Rousseau un « dialecticien de tempérament » [137]. Et en effet, son discours est imprégné d'une sensibilité particulièrement aiguë à tout ce qui est contradiction, antinomie, tension dans l'homme, dans la société, dans l'histoire, dans son propre moi. Jean-Jacques vit son siècle comme une époque où l'homme est partout « en contradiction avec lui-même » et en proie avec ses propres contradictions, où il est déchiré entre les différents aspects de son existence qui se manifestent à lui comme autant de facettes divergentes qui dissimulent sa vraie nature. Quand Jean-Jacques se penche sur lui-même pour retrouver sa propre identité, il se heurte de plus à des conflits avec le monde social, et ses analyses revêtent alors le caractère obsessionnel dramatique que l'on connaît, à un pas de la pathologie. Cependant, plus toutes ces contradictions se dégagent, plus elles s'articulent sur l'aspiration fondamentale du moi à l'unité, à la paix intérieure, à la liberté, sur l'aspiration à vivre une existence soulagée du fardeau écrasant de l'analyse, de la réflexion, des choix moraux à faire et des responsabilités à prendre.

La vision du monde de Jean-Jacques est marquée par deux tendances qui sont à la fois opposées et complémentaires : saisir l'homme contemporain dans ses contradictions et son déchirement ; d'autre part, dépasser ce caractère antinomique par une existence harmonieuse et intégrée dans un monde univoque. Kant fut probablement le premier à faire une lecture « systématique » de Rousseau, traduisant l'enchevêtrement de ses idées et sentiments en un discours continu sur une dialectique du destin de l'homme qui, à travers ses propres contradictions, progresse vers l'unité. Et pourtant, Jean-Jacques se méfie de tout esprit de système ; son discours se constitue pour donner libre cours à l'expression du jeu spontané de ces tendances. Une « dialectique spontanée » naît ainsi, surtout quand la matière même de l'écriture et de la réflexion de Jean-Jacques impose en quelque sorte la perspective d'un processus dont la personne humaine est l'objet et le sujet [138]. Un déplacement caractéristique se produit alors dans la vision du monde : les contradictions du moi et son aspiration à l'unité sont rapportées à un devenir, avec une dynamique, une temporalité et une finalité qui lui sont propres. C'est ce qui se produit surtout dans *Emile*, puisqu'on y envisage le développement de la personnalité, le processus de sa formation et de son éducation, et cet exemple se prête probablement le mieux à mettre en relief ce que nous avons appelé la « dialectique spontanée » de Rousseau.

C'est l'idée de la liberté qui domine toute la conception de l'éducation d'Emile. Emile est élevé pour être libre, et il doit l'être à chaque étape de son éducation, à chacun de ses « âges », bien que cette liberté prenne en quelque sorte à chaque fois une autre forme : elle s'élargit et s'enrichit au cours du développement de la personnalité, depuis « l'âge de nature » jusqu'à « l'âge de sagesse ». La liberté dépend de l'équilibre entre les possibilités, les « facultés » de l'individu, « ses forces » d'une part, et ses désirs, ses passions et ses besoins d'autre part. Car c'est uniquement dans cet état d'équilibre que l'individu peut être optimalement indépendant des autres, se suffire à lui-même, faire ce qu'il désire et désirer uniquement ce qu'il peut satisfaire. A chaque étape de la formation de la personnalité correspondent une tension interne, due aux contradictions entre les désirs et les forces (et qui se renforcent dès que l'individu est imbriqué dans le monde des rapports sociaux), et un effort d'éducation visant à dépasser ces contradictions, à obtenir leur synthèse et leur équilibre, à les réconcilier dans le cadre d'une personnalité homogène et cohérente. L'action simultanée de ces facteurs se greffe sur le rythme de la croissance « naturelle » qui met progressivement en mouvement les facultés humaines. Ainsi, à chaque étape, l'individu doit être lui-même, et ce dans toute la plénitude de son moi. Aussi, l'exposé

13

de chacune des grandes phases de l'éducation d'Emile est-il précédé d'un examen du rapport des « forces et des besoins », caractéristique de l'âge de l'élève et défini par la « nature elle-même ». Ce rapport désigne ce que Jean-Jacques nomme « le degré de force relative » qui diffère à chaque phase et conditionne à chaque fois la forme de la liberté [139]. L'art de l'éducateur est de s'adapter à ce rapport « naturel », de manière que son élève fasse ce qu'il veut, mais ne veuille que ce qu'il peut faire, qu'il soit donc libre et à la fois heureux, parce qu'à chaque instant « pleinement lui-même ». La nature assure en principe l'équilibre et l'harmonie entre ces aspects divergents de la constitution humaine, mais uniquement en principe. Il existe des moments de force relative — à l'âge de l'adolescence, et de faiblesse relative — à l'âge de l'enfance. Ce qui incombe à l'éducateur, c'est d'intervenir constamment dans le processus de développement de la personnalité afin de veiller au maintien de l'équilibre : tantôt il aide l'enfant à ses époques de faiblesse relative, tantôt il emploie « l'excédent de facultés et de forces » de son élève à des fins d'étude et de travail, « jette pour ainsi dire dans l'avenir le superflu de l'être actuel » de l'adolescent [140]. Si, tout au long de son éducation, l'élève doit être libre, cela veut dire aussi qu'il doit être conscient des limitations qu'imposent à sa volonté la nature et la raison, et l'éducateur, en intervenant, ne fait que les traduire. Le plus grand danger qui menace la bonne marche de l'éducation vient des passions et des besoins factices, lesquels, produits par « l'extérieur », par le « monde des apparences », peuvent s'implanter dans l'âme de l'élève. Ainsi, ce danger pèse constamment sur Emile, et c'est contre lui qu'il s'arme en s'éduquant.

L'importance d'*Emile* pour l'évolution des idées pédagogiques venait, entre autres, de l'insistance avec laquelle Rousseau soulignait les différences de chaque phase du développement de la personnalité, en particulier de celle de l'enfance. « L'humanité a sa place dans l'ordre des choses ; l'enfance a la sienne dans l'ordre de la vie humaine ; il faut considérer l'homme dans l'homme, l'enfant dans l'enfant [141]. » Le passage d'une phase à l'autre ne se fait nullement par une juxtaposition des forces et besoins nouveaux aux précédents, mais par une mutation, une structuration différente de la personnalité. Avec chaque nouvelle étape du développement de la personnalité, l'équilibre antérieurement atteint est compromis. Les ruptures peuvent se traduire par des crises spécifiques, dont la plus violente et la plus dangereuse survient à l'époque de la maturation sexuelle, avec la « tempête des passions » que celle-ci déchaîne, et qui est d'autant plus importante que le jeune homme entre alors dans le monde des rapports moraux. On pourrait même — sans trop forcer les choses — déceler un rythme ternaire dans l'enchaînement des étapes, à travers les ruptures et les crises.

L'éducation forme un tout, un processus global, avec sa finalité propre qui ne se réalise pourtant qu'au terme de l'actualisation des possibilités contenues dans chacune des étapes. Certes, l'éducation vise tout le temps les mêmes objectifs : la liberté, le bonheur, la plénitude de l'existence ; mais ces valeurs se manifestent autrement à chaque « âge » de l'homme : l'enfant est libre, heureux et « pleinement lui-même » autrement que ne l'est l'adolescent. Si, à la fin de l'éducation, l'élève est libre et heureux, c'est parce que — à l'instar d'un vrai voyageur — il a joui des chemins qu'il a parcourus et sur lesquels il a éprouvé le bonheur et la liberté sous leurs diverses formes, finissant d'autre part par en connaître le prix et les dangers. Le véritable éducateur agit de manière à ce que son élève transforme ainsi lui-même les objectifs de son éducation en parties intégrantes de son être. D'où le libre champ qu'on donne dans l'éducation au jeu du spontané et du nécessaire, de la liberté et de la nécessité, aucun des résultats recherchés ne devant être imposé de l'extérieur, comme une rigueur ou un modèle à imiter. Ainsi, l'enfant ne doit apprendre à marcher que lorsqu'il en ressent le besoin, tandis que la nature fait de sorte qu'il éprouve ce besoin au seul moment où celui-ci concorde avec ses forces. Et c'est dans ces seules conditions que l'enfant marchera « à sa manière », aura sa propre démarche, que ses gestes ne seront ni machinaux ni impersonnels, qu'ils ne seront pas l'imitation d'autrui. Si on lui apprend à parler avant qu'il n'en ressente le besoin, et si le langage qu'on lui apprend ne correspond pas à ce qu'il a à dire, ses paroles deviennent l'imitation machinale d'un discours vide qui dépossède l'individu de son propre moi. Emile n'acceptera aucune valeur, aucune vérité — même des plus universelles — avant qu'il ne les reconnaisse librement, avant qu'elles ne soient vraies pour lui [142]. Avec cette libre expression de son individualité, l'élève apprendra pourtant à connaître également les limites qui s'imposent à sa liberté. Ainsi, sa volonté se heurtera aux obstacles dressés par les lois immuables de la nature même. Ou encore, à l'âge adulte, Emile devra se soumettre à l'autorité qu'il a donnée à son gouverneur pour que celui-ci le « force d'être (son) propre maître en n'obéissant point à (ses) sens mais à sa raison ». L'engagement auquel se réfère cette formule simule, pour ainsi dire, un « contrat social » passé en toute liberté entre l'éducateur et l'élève qui forment ainsi une quasi-communauté, dans laquelle être libre, c'est obéir aux lois qu'on s'est prescrites [143].

On pourrait développer plus largement une analyse qui chercherait à systématiser ce que nous avons nommé la « dialectique spontanée » de Jean-Jacques. Cependant, en nous avançant trop loin sur cette voie, on court le risque de la déformer, puisqu'elle s'oppose précisément à tout esprit de système. L'*Emile* en représente un cas privilégié, mais il éclaire aussi ses particularités et ses limites. Ainsi, remarquons que l'éducateur se voit, pour ainsi dire, forcé de donner ce tour dialectique à l'éducation. S'il doit monter ce jeu complexe, c'est parce qu'il lui est impossible de réaliser ses objectifs sans artifices et tours de force. Cela tient au caractère particulier de la tâche qu'il doit assumer, qui est elle-même antinomique et dont l'énoncé ne peut prendre qu'un tour paradoxal. En effet, son élève ne doit-il pas « être un sauvage fait pour habiter dans les villes », un homme naturel « vivant dans l'état de société [144] » ? Or, nul besoin d'artifices pour que se forme l'homme naturel tout court, « l'homme naturel vivant dans l'état de nature » et qui ne doit pas faire face aux contradictions et dangers d'une société dépravante. Il n'est pas

alors l'objet d'une éducation : la nature agit en lui par un instinct qui
le guide spontanément vers la paix et la concorde intérieures ; ainsi, il
est toujours « lui-même » en jouissant du bonheur et de la liberté.
D'autre part, si l'on abandonne l'enfant aux influences du monde dépravé
et dépravant, les choses se feront également d'elles-mêmes, bien qu'avec
des résultats opposés. La formation d'Emile est donc affectée d'une
« dialectique », parce qu'elle est l'objet d'un art dont la complexité vient
du fait qu'il doit contourner les obstacles auxquels se heurte la démarche
pourtant simple et droite de la nature. Il est, de plus, caractéristique que
l'éducateur reste un agent extérieur et immuable par rapport au jeu
des mécanismes qu'il monte. Tout d'abord, parce que l'éducation doit
elle-même être « négative » : le rôle majeur du gouverneur est d'empêcher les vices de naître, et de laisser agir la nature. Mais aussi, parce
que l'éducateur ne change pas, ne se transforme pas au cours du processus éducatif auquel il participe pourtant. Sa propre éducation est,
pour ainsi dire, faite d'avance. Rousseau insiste sur le caractère exceptionnel de l'éducateur : c'est « une âme sublime », « un rare mortel »
qui devrait atteindre les plus hauts sommets de la vertu dans « ces
temps d'avilissement ». Pour « faire un homme il faut être plus qu'un
homme soi-même ». En poussant les choses à l'extrême, on pourrait
dire que s'il y a une dialectique du côté de l'éduqué, ce n'est que parce
qu'il n'y en a aucune du côté de l'éducateur [145].

A l'instar de la politique, l'éducation est elle aussi l'art de tirer du
mal son propre remède. Ces deux arts se ressemblent sous plus d'un
aspect. La politique se rapproche de l'éducation, car, au fond, elle est
l'art de former le peuple, de l'éduquer par ses institutions et ses mœurs.
Ainsi, pour Rousseau, la *République* de Platon était essentiellement «le
plus beau traité d'éducation qu'on n'ait jamais fait ». En paraphrasant,
on pourrait dire qu'*Emile* — n'oublions pas qu'un résumé du *Contrat
social* en fait partie — est « le plus beau traité de politique ». Comme
l'éducateur, l'homme politique, le législateur doit mettre son art à l'œuvre
quand le peuple est encore à son enfance et avant qu'il ne connaisse les
vices qui le rendront impropre à la législation. L'exercice de ces deux
arts est une mission dont l'accomplissement demande des personnalités
exceptionnelles : le législateur comme l'éducateur doivent connaître le
fond de la nature humaine et en même temps élever leur âme au-dessus
de l'humain. Cependant, s'il y a des affinités entre les deux arts, il y a
aussi des différences qui tiennent à l'opposition entre les objectifs et
les moyens d'action appropriés. L'art de la politique vise à former des
citoyens, celui de l'éducation (il est évidemment question de l'éducation
« domestique ») vise à former « l'homme ». La formation du citoyen
se fait par des institutions qui sont bonnes quand elles « savent le mieux
dénaturer l'homme », lui donner une existence relative, en « transporter
le moi dans l'unité commune ». Le gouverneur éduque par contre
l'homme pour qu'il reste « lui-même » ; il suit de plus près la nature
et la laisse agir sans entraves. L'art de l'éducation domestique n'est
nécessaire qu'à titre de substitut à l'éducation publique : celle-ci — partie
intégrante des institutions politiques bonnes et justes — n'existe plus

dans une société où il n'y a ni patrie, ni citoyens. Remarquons enfin que dans ces deux éducations, l'une — si l'on peut dire — simule la démarche de l'autre : l'éducation publique vise à inculquer le civisme comme « seconde nature », l'éducation domestique apprend à l'élève les principes vrais de la politique ; de plus — comme nous venons de le noter —, au cours de cette dernière éducation, s'institue un équivalent du contrat social entre l'élève et le gouverneur.

Au-delà de ce jeu d'affinités et d'oppositions dont l'analyse mériterait de plus larges développements, retenons le problème essentiel dans notre contexte, qui est celui du rapport entre l'idéal de l'homme libre — quelle que soit la formule de sa liberté — et l'histoire. Or, les objectifs, les moyens et les champs d'action de l'art de la politique comme ceux de l'art de l'éducation sont définis par l'opposition entre la liberté — et c'est elle qui fonde l'ensemble des valeurs humaines — et l'évolution d'un monde social vers l'oppression et la dégradation morale. Dans les deux cas, il s'agit de préserver l'idéal — ou du citoyen ou de « l'homme » — contre les dangers qui viennent d'un enchaînement d'événements que les hommes eux-mêmes ne dominent pas, qui les déprave et fait leur histoire. Ainsi, pour le législateur, le problème se pose dans ces termes : comment instituer une Cité de manière à ce qu'elle échappe le plus longtemps possible aux abus, aux progrès de l'inégalité et de l'injustice qui marquent le cours de l'histoire humaine ? Pour l'éducateur, le fond du problème est le même, bien que les termes en soient différents : « Lorsque tous nos rapports changent, ne convient-il pas que nous changions aussi [146] ? » Nous connaissons la réponse : par l'éducation, il faut former « l'homme naturel », libre et maître de lui-même, de manière à ce qu'il se protège contre le monde qui « change ».

Remarquons également qu'*Emile* — traité d'éducation et traité de politique — n'esquisse pas la moindre perspective d'une « conciliation » ou d'une « synthèse » qui pourrait intervenir entre l'individu et son monde social, grâce à telle ou telle orientation historique des changements sociaux. Le pessimisme historique une fois de plus s'y manifeste : aucune idée de l'avenir historique, aucun espoir en lui ne sert de « médiation ». Tout ce qu'apprend Emile sur l'histoire et la politique ne l'attache pas à l'histoire de son temps. Certes, il étudie l'histoire, car cette étude est un moyen important pour lui faire connaître le monde moral. Cependant, que peut lui montrer l'histoire des temps modernes, si ce n'est « des objets de douleur et de désolation » ? Qu'y trouvera-t-il, si ce n'est le spectacle « des maîtres insensibles et des peuples gémissants, des guerres qui n'intéressent personne et désolent tout le monde ; des armées immenses en temps de paix et sans effet en temps de guerre, des ministres toujours occupés à ne rien faire, des traités mystérieux sans objet, des alliances longtemps négociées et rompues le lendemain, enfin des sujets d'autant plus misérables que l'Etat est plus riche, et d'autant plus méprisés que le Prince est puissant » ? Alors, il tournera son regard vers les « vénérables images de l'antiquité », afin d'y trouver « des hommes élevés par des sublimes institutions au plus haut degré de grandeur et de vertu que puisse atteindre la sagesse humaine [147] ».

Le contraste entre les époques alimentera dans l'âme d'Emile une vive nostalgie des vertus et d'un pathos civiques qui pourtant ne correspondent plus à son siècle. Ce contraste sera encore plus frappant quand viendra le tour d'apprendre les vrais principes de la politique. Comme nous l'avons fait remarquer ailleurs, Emile sera certes apte et prêt à devenir un Citoyen et à servir une Patrie. Mais, à son époque, il ne trouvera qu'un « pays » et il constatera que « ces deux mots, patrie et citoyen, doivent être effacés des langues modernes (...). Où il n'y a plus de patrie il ne peut plus y avoir des citoyens ». Si son gouverneur lui avait parlé de la Corse et de la Pologne, les exceptions qu'elles représentent n'auraient fait que confirmer la règle résumée dans la conclusion que tire Emile de ses voyages dans le monde. « Plus j'examine l'ouvrage des hommes dans leurs institutions, plus je vois qu'à force de vouloir être indépendants ils se font esclaves, et qu'ils usent leur liberté même en vains efforts pour l'assurer. » Son maître ne manquera certainement pas de lui communiquer la vérité sur son temps qui est à la veille « de l'état de crise et du siècle des révolutions » ; mais ce dernier mot — ne nous y trompons pas — ne désigne que le bouleversement qui marque le déclin de tous les grands Etats de l'Europe [148]. De cette perspective historique et politique, Emile ne tirera aucun espoir de renouveau et il ne cherchera pas à agir sur l'histoire : il ne voudra être ni prince ni révolutionnaire. S'il se détermine par rapport à l'histoire, c'est pour donner à sa vie un sens qui s'oppose à l'absurde, à la folie et aux contradictions qui affectent la marche de l'univers social. Cependant, il n'acceptera pas non plus l'histoire et ne s'inclinera pas devant elle : la « vie patriarcale » qu'il choisit et où il ne manquera sûrement pas de lire son Plutarque est à la fois un refuge contre ce monde et son refus.

L'opposition de l'homme qui naît libre à un monde où il est partout dans les fers ne se dépasse ni ne se résout dans et par une « dialectique de l'histoire ». Rousseau ne conçoit pas l'histoire comme un mouvement dans et par lequel les hommes font eux-mêmes leur éducation en vue de leur liberté (bien que nombreux furent ceux qui s'inspirèrent ensuite de son œuvre pour lire l'histoire à la lumière d'une pareille dialectique de la liberté et de l'histoire, érigée en système). L'imagination sociale de Rousseau n'était pas fascinée par la recherche d'un sens de l'histoire ; elle se laisse d'autant moins enfermer dans un système qui prétendrait en être la révélation. Les rêves d'une Cité juste et de l'homme libre ne se greffaient pas sur la foi en « la marche de l'histoire ». Ils se recoupaient directement avec une affectation de l'âme qui se manifestait comme une évidence première : le monde des hommes, tel qu'il existe, est tout simplement invivable pour celui qui ne cherche lui-même qu'à être homme, et cela veut dire être libre, simple et heureux. Pourtant, cette évidence, quelque première qu'elle soit, le monde injuste et oppressif la fausse et la dissimule par ses apparences, ses fastes et ses discours savants. Aussi, la vérité est-elle dans le dévoilement de ce monde et dans son refus et c'est en lui opposant la vérité, toute la vérité sur la société, sur l'homme, sur soi-même enfin qu'on le refuse.

Pour cette vérité, la référence à l'historicité humaine était à la fois essentielle et secondaire. Essentielle, puisque l'histoire était l'objet sur lequel portaient la révolte et le refus, puisqu'elle était aussi un lieu de refuge et une source de rêves. Secondaire, puisque les témoignages de l'histoire sont eux-mêmes mystifiants si on ne les éclaire pas avec la lumière que l'homme ne peut découvrir qu'en lui-même, et non pas en fouillant les chroniques du passé ou en prospectant l'avenir. L'histoire, Rousseau la raconte, non pas pour que l'homme l'apprenne, et d'ailleurs son œuvre n'apporte finalement aucun savoir nouveau, pas plus sur les « sauvages » que sur Sparte et sur les événements des temps modernes. Ni pour que celui-ci l'approuve, ni pour qu'il s'incline devant elle. Il en parle pour que l'homme change lui-même et se retrouve dans la véritable dimension de son existence qui lui échappe et qui est le présent.

Pourtant, le refus de l'histoire et des valeurs qu'elle véhicule, ainsi que le refus de sa propre historicité naissent eux-mêmes dans l'histoire et sont une manière spécifique de la vivre. De plus, ces refus sont susceptibles de connaître eux-mêmes une histoire, surtout quand ils se font intelligibles et communicables dans un message adressé aux autres et qui lui-même véhicule une vision du monde. Pour l'historien, un tel message apporte un témoignage sur l'état intime de la société, sur ses manières de penser, de croire et d'imaginer. Or, ce témoignage, si l'œuvre dans laquelle il est consigné nous l'apporte, c'est grâce à ce qu'on pourrait appeler sa propre historicité. Et c'est ainsi que peut être éclairé le jeu complexe qui s'ébauche entre le caractère individuel d'une œuvre, dont nombre de caractéristiques et de déterminations se situent hors de toute histoire autre que personnelle, et le fait que cette œuvre correspond à des aspirations et besoins collectifs historiquement déterminés. D'autre part, il y a ce second aspect de l'historicité d'une œuvre qu'est le phénomène de la pluralité des significations qui lui sont conférées dans son existence historique et sociale.

Remarquons tout d'abord que cette pluralité de significations se greffe le plus souvent sur l'intention, explicitement manifeste dans le texte, de donner à l'œuvre un seul sens afin qu'elle échappe à tout relativisme. Et c'est bien ce qui se produit dans le cas de Jean-Jacques : son œuvre est engagée dans un effort qui cherche à obtenir un rapport parfaitement univoque au monde et à lui-même. Pour s'opposer précisément à un monde opaque et instable qui engendre l'ambiguïté et le relativisme, Jean-Jacques fait appel à ce qui n'en est pas entaché : à sa propre expérience, telle qu'elle lui est donnée, immédiate et évidente au niveau du vécu, et, d'autre part, aux valeurs universelles et immuables qui se réfèrent à la nature même de l'homme. D'ailleurs, ces deux démarches se recoupent, puisque c'est dans sa propre expérience existentielle, en lui-même, que l'individu découvre la nature humaine. C'est à la jonction de l'individuel et de l'universel que Rousseau élabore donc l'échelle absolue de valeurs à laquelle se rapportent les mesures qu'il prend du monde social qui change.

Mais c'est précisément en greffant des valeurs universelles sur sa propre expérience du réel, sur son vécu, que Jean-Jacques confère à ces valeurs de nouveaux contenus historiques. En effet, la dimension historique des valeurs dites « suprêmes », telles que le bien et la liberté, l'humain et l'individuel, le bonheur et le vrai, se révèle non pas dans une sphère autonome de l'histoire écrite avec un grand H, mais dans les fonctions que ces valeurs sont susceptibles d'assumer dans la quotidienneté même de la vie où s'élabore l'histoire des hommes. Ainsi, elles peuvent assumer la fonction d'intégrer l'individu dans l'ordre social existant. Mais c'est aussi par leur truchement que se cristallise, souvent d'une manière paradoxale, la conscience des tensions et conflits collectifs, et c'est autour d'elles que peut alors s'organiser un projet social nouveau. En effet, quand l'homme n'accepte pas de subir l'oppression, la misère, l'injustice, etc., et qu'il cherche à les reconnaître et à les définir, il fait appel aux idées et aux images de la liberté, du bonheur, etc. Et, bien entendu, ce n'est pas le relatif qu'il y cherche alors, mais l'absolu par lequel elles rejoignent le caractère unique, évident et immédiat de son expérience individuelle. Avec les valeurs « suprêmes » qui n'existent socialement que traduites en idées et en images, se joint alors à l'expérience individuelle tout un ensemble historique de mythes et de rêves collectifs, de paradigmes de pensée et de discours, etc. Mais d'autre part, les expériences, toutes personnelles qu'elles soient, véhiculent aussi certains besoins collectifs. Un échange s'opère ainsi dans le recoupement. L'expérience d'une simple privation s'éclaire et se transforme en aspiration à la liberté et au bonheur : d'autre part, les idées et les images de la liberté et du bonheur s'alimentent de contenus nouveaux. C'est en confirmant la liberté et le bonheur dans leur caractère absolu qu'on les transforme et les redéfinit dans des contextes nouveaux. Dans cet échange avec le vécu, ces valeurs se couvrent d'ambiguïtés nouvelles qui, pourtant, n'empêchent pas qu'elles soient acceptées comme évidentes et claires. Sociologiquement parlant, ces ambiguïtés font leur portée ; c'est ainsi qu'érigées en idées et images elles deviennent le lieu de confluence des expériences et des projets individuels, le lieu de leur élaboration en mentalités et projets collectifs.

Les schémas et les effets de ces mécanismes complexes sont plus faciles à saisir sommairement que le « comment » du jeu même du psychologique et du social. Mais c'est ainsi, peut-être, que se déroule le phénomène qui étonne et surprend toujours l'historien : l'apparition d'une œuvre où le maximum de problèmes posés par l'époque se présentent comme les problèmes personnels de l'écrivain ou du penseur. L'œuvre s'impose alors comme un « chef-d'œuvre » et continue comme tel à exister dans l'histoire. L'œuvre est alors plus qu'une tentative de maîtriser intellectuellement les conflits, antinomies et complexes individuels. Ce qui l'anime encore et la marque, c'est l'orientation de la pensée et de l'imagination en vue de dégager, à partir d'expériences individuelles et collectives, le maximum d'interrogations de son temps sur les significations des valeurs « suprêmes ». Ainsi, elle transforme le fait de mener une existence en un problème, anime et oriente les aspirations individuelles.

Sociologiquement et historiquement, la vision du monde contenue dans l'œuvre de Rousseau a parfaitement réussi, tant par sa structure que par ses résonances immédiates et par tout ce qu'elle inspira par la suite. En elle, les valeurs « suprêmes » éclairent le concret des tensions et des conflits sociaux et moraux de son temps et, en même temps, s'enrichissent de ce concret et se transforment. Ses interrogations et ses inquiétudes, Rousseau les imprègne d'un dramatisme existentiel et personnel d'une intensité remarquable, ce qui contribue à relier intimement l'individuel au social et à définir le premier par la mise en question des structures sociales, de leurs raisons d'être et des valeurs dont elles se réclament. D'une part, toutes les questions posées gardent un caractère suffisamment concret pour que soient évidentes les réalités des processus sociaux qui les alimentent, pour qu'autour d'elles puissent se cristalliser les aspirations et les besoins de groupes sociaux ; d'autre part, elles possèdent un degré de généralité suffisant pour élever les problèmes qui surgissent dans la quotidienneté, à une dimension où ils portent sur le sens même qu'on donne à la vie. Les valeurs qui orientent la vision du monde de Jean-Jacques — la liberté, l'individualité, le peuple, la nature humaine, etc. — peuvent fonctionner comme des instruments d'interprétation de la réalité sociale, mais aussi comme des justifications des revendications collectives ; elles peuvent orienter l'imagination sociale vers le dépassement de l'ordre social existant. Dans leur apparente évidence intuitive, ces valeurs gardent sociologiquement une indétermination suffisante pour que les consciences individuelles se rencontrent, à travers elles, dans des idéologies et des visions du monde collectives. Sa vision du monde conjugue plusieurs types de discours qui s'articulent l'un sur l'autre — le politique sur le moral, le littéraire sur le philosophique, etc. —, pour se recouper dans un discours anthropologique qui les domine. Le jeu de ce discours favorise la rencontre du langage et de l'image, ainsi que de la réflexion sur le réel avec les rêves personnels et sociaux.

Rousseau appartient à ces penseurs dont Merleau-Ponty disait qu'ils traînent derrière eux leur ombre : l'ombre des choses jamais exprimées et pensées jusqu'alors, mais qui précisément, grâce à leurs œuvres, se manifestent dans tout ce qu'elles ont encore d'impensé.

Dans ce sens, l'œuvre de Rousseau fut plus celle d'un inspirateur que d'un précurseur. Elle contenait aussi des thèses et des formulations toutes prêtes, reprises ensuite et développées par d'autres. Et si la résonance de l'œuvre de Rousseau fut immédiate et son audience très large, ce n'est pourtant pas à cette influence directe que se réduit son importance. L'œuvre de Jean-Jacques était faite pour inspirer : elle se prolongeait surtout dans les inquiétudes et les malaises qu'elle suscitait dans les esprits, en faisant se transformer en problèmes les états de choses jusqu'alors acceptés comme de simples faits. Au centre de sa vision du monde, Jean-Jacques avait placé la condition de l'homme aliéné, affronté à un monde qui, sous sa forme réifiée, ne constitue pas pour eux une totalité signifiante. Et ce n'est ni Dieu, ni les lois de la nature, ni l'existence dans l'histoire qui confèrent un sens à ce monde. En traduisant un effort déployé sans répit en vue d'instaurer un rapport univoque du moi à un monde qui se dérobe à toute univocité et finit par rendre cet effort même ambigu, l'œuvre de Jean-Jacques provoquait des inquiétudes existentielles. En inscrivant dans la dimension de l'expérience vécue la révolte contre le monde social que l'inégalité et l'injustice rendent insupportable, mais aussi en formant des rêves politiques et sociaux, assortis du concept et du mythe du peuple, elle alimentait des inquiétudes sociales et politiques. Par ses interrogations sur l'histoire, sur les antinomies des processus d'individualisation et de socialisation, sur les voies et les orientations du progrès, par ses nostalgies et ses espoirs, elle bouleversait la tranquillité et la satisfaction morales.

Kant écrivait qu'il était incapable de lire tranquillement *Emile,* qu'il devait interrompre sa lecture pour calmer l'agitation de son esprit, et que c'est précisément Rousseau qui le mit sur la voie de la vérité. Il est légitime d'affirmer que l'œuvre de Kant, surtout dans sa partie éthique, est née de l'inspiration de Rousseau ; pourtant, Jean-Jacques n'était pas un prékantiste, pas plus que les *Critiques* ne développaient *Emile.* Mais, comme on l'a si pertinemment fait observer, « il fallait Kant pour penser les pensées de Rousseau [149] ». On pourrait dresser toute une liste de ceux qui, sur leur chemin, ont croisé « l'ombre de l'impensé » projetée par l'œuvre de Jean-Jacques. Il fallait Hegel pour « penser » dans les termes de sa dialectique les rapports entre la liberté et l'histoire que l'œuvre de Rousseau posait comme problème. On ne peut pas comprendre la *Phénoménologie de l'Esprit* sans connaître *Emile* et le *Contrat,* les lectures préférées du séminariste de Tübingen. Il fallait Marx pour « penser » l'expérience du monde aliéné et aliénant et l'aspiration à un homme intégral qui ne connaîtrait pas les contradictions entre « l'homme » et le « citoyen ». Il fallait les romantiques pour « penser » les conflits et les rêves de « l'âme sensible », ses nostalgies et ses révoltes, sa fuite dans la solitude et sa quête du grand et du sublime. Il fallait les Robespierre et les Saint-Just pour « penser », sous la forme d'un projet révolutionnaire, les formules du *Contrat social* et, sous la forme d'une nouvelle institution sociale, la fête que le peuple se donne à lui-même. Nous avons évoqué quelques inspirations directes qui se prêtent facilement à une vérification historique. Mais combien serait longue cette liste si nous voulions suivre la piste des inspirations indirectes [150] !

Dans ces inspirations, dans leur complexité et leur enchevêtrement historique, se manifeste un aspect essentiel de ce que nous avons appelé l'historicité de l'œuvre de Rousseau, et de ce qui nous semble être caractéristique de toute œuvre qui est un lieu de création de valeurs ou de leur redéfinition dans des contextes nouveaux. Ainsi, cette historicité ne se réfère pas seulement au fait que l'œuvre est un événement historique et, donc, susceptible d'être l'objet du discours de l'historien à la recherche de témoignages sur le passé. Cette historicité relève encore du fait que l'œuvre peut connaître un destin à elle qui se joue dans l'histoire, et qu'elle est ainsi susceptible de participer également, à sa manière, à l'histoire. En effet, son unité synchronique et structurelle ne s'oppose pas à la pluralité des significations dont elle se charge dans et par les multiples lectures auxquelles elle se prête au cours de son destin historique. Pluralité des significations et des lectures, mais non pas n'importe quelle lecture et n'importe quelle signification. Celui qui a lui-même pratiqué la lecture d'une telle œuvre et a fréquenté l'histoire de ses lectures multiples, voire contradictoires, connaît bien cette sorte de résistance que le texte peut opposer à ses lecteurs et interprètes. Cette résistance, on la dirait quasi corporelle ; difficile à définir, elle manifeste pourtant sa présence au contact même du texte. En d'autres termes, par sa structure même, l'œuvre véhicule non pas une seule signification qui préfigurerait une seule lecture définitive, mais un champ de significations et de lectures possibles. Son unité se manifeste dans des actes de lecture qui explorent ce champ en actualisant ses possibilités, mais en même temps elle se manifeste au-delà de ces lectures multiples, dans la délimitation même de ce champ par un texte qui conserve son identité dans le temps.

Comme tout fait humain, l'œuvre ne se renferme pas sur elle-même : elle existe par les autres et pour les autres, elle s'ouvre aux contemporains et aux générations suivantes quand celles-ci se définissent par rapport à elle. Le destin historique d'une œuvre peut prendre la forme d'un processus complexe, voire contradictoire ; au cours de la sélection historique qu'elle subit, un de ses aspects peut être isolé des autres et opposé à eux. Sa participation dans l'histoire peut consister en la propagation et la vulgarisation de ses idées, de ses images, de la vision du monde qu'elle contient, etc., dans les larges couches sociales ; son destin se joue alors dans les conflits où s'opposent les aspirations et les besoins collectifs traduits en idéologies. Une œuvre peut être récupérée par les mécanismes de transmission des valeurs et des comportements acceptés par l'ordre social établi ; elle court alors le risque d'être ravalée, réduite au sujet d'une « leçon », à l'image de celle que décrit W. Gombrowicz dans *Ferdydurke*. De plus, toute lecture n'est pas possible à toute époque, et les lectures multiples ne se succèdent pas seulement, mais encore elles s'articulent les unes sur les autres et témoignent elles-mêmes du mode de l'existence de l'œuvre dans l'histoire. Finalement, par son historicité même, une œuvre peut arriver à se situer dans le trans-temporel. C'est le cas quand elle se prête — dans une longue série culturelle — à des explorations multiples et renouvelées de son « impensé », de cette « ombre » qu'elle projette en se déployant dans son existence historique qui révèle et dissimule en même temps sa structure et son identité.

Au cours de nos analyses, nous pouvions uniquement signaler tels ou tels aspects des diverses inspirations rousseauistes, bien que la prémisse de ces analyses — parfois implicite — était de cerner, dans la structure thématique de l'œuvre même de Rousseau, ce champ de significations possibles, les divers « rousseauismes » qui ne sont révélés qu'au cours de la « seconde vie » de l'œuvre. Par la force des choses, nous avons dû nous limiter à donner des exemples, car il faudrait écrire tout un livre pour analyser la diversité des « rousseauismes » (lequel livre constituerait par ailleurs un élément important de vérification des analyses que nous avons faites sur l'œuvre même de Rousseau). Or, rien que l'élaboration du plan d'un tel livre serait déjà une tâche difficile. Evidemment, cette analyse devrait porter sur les inspirations rousseauistes dans la philosophie, la littérature, etc. Mais il serait certainement encore plus fascinant pour l'historien et le sociologue d'étudier la vague de « rousseauismes » qui déferla sur toute l'Europe vers la fin du XVIIIe siècle, et qu'on appela la

« contagion sacrée » ; d'analyser les flux et les reflux de cette vague, sa portée dans les différentes cultures nationales et couches sociales, l'étendue de ses influences depuis le style des jardins jusqu'à la politique, de la morale à la pédagogie, de la nostalgie de la nature idyllique aux fêtes républicaines, etc.

Arriverait-on alors à éclairer le vécu commun à Rousseau et à ses contemporains et qui fait qu'une œuvre « exprime » son époque et que celle-ci se reconnaît en elle-même dans et par son œuvre ? Au-delà des « rousseauismes » différents et opposés, retrouverait-on l'unité d'une époque faite de crises et de mutations sociales et culturelles, et qui, par son caractère même, ne peut se définir autrement — au niveau de la sensibilité, de la mentalité et de l'imagination collectives — que par des hésitations et des séries de couples antinomiques de concepts, de valeurs, de modèles de comportement, dans lesquels se recoupent le « préromantique » et le « néo-classique » ?

Ce n'est pas tout, car il faudrait aussi inclure dans le champ de l'étude les différents « antirousseauismes », c'est-à-dire les fonctions de l'œuvre de Rousseau en tant que système de référence négatif pour des visions du monde et des idéologies des plus diverses, parfois opposées, et qui pourtant se définissaient elles-mêmes à travers leur rapport aux rousseauismes.

Enfin, le dernier exemple dont la signification est plus qu'évidente : les résonances de l'œuvre de Jean-Jacques, ses fonctions inspiratrices, les réactions qu'elle suscita à l'époque révolutionnaire et qui sont indissociables du sort de la Révolution française, de ses conflits et de ses conséquences. La Révolution révéla principalement les fonctions idéologiques et politiques du rousseauisme, et ce d'une manière particulièrement dramatique puisque, au nom des idéaux de Rousseau, les uns allaient en prison et d'autres les y enfermaient, les uns montaient sur l'échafaud et d'autres les y condamnaient. L'œuvre de Rousseau procura à la Révolution un ensemble d'idées politiques et sociales, mais lui donna également des modèles esthétiques et religieux, des images et des symboles, etc. D'autre part, pendant la Révolution, cette œuvre fut le lieu d'un travail idéologique intense, au cours duquel on la soumit à maintes sélections idéologiques. Mme Roland l'interprétait autrement que Cloots, Robespierre y lisait autre chose que Babeuf. Or, tous — les girondins, les hébertistes et les jacobins — étaient passés par Rousseau et se réclamaient de son œuvre.

La Révolution inclut Jean-Jacques dans les rangs de ses saints et de ses martyrs dont le culte devait lui servir à créer sa propre tradition. D'abord, Rousseau fut placé sur un pied d'égalité avec Voltaire, parmi les « philosophes » qui avaient éclairé les esprits contre la superstitition et la tyrannie ; puis, on le dissocia des « philosophes » pour le magnifier, lui, et flétrir les autres. Ainsi, dans son célèbre rapport présenté au nom du Comité du Salut Public le 18 floréal de l'An II de la République, Robespierre attaqua « les sophistes intrigans qui usurpaient le nom des philosophes » et « étaient pensionnés par les despotes », à qui « l'on doit en grande partie cette espèce de philosophie pratique qui, réduisant l'égoïsme en système, regarde la société humaine comme une guerre de ruse, le succès comme la règle du juste et de l'injuste ». A ce jugement sévère, Robespierre opposait l'image de Rousseau, de cet homme qui « par l'élévation de son âme et par la grandeur de son caractère, se montra digne du ministère de précepteur du genre humain ».

La contre-révolution fit également appel à l'œuvre de Rousseau. Et c'est ainsi que les défenseurs de l'Ancien Régime éditaient des pamphlets et des traités, dans lesquels ils rappelaient les mises en garde de Rousseau contre les violentes transformations sociales. Peu de temps après le thermidor, de jeunes aristocrates enlevaient dans les foyers des théâtres les effigies de Marat, l'homme qui « avait réclamé trois cent mille têtes » et qui, lui aussi, avait été « rousseauiste » à sa manière, pour les remplacer par les bustes de Jean-Jacques, « l'homme doux et paisible ».

Dans l'iconographie révolutionnaire, on compte par centaines les gravures, portraits, allégories, etc., consacrés à Jean-Jacques et le représentant tantôt comme l'homme bon et sensé instruisant les mères dans le sevrage, tantôt comme l'homme paisible cueillant des fleurs, tantôt encore comme une figure allégorique qui, dans son habit arménien, montre aux sans-culottes le chemin et les mène en avant... Le résultat de tous ces contre-effets est tel que les traits du visage perdent progressivement toute ressemblance : il ne reste plus qu'un symbole qui traduit des mythes collectifs.

Il est dans cette histoire un épisode qui tient à la fois de la tragédie et de la farce, et dans lequel on retrouve en raccourci toute la complexité et l'ambiguïté de l'histoire du rousseauisme. Ceux qui croiraient à un démon de l'histoire, interpréteraient cet épisode comme l'omnipotence de l'histoire s'étendant non seulement à la vie posthume d'une œuvre et d'une vision du monde, devenues autonomes par rapport à leur auteur, mais encore aux dépouilles mortelles de celui-ci.

Jean-Jacques passa les derniers mois de sa vie à Ermenonville, où le marquis René de Girardin, son fervent admirateur, lui avait offert refuge, dans sa propriété aménagée à l'exemple du jardin de la *Nouvelle Héloïse* et où il avait fait placer les bustes de poètes et construire un « temple des philosophes ». C'est à Ermenonville que le jeune Robespierre vint voir Rousseau, l'entrevue ayant probablement eu lieu dans le grand parc aux arbres séculaires. De cette rencontre, Robespierre emporta un souvenir qui l'emplit d'orgueil et l'exalta au début de sa carrière révolutionnaire. « Je t'ai vu dans les derniers et ce souvenir est pour moi la source d'une joie orgueilleuse : j'ai contemplé les traits augustes, j'ai vu l'empreinte des noirs chagrins auxquels t'avaient condamné les injustices des hommes. Dès lors, j'ai compris toutes les peines d'une noble vie qui se dévoue au culte de la vérité. »

Jean-Jacques mourut à Ermenonville et y fut inhumé, dans l'île des Peupliers, qui devint immédiatement un lieu de pèlerinage. Des rois y vinrent : Louis XVI et Marie-Antoinette, Gustave III de Suède, et Joseph II, mais aussi Cloots qui n'était pas encore hébertiste et « tribun de l'humanité », ainsi que Karamzin. Bien des années plus tard, alors que la tombe était déjà vide, Napoléon, Premier consul, se rendit à son tour à Ermenonville. On connaît au moins deux témoignages sur les paroles qu'il aurait alors prononcées. D'après le premier, Napoléon aurait dit au fils du marquis de Girardin qui l'accompagnait : « C'est un fou votre Rousseau ; c'est lui qui nous a menés où nous sommes. » D'après le second témoignage, la conversation aurait pris un tour différent, et bien que ce soit le fils même du marquis — Stanislas de Girardin — qui la relate, on sent de loin l'artifice et l'anachronisme. Mais c'est pourquoi ce récit est révélateur des mythes qui se tissent autour de l'île des Peupliers, d'autant plus que c'est précisément cette version qui passera dans la légende, sera maintes fois reprise et citée. « Il eût mieux valu pour le repos de la France que cet homme n'eût point existé. C'est lui qui a préparé la Révolution française. L'avenir apprendra s'il n'eût pas mieux valu pour le repos de la terre que ni Rousseau ni moi n'eussions jamais existé. » En 1814, ce sera le tour de Blücher de faire le pèlerinage d'Ermenonville...

Dans le journal de son pèlerinage à Ermenonville en 1783, Cloots raconte que le « programme » prévoyait un arrêt dans l'auberge voisine où étaient gardés, comme des reliques, la tabatière de Rousseau, son bonnet et ses sabots (les pèlerins plus illustres avaient même le droit de les mettre pour se rendre jusqu'à la tombe). Sur cette tabatière, Cloots inscrivit : « Mes doigts ont touché cette boîte : mon corps en a tressailli et mon âme est devenue plus pure. » Dans le jardin, Cloots et son compagnon, l'abbé Brizard, adressent « une ardente prière à Saint-Preux et à Sainte Héloïse », puis des rêves les transportent « à quelques siècles » de là, à l'époque où « la foule des préjugés qui couvrent encore la terre aura disparu devant le flambeau de la Raison, Ermenonville sera une ville sacrée, on y accourra de toutes parts ; ce simple tombeau sera changé en temple ». Et comme Cloots avait emporté avec lui l'*Essai sur Sénèque*, dans lequel Diderot réglait ses derniers comptes avec son ami de jadis, les pèlerins arrivés dans l'île offrirent le livre en holocauste devant la tombe, en déclamant ces mots d'offrande : « Aux mânes de J.-J. Rousseau. Que la mémoire des lâches ennemis de l'homme de la nature et de la vérité soit oubliée. Nous, Jean de Cloots, baron du Val de Grâce, et Gabriel Brizard, nous faisons un sacrifice expiatoire sur la tombe du grand homme en livrant aux flammes un libelle que le mensonge ré- clame et que la vérité désavoue, ces calomnies de Diderot vivant contre J.-J. Rousseau après sa mort. En l'île des Peupliers, ce 25 juillet 1783. »

A la fin de 1790, sur une motion d'Eymar, l'Assemblée nationale décréta « qu'il serait élevé une statue à l'auteur du *Contrat social* et d'*Emile* avec cette inscription : « La nation française libre à Jean-Jacques Rousseau ». Peu de jours après, plusieurs jeunes artistes se présentèrent devant l'Assemblée pour demander que la statue soit mise en concours. Le comité de l'Assemblée auquel la pétition avait été adressée, l'accepta et s'adressa à l'Académie de sculpture, mais l'affaire traîna. Le 17 août 1791, deux délégations vinrent réclamer l'exécution du décret : « Une députation de citoyens et de gens de lettres de Paris et une autre de citoyens de la ville et du canton de Montmorency. » Eymar voit dans la composition même de ces deux délégations un symbole de l'unité de l'œuvre et de la vie de Jean-Jacques, ainsi que de la poursuite de ses idées par la Révolution. « Vous venez d'entendre les habitants de Montmorency — dit Eymar en s'dressant à l'Assemblée — ils conservent un tendre et respectueux souvenir de Rousseau, ainsi que des exemples de vertu qu'il leur a donnés, lorsque, fuyant le bruit et la corruption de Paris, il méditait, il composait au milieu d'eux ses sublimes ouvrages ; les électeurs de Paris, ils furent les premiers défenseurs de la liberté dans un temps de péril et d'alarme ; à ce titre ils honorent et chérissent la mémoire de celui qui fut la victime du despotisme, parce qu'il avait été l'apôtre de la liberté et le précurseur de la Révolution ; les gens de lettres — tous honorablement distingués par leurs talents, ils ont connu, ils ont aimé Rousseau, ils ont dignement parlé de lui dans leurs ouvrages ; ils viennent expier le crime de ceux qui l'ont calomnié pendant sa vie, qui l'ont poursuivi jusque dans son tombeau : ils vengent aujourd'hui la mémoire d'un grand homme des persécutions de l'envie et de la médiocrité. » Et puis, ces « citoyens de toutes les classes » ne font que traduire un vœu qui « parviendrait de toutes les parties de l'empire, si elles étaient à portée de se faire entendre dans ce moment ».

Mais cette fois-ci, il n'était pas seulement question de faire appliquer l'ancien décret. La députation parisienne va plus loin et prie l'Assemblée d'ordonner que « les restes de ce grand homme soient redemandés à M. Girardin qui les a recueillis, qu'ils soient transférés à Paris, comme ceux de Voltaire, et admis dans le temple destiné aux grands hommes », c'est-à-dire au Panthéon où repose déjà le corps de Mirabeau. Or, les villageois de Montmorency, de ce canton qui avait eu l'honneur « d'abriter l'immortel auteur du *Contrat social* et d'*Emile* » ne dissimulent pas leurs objections à ce projet. Ils admettent certes que Jean-Jacques mérite « d'occuper une place... dans le temple consacré au génie et à la vertu », lui qui était un « génie mâle et plein de forces », un « philosophe vertueux qui se pénétrait de ces principes éternels de justice et de vérité trop longtemps méconnus sur la terre ». Mais, ne devrait-on pas respecter sa dernière volonté et, de surcroît, être fidèle à l'esprit même de son œuvre ? « L'homme de la nature doit reposer dans ses bras ; on se plaît encore à le voir, lors même qu'il n'est plus que cendre, entouré des images de simplicité qu'on sait lui avoir été chères et qui rappellent les leçons de modération et le goût des mœurs patriarcales qu'il s'efforça d'inspirer à ses contemporains. » C'est pourquoi la députation propose un compromis : qu'on laisse la dépouille au lieu où elle repose et qu'on élève à Rousseau un cénotaphe au Panthéon, afin « qu'on n'y cherche point vainement sa place, lorsque tout l'univers s'attendrait à l'y trouver ».

Le débat qui suivit fut très houleux, d'autant que les députés opposés au transfert du corps, des amis de l'ex-marquis de Girardin, invoquent comme argument un principe sacré de la Révolution et cher à Rousseau lui-même : le droit sacré de la propriété. « Le dépôt des cendres de J.-J. Rousseau — s'écrie un orateur — est la propriété et le patrimoine de M. Girardin », et c'est pourquoi on ne peut pas les enlever sans l'accord de ce dernier. Cette argumentation souleva l'indignation, et les débats prennent un autre tour : de quels principes de la Révolution et de quelles idées de Jean-Jacques, l'Assemblée doit s'inspirer en statuant sur le sort de ses mânes ? Enlever le corps d'Ermenonville sans le consentement du « propriétaire », ce serait « l'effet du plus criant despotisme ». Ce serait « au contraire, un hommage rendu aux principes sacrés de la propriété que de voir le corps constituant lui-même descendre jusqu'à solliciter un citoyen pour avoir une chose qui lui appartient ». Avec « le principe sacré de la propriété », on en évoque un autre, auquel Rousseau était encore plus attaché. Ainsi, de l'avis d'un des orateurs, Jean-Jacques lui-même, s'il avait été dans cette Assemblée, aurait été très flatté de la « noble et généreuse résistance » de M. Girardin et de ses amis contre l'enlèvement proposé. « Je désire pour la moralité même de la Révolution que nous récompensions avant tout les vertus domestiques et l'amitié. » Seuls les œuvres et le génie de Rousseau appartiennent à la Nation, « sa dépouille, elle, appartient bien à ses amis ». Certains applaudissent, mais d'autres protestent. « Il semble bien étrange — s'élève Boissy d'Anglas — d'entendre dire que les restes d'un grand homme sont une propriété autre qu'une propriété nationale. » C'est contraire à la moralité de la Révolution et à l'esprit de Rousseau que d'opposer l'intérêt particulier d'un citoyen à la volonté nationale. Et nombreux sont ceux qui crient dans la salle que la Nation peut disposer même de leurs cendres, les arracher — si elle en décide ainsi — à leurs fils et à leurs pères. L'Assemblée ne trancha pas ces débats ; elle décida en principe que « les honneurs décernés aux grands hommes seront rendus à Rousseau », mais elle renvoya en commission ce problème délicat : trouver un mode d'exécution qui concilierait « le droit sacré de la propriété, le vœu national et l'intérêt qu'inspire l'amitié ». Quelques semaines plus tard, les villageois de Montmorency et d'Ermenonville organisèrent sur les lieux une fête commémorative, avec des cortèges et des groupes allégoriques, de nombreuses personnalités venues de Paris, dont : Bernardin de Saint-Pierre, Condorcet, Houdon, Barère, Boissy d'Anglas.

Près de trois ans plus tard, alors que la dictature jacobine battait son plein, l'affaire de la « panthéonisation » de Rousseau revint à l'ordre du jour, cette fois-ci devant la Convention. Entre-temps, l'ex-marquis de Girardin avait connu des difficultés. Il avait commandé la Garde nationale à Ermenonville et assistait régulièrement aux séances des Clubs des Jacobins et des Cordeliers ; pourtant, en août 1793, le maire et le procureur d'Ermonville se présentèrent au château et demandèrent à « René Girardin, propriétaire et cultivateur à Ermenonville, et à sa famille » une déclaration de civisme, sinon ils seraient déclarés suspects. « Le citoyen René Girardin père — constate le procès-verbal — déclara que l'ancien et fidèle ami, jusqu'au tombeau, de l'auteur du *Contrat social* et de ses principes ne pouvait être dans un pays libre regardé comme suspect que par de mauvais citoyens. » Le père fut gardé à vue. Ses fils furent arrêtés à Sézanne ; mais comme ils avaient été élevés d'après les principes de Jean-Jacques et avaient donc appris un métier, les menuisiers de la ville pour lesquels ils travaillaient leur sauvèrent la vie en refusant de laisser partir d'aussi bons ouvriers. A cette même époque, le jardin anglais entourant l'île des Peupliers subit des sévices, plus particulièrement la « pyramide des poètes bucoliques », Gessner et Thomson étant apparus comme des « séides des tyrans étrangers ».

Ce fut Thérèse Levasseur, à qui l'Assemblée avait accordé le droit et l'honneur d'être nourrie par l'Etat, qui se présenta le 16 avril 1794 à la barre de la Convention, « accompagnée d'une députation de la Société républicaine de la commune de Franciade ». La députation rendit hommage aux « dignes représentants d'un peuple libre » qui, « du haut de cette Montagne » où ils œuvraient, avaient annoncé « à l'univers qui les contemple », que « dans toutes les séances les mœurs et les vertus sociales étaient à l'ordre du jour » ; annonce qui ne pouvait que faire trembler les méchants, « tous les despotes et leurs vils citoyens ». Se réclamant des vœux de la « respectable veuve de l'ami des mœurs », la députation demande que les honneurs du Panthéon français soient rendus aux cendres de Jean-Jacques, « grand-apôtre des vertus sociales, célèbre défenseur de l'égalité ». L'orateur raconte qu'à une séance de la Société républicaine, « nos âmes s'ouvrirent aux douces impressions de la sensibilité, nos yeux se mouillèrent de larmes du plaisir et nos cœurs s'élancèrent avec rapidité vers le buste de cet homme immortel ». Mais alors, tous constatèrent avec « abattement et consternation » que les restes précieux de ce grand homme n'étaient pas encore dans le Panthéon. Et pourtant, la Révolution avait évolué : « Ils ne sont plus ces temps de privilèges et de droits injustes, où Girardin parla de s'approprier les restes inappréciables de ce grand homme et parvint à étouffer les cris que nous fîmes entendre alors pour en faire une propriété nationale. » Cette fois-ci, les débats furent brefs. L'assemblée se leva pour rendre hommage au génie du grand homme, « ami de l'humanité, courageux défenseur des droits de tous les peuples ». Sur la proposition de Léquinio et de Debry, la Convention décida le transfert de la dépouille de J.-J. Rousseau ; Debry donnant à cette décision un caractère politique d'actualité : « Au moment où l'énergie de la représentation nationale vient de déjouer une faction qui, par le dogme affreux de l'athéisme, voulait nous ramener sous le joug du despotisme, il est de sa dignité de faire transférer au Panthéon celui qui, au milieu des persécutions du fanatisme et de la tyrannie, trouva toujours un asile et un refuge dans l'idée consolante de la Divinité. » Le Comité d'Instruction publique fut chargé de présenter sous trois jours un rapport sur le mode d'exécution de ce décret.

Pourtant, le rapport tarda, car on eut entre-temps à s'occuper d'autres morts et la Convention changea de visage. Robespierre qui, entre deux séances du Comité de Salut Public, aimait se promener seul dans des bocages pour s'y sentir près de la nature, ne devait plus assister à la cérémonie solennelle prévue en l'honneur de celui qu'il considérait comme son guide spirituel. Un mois après le Thermidor, le même Debry accusait Robespierre devant la Convention et le rendait responsable de la lenteur mise à exécuter le décret sur le transfert du corps de Rousseau. A la séance du 29 fructidor, Lakanal présenta enfin le rapport du Comité d'Instruction publique sur la panthéonisation de Jean-Jacques. Il y rend hommage à « l'auteur immortel du *Contrat social* qui s'est associé en quelque sorte à la gloire de la création du monde en donnant à ses habitants des lois universelles et nécessaires comme celles de la nature, lois qui n'existaient que dans les écrits de ce grand homme avant que vous en eussiez fait présent aux peuples ». Mais il célèbre aussi « l'homme solitaire et champêtre qui vécut loin de la corruption des villes et loin du faux éclat du monde, pour mieux connaître, mieux sentir la nature et y ramener plus puissamment ses semblables ». Et c'est pourquoi — pour concilier la Cité et la Nature — le monument dédié à J.-J. Rousseau ne devait être que provisoirement placé dans « le temple même des grands hommes ». D'après « le vœu des amis des arts », le temple civique devrait être entouré « d'une vaste plantation d'arbres dont l'ombre silencieuse s'ajouterait au sentiment religieux qu'inspire ce monument funéraire ». Dans ce « bois auguste », on planterait une enceinte de peupliers au centre de laquelle serait définitivement placé le monument de Jean-Jacques. « Depuis sa mort, il semble que l'idée de cet arbre mélancolique est devenue en quelque sorte inséparable de son tombeau. Et ce spectacle attendrissant rappellerait à jamais aux âmes sensibles le souvenir des bocages d'Ermenonville. » Le rapporteur assure aux représentants du peuple qu'ils n'ont point à craindre que la dépouille du grand homme puisse connaître le même sort que le corps de Mirabeau ; idole qui méritait la dépanthéonisation, « d'être arrachée du sanctuaire et foulée avec dédain ». La Convention vota un programme détaillé de la fête solennelle, mais avant que celle-ci n'eût lieu, elle devait assister à une autre panthéonisation : le 21 septembre, les restes de Marat sont conduits au Panthéon.

Le 8 octobre 1794, les délégués de la Convention reçoivent le cercueil des mains du citoyen Girardin ; le lendemain, le cortège arrive à Montmorency et le 10 à Paris. « Un mausolée construit sur un bassin du Jardin national, environné de peupliers, a rappelé cette île solitaire où reposaient les cendres de l'ami de la nature et de la vérité. » Le 11 octobre, le sarcophage est porté triomphalement jusqu'au Panthéon. On voyait dans le cortège un groupe de musiciens jouant des airs du *Devin de village* (« ces airs — commente un journal — ont porté dans les âmes des spectateurs une sensibilité touchante ») ; un groupe de botanistes portant des faisceaux de plantes avec l'inscription : « L'étude de la nature le consolait des injustices des hommes » ; un groupe des députés des sections de Paris portant les tables des Droits de l'homme (avec l'inscription : « Il réclama le premier ces droits imprescriptibles ») ; un groupe de mères vêtues à l'antique et tenant des enfants par la main ou les portant dans leurs bras ; des habitants de Montmorency et d'Ermenonville ; des Genevois portant l'inscription : « Genève l'autocrate l'avait proscrit, Genève régénérée a vengé sa mémoire. » Venait enfin la Convention nationale, « entourée d'un ruban tricolore et précédée du phare des législateurs, le *Contrat social* ». Un hymne dédié à J.-J. Rousseau avait été composé sur des paroles du représentant du peuple M.-J. Chénier, chaque couplet étant chanté par un groupe différent, tandis que le refrain était repris en chœur :

O Rousseau ! Modèle des sages
Bienfaiteur de l'humanité

> D'un peuple fier et libre accepte les hommages
> Et du fond du tombeau soutiens l'égalité.

Mais, aux tons de ce chœur et à l'idylle civique de la fête, d'autres airs se mêlaient, véhiculant un sens politique bien défini. Comme la récente panthéonisation de Marat, cette cérémonie devait témoigner de ce que la Révolution, malgré le Thermidor, continuait ; mieux encore, qu'elle revenait « à son véritable esprit » opposé à celui qui régnait encore à peine quelques semaines auparavant. Contre ceux qui avaient alors dominé et s'étaient réclamés de Rousseau, on retournait maintenant les mânes de Jean-Jacques. Les allusions dans les discours officiels et les commentaires des journaux étaient transparents. Ainsi, le Président de la Convention fit l'éloge du « politique sublime, mais toujours sage et bienfaisant qui a fait de la bonté la base de la législation », de celui qui estimait que « dans les violentes agitations il faut nous défier de nous-mêmes, qu'on n'est point juste si l'on n'est humain et que quiconque est plus sévère que la loi est un tyran ». Une adresse se félicitait de cette panthéonisation qui démontrait que le corps constituant de la Nation était capable de sauver la France non seulement d'un tyran mais aussi des tyrans. Une feuille se réjouissait parce que « la foule immense qui assistait à cette fête auguste, n'était point agitée par ces hommes cruels dont la figure hideuse et l'accoutrement dégoûtant signalent la férocité ». Une autre constatait que « ce n'était point l'esprit de parti qui gravait un nom obscur sur la liste des grands hommes afin de se créer une autorité pour appuyer des opinions exagérées de faction ; c'était l'humanité reconnaissante qui proclamait le nom de son bienfaiteur ». Elle assurait que « l'ombre du citoyen de Genève » n'avait pas à regretter les bocages d'Ermenonville, puisque « le vandalisme y avait porté ses ravages » et avait mutilé les statues des chantres de la nature, compagnons de la retraite éternelle de Jean-Jacques. Les pamphlets qui circulaient sont encore plus éloquents. L'un d'eux, « La vérité, ou Jean-Jacques Rousseau montrant à Robespierre le livre des Destins », décrit l'accueil de Rousseau aux Champs Elysées, le jour du transfert de ses cendres : tandis que Voltaire, Montesquieu et Helvétius lui offrent une couronne de lauriers, Jean-Jacques aperçoit un personnage hideux, « à l'œil cave et égaré », sur le visage duquel se peignent la fureur et le désespoir. C'est Robespierre, et Rousseau lui montre la France prospère, libérée de la terreur, mais « le monstre » ne peut pas supporter ce spectacle. « O bon Jean-Jacques ! — conclut l'auteur — Si tu avais vu qu'on abusait de ton nom et de tes immortels ouvrages pour en faire des titres d'oppression et de tyrannie, que les écrits de l'apôtre de la liberté et de la douceur sont devenus des chaînes et des poignards entre les mains de quelques hommes de sang, combien tu applaudis en voyant la France devenue heureuse. » Dans un autre pamphlet, « La grande dispute au Panthéon entre Marat et Jean-Jacques Rousseau », c'est encore le bon et doux Jean-Jacques qui affronte l'homme aux « trois cent mille têtes ». Il a fallu ces têtes, affirme Marat, « pour assurer le succès de la Révolution que toi-même avais préparée ». Et le bon Jean-Jacques de lui répliquer que la félicité de la Nation ne peut pas être cimentée par le sang et que si la Révolution devait coûter la vie à un seul homme, il ne fallait point la faire. Marat, furieux, accuse alors son compagnon du Panthéon d'être un aristocrate et le dénonce à la postérité. « La postérité est arrivée pour moi — répond Jean-Jacques —, elle m'a jugé et je suis placé au rang où je dois rester, parmi les amis de l'humanité. La postérité arrivera pour toi ; elle te jugera et te mettra à ta véritable place. » Ce pamphlet devançait de peu les événements : peu de temps après, la jeunesse dorée commençait dans les théâtres parisiens une véritable « chasse aux bustes » qui visait surtout celui de Marat et, le 8 février 1795, l'Ami du Peuple était proscrit du Panthéon.

En l'an X de la République, un « Epitaphe de J.-J. Rousseau à placer à la porte du Panthéon » adressait au Citoyen Consul la requête suivante : « Tous les anarchistes sont les partisans de Rousseau ; tous les ennemis de l'ordre invoquent ses principes, jamais ceux de l'Evangile. Purgez la demeure destinée aux grands hommes. » En 1806, Napoléon décidait certes de rendre le Panthéon à l'Eglise, mais ce n'est que sous la Restauration que « le Nécropole » fut supprimé et la célèbre légende effacée du fronton : « Aux grands hommes la patrie reconnaissante ». A l'occasion de l'inauguration solennelle de l'église Sainte-Geneviève, l'abbé de Boulogne lança du haut de sa chaire un anathème contre « les restes impurs des complices des incrédules ». Pourtant, quand Stanislas de Girardin, le fils de l'ami de Jean-Jacques, sollicita le transfert des cendres à Ermenonville, sa requête fut rejetée par la police qui craignait que ce « déplacement d'un mort » ne fût la cause de « désordres publics de la part des vivants ». Des rumeurs circulaient à l'époque sur le sort réservé aux dépouilles de Voltaire et de Rousseau, l'une voulait qu'elles aient été exhumées et enterrées à l'entrée de l'église, mais en dehors de son enceinte consacrée ; une autre, reprise ensuite par Victor Hugo, prétendait qu'on avait ouvert les tombeaux en pleine nuit pour mettre les cendres dans un sac et les jeter dans un fossé. Cependant, quand une commission gouvernementale fit, en 1897, ouvrir les cercueils de Voltaire et de Rousseau, les restes s'y trouvaient... En 1962, à l'occasion du 250e anniversaire de Jean-Jacques Rousseau, un nouvel appel sera lancé, demandant le transfert de ses cendres dans l'île des Peupliers, à Ermenonville, où le temple des sages n'est plus qu'une ruine, où seul le « banc de la Reine », demeuré intact au bord du lac, attend des pèlerins qui ne se pressent plus.

> Qu'as-tu donc fait à la Grèce, Socrate,
> Pour que son peuple t'offre une statue en or,
> Mais la ciguë — avant ?...
>
> Mais qu'as-tu fait, ô Dante, à l'Italie
> Pour qu'on t'y dresse, contre cœur, deux tombeaux
> T'ayant banni — avant ?...
>
> Mais qu'as-tu fait, Colomb, à l'Europe
> Pour qu'on te creuse trois tombes — dans trois pays
> T'ayant mis aux fers — avant ?
>
> Mais qu'as-tu fait, Camoëns, aux Portugais
> Pour qu'ils remuent par deux fois ton tombeau,
> T'ayant fait mourir de faim — avant ?

Mais qu'as-tu fait au monde Kosciuszko,
Pour que deux dalles t'écrasent — en deux pays
O toi, sans feu ni lieu — avant ?
. . . .
Qu'importe l'urne où recueillir ta cendre,
Le lieu, le temps, l'esprit, pourquoi, comment ?
On rouvrira ta tombe, et maintes fois,
On dira tes mérites, et sur quel ton nouveau,
Honte on aura des larmes jadis versées
Et ceux-là même pleureront au centuple
Qui, toi vivant, ont toujours refusé
De voir en toi un homme.

Jamais à tes semblables le monde n'offrit
Spontanément l'éternelle sépulture :
Au fil des siècles nul n'a reçu ce don.
Si sans répit l'argile pénètre l'argile
Le clou dur, seul, arrive à rassembler
Les corps contraires — après... ou bien avant.

C. K. Norwid
(version française de Allan Kosko)

Notes de la quatrième partie

1. Certains lecteurs contemporains de Jean-Jacques furent également sensibles aux contenus affectifs dont il imprégnait ses écrits politiques. Ainsi, la jeune Mme de Staël disait du *Contrat social* que Rousseau y « emprunte la méthode des géomètres, pour l'appliquer à l'enchaînement des idées », qu'il y « soumet au calcul les problèmes politiques ». Mais, d'autre part, « ce n'étoit point assez d'avoir démontré les droits des hommes, il falloit, et c'étoit surtout là le talent de Rousseau, il falloit, dans tous ses ouvrages, leur faire sentir le prix qu'ils doivent y attacher. Peut-être est-il quelquefois impossible au génie de transmettre toutes ses idées à tous les esprits ; mais il faut qu'il entraîne par son éloquence ; c'est elle qui doit émouvoir et persuader également tous les hommes. Les vérités auxquelles la pensée seule peut atteindre ne se répandent que lentement, et le temps est nécessaire pour achever la persuasion universelle ; mais les vérités de sentiment, ces vérités que l'âme doit saisir, malheur au talent qui n'enflamme pas pour elles à l'instant qu'il les présente ! » (Mme de Staël, *Lettres sur les écrits de Rousseau, in Œuvres complètes de Mme la baronne de Staël*, Paris, 1820, t. I, p. 69, 70).

2. A titre d'exemple, voici comment Rousseau raconte une des péripéties de ses « vagabondages » en France. Alors qu'il faisait à pied le chemin de Paris jusqu'en Savoie, le jeune Jean-Jacques entra chez un paysan pour se restaurer, mais celui-ci lui « offrit du lait écrémé et du gros pain d'orge en lui disant que c'étoit tout ce qu'il avoit ». Ce n'est qu'après avoir examiné Jean-Jacques et jugé « de la vérité de son histoire par celle de son appétit » que le paysan sortit de leur cachette « un bon pain bis de pur froment, un jambon très appétissant (...) et une bouteille de vin », mais il refusa l'argent offert en échange du repas. « Je ne pouvois imaginer de quoi il avoit peur. Enfin il prononça en frémissant ces mots terribles de Commis et de Rats-de-Cave. Il me fit entendre qu'il cachoit son vin à cause des aides, qu'il cachoit son pain à cause de la taille, et qu'il seroit un homme perdu si l'on pouvoit se douter quil ne mourut pas de faim. Tout ce qu'il me dit à ce sujet, et dont je n'avois pas la moindre idée, me fit une impression qui ne s'effacera jamais. Ce fut là le germe de cette haine inextinguible qui se développa depuis dans mon cœur contre les vexations qu'éprouve

le malheureux peuple et contre ses oppresseurs. Cet homme, quoiqu'aisé, n'osoit manger le pain qu'il avoit gagné à la sueur de son front, et ne pouvoit éviter sa ruine qu'en montrant la même misère qui régnoit autour de lui. » (*Les confessions, op. cit.,* p. 163, 164). La chose capitale est que Jean-Jacques se trouve ici affronté au problème qui se trouvera au centre de toutes les futures querelles sur les causes économiques de la Révolution française : à savoir, si son contexte fut la ruine économique et l'appauvrissement des masses paysannes, aggravés par les disettes, etc., ou au contraire leur prospérité relative qui se serait traduite par des aspirations sociales irréalisables sous l'Ancien Régime ?

En soulignant le rôle de l'expérience et de l'observation directes, nous ne voudrions rien enlever à l'importance des lectures de Jean-Jacques dans sa biographie intellectuelle. Celles-ci sont relativement réduites, car Jean-Jacques n'est pas un érudit et il méprise l'érudition. Il possède, comme il le constate lui-même, son « magasin d'idées ». Il accumule et assimile ses lectures comme tout autodidacte : d'une part, il les choisit au hasard, sans les systématiser ; d'autre part, il traite chacune d'elles très sérieusement, quelle que soit la valeur du livre. Surtout du temps de sa jeunesse, alors que les lectures jouaient un rôle considérable dans sa formation spirituelle, il espère trouver des réponses ultimes dans chaque nouveau livre, s'exposant à chaque fois à une nouvelle déception. Sur le rôle des lectures dans la formation de la vision du monde de Rousseau, en particulier de ses idées religieuses, voir Masson, *La religion de J.-J. Rousseau, op. cit.,* t. I, p. 92-95. Dans son *Essai sur les lectures de Rousseau,* Genève, 1934, M. Richebourg a reconstitué une liste des lectures de Rousseau sur la base de ses œuvres et de sa correspondance.

3. *Cf.* G. Duveau, *Sociologie de l'utopie,* Paris, 1961, p. 63, 64.

4. *Cf.* K. Mannheim, *Ideologie und Utopie,* Francfort, 1952, p. 234.

5. *Cf.* K. Marx, *La Sainte Famille,* Paris, Editions sociales, 1969, p. 142, 146 *sq.,* 157 ; *Le 18 Brumaire de Louis Bonaparte,* Paris, Editions sociales, 1969, p. 126.

6. *Emile* (Manuscrit Favre), *op. cit.,* p. 57 ; *Emile, op. cit.,* p. 251.

7. « Ce grand malade avait un sens aigu pour tout ce qui dans la société de son temps était sourdement malade et morbide, et il pressentit instinctivement ce que les esprits éclairés et progressistes ne pouvaient ni ne voulaient voir. » (H. Lüthy, « Rousseau — le genevois », *Preuves* 141 (XI, 1962), p. 14).

8. *Lettres de la montagne, op. cit.,* p. 881.

9. J. Starobinski, « Tout le mal vient de l'inégalité », *Europe,* nov-déc 1961, p. 137.

10. Sur le problème de l'inégalité sociale et de son rôle dans toute la vision du monde de Rousseau, voir plus particulièrement S. Stelling-Michaud, *Rousseau et l'injustice sociale, in J.-J. Rousseau,* Neuchâtel, 1962.

11. *Les confessions, op. cit.,* p. 154, 155.

12. *Ibid.,* p. 405 ; Préface de *Narcisse, op. cit.,* p. 969. Au sujet de « l'éducation politique » de Rousseau, voir les commentaires de Raymond et Gagnebin sur *Les confessions, op. cit.,* p. 1467.

13. *Considérations sur le gouvernement de Pologne, op. cit.,* p. 1005. *Cf. Fragments politiques, op. cit.,* p. 520-526. Et pourtant, avec quelle minutie et rigueur Jean-Jacques menait ses affaires d'argent, contrôlait ses comptes avec les libraires...

14. *Du contrat social, op. cit.,* p. 464.

15. *Emile, op. cit.,* p. 524.

16. *Projet de constitution pour la Corse, in Œuvres complètes,* Bibliothèque de la Pléiade, t. III, p. 901.

17. *Cf.* E. Cassirer, « L'unité de la pensée dans l'œuvre de J.-J. Rousseau », *Bulletin de la société française de philosophie,* t. XXXII, p. 53 *sq.*

18. *Du contrat social, op. cit.,* p. 385.

19. *Cf.,* par exemple, les références au *Contrat social* dans les cercles radicaux polonais et pendant la dernière décennie du xviiie siècle. *Cf.* B. Lesnodorski, *Jakobini polscy* (Les Jacobins polonais), Varsovie, 1960, p. 141 *sq.,* p. 279 *sq.*

20. Nous reconstituons ici le schéma de l'éducation politique et civile d'Emile d'après *Emile, op. cit.,* p. 848, 839, 833, 835-837, 858, 859.

21. Citons, à titre d'exemple, le rôle du rousseauisme parmi les étudiants de Tübingen, dont Hegel, Hölderlin et Schelling, dans le cercle voué au culte de

l'amitié. *Cf.* W. Rasch, *Freundschaftskult und Freundschaftsdichtung im deutschen Schrifttum des 18. Jahrunderts,* Halle, 1936. Un « cercle » du même genre, où l'on se passionnait pour Rousseau et ses idées, fut fondé à Vilno dans la deuxième décennie du XIXe siècle, et Mickiewicz y joua un rôle de premier plan. *Cf.* A. Witkowska, *Rówieśnicy Mickiewicza* (Les compagnons d'âge de Mickiewicz), Varsovie, 1962.

22. M. Robespierre, *Œuvres complètes,* Paris, Alcan - PUF, 1910, t. I, p. 212. Voir également, E. Hamel, *Histoire de Robespierre,* Paris, 1965, t. I, p. 25 *sq.*

23. *Cf.* A. Gramsci, *Œuvres choisies,* Paris, Éditions Sociales, 1959, p. 120-121.

24. *Du contrat social* (première version), *op. cit.,* p. 288.

25. *Ibid.,* p. 281, 282 ; *Discours sur l'économie politique, op. cit.,* p. 248.

26. Pour cette reconstruction, voir *Du contrat social* (première version), *op. cit.,* p. 282-288.

27. *Du contrat social, op. cit.,* p. 351.

28. *Sur l'origine de l'inégalité, op. cit.,* p. 164.

29. *Ibid.*

30. *Du contrat social* (première version), *op. cit.,* p. 282-284.

31. *Cf.* Dérathé, *Rousseau et la science politique, op. cit.,* p. 168 *sq.* ; E. Reiche, *Rousseau und das Naturrecht,* Berlin, 1935, p. 35 *sq.* Cette ambiguïté se manifestera également dans les idéologies révolutionnaires : la Révolution y est définie à la fois comme la « restitution » du « vrai ordre » et comme l' « institution » d'un nouvel ordre rationnel. *Cf.* K. Kelles-Krauz, *Wiek zloty, wiek natury...* (L'âge d'or, l'âge de la nature), *Pisma wybrane* (Œuvres choisies), Varsovie, 1962, t. I, p. 201, 202.

32. *Du contrat social, op. cit.,* p. 390 ; 385, 386.

33. *Ibid.,* p. 390, 391.

34. *Emile, op. cit.,* p. 249.

35. *Du contrat social* (première version), *op. cit.,* p. 284.

36. *Discours sur l'économie politique, op. cit.,* p. 244, 245.

37. *Du contrat social* (première version), *op. cit.,* p. 284.

38. *Discours sur l'économie politique, op. cit.,* p. 248 ; *Du contrat social* (première version), *op. cit.,* p. 283.

39. *Discours sur l'économie politique, op. cit.,* p. 248.

40. *Du contrat social, op. cit.,* p. 380, 381.

41. *Ibid.,* p. 382, 383.

42. *Ibid.,* p. 383, 384.

43. *Du contrat social, op. cit.,* p. 356.

44. *Discours sur l'économie politique, op. cit.,* p. 248.

45. *Du contrat social, op. cit.,* p. 365.

46. *Discours sur l'économie politique, op. cit.,* p. 248.

47. *Sur l'origine de l'inégalité, op. cit.,* p. 112.

48. *Du contrat social, op. cit.,* p. 432, 433.

49. *Ibid.,* p. 362, 363.

50. *Ibid.,* p. 361.

51. *Ibid.,* p. 360, 361, 364, 376. *Cf. Emile, op. cit.,* p. 858-860.

52. *Du contrat social, op. cit.,* p. 361.

53. *Ibid.,* p. 438 ; *Du contrat social* (première version), *op. cit.,* p. 329.

54. *Du contrat social* (première version), *op. cit.,* p. 326-331 ; *Du contrat social, op. cit.,* p. 361, 372, 437 ; *Sur l'origine de l'inégalité, op. cit.,* p. 112, 113.

55. *Considérations sur le gouvernement de Pologne, op. cit.,* p. 1019 ; *Discours sur l'économie politique, op. cit.,* p. 255.

56. *Du contrat social, op. cit.,* p. 430, 431.

57. *Cf.* A. Cobban, *Rousseau and the Modern State,* Londres, 1934, p. 6 *sq.*

58. *Sur l'origine de l'inégalité, op. cit.,* p. 111, 112, 115 ; *Du contrat social, op. cit.,* p. 405, 387. *Du contrat social* (première version), *op. cit.,* p. 332.

59. *Du contrat social, op. cit.,* p. 438, 391 ; *cf. Projet de constitution pour la Corse, op. cit.,* p. 902.

60. *Du contrat social, op. cit.,* p. 429.

61. *Ibid.,* p. 414, 416.

62. *Emile, op. cit.,* p. 461 *sq.*

63. *Du contrat social, op. cit.,* p. 428, 429. Les critiques de Voltaire sont révélatrices du rôle que joue l'argent en tant que symbole de tout un ensemble de valeurs sociales, différent dans son cas et dans celui de Rousseau. Ainsi les idées qu'il met en œuvre dans sa polémique sont axées sur une conception différente de la liberté. A l'idéal rousseauiste de la petite communauté cloisonnée et indifférenciée socialement, dans laquelle l'inégalité des fortunes n'existe pas et la liberté consiste à participer à la communauté, Voltaire oppose « le droit naturel de jouir des fortunes (...). On ne doit pas plus régler les habits du riche que les haillons du pauvre. Tous deux, également citoyens, doivent être également libres. Chacun s'habille, se nourrit, se loge, comme il peut ». D'autre part, « comment le peuple peut-il avoir du pain sans que l'argent circule ? » ; la libre circulation des richesses ne doit pas être entravée et « l'or et l'argent, l'industrie, les talents, ne sont d'aucune religion ». Les lois somptuaires ne peuvent qu' « étouffer toute industrie », elles ne conviennent que dans « une république pauvre et destituée des arts » ; elles « ne peuvent plaire qu'à l'indigent oisif, orgueilleux et jaloux, qui ne veut ni travailler, ni souffrir que ceux qui ont travaillé jouissent ». A l'idéal de Sparte, Voltaire oppose l'exemple d'Athènes ; cité démocratique et pourtant prospère, commerçante, ingénieuse, développant les arts, etc. Voltaire, *Idées républicaines, in Mélanges,* Paris, Bibliothèque de la Pléiade, 1961, p. 508 *sq.*

64. *Emile, op. cit.,* p. 249.

65. *Lettres de la montagne, op. cit.,* p. 812. Rousseau déclare qu'il traite des « questions de politique » « dans les mêmes principes » que Locke. Mais cette déclaration de solidarité avec Locke est formulée d'une manière générale et à titre d'argument contre la condamnation du *Contrat social* à Genève. Elle ne préjuge nullement du rapport des contenus entre les deux doctrines, ni du fait que Jean-Jacques fût conscient du degré d'originalité de la sienne.

66. En analysant le *Contrat social,* E. Barker souligne le rôle de l'appareil conceptuel formé par l'école du droit naturel dans le schéma théorique qu'emploie Rousseau, mais il constate d'autre part la redéfinition de ces concepts dans des contextes nouveaux. « La philosophie du *Contrat Social* est une philosophie transitoire. Elle est un pont jeté entre la conception du droit naturel et l'idéalisation de l'Etat national. Elle commence par Locke, mais se termine sur l'idéalisation de la *polis* de l'Etat platonicien (...). En se tournant vers Platon, elle vise l'avenir et devient la *preparatio evangelii hegeliani.* » (E. Barker, introduction à *Social Contract : Essays by Locke, Hume, and Rousseau,* Oxford, 1956, p. 29-42.) Voir également Gierke, *Natural Law and the Theory of the Theory of Society, op. cit.,* p. 324 *sq.* ; W. T. Gough, *The Social Contract,* Oxford, 1957, p. 166 *sq.* ; W.T. Jones, *The Romantic Syndrom,* The Hague, 1961, p. 187 *sq.* L'ouvrage cité de R. Dérathé contient une analyse comparative détaillée de la terminologie de Rousseau et des doctrines du droit naturel, p. 380 *sq.*

67. Au sujet de la genèse et du rôle du mythe oriental dans la pensée des Lumières, voir S. Stelling-Michaud, « Le mythe du despotisme oriental », *Schweizer Beiträge zur allgemeinen Geschichte,* t. 18/19. Voir également F. Venturi, « Contributi ad un dizionario storico : Despotismo orientale », *Rivista Storica Italiana* 1, LXXII, 1960. Notons que Rousseau se rendait compte de l'ambiguïté sociale des polémiques soulevées par la question du despotisme oriental, du moins quand, à l'occasion du problème de l'usurpation du pouvoir et de la loi par différents groupes sociaux, il écrivait : « Le despotisme oriental se soutient parce qu'il est plus sévère sur les Grands que sur le Peuple : il tire ainsi de lui-même son propre remède. » (*Lettres de la montagne, op. cit.,* p. 843.)

68. Insistons : il s'agit ici de dégager une tendance, non de ramener à une seule tendance toute la diversité des doctrines qui reprennent les schémas du droit naturel.

69. *François Quesnay et la physiocratie, op. cit.,* t. I, p. 730 *sq.* ; p. 873, 874. *Cf.* O. Lange, *Economie politique,* Paris, PUF, 1962, t. I, p. 190 *sq.* ; 197 *sq.* Sur le rapport du physiocratisme des années soixante-dix à la doctrine de Quesnay, voir H. Lüthy, *François Quesnay und die Idee der Volkswirtschaft,* Zürich, 1959, p. 14, 15 *sq.*

70. *Du contrat social, op. cit.,* p. 359.

71. *Emile, op. cit.,* p. 849, 836.

72. *Du contrat social, op. cit.*, p. 330.
73. *Ibid.*, p. 379, 380.
74. *Emile, op. cit.*, p. 838.
75. « Ce qui est bien et conforme à l'ordre est tel par la nature des choses et indépendamment des conventions humaines. Toute justice vient de Dieu, lui seul en est la source ; mais si nous savions la recevoir de si haut nous n'aurions besoin ni de gouvernement ni de lois. Sans doute il est une justice universelle émanée de la raison seule ; mais cette justice pour être admise entre nous doit être réciproque. A considérer humainement les choses, faute de sanction naturelle les lois de la justice sont vaines parmi les hommes ; elles ne font que le bien du méchant et le mal du juste, quand celui-ci les observe avec tout le monde sans que personne les observe avec lui. Il faut donc des conventions et des loix pour unir les droits aux devoirs et ramener la justice à son objet. » (*Du contrat social, op. cit.*, p. 378.) « L'ordre social est un droit sacré, qui sert de base à tous les autres. Cependant ce droit ne vient point de la nature, il est donc fondé sur des conventions. » (*Ibid.*, p. 352.)
76. *Ibid.*, p. 368.
77. *Ibid.*, p. 352-355.
78. *Ibid.*, p. 427.
79. « Les difficultés sont dans la lumière d'ordonner dans le tout ce tout subalterne (le gouvernement, l'appareil du pouvoir), de sorte qu'il n'altère point la constitution générale en affermissant la sienne, qu'il distingue toujours sa force particulière destinée à sa propre conservation de la force publique destinée à la conservation de l'Etat et qu'en un mot il soit toujours prêt à sacrifier le Gouvernement au peuple et non le peuple au Gouvernement. » (*Du contrat social, op. cit.*, p. 399.)
80. St. Czarnowski, *Dziela* (Œuvres), Varsovie, 1956, t. II, p. 58.
81. *Du contrat social, op. cit.*, p. 364.
82. *Cf.* G. Beaulavon, introduction au *Contrat social*, Paris, 1903, p. 41.
83. *Du Contrat social, op. cit.*, p. 464 ; 425 ; 433.
84. Au début du XIXᵉ siècle, des interprétations similaires du jacobinisme étaient fréquentes dans la littérature, et il est difficile d'établir la « priorité » de B. Constant. C'est en particulier à Hegel que nous pensons ici, car les premiers éléments d'une interprétation de ce genre sont déjà contenus dans ses Cours d'Iéna (*Jeneser Realphilosophie, Sämtliche Werke*, t. XX, éd. Lasson, p. 249 *sq.*) ainsi que dans *La phénoménologie de l'esprit* (*op. cit.*, t. II, p. 130 *sq.*, « La liberté absolue et la terreur »), puis développés dans ses écrits postérieurs (*cf.* à ce sujet Baczko, *Hegel et Rousseau, op. cit.*, p. 154 *sq.*). Dans *La Sainte famille*, Marx aborde ce même sujet en disant notamment de la Révolution française « qu'elle avait libéré la société bourgeoise des entraves féodales et (l'avait) reconnue officiellement, bien que la Terreur eût voulu la sacrifier à une conception antique de la vie politique » (*op. cit.*, p. 149). Il y revient dans un tout autre contexte et dans d'autres termes, en analysant *Le 18 Brumaire de Louis Bonaparte* : « Les héros, de même que les partis et la masse de la première Révolution française accomplirent dans le costume romain, en se servant d'une phraséologie romaine, la tâche de leur époque, à savoir l'éclosion et l'instauration de la société bourgeoise moderne (...). La nouvelle forme de société une fois établie, disparurent les colosses antédiluviens, et avec eux, la Rome ressuscitée... La société bourgeoise, dans sa sobre réalité, s'était créé ses véritables interprètes et porte-parole dans la personne des Say, des Cousin (...), des Benjamin Constant. » (*Op. cit.*, Paris, Editions Sociales, 1969, p. 16.) Toute une tradition marxiste s'est inspirée de ce texte pour interpréter le rôle de « modèles antiques » dans la culture de l'époque pré-révolutionnaire et révolutionnaire.
Dans un discours datant de 1819 (*De la liberté des anciens comparée à celle des modernes*), B. Constant considère que ses comparaisons et distinctions sont originales (*cf.* B. Constant, *Cours de politique constitutionnelle*, Paris, 1861, t. II, p. 539, 543). Il avait d'autre part formulé ses principales idées à ce sujet plus tôt, en 1814, dans *De l'esprit de conquête et de l'usurpation* (*ibid.* p. 208 *sq.*). C'est à ces deux textes de B. Constant que nous nous référerons, sans multiplier les renvois.
Remarquons encore que des éléments de la critique de Constant sont contenus,

sous une forme embryonnaire, chez Voltaire, dans sa réaction au *Contrat social* antérieurement mentionnée. Quant à Montesquieu, lorsqu'il analysait « les républiques antiques et modernes », il soulignait les différences entre les principes moraux, les structures sociales et les types de personnalité, voyant dans le développement du commerce et de l'industrie la cause des changements. « Les politiques grecs, qui vivaient dans le gouvernement populaire, ne reconnaissoient d'autre force qui pût les soutenir que celle de la vertu. Ceux d'aujourd'hui ne nous parlent que de manufactures, de commerce, de finances, de richesses et de luxe même. » (*De l'esprit des lois, op. cit.,* III, 3, p. 253.) C'est donc à l'occasion des débats sur ce thème, largement discuté dans la seconde moitié du siècle, que se formèrent les deux modèles opposés de l'antiquité, représentés respectivement par Sparte et Athènes.

85. *Cf.* J. Starobinski, « La pensée politique de J.-J. Rousseau », *in J.-J. Rousseau,* Neuchâtel, 1963, p. 82.

86. *Lettre à d'Alembert, op. cit.,* p. 143.

87. *Projet de constitution pour la Corse, op. cit.,* p. 901.

88. E. Durkheim attachait une très grande importance à cet aspect de la doctrine sociale de Jean-Jacques qu'il analysait à la lumière de sa propre conception du fait social et de la conscience collective. *Cf.* E. Durkheim, *Rousseau et Montesquieu comme précurseurs de la sociologie,* Paris, 1953, p. 138 *sq.* C. Lévi-Strauss fait remarquer que le problème central de toute la vision du monde de Rousseau consiste à rechercher les possibilités de dépasser le désaccord entre le « moi » et « les autres » dans la nature humaine même, dans le sentiment commun d'un « nous » collectif. La faculté que l'individu possède, grâce au sentiment de pitié, d'étendre son « moi » sur l'ensemble de la réalité, constitue dans ce sens la prémisse la plus générale qui est également à la base du contrat social. *Cf.* Lévi-Strauss, « J.-J. Rousseau, fondateur des sciences de l'homme », *in J.-J. Rousseau, op. cit.,* p. 244-245. *Cf.* note 62 du chapitre « L'ordre et le mal ».

89. *Cf.* chez M. Weber, *Wirtschaft und Gesellschaft,* Tübingen, 1956, I, Halbband, p. 307, 308, 352, 353, l'essai de typologie sociologique des diverses formes du refus éthique de ces processus.

90. K. Marx, *Manuscrits philosophiques de 1844,* Paris, Editions sociales, 1969, p. 50, 51. *Cf.* la lettre de K. Marx à F. Engels du 25 mars 1868, *Briefwechsel,* Berlin, 1950, t. IV, p. 40.

91. K. Marx, *Fondements de la critique de l'économie politique,* Paris, Anthropos, 1968, t. I, p. 99 ; 436 *sq.* ; 450 *sq.* ; 447 ; 575 *sq.* Au sujet du rapport de Marx au romantisme conservateur, voir Z. Kuderowicz, « Mlody Marks a romantyczna koncepcja stosunku jednostki do spoleczenstwa » (Le jeune Marx et la conception romantique du rapport de l'individu à la société), *Archiwum Histori Filozofii i Myśli Spolecznej,* t. IV, p. 218 *sq.*

92. Au sujet du concept de la « pensée conservatrice », voir K. Mannheim, « Das konservative Denken », *Archiv für Sozialwissenchaften,* Tübingen, 1927 ; du même auteur, *Ideologie und Utopie, op. cit.,* p. 199 *sq.* Ce que nous avons appelé ici une « perspective conservatrice » désigne un ensemble de phénomènes différent de celui à partir duquel Mannheim construit le type idéal de l' « utopie conservatrice ». Précisons bien que nous ne souscrivons pas à l'ensemble de la typologie mannheimienne des *Weltanschauungen* (sans qu'il soit même question des définitions et des distinctions confuses entre « idéologie » et « utopie »).

93. Cette thèse demanderait à être mieux explicitée et argumentée. Elle est moins paradoxale qu'elle ne le semble de prime abord, et la question est d'importance eu égard aux fonctions inspiratrices, complexes et multiples, de l'œuvre de Rousseau. Les idéologies révolutionnaires et en particulier le jacobinisme ont donné un relief historique à certains éléments de l'œuvre de Rousseau, susceptibles de servir d'argumentation en faveur du « despotisme de la liberté, de la raison et de la vertu ». D'autre part, en tant que vision du monde développée et structurée, le « romantisme conservateur » ne se précise qu'une fois porté par la vague de la réaction politique et intellectuelle contre la Révolution française (le mot « réaction » étant ici employé en tant que jugement de fait comme en tant que jugement de valeur). Ce contexte politique s'imposait à toute lecture de Rousseau à l'époque. Ainsi, du côté des émigrés on compose, par exemple, des anthologies qui cherchent à démon-

trer, par référence aux textes mêmes, le « vrai esprit » de Jean-Jacques opposé, bien entendu, à toute idée de violence, de bouleversement de l'ordre social, etc. ; ce qui n'était d'ailleurs pas difficile. D'autre part, nombreux étaient les émigrés qui rapportaient les lectures de Rousseau à leur propre expérience — sociale et personnelle — de l'exil et de la solitude. *Cf.* A. Mongloud, *Le préromantisme français*, Paris, 1930, t. II, p. 406 *sq.* ; F. Baldensperger, *L'émigration française*, Paris, 1926 ; Cobban, *Rousseau and the Modern State*, *op. cit.* Au sujet des lectures de Rousseau en Allemagne et de leurs résonances, voir R. Fester, *Rousseau und die deutsche Geschichtsphilosophie*, Leipzig, 1890 ; R. Buck, *Rousseau und die deutsche Romantik*, Berlin, 1939. Dans une analyse consacrée à Herder, W. M. Jirnunski caractérise le « rousseauisme » en Allemagne, à la fin du XVIII⁰ siècle et au début du XIX⁰, comme un courant intellectuel particulièrement hétérogène. *Cf.* Herder, *Izbrannye socinenija*, Moscou-Léningrad, 1959, p. XI *sq.* ; XIV *sq.* Voir également Lukács, *Goethe und seine Zeit*, *op. cit.*, p. 40 *sq.*

94. *Emile, op. cit.*, p. 859. *Cf. La Nouvelle Héloïse, op. cit.*, quatrième partie, lettre X ; *Projet de constitution pour la Corse, op. cit.*, p. 904 *sq.* ; *Considérations sur le gouvernement de Pologne, op. cit.*, p. 1003 *sq.*

95. L'image idéalisée de Genève, telle qu'elle est brossée, par exemple, dans la *Dédicace* précédant le *Discours sur l'origine de l'inégalité* ou dans la *Lettre à d'Alembert*, est à cet égard particulièrement symptomatique. H. Lüthy considère que Rousseau personnifie la révolte de l'atavisme puritain et du citoyen démocrate de Genève contre le déclin provoqué par la désintégration du système social régnant initialement dans la République calviniste. Cf. Lüthy, *Rousseau le genevois, op. cit.*, p. 15, 16. D'autre part, des marxistes persistent à qualifier sommairement l'idéologie de Rousseau de « petite-bourgeoise » : on apporte à ce cliché quelques nuances en se référant aux conflits qui opposaient la « petite bourgeoisie » genevoise au patriciat « grand-bourgeois ». *Cf., par exemple,* C. Friedland, *J.-P. Marat i grazdanskaja vojna XVIII v.*, Moscou, 1959, p. 26 *sq.*

Il est évident que toute tentative de définir sociologiquement les idées politiques et sociales de Rousseau doit nécessairement se référer aux réalités genevoises, ainsi qu'aux expériences de l'auteur des *Lettres de la montagne* de sa participation aux luttes politiques de Genève. Cependant, une question s'impose : les attitudes de Rousseau à l'égard de Genève et l'image même de cette cité dans son œuvre ne sont-elles pas un lieu de rencontre d'idées, de valeurs et d'expériences sociales qui se sont formées dans un autre contexte sociologique que celui de Genève ? Nous avons souligné ailleurs l'importance que l'expérience de la marginalité sociale prend dans l'ensemble des expériences sociales de Jean-Jacques. Elle s'exprime d'une manière souvent paradoxale, alimentant en même temps ses rêves sociaux et personnels, ainsi que sa nostalgie d'une patrie, ou plutôt de la Patrie. Ce que Jean-Jacques sublime en tout premier lieu dans son image politique et sociale de Genève, c'est le civisme impliqué par les anciennes institutions de la cité. Cependant, dès le premier *Discours sur les sciences et les arts*, Rousseau associe l'esprit du civisme avec les « toits de chaume et les foyers rustiques qu'habitoient jadis la modération et la vertu », avec l'héroïsme dont sont capables les nations rustiques, etc. (*Discours sur les sciences..., op. cit.*, p. 14.) Si l'on sait combien Rousseau idéalise l'image des cantons ruraux suisses, il est par contre très rare qu'il affirme les éléments de l'idéal socio-religieux calviniste, marqués — pour employer la terminologie wébérienne — par « l'esprit du capitalisme ». Dans l'idéalisation de la « vie patriarcale », on peut même discerner les échos de la révolte du jeune Jean-Jacques qui se heurtait constamment contre les portes fermées de la ville ; les échos d'une révolte dirigée non seulement contre la « nouvelle Genève », mais aussi contre l'atavisme de l'ancienne cité, contre l'atmosphère étouffante des petites rues étroites de Genève et l'esprit étriqué des ateliers de graveurs et horlogers. Certes, Jean-Jacques dit maintes fois combien il regrette de n'être pas devenu artisan dans sa ville natale, mais ce regret ne s'alimente-t-il pas d'un refus, lui-même chargé d'ambiguïtés ? Remarquons, par exemple, que quand Jean-Jacques commence à exercer le « métier » de copiste, il s'en réclame pour manifester qu'il vit du travail de ses mains. Mais sa condition n'est pas celle d'un artisan, et Jean-Jacques est lui-même conscient de ce qu'on le rémunère moins pour son travail que pour son nom, sa célébrité, sa position d'écrivain. Or, ce statut d'intellectuel, il ne l'accepte pas et il confère à son « métier » de copiste un sens idéologique négatif : cette occupation doit marquer qu'il désapprouve ceux qui écrivent pour gagner leur vie, qu'il refuse le professionnalisme dans la création littéraire et sa mercantilisation. D'autre part, si Jean-Jacques fait l'éloge de la vie champêtre, dans sa vie errante, il finit toujours par se retrouver — géographiquement et sociologiquement — à proximité d'une grande ville, de ces milieux intellectuels qu'il refuse pourtant.

96. *Emile, op. cit.*, p. 360.

97. *La Nouvelle Héloïse* (variante manuscrite), *op. cit.*, p. 1657.

98. « La nature a tout fait — dit Julie de son « Elisée » — mais sous ma direction, et il n'y a rien là que je n'aye ordonné. » Dans ce lieu « devenu ce qu'il est avec de la culture et du soin », on ne voit « nulle part la moindre trace de culture », et l'on s'est donné beaucoup de peine « pour se cacher celle qu'on avoit prise », et mettre en valeur les « attraits » de la nature que celle-ci « semble vouloir déroger aux yeux des hommes (...) et qu'ils défigurent quand ils sont à leur portée ». (*La Nouvelle Héloïse, op. cit.*, p. 472, 478, 479.)

99. *Ibid.*, p. 460. Dans ses notes (p. 1663, 1664), B. Guyon relève le rapport entre l'idéal de Clarens et les tentatives de réformer les grandes propriétés foncières, entreprises en France et en Savoie dans la seconde moitié du siècle sous l'influence des idées physiocratiques et « philanthropiques » de l'époque.

100. *La Nouvelle Héloïse, op. cit.*, p. 458.

101. Dans *J.-J. Rousseau : la transparence et l'obstacle* (*op. cit.*, p. 129 *sq.*), voir les analyses de J. Starobinski sur l'image de la société de Clarens, ainsi que sur les correspondances entre la vision sociale de Rousseau qui s'y exprime et les thèmes majeurs de toute son œuvre. Nous reconstituons l'idéal de Clarens d'après les livres IV (lettres 10 et 11) et V (lettres 2, 3, 7) de *La Nouvelle Héloïse* et, pour ne pas multiplier les renvois dans le texte, nous indiquons ici les pages dont nous avons tiré les passages respectifs (d'après l'édition citée), à savoir : p. 550, 547, 466, 550, 548, 470, 603, 550, 460, 444, 445, 465, 466,467, 462, 449, 447, 553, 463, 462, 538, 536, 567, 566, 469, 460, 458, 548, 604, 607, 609, 610, 608, 611.

102. *Cf.* Tönnies, *Gemeinschaft und Gesellschaft, op. cit.*, p. 20 *sq.* ; J. Leitz, *La sociologie de Tönnies*, Paris, 1946, p. 44 *sq.*

103. Sur le thème de la fête chez Rousseau, voir Groethuysen, *La philosophie de la Révolution française, op. cit.*, p. 189, 190 ; Starobinski, *J.-J. Rousseau : la transparence et l'obstacle, op. cit.*, p. 114 *sq.*

104. *Cf. Lettre à d'Alembert, op. cit.*, p. 66, 71 *sq.*, 156 *sq.*, 232-235.

105. *Ibid.*, p. 232-235.

106. *Considérations sur le gouvernement de Pologne, op. cit.*, p. 963, 964.

107. Lettre à Mirabeau du 26 juillet 1767, *Correspondance générale, op. cit.*, t. XVII, p. 157 ; *cf. Considérations sur le gouvernement de Pologne, op. cit.*, p. 958.

108. *Du contrat social, op. cit.*, p. 361.

109. *Ibid.*, p. 365.

110. *Ibid.*, p. 379.

111. *Ibid.*, p. 361, 363.

112. *Considérations sur le gouvernement de Pologne, op. cit.*, p. 966.

113. *Du contrat social, op. cit.*, p. 363.

114. *Ibid.*, p. 468.

115. *Ibid.*, p. 371.

116. *Ibid.*, p. 380.

117. *Ibid.*, p. 371.

118. *Ibid.*, p. 437.

119. *Sur l'origine de l'inégalité, op. cit.*, p. 169.

120. *Du contrat social, op. cit.*, p. 371.

121. *Ibid.*

122. *Fragments politiques*, XVI (*Des mœurs*), *op. cit.*, p. 555.

123. *Du contrat social, op. cit.*, p. 438.

124. *Ibid.*, p. 364.

125. Marx, *Manuscrits de 1844, op. cit.*, p. 86, 85. Marx dénonce cette idée comme le fondement d'un « communisme encore très grossier et irréfléchi ».

126. K. Marx, *La question juive*, Paris, Union Générale d'Editions, 1968, p. 19 *sq.*

127. *Du contrat social*, p. 438, 411.

128. *Ibid.*, p. 438-440.
129. *Emile, op. cit.*, p. 311.
130. *Projet de constitution pour la Corse, op. cit.*, p. 914-916.
131. *Cf.* le commentaire de J.-L. Leclercle à l'édition du *Contrat social* dans « Les classiques du peuple », Paris, 1955, p. 158, 159.
132. *Emile, op. cit.*, p. 509, 510.
133. *Les rêveries du promeneur solitaire, op. cit.*, p. 1093.
134. Le terme peuple et son champ sémantique dans l'œuvre de Rousseau méritent une analyse historique qui pourrait prendre une place importante dans le « dictionnaire » des idées et des concepts des Lumières, proposé par F. Venturi (*cf.* F. Venturi, « Contributi ad un dizionario storico : I. Was ist Anfklärung ? Sapere Aude ! », *Rivista Storica Italiana* 1, LXXI, 1959). Aux significations déjà mentionnées, ajoutons encore une acception qui présente un intérêt historique particulier, à savoir celle où le peuple préfigure un terme clé des idéologies romantiques du XIXe siècle et de leur « dictionnaire » : nous pensons au concept de la nation. En effet, Rousseau emploie le terme peuple conjugué avec celui de patrie (et les dérivatifs respectifs) pour cerner et définir le phénomène national. Cette démarche est particulièrement manifeste dans les *Considérations sur le gouvernement de Pologne*, intéressantes déjà à plusieurs titres. Comme on le sait, le dernier écrit politique de Rousseau est un texte particulièrement complexe et en quelque sorte gênant pour toute interprétation d'ensemble de la pensée politique de l'auteur du *Contrat social,* car ces deux textes semblent être tout à fait contradictoires et opposés, et ce non seulement dans les détails, mais encore dans leur esprit même. Et pourtant Rousseau lui-même affirmait leur cohérence parfaite. On écartait trop souvent la difficulté en la contournant, en minimisant l'importance des *Considérations* qu'on qualifiait d'écrit de circonstances. Ce n'est que récemment que Jean Fabre a frayé la voie à une nouvelle lecture des *Considérations.* De ses analyses riches et suggestives, il conclut la nécessité d'une lecture de cet écrit qui attesterait « la parfaite (ou peut-être excessive) cohérence de sa pensée » et qui, d'autre part, permettrait d'y voir « le premier roman de l'énergie nationale ». (Fabre, introduction à l'édition critique des *Considérations, op. cit.*, p. CCXLI, CCXLIII ; *cf.*, du même auteur, « Rousseau et le destin polonais », *Europe* 391, 392, 1962 ; « Réalité et utopie dans la pensée politique de Rousseau », *Annales de J.-J. Rousseau*, t. XXXV, 1963). Effectivement, seule une telle lecture permettrait de dégager l'importance capitale de ce texte pour l'ensemble de l'œuvre politique de Rousseau, et c'est seulement au cours de cette lecture qu'on pourrait également éclairer le problème de la sémantique historique du terme peuple.

Il n'est pas question d'entreprendre une étude de ce genre dans le cadre de ce livre. Contentons-nous d'esquisser du moins les grandes lignes d'une telle analyse, avec l'espoir de pouvoir les reprendre un jour. Remarquons que les *Considérations* demandent en fait plusieurs lectures qui s'articulent les unes aux autres en se référant aux différents niveaux de ce texte complexe. 1) Le texte est avant tout un projet de « réformation » politique ; aussi, faut-il le lire en se reportant aux sources d'informations de Rousseau sur l'histoire particulièrement mouvementée de la Pologne à cette époque, aux polémiques politiques et idéologiques que ce pays soulevait en France, etc. C'est encore Jean Fabre qui, en recourant aux travaux classiques de W. Konopczynski sur l'histoire polonaise, a démontré l'importance d'une telle lecture pour la compréhension du texte. 2) Pour Rousseau, il s'agissait non pas de n'importe quelle réforme pragmatique, mais d'une réforme qui serait l'application de ses idées et, surtout, de celles du *Contrat,* à une réalité politique donnée, telle qu'il la voyait et la jugeait. Or, Jean-Jacques avait rigoureusement défini dans le *Contrat* ce que devait être « un peuple propre à la législation », et il n'en avait trouvé qu'un seul en Europe, à savoir la Corse. Rédigeant les *Considérations* huit ans après le *Contrat* et cinq ans après le *Projet pour la Corse,* Rousseau était parfaitement conscient que la Pologne était, sous tous ses aspects, à l'opposé de ses propres définitions. Elle n'était pas un pays jeune, mais « vieux », avec une longue histoire ; elle avait des « coutumes et des superstitions bien enracinées » ; elle ne vivait pas à l'abri des autres sur une île, mais était en pleine guerre avec ses voisins, etc. En d'autres termes, les *Considérations* sont le lieu de confrontation de principes et d'idéaux avec des réalités, celles-ci en flagrante opposition avec ceux-là.

Du moins en apparence. Or, Rousseau va au-delà de ces contradictions apparentes. Sa démarche et l'orientation dans laquelle il engage sa recherche sont remarquables par leur rigueur et révélatrices pour la lecture du texte. Dans un premier temps, il définit « l'état de la question », et c'est ici que se pose un problème préalable, à savoir s'il est possible de concilier les principes et les réalités donnés. D'une part, il s'agissait pour Rousseau non pas de renoncer aux principes formulés dans le *Contrat social,* mais d'éclairer les formules à partir d'une réalité. D'autre part, il n'était pas non plus question d'accepter la tâche de réformer n'importe quelle réalité, il fallait d'abord examiner si la réalité donnée se prêtait à l'application des principes du *Contrat.* Et ce n'est qu'après avoir constaté l'existence d'affinités que pouvait être posé le problème de l'application et de ses modalités. Le texte des *Considérations* demande donc une double lecture ou, si l'on veut, une lecture dans deux directions qui suivent les préoccupations de Rousseau. Il faut les lire à partir du *Contrat,* en se demandant comment Rousseau — au-delà de maintes propositions de détail sur les finances, l'armée, la Diète, atc. — cherche à monter un mécanisme social dont le jeu vise à réaliser les idées et idéaux de la Cité du Contrat social. D'autre part, à partir des *Considérations,* il faut procéder à une nouvelle lecture du *Contrat,* ou plutôt : les *Considérations* nous donnent la chance de pouvoir suivre Rousseau dans sa propre re-lecture du *Contrat,* au cours de laquelle il dégage une de ses significations possibles, différente de celle qu'il avait explicitée avec le *Projet pour la Corse.* 3) Or, il est frappant que c'est le phénomène national que Rousseau dégage comme étant essentiel pour la réalité polonaise complexe et confuse, et que c'est en lui qu'il cherche les ressorts de la vie d'une « patrie » et d'un « peuple ». Les *Considérations,* c'est l'ouverture du *Contrat* sur le problème de l'individualité nationale ; d'où leur importance dans l'œuvre de Rousseau, ainsi que dans l'évolution globale des idéologies des Lumières.

La Pologne est un pays paradoxal : elle est « dans les fers et discute les moyens de se conserver la liberté » (la reprise, elle-même paradoxale, de la célèbre formule qui ouvre le *Contrat,* est significative). Rousseau cherche à définir ce qui distingue la Pologne des autres Etats d'Europe, et à cerner cette particularité. Il la trouve dans la « forme nationale », dans « l'esprit de liberté », dans le « zèle patriotique » et dans un « état d'âmes » qui marquent l'histoire de ce peuple, ses anciennes coutumes et mœurs, et encore son présent. Or, il est essentiel pour l'avenir qu'on préserve et réaffirme cet « état d'âmes », la « physionomie nationale » du peuple, dans et par les changements politiques et sociaux indispensables. Il faut donner aux Polonais « une grande opinion d'eux-mêmes » et, par le ressort de l'amour de la patrie, « monter les âmes au ton des âmes antiques ». Rousseau va jusqu'à distinguer nettement le problème de l'identité nationale de celui de l'Etat et de son indépendance. La nation, un « peuple » et sa « patrie » survivent au-delà des structures étatiques, bien que l'Etat national soit la formule de la liberté à laquelle il aspire.

Les idéologues romantiques ont trouvé la définition même du « destin polonais » dans les mots célèbres qu'ils ont repris et développés : « Vous ne sauriez empêcher qu'ils (les Russes) vous engloutissent, faites au moins qu'ils ne puissent vous digérer (...). Si vous faites en sorte qu'un Polonais ne puisse jamais devenir un Russe, je vous réponds que la Russie ne subjuguera pas la Pologne. » (*op. cit.,* p. 959, 960). L'association de l'idée du peuple et de l'idée de la patrie avec une idéologie nationale, tel est le pivot des *Considérations,* l'élément révélateur de la manière dont Rousseau ajuste les grands thèmes de sa pensée sociale : l'éducation, la fête, le rêve antique, etc.

135. *Cf. Du contrat social, op. cit.,* p. 468 ; *Projet de constitution pour la Corse,* fragments séparés, *op. cit.,* p. 941.

136. *Projet de constitution pour la Corse, op. cit.,* p. 901 *sq.* ; *Discours sur l'économie politique, op. cit.,* p. 252 *sq.,* 255 ; *Du contrat social, op. cit.,* p. 405, 424 ; *Observations sur le gouvernement de Pologne, op. cit.,* p. 954, 955.

137. *Cf.* H. Wallon, « Emile ou de l'éducation », *Europe* 391, 392, 1961, p. 133.

138. *Cf.* Starobinski, *J.-J. Rousseau : la transparence et l'obstacle, op. cit.,* p. 141, 142.

139. « D'où vient la foiblesse de l'homme ? De l'inégalité qui se trouve entre sa force et ses désirs. Ce sont nos passions qui nous rendent foibles, parce qu'il

faudroit pour les contenter plus de forces que nous en donna la nature (...). Cet intervalle où l'individu peut plus qu'il ne désire, bien qu'il ne soit pas le tems de sa plus grande force absolue, est, comme je l'a dit, celui de sa plus grande force relative. » (*Emile, op. cit.*, p. 426, 427).

140. *Ibid.*, p. 427.

141. *Emile, op. ct.*, p. 303.

142. Au sujet des aspects personnalistes dans la pédagogie de Rousseau, voir S. Hessen, *Osnowy pedagogiki*, Berlin, 1923, p. 45 *sq*.

143. La volonté du pédagogue, toujours rationnelle et droite, assume à l'égard de la volonté de l'élève le même rôle que la volonté générale par rapport à l'individu dans la société. Quand la volonté particulière de l'élève est conforme à la volonté rationnelle du gouverneur, le premier ne ressent pas sa dépendance du second comme une contrainte imposée à sa liberté ; quand, par contre, elle tombe en contradiction avec celle-ci, quand l'élève cède à ses passions, le gouverneur le force à être libre en lui imposant l'obéissance.

144. *Emile, op. ct.*, p. 484, 485.

145. *Ibid.*, p. 263-264.

146. *Emile* (Manuscrit Favre), *op. cit.*, p. 57.

147. *Parallèle entre Sparte et Rome, Fragments politiques, op. cit.*, p. 538, 539.

148. *Emile, op. cit.*, p. 250, 855, 858.

149. E. Weil, « J.-J. Rousseau et sa politique », *Critique* 1, 1942, p. 11.

150. « Il fallait Freud pour penser les sentiments de Rousseau » — ajoute J. Starobinski dans *J.-J. Rousseau : la transparence et l'obstacle, op. cit.*, p. 142.

Index des noms

418   *Index*

Table des matières